Amé ach a longtemps été chroni judiciaire pour des quotidiens et des magazines tels que le *Miami Herald* ou le *Miami News*. Cette expérience lui a inspiré de nombreux romans à succès – notamment *L'affaire du lieutenant Scott* (Presses de la Cité, 2001) et *Une histoire de fous* (Presses de la cité, 2005) –, dont plusieurs ont été adaptés par Hollywood, comme *Un été pourri* avec Kurt Russell et *Juste cause*, avec Sean Connery. *L'analyste* (Presses de la Cité, 2003) a reçu le Grand Prix de littérature policière en 2004. John Katzenbach vit aujourd'hui dans le Massachusetts.

UNE HISTOIRE DE FOUS

DU MÊME AUTEUR
CHEZ POCKET

L'ANALYSTE
UNE HISTOIRE DE FOUS
L'AFFAIRE DU LIEUTENANT SCOTT
FAUX COUPABLE

JOHN KATZENBACH

UNE HISTOIRE DE FOUS

Traduit de l'anglais (États-Unis)
par Jean Charles Provost

PRESSES DE LA CITÉ

Titre original :
THE MADMAN'S TALE

ISBN : 978-2-266-16754-3

Pour Ray, qui ne saura jamais combien son aide m'a été cruciale pour raconter cette histoire.

PREMIÈRE PARTIE

Un narrateur sujet à caution

1

Depuis que je n'entends plus mes voix, je suis un peu perdu. Quelque chose me dit qu'elles sauraient bien mieux que moi comment raconter cette histoire. Au moins auraient-elles des opinions, des suggestions et des idées précises sur ce qui devrait passer en premier, ce qui devrait passer en dernier, et ce qu'il devrait y avoir au milieu. Elles me diraient quand ajouter des détails, quand laisser tomber des informations sans intérêt, ce qui est important et ce qui ne l'est pas. Après avoir passé tant de temps à fuir le passé, je ne suis pas très fort pour me rappeler tout cela, et leur aide m'aurait sûrement été utile. Il s'est passé tant de choses que j'ai du mal à savoir ce que je dois en faire. Parfois, je ne suis même pas sûr que certains incidents, pourtant si clairs dans ma mémoire, ont vraiment eu lieu. Un souvenir me semble aussi solide que le roc, et un instant plus tard, il est aussi flou que la brume au-dessus du fleuve. C'est le gros problème quand on est fou. On n'est jamais sûr de rien.

J'ai cru longtemps que tout avait commencé avec une mort et avait fini avec une autre mort, un peu comme si l'histoire était calée dans un serre-livres. Maintenant je suis moins affirmatif. Peut-être que tous ces moments ont été mis en mouvement, il y a des années, alors que j'étais jeune et vraiment fou, par quelque chose de beaucoup plus petit ou de plus insaisissable, comme une jalousie cachée ou une colère invisible, ou de beaucoup plus grand et puissant, comme la position des étoiles dans le ciel, la force des marées et l'inexorable rotation de la Terre. Je sais bien que des gens sont morts, et que j'ai eu beaucoup de chance de ne pas les suivre. C'est d'ailleurs une des dernières remarques que mes voix m'ont faites avant de disparaître brusquement.

Je n'entends plus leurs murmures, maintenant. On me donne des médicaments pour les neutraliser. Une fois par jour, consciencieusement, je prends un psychotrope, un cachet ovale couleur coquille d'œuf qui me dessèche tellement la bouche que quand je parle j'ai l'air d'un vieillard asthmatique qui a trop fumé, ou d'un déserteur de la Légion étrangère qui vient de traverser le Sahara et qui mendie un verre d'eau. Il est suivi immédiatement par un antidépresseur horriblement amer censé combattre la pulsion suicidaire à laquelle je risque de succomber à tout moment, si j'en crois mon assistante sociale, quel que soit mon état d'esprit. En réalité, je pense que je pourrais entrer dans son bureau en dansant, pour lui montrer la joie et le bonheur que m'inspire le cours positif de mon existence, elle me demanderait tout de même si j'ai pris ma dose quotidienne. À cause de cette féroce petite pilule, je suis à la fois constipé et gonflé d'eau, comme si l'on me plaçait un garrot sur l'estomac au lieu du bras gauche, et qu'on le serrait sans pitié. Je dois donc prendre un diurétique et un laxatif pour alléger ces symptômes. Bien entendu, le diurétique me donne des migraines insupportables, comme si un être particulièrement cruel m'assénait des coups de marteau sur la tête, ce qui m'oblige à prendre des analgésiques pleins de codéine pour régler ce léger effet secondaire, tout en me ruant vers les toilettes pour résoudre l'autre. Tous les quinze jours, je me rends au dispensaire pour y recevoir une injection d'un puissant antipsychotique. Quand je baisse mon pantalon, l'infirmière me demande toujours avec le même sourire et sur le même ton si je vais bien. Et je réponds : « Très bien », que ça aille ou pas, parce qu'il me semble évident, même à travers les brouillards de la folie, du cynisme et des médicaments, qu'elle s'en fout complètement mais considère que s'assurer que mon moral est bon fait partie de son boulot. Le problème est que l'antipsychotique, qui m'empêche de me livrer à toutes sortes de comportements odieux ou méprisables – c'est en tout cas ce qu'ils me racontent –, provoque un peu de « paralysie agitante » sur mes mains, qui se mettent à trembler comme si j'étais un contribuable indélicat devant son contrôleur des impôts. À cause de lui j'ai aussi les coins des lèvres qui sautent un peu, ce qui m'oblige à prendre un relaxant musculaire pour empêcher mon visage de se figer en permanence comme si je portais un masque de Halloween. Tous ces mélanges courent au hasard dans mes veines, agressant divers organes innocents et sans doute passablement embrouillés, pour calmer les impulsions électriques irresponsables qui crépitent dans mon cerveau comme autant de gosses turbulents. J'ai parfois l'impression que mon imagination est un domino capricieux qui perd soudain l'équilibre, vacille d'avant en arrière et télescope toutes les autres forces dans mon corps, déclenchant une grande réaction en chaîne, de multiples pièces tombant un peu au hasard, *clic clic clic*, à l'intérieur de moi.

C'était plus facile, et de très loin, quand j'étais encore un jeune homme et que je n'avais rien d'autre à faire que d'écouter les voix. Elles n'étaient même pas si mauvaises, la plupart du temps. Elles étaient généralement faibles, comme l'écho assourdi qui provient de l'autre côté d'une vallée, ou peut-être comme les murmures des enfants qui partagent un secret au fond d'une salle de jeux (même si le ton monte rapidement dès que les choses se gâtent). En général, mes voix n'étaient pas non plus si exigeantes. C'était plutôt... eh bien, des suggestions. Des conseils. Des questions de détail. Un peu radoteuses, parfois, comme une grand-tante vieille fille dont personne ne sait trop quoi faire pour le réveillon, mais qui est tout de même sur la liste des invités. Elle lâche régulièrement des grossièretés, des absurdités ou des propos politiquement incorrects, mais tout le monde feint de l'ignorer.

D'une certaine façon, les voix me tenaient compagnie, surtout durant les nombreuses périodes où je n'avais pas d'amis.

J'ai bien eu deux amis, autrefois, et ils ont joué un rôle dans l'histoire. J'ai même cru qu'ils jouaient un rôle de premier plan, mais je n'en suis plus certain.

Cela dit, certaines des personnes que j'ai rencontrées pendant ce que j'aimerais appeler « mes années de pure folie » étaient bien moins gâtées que moi. Leurs voix hurlaient des ordres comme ces sergents instructeurs des marines qui portent leur chapeau vert-de-gris à large bord enfoncé jusqu'aux sourcils, de sorte qu'on aperçoit leur nuque rasée à l'arrière. Remuez-vous ! Faites ceci ! Faites cela !

Ou pis : Tuez-vous.

Ou encore pis : Tuez quelqu'un d'autre.

Les voix qui hurlaient sur ces gens leur venaient de Dieu, de Jésus, de Mahomet, du chien du voisin ou d'un grand-oncle mort depuis longtemps, d'extraterrestres, ou bien d'un chœur d'archanges ou encore de démons. Ces voix étaient toujours insistantes, exigeantes et rétives au moindre compromis, et j'ai appris à reconnaître dans la tension qu'ils avaient dans le regard, cette tension qui durcissait leurs muscles, qu'ils entendaient des voix fortes et autoritaires, ce qui annonçait rarement de bonnes choses. Dans ces cas-là, je me contentais de m'éloigner. J'attendais près de l'entrée ou à l'autre bout de la salle commune, parce que quelque chose de vraiment regrettable se préparait. C'était un peu comme un détail que je me serais rappelé de l'école primaire, un de ces faits bizarres qui ne vous quittent pas. Lorsque la terre tremble, il n'est pas de meilleur abri que les encadrements de porte, parce que la structure en voûte est, du point de vue architectural, plus solide qu'un mur et a moins de chances de vous tomber sur le crâne. Ainsi, quand je voyais que l'agitation d'un autre patient risquait de devenir volcanique, je cherchais toujours la voûte sous laquelle je pensais avoir le plus de chances de m'en sortir. Une fois que j'y étais, je pouvais écouter mes propres voix, qui avaient souvent l'air de me protéger, toujours prêtes à m'avertir quand je devais m'enfuir et me cacher. Il y avait en elles un curieux instinct de conservation, et si je n'avais pas été assez stupide pour leur répondre à voix haute quand j'étais jeune et qu'elles sont apparues à mes côtés, je n'aurais sans doute jamais fait l'objet d'un diagnostic, et on ne m'aurait pas expédié dans un hôpital. Mais cela appartient à l'histoire, même si c'est loin d'être l'essentiel. Pourtant elles me manquent, bizarrement, car je suis presque totalement seul, désormais.

Il est très difficile, à l'époque où nous vivons, d'être fou à plus de quarante ans.

Ou ex-fou, tant que je prends les cachets.

Je passe mes journées, maintenant, à chercher le mouvement. Je n'aime pas rester longtemps au même endroit. Alors je marche d'un pas rapide, je marche à toute vitesse dans la ville, des parcs aux centres commerciaux en passant par les quartiers industriels, je regarde et j'observe, mais sans cesser de me déplacer. Ou bien je cherche un spectacle riche en mouvement là où je suis, comme un match de football ou de basket-ball scolaire. Si je trouve quelque chose qui remue, je peux faire une pause. Dans le cas contraire, je continue à marcher – cinq, six, sept heures par jour ou plus. Un marathon quotidien qui use mes semelles et me permet de rester mince et vigoureux. En hiver, je mendie de gros godillots à l'Armée du Salut. Le reste de l'année, je porte des chaussures de jogging que je tiens du magasin d'articles de sport du quartier. Plusieurs fois par an, le gérant me glisse gentiment une paire d'un modèle en fin de série, pointure quarante-deux, pour remplacer celles dont les semelles usées par le pavé du trottoir tombent en lambeaux.

Au début du printemps, dès que la glace commence à fondre, je vais aux Chutes, où il y a une passe à poissons. J'y travaille tous les jours, à titre bénévole. Je surveille le retour des saumons à la ligne de partage des eaux de la Connecticut. Cela veut dire que je dois regarder d'innombrables tonnes d'eau traverser le barrage pour repérer de temps en temps un poisson qui remonte le courant, mû par un instinct supérieur qui le pousse à retourner là où il a été engendré – là où, dans le plus grand des mystères, il se reproduira à son tour et mourra. J'admire le saumon, parce que je sais ce que c'est que d'être mû par des forces que personne d'autre ne peut voir ni entendre, et de sentir le besoin d'obéir à un devoir qui nous dépasse. Poissons psychotiques. Après s'être baladés durant des années, le plus tranquillement du monde, dans l'immensité de l'océan, ils entendent une grosse voix de poisson, au plus profond d'eux-mêmes, une voix retentissante qui les persuade d'effectuer ce périple impossible vers la mort. Parfait. J'aime l'idée que les saumons sont aussi cinglés que je l'étais jadis. Quand j'en vois un, je fais une marque au crayon sur le formulaire que me fournit le Service de l'environnement. Parfois, je l'accueille d'une voix douce : Salut, mon frère. Bienvenue chez les dingues.

Il y a un truc pour repérer les poissons, parce qu'ils sont luisants, les flancs argentés à cause des centaines de kilomètres parcourus dans l'eau salée de la mer. C'est une présence chatoyante dans l'eau scintillante, invisible à un regard inexpérimenté, comme si une force spectrale pénétrait par la petite fenêtre où je monte la garde. Je suis presque capable de sentir l'arrivée d'un saumon avant qu'il n'apparaisse en bas de la passe. Il est satisfaisant de compter les poissons, même s'il peut s'écouler plusieurs heures sans qu'on en voie passer un, et même s'ils ne sont jamais assez nombreux pour faire plaisir aux gens de l'Environnement, qui jettent un regard aux tableaux des retours et secouent la tête, l'air frustrés. Mais mon talent pour repérer les poissons me vaut d'autres avantages. C'est mon patron à l'Environnement qui a appelé la police pour lui dire que j'étais absolument inoffensif – je me suis toujours demandé comment il était parvenu à cette conclusion, et j'ai de sérieux doutes sur sa véracité. On tolère ainsi ma présence aux matches de football et autres événements locaux, et maintenant, vraiment, même si je ne suis pas tout à fait le bienvenu dans cette petite ville connue autrefois pour ses filatures, au moins j'y suis accepté. Personne ne s'interroge sur ma routine, et on m'y considère moins comme un fou que comme un excentrique – ce qui, comme j'ai pu m'en rendre compte au cours des années, est un statut assez sécurisant.

J'occupe un petit appartement dont le loyer est payé grâce à une subvention d'État. Mes meubles sont ce que j'appelle du « moderne abandonné sur le trottoir ». Mes vêtements viennent de l'Armée du Salut ou de mes deux sœurs cadettes qui vivent dans des villes voisines. De temps en temps, taraudées par un sentiment de culpabilité que je ne comprends vraiment pas, elles ressentent le besoin de faire quelque chose pour moi, en vidant le placard de leurs maris. Elles m'ont acheté un téléviseur d'occasion dont je me sers rarement, et un poste de radio que j'écoute peu souvent. Une fois par mois, elles me rendent visite et m'apportent des petits plats maison figés dans des boîtes en plastique. Nous passons un peu de temps à bavarder, surtout à propos de mes vieux parents, qui n'ont plus envie de me voir parce que je leur rappelle leurs espoirs déçus et l'amertume inattendue que la vie vous inflige parfois. J'accepte cela, et j'essaie de rester à distance. Mes sœurs s'assurent que mes factures de chauffage et d'électricité sont payées, que je n'oublie pas d'endosser les maigres chèques qui arrivent de divers services d'aide publique. Elles vérifient plutôt deux fois qu'une que je prends tous mes médicaments. Elles pleurent parfois, je crois, en voyant que je mène une vie quasiment désespérée, mais c'est leur manière de voir les choses, pas la mienne. Car, en réalité, je suis plutôt à l'aise. La folie donne un point de vue intéressant sur la vie. Elle vous permet d'accepter plus facilement certaines des tuiles qui vous tombent dessus, sauf quand les médicaments ne font plus d'effet. Et dans ce cas, je peux être plutôt angoissé, et furieux de la façon dont la vie m'a traité.

Mais, pour l'essentiel, je suis sinon heureux, en tout cas compréhensif.

Si mon existence comporte certains aspects fascinants, la manière dont j'ai pu étudier la vie dans cette petite ville n'est pas le moindre d'entre eux. Vous seriez surpris de voir tout ce que j'apprends, au long de mes voyages quotidiens. Si j'ouvre l'œil, si je tends l'oreille, je ramasse toutes sortes de petites bribes de connaissance. Au fil des années, depuis que je suis sorti de l'hôpital, une fois que tout ce qui devait arriver est arrivé, j'ai utilisé ce que j'ai appris, c'est-à-dire : être observateur. Au cours de mes pérégrinations quotidiennes, j'ai fini par savoir qui a une liaison sordide avec quel voisin, quel mari quitte sa famille, qui boit trop, qui bat ses enfants. Je peux dire quelles sont les affaires en difficulté, qui a touché de l'argent à la mort d'un parent, et qui a gagné à la loterie. Je sais quel adolescent compte sur le football ou le basket pour obtenir une bourse universitaire, et quelle adolescente sera expédiée quelques mois chez une tante éloignée, peut-être pour régler le problème d'une grossesse non désirée. Je sais quels flics vous laissent une chance, et lesquels manient la matraque ou le carnet à souches, selon l'importance du délit. Il y a toutes sortes d'observations moins importantes, qui découlent de ce que je suis et de ce que je suis devenu. La dame du salon de coiffure qui me fait signe d'entrer, en fin de journée, et me coupe les cheveux pour que je sois plus présentable durant mes voyages quotidiens, avant de me glisser cinq dollars qu'elle a pris sur ses pourboires de la journée. Ou le gérant du McDonald's qui, quand il me voit passer, me court après avec un sac plein de hamburgers et de frites et qui a compris que pour les milk-shakes je préfère nettement la vanille au chocolat. Être fou et marcher dans toutes les directions vous ouvre la fenêtre la plus lumineuse sur la nature humaine. On a l'impression de regarder la ville s'écouler devant soi, comme l'eau qui cascade sous l'ouverture de la passe à poissons.

Et ce n'est pas comme si j'étais inutile. Un jour, j'ai remarqué que la porte d'une usine était entrebâillée à une heure où elle aurait dû être fermée à double tour. J'ai prévenu un flic, qui s'est attribué le mérite d'avoir interrompu un cambriolage. Mais le jour où j'ai relevé le numéro de plaque d'un chauffard qui s'était enfui après avoir heurté un cycliste par un après-midi de printemps, la police m'a donné un certificat. Une autre fois, un week-end d'automne, s'est produit un incident appartenant presque à la catégorie « Il faut le voir pour le croire » : alors que je me baladais près d'un jardin public où jouaient des enfants, j'ai repéré un type et dès que je l'ai vu traîner près de l'entrée j'ai compris qu'il avait quelque chose de pas catholique. Jadis, mes voix l'auraient remarqué, et elles m'auraient mis en garde. Mais cette fois-là, j'ai pris sur moi d'en parler à la dame de la garderie, que je connaissais. Assise sur un banc, à dix mètres du bac à sable et des balançoires, elle lisait un magazine féminin et ne faisait pas assez attention aux gosses dont elle avait la responsabilité. Il s'avéra que l'homme venait d'être libéré de prison et s'était inscrit le matin même comme délinquant sexuel.

Cette fois, on ne me donna pas de certificat. Mais la maîtresse demanda aux enfants de me faire un dessin coloré où on les voyait en train de jouer, et ils ont écrit en travers de la feuille un grand « Merci », de cette écriture merveilleusement folle qu'ont les enfants avant que nous les assommions avec la raison et les opinions. J'ai emporté le dessin dans mon petit appartement et l'ai fixé au mur au-dessus de mon lit, où il se trouve toujours. Je mène une existence grise et renfermée, et il me rappelle les couleurs que j'aurais pu connaître si je n'avais pas trébuché sur le chemin qui m'a conduit là où je suis.

Voilà plus ou moins à quoi se résume mon existence actuelle. Un homme à la lisière de la santé mentale.

Je crois que j'aurais simplement passé le reste de mes jours sans rien y changer, et je n'aurais jamais pris la peine de dire ce que je sais des événements auxquels j'ai assisté, si je n'avais pas reçu la lettre de l'État.

Elle était d'une épaisseur suspecte, et mon nom était tapé à la machine sur l'enveloppe. On ne voyait qu'elle, au milieu de la pile habituelle de publicités et de coupons de réduction des supermarchés. Quand on mène une existence aussi solitaire que la mienne, on ne reçoit pas beaucoup de courrier personnel. Alors, quand il arrive quelque chose qui sort de l'ordinaire, cela semble vous supplier de l'examiner. Je jetai tous les papiers inutiles et ouvris l'enveloppe qui avait piqué ma curiosité. La première chose que je remarquai, c'est qu'on avait écrit mon nom correctement.

Cher monsieur Francis X. Petrel,

C'était un bon début. L'ennui, avec les prénoms que portent des personnes des deux sexes, c'est qu'ils peuvent prêter à confusion. Il n'est pas rare que les services de Medicare m'envoient des lettres-types où l'on s'inquiète de ne pas trouver trace des résultats de mon dernier frottis vaginal, ou pour me demander si j'ai passé les examens de dépistage du cancer du sein. J'ai renoncé à essayer de corriger ces ordinateurs mal programmés.

La Commission pour la protection de l'hôpital Western State vous a identifié comme un des derniers patients étant sortis de cet établissement avant sa fermeture définitive, il y a vingt ans. Comme vous le savez peut-être, un mouvement est en cours pour transformer en musée une partie des locaux de l'hôpital, le reste étant livré au développement immobilier. Notre Commission est associée à cette entreprise. Elle organise une « journée d'examen » de l'hôpital, de son histoire, du rôle important qu'il joua dans l'État, et de la manière dont on envisage aujourd'hui le traitement des maladies mentales. Nous vous invitons à participer à cette journée, qui comportera des séminaires, diverses interventions et des activités culturelles. Vous en trouverez ci-joint l'avant-programme. Si vous pouvez nous honorer de votre présence, veuillez contacter à votre meilleure convenance la personne mentionnée ci-dessous.

Suivaient le nom et le numéro de téléphone d'une personne qualifiée de coprésidente du comité d'organisation. Je parcourus ensuite le document joint : une liste des activités prévues pour la journée. Comme le disait la lettre, le programme incluait les interventions d'hommes politiques dont je connaissais le nom, jusqu'au lieutenant-gouverneur et au leader de la minorité parlementaire du Sénat. Il y aurait des groupes de discussion, des débats menés par des médecins et des spécialistes de l'histoire sociale appartenant à plusieurs universités de la région. Un point attira mon regard. L'intitulé d'une session (« La réalité de l'expérience de l'hôpital. Une présentation ») était suivi du nom d'une personne dont je me souvenais, de l'époque de mon séjour à l'hôpital. Les festivités s'achèveraient avec un orchestre de musique de chambre.

Je posai l'invitation sur la table et la contemplai pendant un moment. Ma première impulsion fut de la jeter avec les autres inepties du jour, mais je n'en fis rien. Je la repris, je la relus de bout en bout, puis j'allai m'asseoir sur un fauteuil branlant dans un coin de la pièce, en réfléchissant à la question qui se posait. Je savais que les gens allaient à tout bout de champ à des réunions commémoratives. Des vétérans de Pearl Harbor ou du débarquement en Normandie se retrouvaient. D'anciens condisciples se réunissaient dans leur vieux lycée, dix ou vingt ans plus tard, pour comparer les embonpoints, les crânes dégarnis ou les poitrines plus lourdes. Les universités se servaient de ces réunions pour soutirer des fonds à des diplômés aux yeux humides, qui erraient dans les vieilles salles jadis prestigieuses en se rappelant les bons moments et en oubliant les mauvais. Les réunions jouent un rôle important dans le monde normal. Les gens essaient toujours de revivre des temps révolus qui sont meilleurs dans leur souvenir que dans la réalité, et de raviver des émotions qui, en vérité, ont tout intérêt à appartenir au passé.

Pas moi. Un des effets secondaires de mon état mental est ma dévotion absolue à l'avenir. Le passé est un ensemble confus de souvenirs dangereux et douloureux. Pourquoi voudrais-je y retourner ?

J'hésitais, pourtant. Je réalisai que je fixais l'invitation avec une fascination croissante. L'hôpital Western State n'était qu'à une heure de route, pourtant je n'y étais pas retourné, pendant ces vingt ans. Et je doutais que quiconque ayant passé une seule minute derrière ses grilles y fût jamais retourné.

Je regardai ma main, qui tremblait légèrement. Peut-être que mes médicaments ne faisaient plus beaucoup d'effet. De nouveau, je m'ordonnai mentalement de jeter la lettre dans la corbeille à papier et d'aller faire un tour en ville. C'était dangereux. Troublant. Cela constituait une menace pour la vie très prudente que je m'étais construite. Sors en courant, me dis-je. Tire-toi en vitesse. Reprends ta routine, parce que ton salut est là. Laisse ça derrière toi. Je m'apprêtai à obtempérer, mais je m'immobilisai.

Je pris le téléphone et composai le numéro de la coprésidente. Après deux sonneries, une voix me répondit.

— Allô ?

— Mme Robinson-Smythe, s'il vous plaît, fis-je un peu trop vivement.

— Je suis sa secrétaire. Qui est à l'appareil ?

— Je m'appelle Francis Xavier Petrel.

— Oh, monsieur Petrel, vous appelez sans doute à propos de la journée du Western State…

— C'est exact, dis-je. J'y serai.

— Parfait. Je vais vous passer…

Mais je raccrochai, presque effrayé par mon propre culot. Je franchis la porte et me retrouvai en train de marteler le trottoir aussi vite que mes jambes me le permettaient, avant d'avoir le temps de changer d'avis. Alors que le béton du trottoir et le macadam de la grand-route défilaient sous mes semelles, et que les vitrines et les maisons de ma ville se succédaient sans que j'y fasse attention, je me demandai si mes voix m'auraient dit d'y aller. Ou de ne pas y aller.

Même pour la fin du mois de mai, c'était un jour excessivement chaud. Je dus changer de car trois fois, et j'eus l'impression à chaque fois que le mélange d'air chaud et de vapeurs de carburant empirait. Que la puanteur était plus forte. L'humidité, plus intense. À chaque arrêt, je me disais que j'avais tort de retourner là-bas. Mais je ne tenais pas compte de mes propres conseils, et je continuais ma route.

L'hôpital se trouvait en périphérie d'une petite ville universitaire typiquement Nouvelle-Angleterre, qui affichait en quantités égales, avec une rigueur militaire, librairies, pizzerias, restaurants chinois et boutiques de vêtements à bon marché. Il y avait quelque chose d'un peu iconoclaste dans ces commerces. Comme la librairie spécialisée dans les gros bouquins sur l'introspection et le développement spirituel, dont le vendeur avait l'air d'avoir lu tous les livres qui s'alignaient sur les rayons, sans en trouver un seul qui lui ait apporté l'aide qu'il cherchait. Ou le bar à sushis un peu négligé, où le type qui découpe le poisson cru a l'air de s'appeler Tex ou Paddy et parle avec l'accent sudiste ou irlandais. Sous mes pieds, la chaleur semblait monter du trottoir. Une chaleur irradiante comme celle d'un convecteur qui n'aurait qu'un réglage possible : « Enfer ». Mon unique chemise blanche collait désagréablement à mes reins, et j'aurais desserré ma cravate si je n'avais pas craint d'être incapable de la remettre en place si nécessaire. Je portais le seul costume que je possédais : un costume d'enterrement en laine bleue que j'avais acheté d'occasion en prévision de la mort de mes parents. (Mais ils s'accrochaient obstinément à la vie, et je le mettais ce jour-là pour la première fois.) J'avais décidé que ce serait le costume idéal pour mon propre enterrement, car il était évident qu'il garderait mes restes bien au chaud, dans la terre gelée. Quand j'arrivai à mi-hauteur de la côte qui mène à l'hôpital, je m'étais promis que c'était la dernière fois que je le mettais de mon vivant. Tant pis si mes sœurs seraient furieuses de me voir arriver en short et chemise hawaiienne aux couleurs outrageusement vives à la veillée funèbre qu'elles organiseraient pour nos parents. Mais que pourraient-elles dire ? Après tout, c'est moi qui suis le dingue de la famille. Une excuse idéale pour toutes sortes de comportements.

Résultat sans doute d'une blague d'architecte, l'hôpital Western State s'élevait au sommet d'une colline, d'où il surplombait le campus d'une célèbre université pour jeunes filles. Ses bâtiments imitaient ceux de l'université : lierre et brique à profusion, fenêtres à cadre blanc, pavillons rectangulaires de deux et trois étages formant des cours intérieures où l'on voyait des bancs et des bouquets d'ormeaux. J'ai toujours pensé que les deux établissements avaient été dessinés par le même architecte, et que l'entrepreneur qui avait construit l'hôpital avait simplement volé des matériaux à l'université. Depuis le ciel, un corbeau de passage aurait pu croire que l'hôpital et l'université appartenaient au même ensemble. L'oiseau aurait été incapable de voir combien les deux campus étaient différents. Il fallait entrer dans les bâtiments pour constater les différences.

La ligne de démarcation était une route goudronnée à une seule voie, sans même un trottoir, qui montait en courbe d'un côté de la colline, l'autre versant accueillant un manège où des étudiantes, nanties parmi les nanties, entraînaient leurs chevaux. Je remarquai que les écuries et les obstacles se trouvaient exactement là où je les avais vus la dernière fois, vingt ans plus tôt. Une cavalière solitaire et sa monture étaient à l'exercice, décrivant des cercles autour de l'ovale sous le soleil de ce début d'été, avant d'accélérer vers les obstacles. Un ruban de Möbius en mouvement. J'entendais le souffle rauque de l'animal qui peinait à cause de la chaleur, et je voyais une longue queue-de-cheval blonde dépassant sous la bombe de la cavalière. Sa chemise était sombre de sueur et les flancs du cheval luisaient. Ils semblaient tous deux inconscients de l'activité qui se déployait au-dessus d'eux, sur la colline. Je repris mon chemin et me dirigeai vers la grande tente aux rayures jaune vif qu'on avait dressée juste derrière le haut mur de brique et la grille de fer protégeant l'hôpital. Un panneau indiquait : INSCRIPTIONS.

Une grosse dame exagérément aimable, derrière sa table, me donna un badge à mon nom qu'elle épingla sur mon costume avec un grand geste. Elle m'offrit également une chemise contenant des reproductions de nombreux articles de presse qui décrivaient en détail le projet de développement immobilier de l'ancien hôpital : complexes d'appartements en copropriété et logements luxueux, parce que le domaine offrait une vue imprenable sur la vallée et le fleuve, en contrebas. Je trouvai cela bizarre. Durant tout le temps que j'avais passé là, je ne me rappelais pas avoir jamais vu le ruban bleu du fleuve, même dans le lointain. Mais il est vrai que j'aurais pu croire à une hallucination. Il y avait aussi une brève histoire de l'hôpital avec quelques photos au noir et blanc granuleux de patients en traitement ou dans les salles communes. Je les scrutai, cherchant des visages que j'aurais pu reconnaître, y compris le mien. Je n'en reconnus aucun, sauf que je reconnaissais tout le monde. Nous étions tous les mêmes, alors. Traînaillant à divers degrés d'habillement et de traitement.

La chemise contenait un programme des activités de la journée, et je vis un certain nombre de personnes entrer dans l'immeuble qui abritait, je m'en souvenais, les bureaux de l'administration. La conférence prévue à cette heure-là était donnée par un professeur d'histoire et s'intitulait « L'importance culturelle de l'hôpital Western State ». Étant donné que les patients ne pouvaient sortir de l'établissement et étaient le plus souvent enfermés dans les dortoirs, je me demandais de quoi il pourrait bien parler. Je reconnus le lieutenant-gouverneur. Entouré de plusieurs assistants, il franchit la porte en serrant la main à d'autres politiciens. Il souriait, mais je ne me rappelais pas avoir vu une seule personne sourire alors qu'on l'escortait dans ce pavillon. C'était là qu'on vous conduisait tout d'abord, et où vous étiez pris en charge. Au bas du programme, on avertissait en gros caractères que nombre des bâtiments de l'hôpital se trouvaient dans un état de délabrement avancé, et qu'il était dangereux d'y pénétrer. On demandait aux visiteurs de limiter leurs déplacements, pour des raisons de sécurité, au bâtiment administratif et aux cours intérieures.

Je fis quelques pas vers la file des gens qui désiraient assister à la conférence, avant de m'arrêter. Je regardai la foule disparaître peu à peu, avalée par le bâtiment. Puis je fis demi-tour et traversai rapidement la cour.

Je venais de comprendre une chose très simple : je n'étais pas là pour entendre un discours.

Il ne me fallut pas longtemps pour trouver mon vieux pavillon. J'aurais pu arpenter les allées les yeux fermés.

Les grilles métalliques des fenêtres avaient rouillé, le temps et la crasse en avaient bruni l'acier. Une des fenêtres pendait à un seul gond, comme une aile brisée. La brique de la façade avait passé, elle aussi, et était devenue d'un ocre terne. Le lierre, qui poussait à une vitesse folle à la belle saison, semblait manquer d'énergie pour s'accrocher aux murs. Les arbustes qui ornaient l'entrée, jadis, étaient morts, et les grandes doubles portes du bâtiment pendaient lamentablement aux montants lézardés et brisés. Le nom du pavillon, gravé dans une plaque de granit gris qui ressemblait à une pierre tombale, avait autant souffert que le reste : quelqu'un avait gratté la pierre, et il ne restait que les lettres MHERST. Le A initial n'était plus qu'une balafre aux bords irréguliers.

Résultat d'un humour anonyme, chaque pavillon portait le nom d'une université célèbre. Il y avait Harvard, Yale et Princeton, Williams et Wesleyan, Smith, Mount Holyoke et Wellesley. Et le mien, bien sûr, s'appelait Amherst. Il tenait son nom de la ville et de l'université, elles-mêmes baptisées en l'honneur d'un officier britannique, lord Jeffrey Amherst, dont le titre de gloire est d'avoir fourni à certaines tribus indiennes, avec une cruauté épouvantable, des couvertures infectées par la variole. Ses « cadeaux » accomplirent rapidement ce que n'avaient pu faire les balles, les babioles et les négociations.

Un panneau était cloué sur la porte. Je m'approchai pour lire ce qui y était écrit. Le premier mot était DANGER. Suivait un peu de baratin juridique du contrôleur du service des bâtiments du comté, qui se résumait à une condamnation officielle du bâtiment. Puis ACCÈS INTERDIT AUX PERSONNES NON AUTORISÉES.

Je trouvai cela intéressant. Jadis, nous avions l'impression, nous qui occupions le pavillon, que c'était nous qui étions condamnés. Il ne nous était jamais venu à l'idée que les murs, les barreaux et les serrures qui façonnaient notre existence subiraient un jour le même sort.

Je découvris que quelqu'un d'autre avait fait fi de l'avertissement. Les serrures avaient été forcées au pied-de-biche, un outil qui manque singulièrement de délicatesse, et les portes étaient entrouvertes. Je tendis le bras et tirai de toutes mes forces. L'entrée s'ouvrit devant moi avec un craquement.

Une odeur de moisi régnait dans le premier couloir. Il y avait un tas de bouteilles de vin et de bière vides dans un coin, ce qui donnait une idée de l'identité des visiteurs : des lycéens en quête d'un endroit tranquille pour boire loin des regards inquisiteurs de leurs parents. Les murs étaient zébrés de crasse et de graffitis bizarres peints à la bombe en différentes couleurs. L'un d'eux disait : LES BAD BOYS VAINCRONT ! C'était bien mon impression. Des canalisations avaient crevé les plafonds, libérant une eau noire et fétide sur les sols recouverts de lino. Des décombres et des ordures, la poussière et la terre s'entassaient dans tous les coins. Une odeur de déjections humaines se mêlait à celle, aigre, du temps et de l'abandon. Je fis quelques pas, puis je dus m'arrêter. Un panneau détaché du mur bloquait le couloir. Je voyais le grand escalier, sur ma gauche, qui menait aux étages supérieurs, mais les marches étaient jonchées d'ordures encore plus abondantes. Je voulais traverser la salle commune, un peu plus loin à gauche, et je voulais voir les salles de soins qui s'alignaient au rez-de-chaussée. J'avais aussi envie de revoir les cellules des étages supérieurs, où l'on nous enfermait quand nous résistions aux médicaments ou à notre folie, et les dortoirs où nous dormions, tels de malheureux campeurs, dans des rangées de lits métalliques. Mais l'escalier avait l'air instable, comme s'il allait basculer et s'écrouler sous mon poids.

J'ignore combien de temps je suis resté à l'intérieur, accroupi, penché en avant, écoutant l'écho de tout ce que j'avais vu et entendu ici autrefois. Comme à l'époque où j'étais un des patients, le temps semblait moins urgent, moins impérieux, comme si la trotteuse de ma montre faisait du sur-place et que les minutes s'écoulaient à contrecœur.

J'étais hanté par les spectres de la mémoire. Je voyais les visages, j'entendais les sons. Les goûts et les odeurs de la folie et de l'abandon refluèrent en moi comme un raz-de-marée. J'écoutais mon passé qui tourbillonnait autour de moi.

Je fus bientôt incapable de supporter la tension engendrée par ces souvenirs. Je me levai avec raideur et sortis du bâtiment à pas lents. J'allai m'asseoir sur un banc, à l'ombre d'un arbre, en tournant le dos à ce qui avait été jadis mon foyer. Je me sentais épuisé. J'inspirai à fond l'air pur, plus fatigué qu'après une de mes sorties habituelles dans ma ville. Je ne me retournai que lorsque j'entendis des pas dans l'allée, derrière moi.

Un petit homme corpulent, un peu plus âgé que moi, avec des cheveux noirs parsemés, lissés et zébrés d'argent, venait vers moi à grands pas. Il avait un large sourire, le regard un peu anxieux. Quand je lui fis face, il eut un geste furtif.

— Je pensais bien te trouver ici, dit-il, essoufflé par l'effort et la chaleur. J'ai vu ton nom sur la liste des participants.

Il s'arrêta à quelques mètres, brusquement hésitant.

— Salut, C-Bird, fit-il.

Je me levai et lui tendis la main.

— Bonjour, Napoléon. Il y a des années que personne ne m'a appelé ainsi.

Il me prit la main. La sienne était humide de sueur à cause de l'effort, et elle tremblait légèrement. Sans doute l'effet des médicaments. Mais il ne cessa pas de sourire.

— Moi non plus, dit-il.

— J'ai vu ton vrai nom sur le programme, lui dis-je. Tu vas faire un discours ?

Il acquiesça.

— Je ne sais pas comment je vais me présenter devant tous ces gens. Mais mon médecin traitant est un des hommes influents dans le projet de développement immobilier de l'hôpital, c'est lui qui est à l'origine de l'idée. Il m'a dit que ce serait une bonne thérapie. Une belle preuve de la route dorée qui mène à la guérison totale.

— Qu'en penses-tu ? fis-je après une légère hésitation.

Napoléon s'assit sur le banc.

— Je pense que c'est lui, le dingue, dit-il avec un gloussement légèrement hystérique, un son aigu qui exprimait autant sa nervosité que sa joie, et qui me rappela le bon vieux temps où l'on était ensemble. Bien sûr, c'est pratique que tout le monde pense que tu es complètement dingue, parce que, alors, tu n'as aucune raison d'être embarrassé.

Je lui rendis son sourire. C'était le genre de remarque qui ne peut venir que de quelqu'un qui a vécu dans un hôpital psychiatrique. Je me rassis à côté de lui, et nous contemplâmes le pavillon Amherst.

— Tu es rentré là-dedans ? fit-il au bout de quelques instants avec un soupir.

— Oui. Une vraie ruine. Prêt pour l'arrivée des démolisseurs.

— C'est ce que je pensais déjà quand nous étions ici. Et tout le monde pensait que c'était le meilleur endroit au monde. C'est du moins ce qu'ils m'ont dit quand on m'a pris en charge. Le nec plus ultra de la clinique psychiatrique. Le meilleur traitement possible pour des malades mentaux dans un établissement spécialisé. Quel baratin !

Il retint son souffle.

— Un foutu baratin, ajouta-t-il.

À mon tour, je hochai la tête pour montrer que j'étais d'accord.

— C'est ce que tu vas leur dire dans ton discours ?

Il secoua la tête.

— Je ne pense pas que c'est ce qu'ils veulent entendre. Je pense qu'il est plus logique de leur dire des choses gentilles. Des choses positives. J'ai préparé une série de mensonges monumentaux.

Je réfléchis un moment à ce qu'il venait de dire.

— Ce pourrait être un signe de bonne santé mentale, fis-je en souriant.

Napoléon se mit à rire.

— J'espère que tu as raison.

Nous restâmes silencieux pendant quelques secondes, puis il murmura d'un ton mélancolique :

— Je ne vais pas leur parler des meurtres. Pas un mot sur le Pompier, ni sur la femme du bureau du procureur, ni sur tout ce qui s'est passé à la fin.

Il leva les yeux vers l'Amherst et ajouta :

— D'ailleurs, ce serait plutôt à toi de raconter cette histoire.

Je ne répondis pas.

Napoléon resta un moment silencieux.

— Est-ce que tu repenses à ce qui s'est passé ? reprit-il.

Je secouai la tête, mais nous savions tous les deux que c'était un mensonge.

— J'en rêve, parfois. Mais j'ai du mal à me rappeler ce qui était réel et ce qui ne l'était pas.

— C'est logique. Tu sais, une chose me tracassait. Je n'ai jamais su où ils les enterraient. Les gens qui mouraient pendant leur séjour ici. Je veux dire, ils étaient dans la salle commune, ou ils traînaient avec les autres dans les couloirs, et un instant plus tard, ils pouvaient être morts… et alors ? Est-ce que tu le savais, toi ?

— Oui, fis-je après un instant. On leur offrait une petite tombe de fortune aux limites de l'hôpital, au fond, vers les bois, entre l'administration et Harvard. C'était derrière le petit jardin. Je crois que maintenant ça fait partie d'un terrain de foot pour les jeunes.

Napoléon s'essuya le front.

— Je suis content de l'apprendre. Je me suis toujours demandé. Maintenant, je sais.

Une fois de plus, nous nous tûmes pendant quelques secondes.

— Tu sais ce que j'ai appris, et qui ne m'a pas plu ? reprit-il. Après ça et tout le reste, quand on a été libérés et placés dans des cliniques en consultation externe et qu'on nous a donné tout ce traitement et toutes ces drogues modernes. Tu sais ce que j'ai appris ?

— Quoi ?

— Que l'illusion à laquelle je m'étais accroché si fort pendant tant d'années n'était pas seulement une illusion. Que ce n'était même pas une illusion spéciale. Que je n'étais pas la seule personne à me prendre pour un empereur français. En fait, je suis sûr que Paris est plein de gens dans mon cas. Je n'ai pas du tout aimé découvrir cela. Dans mes délires, j'étais spécial. Unique. Maintenant, je ne suis qu'un type comme les autres qui doit prendre des cachets, dont les mains tremblent tout le temps et qui n'est pas fichu de faire le boulot le plus simple. Et dont la famille a sans doute envie qu'il trouve le moyen de disparaître. Je me demande comment on dit *hop !* en français.

Je réfléchis un instant.

— Eh bien, personnellement, pour ce que ça vaut, j'ai toujours eu l'impression que tu étais un sacré bon empereur français. Cliché ou pas. Et si c'était toi qui avais commandé les troupes, à Waterloo, eh bien, bon Dieu, tu aurais gagné la bataille !

Il gloussa, soulagé.

— C-Bird, tous autant que nous étions, on a toujours su que tu étais meilleur que n'importe qui pour prêter attention au monde qui t'entourait. Et tout le monde t'aimait bien, même si on était tous dingues et bercés d'illusions.

— Ça me fait plaisir de l'entendre.

— Et le Pompier ? C'était ton ami. Qu'est-ce qu'il est devenu ? Après tout ça, je veux dire.

— Il est parti, répondis-je après un temps d'arrêt. Il a résolu ses problèmes, il est parti dans le Sud et a gagné beaucoup d'argent. Il a une famille, maintenant. Grande maison. Grosse voiture. Réussite sur tous les plans. La dernière fois que j'ai entendu parler de lui, il dirigeait une organisation caritative. Heureux, et riche.

Napoléon hocha la tête.

— Je veux bien le croire. Et la femme qui est venue enquêter ? Elle est partie avec lui ?

— Non. Elle est juge, maintenant. Des honneurs de toutes sortes. Elle a une vie merveilleuse.

— Je le savais. Tu pourrais raconter tout ça.

Ce n'étaient que des mensonges, bien entendu.

Il regarda sa montre.

— Il faut que j'y retourne. Me préparer pour mon grand moment. Souhaite-moi bonne chance.

— Bonne chance.

— C'était bon de te revoir, ajouta Napoléon. J'espère que tout va bien pour toi.

— Pour toi aussi, dis-je. Tu as l'air en forme.

— Ah bon ? J'en doute. Je doute fort que beaucoup d'entre nous aient l'air en forme. Mais c'est bien. Merci de l'avoir dit.

Il se leva, je l'imitai. Nous regardâmes l'Amherst.

— Je serai heureux quand ils le démoliront, fit Napoléon d'un ton soudain très amer. Cet endroit était mauvais et dangereux, et il n'y est jamais arrivé grand-chose de bon.

Il se tourna vers moi.

— C-Bird, tu étais là. Tu as tout vu. Il faut que tu racontes.

— Qui écouterait ?

— Il se peut que quelqu'un écoute. Écris l'histoire. Tu en es capable.

— Certaines histoires ne doivent pas être écrites, dis-je.

Napoléon haussa ses épaules voûtées.

— Si tu l'écris, elle deviendra réelle. Si elle n'est présente que dans notre souvenir, c'est comme si elle n'avait jamais eu lieu. Comme si ç'avait été un rêve. Ou une hallucination, imaginée par nous autres, les fous. Personne ne nous croit quand nous disons quelque chose. Mais si tu l'écris, eh bien, ça lui donnera de l'épaisseur. Ça la rendra vraisemblable.

Je secouai la tête.

— L'ennui quand on est fou, dis-je, c'est qu'il est très difficile de dire ce qui est vrai et ce qui ne l'est pas. Et ce n'est pas parce qu'on peut, grâce aux cachets, vivoter dans le monde avec les autres que ça y change quelque chose.

— Tu as raison, fit Napoléon en souriant. Mais peut-être pas, non plus. Je ne sais pas. Je sais simplement que tu pourrais le dire, que quelques personnes te croiront peut-être et que ce serait une bonne chose. Personne ne nous croyait jamais, à l'époque. Même quand on prenait nos médicaments, personne ne nous croyait jamais.

Il regarda de nouveau sa montre et remua nerveusement les pieds.

— Tu devrais y retourner, dis-je.

— Je dois y retourner, répéta-t-il.

Nous restâmes là, mal à l'aise, jusqu'à ce qu'il se décide à tourner les talons et à s'éloigner. Arrivé à mi-chemin, Napoléon se retourna et me fit le même petit signe mal assuré qu'un peu plus tôt, quand il m'avait aperçu.

— Raconte toute l'histoire ! s'écria-t-il.

Puis il se tourna de nouveau et s'éloigna à grands pas, d'une démarche de canard. Je voyais que ses mains étaient à nouveau prises de tremblements.

La nuit était tombée quand je remontai d'un pas énergique le trottoir qui menait chez moi. Je montai l'escalier et m'enfermai dans la sécurité de mon petit espace clos. Une fatigue nerveuse me parcourait les veines, se mêlait à mes globules rouges et blancs. Avoir revu Napoléon, l'avoir entendu employer le sobriquet qu'on m'avait donné à mon arrivée à l'hôpital, cela avait provoqué en moi de violentes émotions. J'envisageai sérieusement de prendre certains cachets. Parmi ceux que j'avais, certains servaient à me calmer, pour le cas où je serais trop excité. Mais je ne les pris pas. « Raconte l'histoire », m'avait-il dit.

— Mais comment ? fis-je à voix haute, dans le silence de mon appartement.

La pièce me renvoya l'écho de mes paroles.

— Tu peux la raconter, me dis-je à moi-même.

Et je me posai la question : Pourquoi pas ?

J'avais des stylos et des crayons, mais pas de papier.

Il me vint une idée. Je me demandai si c'était une de mes voix qui était revenue et me glissait dans l'oreille une brève suggestion et un ordre modeste. Je m'immobilisai, écoutai attentivement, essayai de déceler les voix identifiables et familières au milieu des bruits de la rue qui remontaient par mon vieux climatiseur de fenêtre. Elles étaient insaisissables. Je ne savais pas si elles étaient là ou pas. Mais j'avais l'habitude de l'incertitude.

Je pris une chaise légèrement usée et griffée, et la posai contre le mur, le plus près possible du coin de la pièce. Je n'avais pas de papier. Mais j'avais des murs blancs, sans la moindre affiche ni reproduction.

En équilibre sur la chaise, j'atteignais presque le plafond. Je pris un crayon et me penchai en avant. Je me mis à écrire vite, d'une écriture minuscule, serrée, mais lisible.

Francis Xavier Petrel arriva en larmes à l'hôpital Western State, à l'arrière d'une ambulance. Il pleuvait des cordes, la nuit tombait rapidement, et il avait les bras et les jambes menottés et attachés. Il avait vingt et un ans, et il était plus terrifié qu'il ne l'avait jamais été de toute sa vie, brève et jusqu'alors relativement peu mouvementée…

2

Francis Xavier Petrel arriva en larmes à l'hôpital Western State, à l'arrière d'une ambulance. Il pleuvait des cordes, la nuit tombait rapidement, et il avait les bras et les jambes menottés et attachés. Il avait vingt et un ans, et il était plus terrifié qu'il ne l'avait jamais été de toute sa vie, brève et jusqu'alors relativement peu mouvementée…

Les deux hommes qui l'avaient amené à l'hôpital n'avaient presque pas desserré les dents pendant le trajet, sauf pour marmonner et râler sur le temps, pourri pour la saison, ou faire des remarques acerbes sur les autres conducteurs, dont aucun ne semblait répondre aux critères d'excellence dont eux-mêmes faisaient preuve. L'ambulance avait roulé en bringuebalant, à une vitesse raisonnable, sans gyrophare. Il y avait une routine un peu laborieuse dans la manière dont se comportaient les deux hommes, comme si le trajet vers l'hôpital n'était rien d'autre qu'une étape au sein d'une journée aussi accablante et franchement ennuyeuse que les autres. L'un d'eux buvait de temps en temps une gorgée d'une canette de soda en faisant des bruits de succion. L'autre sifflait des fragments de chansons populaires. Le premier portait des rouflaquettes à la Elvis. Le second avait une épaisse crinière de lion.

Le voyage était sans doute banal pour les deux aides-soignants. Rien de tel pour le jeune homme qui se trouvait à l'arrière, paralysé par la tension, la respiration aussi saccadée que celle d'un sprinter en fin de course. Chaque son, chaque sensation semblait lui indiquer quelque chose, chacun plus terrifiant et plus menaçant que le précédent. Le battement des essuie-glaces était le roulement de tambour du destin résonnant au plus profond de la jungle. Le vrombissement des pneus sur la surface grasse de la route était le hurlement désespéré d'une sirène. Même le bruit de sa respiration difficile semblait résonner, comme s'il était enfermé dans une tombe. Les sangles lui entraient dans la chair. Il ouvrit la bouche pour hurler, demander de l'aide, mais ne produisit aucun son. Rien d'autre n'émergeait qu'un gargouillis de désespoir. Une pensée fit son chemin dans ce chaos mental : s'il survivait à cette journée, il n'en connaîtrait pas de pire.

Quand l'ambulance s'arrêta dans une ultime secousse devant l'entrée de l'hôpital, il entendit une de ses voix s'écrier, au-dessus du magma de la peur : *Ils vont te tuer, si tu ne fais pas attention.*

Les ambulanciers ne paraissaient pas inconscients du danger. Ils ouvrirent brutalement les portières du véhicule et en firent descendre Francis sans ménagement pour l'installer sur un lit à roulettes. Il sentit les gouttes de pluie froides lui frapper le visage, se mêlant à la sueur sur son front. Puis les deux hommes lui firent passer une série de portes, et ils pénétrèrent dans un monde où régnait une lumière vive, impitoyable. Ils le poussèrent le long d'un couloir, les roues du lit grinçant sur le lino. Au début, il ne vit rien d'autre que le plafond gris percé de petits trous. Il était conscient de la présence d'autres personnes dans le couloir, mais il était trop effrayé pour les regarder. Au lieu de quoi il garda les yeux fixés sur les panneaux d'isolation sonore qui défilaient au-dessus de lui, et compta les lampes. Quand il arriva à quatre, les deux hommes s'arrêtèrent.

Il savait que quelqu'un s'était avancé vers son lit. Juste derrière sa tête, il comprit quelques mots.

— O.K., les gars. À partir d'ici, on s'en occupe.

Puis une énorme tête noire toute ronde, avec un sourire qui mettait en évidence une rangée de dents irrégulières, apparut au-dessus de lui. Elle surmontait une veste blanche d'aide-soignant qui semblait trop petite de plusieurs tailles.

— Bien, monsieur Francis Xavier Petrel. Vous n'avez pas l'intention de nous poser des problèmes maintenant, hein ?

L'homme parlait d'une voix légèrement chantante, mi-menaçante, mi-amusée. Francis ne savait pas quoi répondre.

Un deuxième visage noir apparut brusquement dans son champ de vision, de l'autre côté du lit. Le nouveau venu se pencha à son tour au-dessus de lui.

— Je ne crois pas que ce garçon, ici présent, va être une charge. Pas le moins du monde. N'est-ce pas, monsieur Petrel ?

Il avait lui aussi un léger accent du Sud.

Dis-leur que non ! hurla une voix dans son oreille.

Il essaya de secouer la tête, mais il avait du mal à bouger le cou.

— Je ne serai pas une charge, fit-il d'une voix étranglée.

Les mots étaient aussi amers que la journée qu'il vivait, mais il était heureux de constater qu'il pouvait parler. Cela le rassura un peu. Tout au long de la journée, il avait eu peur de perdre, d'une manière ou d'une autre, sa capacité à communiquer.

— Eh bien d'accord, monsieur Petrel. Nous allons vous descendre de ce lit. Puis nous allons vous aider à vous asseoir, tout doucement, dans un fauteuil roulant. Pigé ? Mais on ne va pas encore vous ôter les menottes, ni vous libérer les pieds. Ça, ce sera quand vous aurez vu le docteur. Il vous donnera peut-être un petit quelque chose pour vous calmer. Ça vous détendra tout de suite. Tout doucement, maintenant. Asseyez-vous, et basculez les jambes en avant.

Fais ce qu'on te dit !

Il fit ce qu'on lui disait.

Le mouvement l'étourdit, au point qu'il eut l'impression de tanguer. Une grosse main lui saisit l'épaule pour l'aider à garder son équilibre. Il se retourna et vit que le premier aide-soignant était gigantesque. Plus de deux mètres, sans doute pas loin de cent cinquante kilos. Des bras incroyablement musclés, et des jambes comme des barriques. Son collègue, l'autre Noir, était un homme maigre et nerveux qui, en comparaison, avait l'air d'un nain. Il avait une petite barbiche, et une coupe afro broussailleuse qui échouait à donner l'impression qu'il était plus grand. Les deux hommes l'installèrent sur le fauteuil roulant qui l'attendait.

— O.K., dit le plus petit. Maintenant, on va vous emmener voir le toubib. Ne vous inquiétez pas. La situation a peut-être l'air mauvaise, nulle et moche, mais les choses vont bientôt s'arranger. Vous pouvez compter là-dessus.

Il n'en crut pas un mot.

Les deux hommes le conduisirent dans une petite salle d'attente. La secrétaire qui se tenait derrière le bureau métallique gris leva les yeux à l'entrée du petit groupe. C'était une femme imposante, à l'air guindé, qui avait passé la quarantaine. Vêtue d'un ensemble bleu moulant, elle avait les cheveux un peu trop arrangés, l'eye-liner un peu trop visible, le rouge à lèvres légèrement exagéré, ce qui lui donnait un aspect paradoxal, un maintien qui évoquait à la fois, aux yeux de Francis Petrel, une bibliothécaire et une prostituée.

— Il doit s'agir de M. Petrel, dit-elle d'un ton brusque aux deux aides-soignants. (Francis comprit qu'elle n'attendait pas de réponse, puisqu'elle la connaissait déjà.) Vous pouvez le faire entrer. Le docteur l'attend.

On le poussa vers une autre porte, et il entra dans un autre bureau. La pièce était un peu plus agréable que la précédente, avec deux fenêtres, au fond, donnant sur une cour. Il vit un gros chêne osciller sous le vent qui s'était levé avec la pluie. Au-delà, il voyait d'autres bâtiments de brique, dont les toits en ardoise semblaient se fondre dans l'obscurité du ciel. Devant les fenêtres, il y avait un immense bureau de bois. Un rayonnage plein de livres se dressait dans un coin. À la droite de Francis, quelques fauteuils rembourrés et un épais tapis oriental rouge posé sur la moquette d'un gris administratif composaient une sorte de petit salon. Il y avait au mur une photo du gouverneur, à côté de celle du président Carter. Francis enregistra toute la scène d'un regard circulaire. Mais ses yeux se posèrent très vite sur le petit homme qui se trouvait derrière le bureau et qui se leva à son entrée.

— Bonjour, monsieur Petrel. Je suis le docteur Gulptilil, dit-il vivement, d'une voix presque aussi aiguë que celle d'un enfant.

Le docteur était un peu trop gros et tout rond, surtout au niveau des épaules et de l'estomac – il était bulbeux, comme un ballon qu'on aurait comprimé pour lui donner une forme. Il devait être indien ou pakistanais. Il portait une cravate en soie rouge vif très serrée et une chemise blanche lumineuse, mais son costume gris lui allait mal et était légèrement usé aux poignets. Il semblait être le genre d'homme qui cesse de s'intéresser à son apparence avant même d'avoir fini de s'habiller le matin. Il portait d'épaisses lunettes à monture noire, et ses cheveux soigneusement lissés en arrière retombaient en boucles sur son col. Francis aurait eu du mal à dire son âge. Il remarqua que le médecin aimait ponctuer ses phrases d'un signe de la main. Cela lui donnait l'air d'un maestro dirigeant un orchestre.

— Bonjour, dit Francis timidement.

Attention à ce que tu dis ! hurla une de ses voix.

— Savez-vous pourquoi vous êtes ici ? demanda le médecin, l'air sincèrement curieux.

— Je n'en suis pas sûr du tout.

Le docteur Gulptilil baissa les yeux sur un dossier et examina une feuille de papier.

— Il semble que vous ayez sérieusement effrayé certaines personnes, fit-il lentement. Et ces personnes semblent penser que vous avez besoin d'aide.

Il parlait avec un léger accent britannique, sans doute tempéré par les années passées aux États-Unis. Il faisait chaud dans la pièce. Sous la fenêtre, un des radiateurs fit entendre un chuintement.

Francis hocha la tête.

— C'était une erreur. Je ne voulais pas. Les choses ont un peu dérapé. C'était un accident, vraiment. Rien d'autre qu'une erreur de jugement. J'aimerais rentrer chez moi, maintenant. Je suis désolé. Je vous promets d'être meilleur. Bien meilleur. C'était un malentendu. Je ne voulais pas que ça arrive, pas du tout. Je vous présente mes excuses.

Le médecin hocha la tête, mais il ne répondit pas directement.

— Est-ce que vous entendez des voix, en ce moment ?

Dis-lui non !

— Non.

— Vous en êtes sûr ?

Dis-lui que tu ne sais pas de quoi il parle ! Dis-lui que tu n'as jamais entendu de voix !

— Je ne vois pas ce que vous voulez dire. Des voix ?

Très bien !

— Ce que je veux dire, c'est ceci : est-ce que vous entendez des choses que vous diraient des personnes qui ne sont pas physiquement présentes ? Ou bien : est-ce que vous entendez des choses que vous êtes le seul à entendre ?

Francis secoua vivement la tête.

— Ce serait dingue, dit-il.

Il commençait à avoir un peu plus confiance en lui.

Le médecin contempla la feuille qui se trouvait devant lui, puis leva de nouveau les yeux vers Francis.

— Dans ce cas… toutes les fois où les membres de votre famille ont remarqué que vous parliez sans vous adresser à personne en particulier, de quoi s'agissait-il ?

Francis remua sur son siège, réfléchissant à la question.

— Peut-être qu'ils se trompent ? dit-il, d'un ton de nouveau incertain.

— Je ne crois pas, répondit le médecin.

— Je n'ai pas beaucoup d'amis, dit Francis prudemment. Ni à l'école, ni dans mon quartier. Les autres ont tendance à me laisser dans mon coin. Alors je finis par parler tout seul. C'est peut-être ça qu'ils ont vu.

Le médecin hocha la tête.

— Parler tout seul, simplement ?

— Oui. C'est ça.

Il se détendit, juste un peu.

C'est bien. C'est bien. Mais fais attention.

Le médecin jeta de nouveau un coup d'œil sur ses papiers. Il avait un petit sourire.

— Il m'arrive aussi de parler tout seul, dit-il.

— Bien. Alors vous savez ce que c'est, répliqua Francis.

Il frissonna légèrement, avec une curieuse sensation de chaud et de froid, comme si le temps humide et rude de l'extérieur l'avait suivi à l'intérieur, et triomphait de la chaleur que le radiateur diffusait avec tant d'ardeur.

— Mais quand je parle tout seul, monsieur Petrel, il ne s'agit pas d'une conversation. C'est plutôt un pense-bête, comme « N'oublie pas de rapporter du lait... », ou une interjection, comme « Aïe ! » ou « Merde ! »... parfois même, je l'avoue, des mots plus grossiers. Mais ça s'arrête là, je n'échange pas des questions et des réponses avec quelqu'un qui n'est pas là. C'est pourtant cela, je le crains, que vous faites depuis des années, s'il faut en croire votre famille.

Méfie-toi de celle-là !

— Ils ont dit ça ? répliqua Francis d'un air sournois. C'est étonnant.

Le médecin secoua la tête.

— Moins que vous ne pourriez le croire, monsieur Petrel.

Il contourna le bureau afin de réduire la distance qui les séparait, et se percha sur le bord, juste en face de Francis. Celui-ci était toujours coincé dans son fauteuil roulant, bloqué par les liens qui lui entravaient les mains et les jambes, mais tout autant par la présence des deux aides-soignants. Ni l'un ni l'autre n'avait bougé ou prononcé un seul mot, mais ils planaient juste derrière lui.

— Peut-être reviendrons-nous tout à l'heure sur vos conversations, monsieur Petrel, dit le docteur Gulptilil. Car je ne comprends pas très bien comment vous pouvez poursuivre un dialogue si vous n'entendez rien en réponse, et cela m'inquiète vraiment.

Il est dangereux, Francis ! Il est malin, et il ne te veut pas du bien. Attention à ce que tu dis !

Francis hocha la tête, puis réalisa que le médecin s'en était peut-être rendu compte. Il se raidit dans son fauteuil, et vit que le docteur Gulptilil notait quelque chose au stylo à bille sur sa feuille de papier.

— Essayons autre chose, maintenant, monsieur Petrel. Aujourd'hui a été une journée difficile, n'est-ce pas ?

— Oui.

Il pensa qu'il aurait peut-être dû en dire plus, parce que le médecin restait silencieux et le fixait d'un air pénétrant.

— Je me suis disputé. Avec ma mère et mon père.

— Oh, une dispute ? Oui. À propos, monsieur Petrel, pouvez-vous me dire quelle est la date d'aujourd'hui ?

— La date ?

— C'est cela. La date de cette dispute que vous avez eue aujourd'hui.

Il fit un effort pour se concentrer. Puis il regarda à nouveau dehors, et vit l'arbre qui pliait sous le vent, par à-coups, comme si un marionnettiste invisible en secouait et manipulait les branches. À l'extrémité des branches, il y avait des bourgeons à peine formés. Il essaya de faire des calculs. Il se concentra, en espérant qu'une de ses voix connaîtrait la réponse. Mais elles étaient devenues brusquement silencieuses, selon cette habitude énervante qu'il connaissait si bien. Il laissa son regard errer autour de la pièce, espérant tomber sur un calendrier, sur un signe qui pourrait l'aider, mais il ne vit rien, et son regard revint vers la fenêtre, vers les mouvements de l'arbre. Quand il se retourna vers le médecin, il vit que le gros homme attendait patiemment sa réponse, comme si plusieurs minutes s'étaient écoulées depuis qu'il avait posé la question. Francis inspira brusquement.

— Je suis désolé…

— Quelque chose vous a distrait ? demanda le médecin.

— Excusez-moi, dit Francis.

— On dirait, dit lentement le gros homme, que vous étiez ailleurs, pendant quelques instants. Est-ce que ce genre de chose vous arrive souvent ?

Dis-lui non !

— Non. Pas du tout.

— Vraiment ? Vous m'étonnez. En tout cas, monsieur Petrel, vous alliez me dire quelque chose…

— Vous m'avez posé une question ?

Il s'en voulait d'avoir perdu le fil.

— La date, monsieur Petrel ?

— Je crois que c'est le 15 mars, dit Francis d'une voix ferme.

— Ah, les ides de mars. Une date célèbre pour ses trahisons. Hélas, non, fit le médecin en secouant la tête. Mais vous n'êtes pas loin, monsieur Petrel. Et l'année ?

Il fit un peu de calcul mental. Il savait qu'il avait vingt et un ans, et que son anniversaire était un mois plus tôt, alors il devina.

— 1979.

— Bien, répondit le docteur Gulptilil. Excellent. Et quel jour sommes-nous ?

— Quel jour ?

— Quel jour de la semaine, monsieur Petrel ?

— C'est… samedi.

— Non. Désolé. Nous sommes mercredi. Vous pourrez vous en souvenir, pour moi ?

— Oui. Mercredi. Bien sûr.

Le médecin se frotta le menton.

— Maintenant, revenons à ce matin, à ce qui s'est passé avec votre famille. C'était un peu plus qu'une dispute, n'est-ce pas, monsieur Petrel ?

Non ! Ce n'était rien de plus que d'habitude !

— Je crois qu'il ne s'est rien passé d'extraordinaire…

Légèrement surpris, le médecin leva les yeux.

— Vraiment ? C'est très curieux, monsieur Petrel. Car le rapport de police affirme que vous avez menacé vos deux sœurs, avant d'annoncer votre intention de vous tuer. D'affirmer que la vie ne vaut pas la peine d'être vécue et que vous détestez tout le monde. Et puis, quand vous vous êtes retrouvé devant votre père, vous l'avez menacé à son tour, ainsi que votre mère. Vous voudriez, disiez-vous, que le monde entier disparaisse. Je crois que c'est le mot que vous avez prononcé. Disparaître. Le rapport dit ensuite, monsieur Petrel, que vous êtes allé dans la cuisine, dans cette maison où vous habitez avec vos parents et vos jeunes sœurs, et que vous vous êtes emparé d'un gros couteau de cuisine que vous avez brandi dans leur direction, peut-être pour leur faire comprendre que vous aviez l'intention de vous en servir contre eux, avant de le jeter violemment contre le mur. Quand la police est arrivée, vous vous êtes enfermé à clé dans votre chambre et vous avez refusé d'en sortir, mais on pouvait vous entendre parler d'une voix forte à l'intérieur, comme si vous discutiez avec quelqu'un, alors que vous étiez seul dans la pièce. Ils ont dû enfoncer la porte, n'est-ce pas ? Et pour finir, vous vous êtes battu contre les policiers et les ambulanciers qui étaient venus vous aider, au point que l'un d'eux a dû recevoir des soins. Est-ce que ce résumé des événements de la journée vous semble correct, monsieur Petrel ?

— Oui, répondit-il d'un ton morne. Je suis désolé, pour l'agent. Par chance, le coup l'a atteint au-dessus de l'œil. Il y avait beaucoup de sang.

— Ou par malchance, peut-être, dit le docteur Gulptilil, à la fois pour vous et pour lui.

Francis opina.

— Maintenant, monsieur Petrel, peut-être pourriez-vous m'expliquer pourquoi tout cela est arrivé aujourd'hui.

Ne lui dis rien ! Tout ce que tu diras sera utilisé contre toi !

Le regard de Francis se posa à nouveau sur la vitre, et fouilla l'horizon. Il détestait le mot *pourquoi.* Il l'avait poursuivi toute sa vie. Pourquoi ne te fais-tu pas des amis, Francis ? Pourquoi ne t'entends-tu pas avec tes sœurs ? Pourquoi n'es-tu pas fichu de lancer la balle dans la bonne direction et d'être sage en classe ? Pourquoi ne fais-tu pas attention quand ton maître te parle ? Ou le chef de patrouille, aux scouts ? Ou le curé ? Ou les voisins ? Pourquoi te caches-tu toujours des autres ? Pourquoi es-tu différent, Francis, alors que tout ce que nous voulons, c'est que tu sois comme les autres ? Pourquoi ne peux-tu pas garder un emploi ? Pourquoi ne peux-tu pas aller à l'école ? Pourquoi ne t'engages-tu pas dans l'armée ? Pourquoi es-tu incapable de te tenir comme il faut ? Pourquoi ne peux-tu faire en sorte qu'on t'aime ?

— Mes parents croient que je dois faire quelque chose de ma vie. C'est ça qui a provoqué la dispute.

— Savez-vous, monsieur Petrel, que vous obtenez à tous les tests des résultats très élevés ? Remarquablement élevés, c'est assez curieux. Alors peut-être que les espoirs qu'ils placent en vous ne sont pas sans fondement ?

— Je suppose…

— Alors pourquoi vous êtes-vous disputés ?

— Une conversation comme celle-là n'est jamais aussi raisonnable qu'on voudrait le croire, répondit Francis.

Cette remarque amena un sourire sur les lèvres du docteur Gulptilil.

— Là-dessus, monsieur Petrel, je crois que vous avez raison. Mais je ne comprends pas comment cette discussion a pu dégénérer de façon aussi spectaculaire.

— Mon père était déterminé.

— Vous l'avez frappé, n'est-ce pas ?

N'avoue rien ! C'est lui qui t'a frappé le premier ! Dis-le !

— C'est lui qui m'a frappé le premier, répéta consciencieusement Francis.

Le docteur Gulptilil nota encore quelque chose sur la feuille de papier. Francis remua. Le médecin leva les yeux vers lui.

— Qu'est-ce que vous écrivez ? demanda Francis.

— C'est important ?

— Oui. Je veux savoir ce que vous écrivez.

Ne te laisse pas embobiner ! Il faut que tu saches ce qu'il écrit ! Ça ne peut pas être bon !

— Ce ne sont que des notes sur notre conversation.

— Je crois que vous devriez me montrer ce que vous écrivez. J'ai le droit de savoir ce que vous écrivez.

N'en démords pas !

Comme le médecin ne répondait pas, Francis poursuivit :

— Je suis ici, j'ai répondu à vos questions, maintenant c'est moi qui vous en pose une. Pourquoi écrivez-vous des choses sur moi sans me les montrer ? Ce n'est pas juste.

Francis s'agita dans le fauteuil roulant et tira sur ses liens. Il sentit la chaleur dans la pièce, comme si la température avait brusquement monté en flèche. Il tira de toutes ses forces dans l'espoir de se libérer, mais en pure perte. Il inspira profondément et se laissa retomber dans son siège.

— Vous êtes agité ? demanda le docteur après quelques instants de silence.

Sa question n'appelait pas de réponse tellement c'était évident.

— Ce n'est pas juste, tout simplement, reprit Francis en s'efforçant de parler calmement.

— La justice, c'est important pour vous ?

— Oui. Bien sûr.

— Oui, peut-être avez-vous raison à ce sujet, monsieur Petrel.

De nouveau, les deux hommes restèrent silencieux. Francis entendait toujours le chuintement du radiateur. Il se dit qu'il s'agissait peut-être de la respiration des deux aides-soignants. Durant toute la conversation, ils n'avaient pas bougé d'un pouce, derrière lui. Puis il se demanda si une de ses voix n'essayait pas d'attirer son attention, murmurant si faiblement à son oreille qu'il avait du mal à l'entendre. Il se pencha légèrement en avant, comme pour écouter.

— Est-ce qu'il vous arrive souvent d'être impatient, quand les choses ne vont pas comme vous le voudriez, monsieur Petrel ?

— Est-ce que ce n'est pas le cas pour tout le monde ?

— Croyez-vous que vous devez faire du mal aux gens quand les choses ne vont pas dans le sens que vous souhaitez ?

— Non.

— Mais vous vous mettez en colère.

— Il arrive à tout le monde de se mettre en colère.

— Ah, monsieur Petrel, là-dessus vous avez absolument raison. Il est toutefois important de savoir comment réagir devant la colère quand elle surgit, vous ne croyez pas ? Je pense que nous devrions nous revoir, et parler encore tous les deux.

Il se pencha vers Francis, dans une attitude délibérément familière.

— Oui, il me semble que quelques conversations supplémentaires s'imposent. Est-ce que cela vous convient, monsieur Petrel ?

Il ne répondit pas. Il avait l'impression que le son de la voix du médecin avait diminué, comme si quelqu'un avait tourné le volume au minimum, ou que ses paroles lui parvenaient de très loin.

— Puis-je vous appeler Francis ?

De nouveau, il resta sans répondre. Il ne faisait pas confiance à sa voix, car elle commençait à se mélanger avec les émotions qui lui gonflaient la poitrine.

Le docteur Gulptilil le fixa un instant.

— Dites-moi, Francis, est-ce que vous vous rappelez ce dont je vous ai demandé de vous souvenir, tout à l'heure ?

La question parut le ramener à la réalité du cabinet. Il leva les yeux vers le médecin, qui le regardait avec un air légèrement ironique et inquisiteur.

— Quoi ?

— Je vous ai demandé de vous rappeler quelque chose.

— J'ai oublié, fit Francis d'un ton sec.

Le médecin hocha légèrement la tête.

— Peut-être alors pourriez-vous me rappeler quel jour de la semaine nous sommes aujourd'hui ?

— Quel jour ?

— Oui.

— C'est important ?

— Admettons, oui.

— Vous êtes sûr de me l'avoir demandé tout à l'heure ? demanda Francis pour gagner du temps.

Mais ce simple fait lui sembla soudain insaisissable, comme s'il était dissimulé sous un nuage, à l'intérieur de lui.

— Oui, fit le docteur Gulptilil. J'en suis sûr. Quel jour sommes-nous ?

Francis se concentra, luttant contre l'angoisse qui noyait brusquement toutes ses autres pensées. Il marqua encore une pause, en espérant qu'une de ses voix viendrait à son aide, mais une fois de plus, elles restaient silencieuses.

— Je crois que nous sommes samedi, dit-il d'un ton prudent.

Il prononçait chaque mot lentement, timidement.

— Vous en êtes sûr ?

— Oui.

Mais il manquait de conviction.

— Vous ne vous souvenez pas que je vous ai dit qu'on était mercredi ?

— Non. Ce serait une erreur. On est samedi.

Francis sentait que son crâne tournoyait, comme si les questions le forçaient à former des cercles de plus en plus étroits.

— Je ne crois pas, dit le médecin. Mais cela n'a aucune importance. Vous allez rester quelque temps avec nous, Francis, et nous aurons l'occasion de parler de tout cela. Je suis sûr qu'à l'avenir vous vous souviendrez mieux des choses.

— Je ne veux pas rester, rétorqua vivement Francis.

Il sentit monter en lui une violente panique mêlée de désespoir.

— Je veux rentrer chez moi. Vraiment, je pense qu'ils m'attendent. C'est bientôt l'heure du dîner, et mes parents et mes sœurs, ils veulent que tout le monde soit à la maison pour dîner. C'est une règle, chez nous, voyez-vous. Il faut être prêt à six heures, après s'être lavé les mains et le visage. Pas de vêtements sales si on a joué dehors. Prêt à dire l'action de grâce. Nous disons le bénédicité avant de manger. Nous le faisons toujours. Certains jours, c'est à moi de le dire. Il faut remercier Dieu de nous donner la nourriture qui est sur la table. Je crois qu'aujourd'hui c'est mon tour… oui, j'en suis sûr… Il faut que je sois là-bas, et je n'ai pas le droit d'être en retard.

Il sentait les larmes qui lui piquaient les yeux, et il entendait les sanglots qui étranglaient certains des mots qu'il prononçait. Tout cela arrivait à une image de lui-même, pas vraiment à lui, mais à un « lui » légèrement détaché et éloigné du vrai « lui ». Il lutta pour rassembler tous ces fragments de lui-même afin qu'ils ne fassent qu'un et qu'il puisse se concentrer dessus. Mais c'était difficile.

— Peut-être voulez-vous me poser une ou deux questions ? fit doucement le docteur Gulptilil.

— Pourquoi je ne peux pas rentrer chez moi ?

Francis avait expectoré la question, entre deux flots de larmes.

— Parce que les gens ont peur pour vous, Francis, et parce que vous leur faites peur.

— Dans quelle sorte d'endroit sommes-nous ?

— Un endroit où nous vous aiderons, dit le docteur.

Menteur ! Menteur ! Menteur !

Le docteur Gulptilil regarda les deux aides-soignants.

— Monsieur Moïse, voulez-vous, votre frère et vous, conduire M. Petrel au pavillon Amherst ? J'ai rédigé une ordonnance pour les médicaments, et des instructions complémentaires pour les infirmières. Il devra rester au moins trente-six heures en observation, peut-être un peu plus, avant qu'on envisage de le transférer en salle ouverte.

Il tendit une tablette au plus petit des gardiens, qui hocha la tête.

— Comme vous voudrez, Doc.

— Bien sûr, Doc, répondit son gigantesque comparse, qui contourna le fauteuil roulant, en saisit les poignées et fit brusquement pivoter Francis.

Celui-ci sentit que la tête lui tournait, et il dut réprimer ses sanglots.

— Ne craignez rien, monsieur Petrel, murmura le géant. Tout ira bien. On va s'occuper de vous.

Francis ne le croyait pas.

On lui fit traverser le bureau pour le ramener dans la salle d'attente. Il avait les joues trempées de larmes, ses mains tremblaient dans les menottes. Il se retourna pour essayer d'attirer l'attention de l'un ou l'autre des aides-soignants, la voix brisée par un mélange de peur et d'une tristesse sans limites :

— Je vous en prie, je veux rentrer chez moi. Ils m'attendent. C'est là-bas que je veux être. S'il vous plaît, ramenez-moi chez moi.

Le plus petit affichait un visage fermé, comme s'il avait du mal à supporter les plaintes de Francis. Il lui posa la main sur l'épaule et répéta :

— Ça ira mieux, maintenant, croyez-moi. Tout ira bien. Et maintenant, chut…

Il lui parlait comme à un bébé.

Le corps de Francis était secoué par des sanglots venus du plus profond de lui. On le poussa dans la salle d'attente. Derrière son bureau, la secrétaire compassée leva les yeux, l'air impatiente, implacable.

— Calmez-vous ! ordonna-t-elle à Francis.

Il ravala un sanglot et toussa.

Au même moment, il aperçut, à l'autre bout de la pièce, deux policiers de l'État en uniforme, vêtus de la tunique grise et du pantalon de cheval bleu, et des bottes marron luisantes qui leur montaient au genou. Deux images grandes et rigides de la discipline, cheveux ras, tenant le chapeau avec raideur au côté. Chacun portait un ceinturon Sam Browne poli au point de refléter la lumière, et un revolver dans l'étui fixé à la taille. Mais c'est l'homme qu'ils escortaient qui attira aussitôt l'attention de Francis.

Il était plus petit que les policiers, mais costaud. Francis se dit qu'il devait avoir entre vingt-huit et trente ans. Il se tenait dans une position indolente, détendue. Il avait les mains menottées devant lui, mais son langage corporel semblait nier l'importance de liens qu'il trouvait peu gênants – un simple désagrément, tout au plus. Il portait une combinaison bleu marine trop grande pour lui, avec l'inscription PÉNITENCIER DE BOSTON en lettres jaunes cousue au-dessus de la poche de poitrine gauche, et une paire de vieilles chaussures de course très abîmées dont on avait ôté les lacets. De longs cheveux bruns dépassaient de sa casquette tachée de sueur aux couleurs des Red Sox de Boston, et il avait une barbe de deux jours. Mais Francis était surtout fasciné par les yeux de l'homme, qui jetait autour de lui des regards perçants. Des yeux beaucoup plus vifs et pénétrants que ne le suggérait sa posture détendue. Il enregistrait aussi vite que possible tout ce qui l'entourait. Ces yeux exprimaient quelque chose de profond, ce que Francis remarqua immédiatement, malgré sa propre angoisse. Il ne pouvait mettre un nom là-dessus pour le moment. C'était comme si l'homme avait vu quelque chose d'une ineffable tristesse, dissimulé juste au-delà de son champ de vision, et si tout ce qu'il pouvait voir ou entendre était coloré par cette blessure enfouie. Il posa les yeux sur Francis, avec un petit sourire bienveillant qui semblait s'adresser directement à lui.

— Ça va comme tu veux, l'ami ? demanda-t-il avec le léger accent des Irlandais de Boston. Est-ce que c'est si dur qu'on le dit ?

Francis secoua la tête.

— Je veux rentrer chez moi, mais ils disent que je dois rester ici, répondit-il.

Puis il ajouta, pitoyable :

— Vous pouvez m'aider, s'il vous plaît ?

L'homme se pencha légèrement vers lui.

— Je crois que tu n'es pas le seul, ici, qui a envie de rentrer chez lui et qui ne peut pas le faire. Moi-même, j'appartiens pour le moment à cette catégorie.

Francis leva les yeux vers lui. Il ne savait pas exactement pourquoi, mais le ton apaisant de l'homme l'aidait à se calmer.

— Vous pouvez m'aider ? répéta-t-il.

Le sourire que l'homme lui adressa exprimait un mélange d'insouciance et de tristesse.

— Je ne sais pas ce que je peux faire, mais je ferai ce que je pourrai.

— Promis ? demanda brusquement Francis.

— D'accord. Je te le promets.

Francis se renversa en arrière sur son fauteuil et ferma les yeux une seconde.

— Merci, murmura-t-il.

La secrétaire interrompit leur conversation, en s'adressant d'un ton brusque et autoritaire au plus petit des aides-soignants noirs :

— Monsieur Moïse. Ce monsieur… (elle eut un geste en direction de l'homme en combinaison)… est monsieur… (elle hésita légèrement et poursuivit, en évitant à dessein, apparemment, de prononcer son nom)… le monsieur dont nous parlions tout à l'heure. Les policiers l'accompagneront pour voir le médecin, mais veuillez revenir au plus vite pour le conduire à ses nouveaux appartements.

Elle prononça ce mot avec une légère pointe de sarcasme.

— Dès que vous aurez aidé M. Petrel à s'installer à Amherst. On l'attend, là-bas.

— Bien, m'dame, fit le plus grand comme si son tour de parler était venu, alors que la femme s'était adressée à son frère. Nous ferons tout ce que vous nous demanderez.

L'homme en combinaison regarda de nouveau Francis.

— Comment tu t'appelles ?

— Francis Petrel.

L'homme en combinaison sourit.

— Petrel, c'est un joli nom. C'est celui d'un petit oiseau de mer, très commun du côté de Cape Cod. Ce sont les oiseaux que l'on voit voler juste au-dessus des vagues, les après-midi d'été. Des animaux magnifiques. Une aile blanche qui bat à toute vitesse, puis se met à planer et remonte en flèche l'instant d'après, sans le moindre effort. Ils doivent avoir des yeux perçants pour être capables de repérer une anguille de sable ou un vairon sous la vague. Un oiseau de poète, c'est sûr. Vous êtes capable de voler comme cela, monsieur Petrel ?

Francis secoua la tête.

— Ah, fit l'homme en combinaison. Eh bien, peut-être devriez-vous apprendre. Surtout si vous êtes enfermé trop longtemps dans cet endroit délicieux.

— On se calme ! lança un des policiers avec brusquerie.

L'homme se tourna vers le flic en souriant.

— Sinon, vous ferez quoi ?

Le policier rougit légèrement et s'abstint de répondre. L'homme l'ignora et se retourna vers Francis.

— Francis Petrel. Francis C-Bird, l'oiseau marin. Je préfère ça. Prends les choses comme elles viennent, Francis C-Bird, et on se reverra avant longtemps. Je te le promets.

Francis était incapable de répondre, mais il sentit un certain encouragement dans les paroles de cet homme. Pour la première fois depuis le début de cette horrible matinée, avec toutes ces voix fortes, ces cris et ces récriminations, il eut l'impression de n'être pas tout à fait seul. C'était un peu comme si les bruits discordants et le vacarme permanent qui avaient envahi ses oreilles toute la journée avaient diminué, comme si on avait baissé le volume excessif d'un poste de radio. Il entendait quelques-unes de ses voix murmurer leur approbation à l'arrière-plan, ce qui l'aida à se détendre. Mais il n'eut pas le temps de s'étendre là-dessus, car on le poussa brusquement hors du bureau, vers le couloir, et la porte claqua sèchement derrière lui. Un courant d'air froid le fit frissonner et lui rappela qu'à partir de cet instant tout ce qu'il avait connu jusqu'alors de la vie avait été changé, et que tout ce qu'il connaîtrait désormais était insaisissable et caché. Il dut se mordre la lèvre pour empêcher le retour des larmes, il déglutit pour rester calme et se laissa conduire rapidement de la réception vers les profondeurs de l'hôpital Western State.

3

Une faible lumière matinale glissait au-dessus des toits du quartier et s'insinuait dans mon petit appartement presque vide. Debout devant le mur, je voyais les mots que j'avais écrits la nuit précédente, et qui rampaient vers le sol en une longue colonne. Mon écriture était serrée, presque nerveuse. Les mots étaient rangés en lignes tremblantes, comme un champ de blé balayé par un vent d'été. Je m'interrogeai : étais-je à ce point terrorisé, le jour de mon arrivée à l'hôpital ? La réponse était facile : oui. Beaucoup plus que je ne l'ai écrit. La mémoire adoucit souvent la douleur. La mère oublie les affres de l'accouchement dès que l'on pose son bébé dans ses bras, le soldat ne se rappelle plus le calvaire de ses blessures quand le général épingle la médaille sur sa poitrine et que la fanfare entame un air martial. Est-ce que j'ai dit la vérité sur ce que j'ai vu ? Est-ce que j'ai bien restitué les détails ? Est-ce que les choses se sont passées exactement comme je me les rappelais ?

Je pris le crayon, me laissai tomber à genoux sur le sol, à l'endroit où je m'étais arrêté à l'issue de ma première nuit devant le mur. J'hésitai un instant. Puis je me mis à écrire :

> Quand Francis Petrel se réveilla, quarante-huit heures au moins s'étaient écoulées. Il se trouvait dans une cellule capitonnée grise, sinistre, le corps serré dans une camisole de force, le cœur battant à se rompre, la langue gonflée, avide de boire quelque chose de froid et d'un peu de compagnie…

Quand Francis Petrel se réveilla, quarante-huit heures au moins s'étaient écoulées. Il se trouvait dans une cellule capitonnée grise, sinistre, le corps serré dans une camisole de force, le cœur battant à se rompre, la langue gonflée, avide de boire quelque chose de froid et d'un peu de compagnie. Très raide, il gisait sur le lit de camp métallique et le matelas couvert de taches de la cellule d'isolement. Il parcourut du regard les murs capitonnés couleur toile à sac, puis le plafond, avant de procéder au modeste inventaire de sa personne et de ce qui l'entourait. Il remua les orteils, passa sa langue sur ses lèvres sèches, compta les battements de son pouls jusqu'au moment où il sentit qu'il ralentissait. Les drogues qu'on lui avait injectées lui donnaient l'impression d'être enterré, du moins d'être enveloppé dans une substance épaisse, sirupeuse. Une seule ampoule blanche brûlait dans la pièce, protégée par une grille, au-dessus de lui, hors de sa portée, et la lumière aveuglante lui blessait les yeux. Il se dit qu'il aurait dû avoir faim, mais ce n'était pas le cas. Il tira sur ses liens en sachant que c'était inutile. Il décida de crier, d'appeler à l'aide. Il se contenta de murmurer, in petto : Vous êtes toujours là ?

Tout d'abord, seul le silence lui répondit.

Puis il entendit plusieurs voix. Elles parlaient toutes en même temps, faiblement, comme si elles étaient étouffées par un oreiller. *Nous sommes là. Nous sommes encore là, toutes.*

Cela le rassura.

Il faut que tu nous caches, Francis.

Il acquiesça mentalement. Cela semblait évident. Il se sentait déchiré par des tentations contradictoires, un peu comme un mathématicien qui examine une équation complexe sur un tableau noir, et qui découvre qu'elle a plusieurs solutions. Ces voix qui le guidaient, c'étaient elles qui l'avaient conduit là où il était, et il savait parfaitement qu'il devrait les dissimuler en permanence s'il voulait sortir un jour de l'hôpital Western State. Alors qu'il réfléchissait à ce dilemme, il entendit le son familier de toutes celles qui voyageaient dans son imagination, et qui le soutenaient. Chacune avait sa personnalité : une voix pour exiger, une voix pour la discipline, une voix pour les compromis, une voix pour l'inquiétude, une voix pour les mises en garde, une voix qui apaisait, une voix pour le doute, et une voix pour les décisions. Elles avaient toutes des tons et des thèmes spécifiques. Il avait appris à savoir quand il devait attendre telle ou telle, selon la situation dans laquelle il se trouvait. Après la violente querelle qui l'avait opposé à ses parents, lorsqu'on eut appelé la police et l'ambulance, toutes les voix avaient réclamé son attention à grands cris. Maintenant, il devait se concentrer pour les entendre, et l'effort l'obligeait à plisser le front.

Cela signifiait, se dit-il, que d'une certaine façon, il commençait à s'organiser.

Une heure s'écoula. Francis était toujours dans la même position inconfortable, sur le lit, écrasé par l'exiguïté de sa cellule, quand le hublot percé dans la porte s'ouvrit avec un grattement. De là où il se trouvait, il pouvait le voir en se soulevant légèrement, mais sa camisole l'empêchait de tenir la position plus de quelques secondes. Il vit un œil, puis un autre, qui le fixaient, et il parvint à prononcer un faible « Hello ? ».

Personne ne lui répondit, et le hublot se referma dans un claquement.

Il eut l'impression d'attendre une demi-heure avant qu'il ne s'ouvre à nouveau. Il essaya d'appeler, avec succès cette fois : quelques secondes plus tard, il entendit une clé fourrager dans la serrure. La porte s'ouvrit en raclant le sol, et il vit le plus grand des deux aides-soignants noirs entrer dans la cellule. L'homme souriait, comme s'il écoutait une histoire drôle, et lui fit un signe de tête cordial.

— Comment allez-vous, ce matin, monsieur Petrel ? fit-il d'un ton vif. Vous avez dormi ? Vous avez faim ?

— Il faut que je boive quelque chose, répondit Francis d'une voix rauque.

L'aide-soignant hocha la tête.

— Ce sont les médicaments qu'ils vous ont donnés. Ça vous fait la langue pâteuse, comme si elle était gonflée, hein ?

Francis acquiesça. L'aide-soignant retourna dans le couloir, puis revint avec de l'eau dans un gobelet de plastique. Il s'assit sur le bord du lit et souleva Francis comme il l'eût fait d'un enfant malade, pour le faire boire un peu. C'était tiède, presque saumâtre, avec un léger goût de métal, mais la sensation de l'eau dans sa gorge et la pression du bras qui le soutenait rassurèrent

Francis plus qu'il ne s'y attendait. L'aide-soignant devait l'avoir senti, car il lui dit doucement :

— Ça va aller, monsieur Petrel. Monsieur C-Bird. C'est comme ça que vous appelait l'autre nouveau patient, et je trouve que ça vous va bien. Cet endroit est un peu dur au début, il faut un moment pour s'y habituer, mais vous serez bien. Je vous le dis.

Il reposa Francis sur le lit et ajouta :

— Le médecin va venir vous voir, maintenant.

Quelques secondes plus tard, Francis vit la forme ronde de Gulptilil se dessiner dans l'encadrement de la porte. Le médecin sourit et lui demanda, avec son accent chantant :

— Comment allez-vous ce matin, monsieur Petrel ?

— Ça va, dit Francis.

Il ne savait pas très bien ce qu'il aurait pu dire d'autre. En même temps, il entendait l'écho des voix qui lui disaient de faire très attention. Une fois de plus, elles étaient loin d'être aussi fortes qu'elle auraient dû l'être, comme si elles criaient leurs instructions depuis l'autre bord d'un gouffre.

— Vous vous rappelez où vous êtes ? demanda le médecin.

Francis acquiesça.

— Je suis à l'hôpital.

— Oui, fit le médecin en souriant. Ce n'est pas difficile à deviner. Mais vous rappelez-vous de quel hôpital il s'agit ? Et comment vous êtes arrivé ici ?

Francis s'en souvenait. Répondre aux questions suffisait à lever le brouillard qui obscurcissait sa vision.

— C'est l'hôpital Western State. Je suis arrivé en ambulance, après m'être disputé avec mes parents.

— Très bien. Et vous vous rappelez en quel mois nous sommes ? Quelle année ?

— Encore en mars, je crois. En 1979.

— Excellent. (Le docteur semblait réellement satisfait.) On s'est un peu adapté, je dirais. Je crois que nous allons pouvoir vous retirer de l'isolement, vous ôter vos liens et commencer à vous intégrer dans la population générale de l'hôpital. C'est ce que j'espérais.

— Je voudrais rentrer chez moi, dit Francis.

— Je suis désolé, monsieur Petrel. Ce n'est pas encore possible.

— Je ne veux pas rester ici.

Sa voix menaçait de se remettre à trembler, comme le jour de son arrivée.

— C'est pour votre bien, répliqua le médecin.

Francis en doutait. Il n'était pas assez fou pour ne pas se rendre compte qu'il ne s'agissait pas de son bien, mais de celui des autres. Mais il ne pouvait pas le dire à voix haute.

— Pourquoi m'empêche-t-on de rentrer chez moi ? demanda-t-il. Je n'ai rien fait de mal.

— Vous avez oublié le couteau de cuisine ? Et vos menaces ?

Francis secoua la tête.

— C'était un malentendu.

— Oui, bien sûr, fit le docteur Gulptilil en souriant. Mais vous resterez avec nous jusqu'à ce que vous ayez compris qu'on ne peut pas passer son temps à menacer les gens.

— Je vous promets que cela n'arrivera plus.

— Je vous remercie, monsieur Petrel. Mais une promesse ne suffit pas, étant donné les circonstances. Il faut que je sois convaincu. Vraiment convaincu. Les médicaments qu'on vous a donnés vous aideront. Vous continuerez à les prendre, et leur effet cumulatif vous aidera à mieux contrôler la situation et à vous réadapter. Peut-être pourrons-nous alors discuter de votre retour dans la société, et d'un rôle plus constructif.

Il avait prononcé cette phrase très lentement.

— Qu'est-ce que vos voix pensent de votre présence ici ?

Francis eut l'habileté de secouer la tête.

— Je n'entends pas de voix, fit-il, catégorique.

Un chœur satisfait retentit au fond de sa tête.

Le médecin sourit de nouveau, exhibant deux rangées de dents blanches légèrement irrégulières.

— Ah, monsieur Petrel ! Cette fois encore, je ne suis pas tout à fait sûr de vous croire. Pourtant... pourtant, je pense que vous pouvez réussir à vous intégrer dans la population générale. M. Moïse ici présent va vous faire faire le tour de la maison et vous mettre au courant des règles. Les règles sont importantes, monsieur Petrel. Il n'y en a pas beaucoup, mais elles sont essentielles. Obéir aux règles, devenir un membre constructif de notre petit monde, voilà des signes de bonne santé mentale. Faites le maximum pour me montrer que vous vous adaptez ici, et chaque jour qui passe vous rapprochera de votre retour chez vous. Vous comprenez cette équation, monsieur Petrel ?

Francis acquiesça vigoureusement.

— Il y a des activités. Il y a des séances en groupe. De temps en temps, vous aurez une séance seul avec moi. Et il y a les règles. Tout cela mis ensemble crée des possibilités. Si vous n'êtes pas capable de vous adapter, eh bien, votre séjour ici sera long et souvent déplaisant...

Il fit un geste vers la cellule d'isolement.

— Cette pièce, par exemple, ces objets, dit-il en montrant la camisole de force, et bien d'autres restent une possibilité. Ils resteront toujours une possibilité. Mais il est de votre intérêt d'éviter cela, monsieur Petrel. C'est crucial pour retrouver votre santé mentale. Suis-je bien clair ?

— Oui, dit Francis. S'adapter. Tirer parti. Suivre les règles.

Il se répétait ces mots comme un mantra, une prière.

— Exactement. Excellent. Vous ne voyez pas que nous avons déjà fait des progrès ? Dites-vous que c'est encourageant, monsieur Petrel. Et tirez parti de ce que l'hôpital peut vous offrir.

Le médecin se leva et fit un signe de tête à l'aide-soignant.

— Parfait, monsieur Moïse. Vous pouvez détacher M. Petrel. Après quoi, veuillez l'escorter jusqu'au dortoir, donnez-lui des vêtements et montrez-lui la salle commune.

— Bien, monsieur, fit l'aide-soignant avec une sécheresse militaire.

Le docteur Gulptilil sortit de la cellule d'isolement en se dandinant. L'aide-soignant entreprit de détacher les courroies de la camisole de force puis de déplier les manches qui maintenaient les bras de Francis, et celui-ci se retrouva libre de ses mouvements. Il s'étira maladroitement, se frotta les bras pour y ramener l'énergie et la vie. Il posa les pieds sur le sol et se leva, mal assuré, pris d'une soudaine sensation de vertige. L'aide-soignant s'en était rendu compte, car une grosse main saisit l'épaule de Francis et l'empêcha de tomber. Francis était comme un enfant qui fait ses premiers pas, mais sans le sentiment de bonheur et d'accomplissement. Il ne ressentait rien d'autre que le doute et la peur.

Il suivit M. Moïse dans le couloir du troisième étage du pavillon Amherst. Une demi-douzaine de cellules capitonnées de deux mètres sur trois s'alignaient, munies chacune d'une double serrure et d'un hublot. Il n'aurait su dire si elles étaient occupées, sauf une : ils devaient avoir fait du bruit en passant devant, car il entendit derrière la porte verrouillée un flot d'obscénités assourdies qui se fondit dans un long cri douloureux. Un mélange d'angoisse et de haine. Francis pressa le pas pour rattraper le grand aide-soignant qui ne semblait pas le moins du monde décontenancé par ce bruit hallucinant : il poursuivait son bavardage sur l'agencement du bâtiment et son histoire. Ils passèrent une double porte donnant sur le grand escalier central. Francis se souvenait très vaguement qu'il avait monté ces marches deux jours plus tôt, dans ce qui lui semblait être un passé lointain, de plus en plus insaisissable – une époque où tout ce qu'il croyait connaître de sa vie était totalement différent.

La conception du bâtiment lui semblait en tous points aussi dingue que ses occupants. Les étages supérieurs abritaient des bureaux voisinant avec des débarras et des cellules d'isolement. Le premier et le deuxième étage comprenaient des salles grandes ouvertes qui avaient l'air de dortoirs : elles étaient pleines de lits ordinaires à cadre métallique, avec çà et là, une cantine pour ranger les affaires. Il y avait, dans les dortoirs, de petites salles de bains dont les cabines de douche offraient peu d'intimité. Il y avait d'autres cabinets de toilette dans les couloirs, répartis tout au long de l'étage, avec HOMMES et FEMMES écrits sur les portes. Dans une concession à la pudeur, les femmes logeaient à l'extrémité nord du couloir, les hommes à l'extrémité sud. Un grand poste de soins séparait les deux quartiers. Il était protégé par des panneaux grillagés et une porte d'acier verrouillée. Francis vit que toutes les portes étaient équipées de deux, parfois trois doubles verrous seulement accessibles de l'extérieur. Quand une porte était fermée, personne ne pouvait l'ouvrir de l'intérieur, à moins d'en posséder la clé.

Le rez-de-chaussée était coupé en deux par un grand espace ouvert présenté comme la salle commune principale. Il contenait aussi une cafétéria et une cuisine assez grandes pour préparer et servir trois repas par jour à tous les résidents de l'Amherst. Plusieurs pièces plus petites, disséminées au rez-de-chaussée, servaient aux thérapies de groupe. De multiples fenêtres inondaient l'Amherst de lumière, mais chacune d'elles était munie d'un panneau grillagé extérieur, de sorte que les rayons de soleil formaient sur les sols luisants et les murs d'un blanc éclatant des ombres en forme de quadrillage. Il y avait des portes un peu partout, placées apparemment au hasard. Quand elles étaient fermées, M. Moïse devait sortir un énorme trousseau de clés de sa ceinture. D'autres étaient ouvertes, ou simplement poussées. Francis ne comprit pas d'emblée selon quelle logique elles étaient fermées à clé ou pas.

Il se dit qu'il s'agissait d'une très curieuse prison.

Ils étaient enfermés, mais pas prisonniers. Leurs mouvements étaient contrôlés, mais ils n'étaient pas attachés.

À l'instar de M. Moïse et de son petit frère, qu'ils croisèrent dans le couloir, les infirmières et les aides-soignants portaient des uniformes blancs. On apercevait de temps en temps un médecin ou son second, une assistante sociale ou un psychologue. Ces « civils » portaient des vestes, des pantalons de sport ou des jeans. Francis remarqua qu'ils étaient presque tous munis d'enveloppes en papier kraft, de tablettes ou de dossiers bruns, et chacun semblait parcourir les couloirs en sachant parfaitement où il allait et ce qu'il devait faire, comme si le fait d'avoir une tâche spécifique à accomplir lui permettait de se dissocier de la population générale du pavillon Amherst.

Des patients encombraient les couloirs. Certains formaient des petits groupes compacts, d'autres restaient seuls, dans une attitude agressive. Beaucoup le regardaient passer d'un air méfiant. Quelques-uns l'ignorèrent. Personne ne lui sourit. Il avait à peine le temps d'observer ce qui l'entourait, car il devait régler son pas sur celui de M. Moïse. Ce qu'il voyait des patients constituait une collection disparate et aléatoire de types de tous âges et de toutes tailles. Des cheveux qui semblaient jaillir des crânes, des barbes qui tombaient en tous sens comme sur de vieilles photos décolorées. C'était visiblement un lieu de contradictions. Il croisait partout des regards fous qui s'accrochaient à lui et le jaugeaient puis, par contraste, des visages dénués d'expression se tournaient vers le mur, évitant tout contact visuel. Des mots lui parvenaient, bribes de conversations ou soliloques. L'habillement semblait avoir été ajouté après coup. Certains portaient des chemises d'hôpital et des pyjamas trop grands, d'autres, une tenue de ville plus classique. Certains, de longs peignoirs ou des robes de chambre, d'autres, des jeans et des chemises à motif cachemire. C'était incohérent, décalé, comme si les couleurs ne savaient plus ce qui allait avec quoi, comme si les tailles étaient simplement inadaptées. Chemises trop larges, pantalons trop serrés ou trop courts. Chaussettes dépareillées. Rayures voisinant avec carreaux. Il régnait presque partout une odeur âcre de tabac.

— Trop de monde, fit M. Moïse alors qu'ils approchaient du poste de soins. Il doit y avoir deux cents lits en tout. Mais près de trois cents personnes s'entassent là-dedans. On pourrait croire qu'ils vont y remédier, mais non, pas encore.

Francis ne répondit pas.

— On vous a tout de même trouvé un lit, ajouta M. Moïse. Vous serez bien, impec.

Il s'arrêta devant le poste de soins.

— Salut, mesdames !

Les deux infirmières en blouse blanche qui se trouvaient derrière le grillage se tournèrent vers lui.

— Vous êtes toujours aussi douces et aussi belles, par ce matin radieux.

La première était âgée, elle avait des cheveux gris et un visage ridé aux traits tirés. Elle lui sourit. L'autre était une Noire trapue, beaucoup plus jeune que sa collègue. Elle répondit par un grognement, comme une femme qui a trop souvent entendu de belles paroles n'aboutir qu'à des promesses jamais tenues.

— Tu parles, tu parles, mais qu'est-ce qui t'amène par ici à cette heure-ci ? fit-elle d'un ton faussement bourru qui amena un nouveau sourire sur le visage de l'autre femme.

— Eh bien, mesdames, je veux seulement apporter un peu de joie et de bonheur dans votre vie !

Les infirmières éclatèrent de rire.

— Un homme a toujours une idée derrière la tête, fit la Noire.

— Parole d'évangile, ajouta sa collègue.

M. Moïse se mit à rire lui aussi, tandis que Francis se dressait soudain, maladroitement, incertain de la conduite à tenir.

— Mesdames, je vous présente M. Francis Petrel, qui va passer quelque temps parmi nous. Monsieur C-Bird, cette sympathique jeune femme est Mlle Lagaffe, et sa ravissante collègue, ici présente, Mlle Ficelle. (Il leur tendit une tablette.) Le docteur a prescrit quelques médicaments à ce garçon. Ça m'a l'air d'être plus ou moins comme d'habitude. Qu'en pensez-vous, monsieur C-Bird ? fit-il en se tournant vers Francis. Vous croyez que le docteur vous a prescrit une tasse de café le matin et un plat de poulet frit au maïs avec une bonne bière pour le soir ? Vous croyez que c'est ça ?

Francis dut avoir l'air surpris, car l'aide-soignant ajouta immédiatement :

— Je rigole. Ne vous inquiétez pas.

Les infirmières jetèrent un coup d'œil au dossier médical, qu'elles posèrent sur une pile de dossiers semblables, sur un coin de leur bureau. L'aînée, Mlle Ficelle, fourragea sous un comptoir d'où elle sortit une petite valise bon marché, en toile à motif écossais.

— Votre famille a laissé ceci pour vous, monsieur Petrel.

Elle la passa par l'ouverture ménagée dans le grillage et ajouta à l'intention de l'aide-soignant :

— Je l'ai fouillée.

Francis prit la valise et lutta contre l'envie d'éclater en sanglots. Il l'avait tout de suite reconnue. On la lui avait offerte pour Noël, quand il était plus jeune, et comme il n'avait jamais vraiment voyagé, il s'en servait pour ranger des choses spéciales ou inhabituelles. Une sorte de cachette portative pour des objets conservés durant l'enfance. Chacun d'eux était une sorte de voyage en soi. Une pomme de pin ramassée en automne. Une collection de petits soldats. Un livre de poésie enfantine qu'on n'avait jamais rapporté à la bibliothèque. Ses mains tremblèrent légèrement en frôlant le bord en faux cuir, et il toucha la poignée. La fermeture éclair était ouverte, et il vit qu'on avait ôté le contenu de la valise pour le remplacer par quelques vêtements pris dans ses tiroirs, chez lui. Il sut immédiatement qu'on avait jeté tout ce qu'il y avait rangé. Comme si ses parents avaient fourré dans ce petit bagage le peu qu'ils connaissaient de sa vie et le lui avaient envoyé pour l'aider à retrouver le droit chemin. Sa lèvre inférieure tremblait. Il se sentait totalement, absolument seul.

Les infirmières passèrent par l'ouverture un second lot d'objets. Il y trouva des draps rêches et une taie d'oreiller, une couverture de laine verdâtre des surplus militaires usée jusqu'à la corde, un peignoir rappelant ceux que portaient certains patients, et un pyjama, également semblable à ceux qu'il avait vus. Il les posa sur la valise et souleva le tout.

— Très bien, fit M. Moïse en hochant la tête. Je vais vous montrer votre lit. Vous pourrez ranger vos affaires. Maintenant, qu'avons-nous prévu pour M. C-Bird, mesdames ?

Une des infirmières consulta le dossier de Francis.

— Déjeuner à midi. Quartier libre jusqu'à la séance de groupe dans la salle 101, à trois heures, avec M. Evans. Il revient ici à quatre heures et demie, temps libre. Dîner à six heures. Médicaments à sept. C'est tout.

— Vous avez noté tout cela, monsieur C-Bird ?

Francis acquiesça. Il ne se fiait pas à sa propre voix. Hurlant au fond de son crâne, il entendait les ordres qu'on lui donnait : *Tiens-toi tranquille, reste sur tes gardes*. Il suivit M. Moïse jusqu'à une grande salle où s'alignaient trente ou quarante lits. Tous les lits étaient faits, sauf un, proche de la porte. Une demi-douzaine d'hommes étaient allongés. Ou bien ils dormaient, ou bien ils contemplaient le plafond, et ils regardèrent à peine dans leur direction quand ils entrèrent dans le dortoir.

M. Moïse l'aida à faire son lit et à ranger ses maigres possessions dans une cantine. Il y avait aussi la place pour sa petite valise, qui disparut dans l'espace vide. Il fallut moins de cinq minutes pour tout ranger.

— Eh bien voilà, dit M. Moïse.

— Qu'est-ce qu'on va me faire maintenant ? demanda Francis.

L'aide-soignant eut un sourire un peu triste.

— Ce que vous devez faire maintenant, C-Bird, c'est tout faire pour aller mieux.

Francis hocha la tête.

— Comment ?

— C'est la grande question, C-Bird. Vous devrez trouver la réponse par vous-même.

— Que dois-je faire pour ça ?

L'aide-soignant se pencha vers lui.

— Contentez-vous de rester dans votre coin. Cet endroit peut être un peu dur, parfois. Vous devez apprendre à connaître les autres, et leur laisser l'espace dont ils ont besoin. N'essayez pas de vous faire des amis trop vite, C-Bird. Contentez-vous de la fermer et d'obéir aux règles. Si vous avez besoin d'aide, vous m'en parlez à moi, ou à mon frère, ou à une des infirmières, et on essaiera d'arranger les choses.

— Quelles sont-elles, ces règles ?

Le gros aide-soignant pivota et lui montra un panneau fixé en hauteur sur le mur.

NE PAS FUMER DANS LE DORTOIR
NE PAS FAIRE DE BRUIT
SILENCE APRÈS 21 H 00
RESPECTER AUTRUI
RESPECTER LA PROPRIÉTÉ D'AUTRUI

Francis lut la liste deux fois et se retourna. Il ne savait pas où il devait aller ni ce qu'il devait faire. Il s'assit sur le bord de son lit.

De l'autre côté de la salle, un homme qui contemplait le plafond (ou faisait semblant de dormir) se redressa brusquement. Il était très grand, près de deux mètres, avec une poitrine maigre, des bras minces et osseux qui sortaient d'un pull-over déchiré portant le logo des New England Patriots, et des jambes en tuyau de poêle qui dépassaient d'un pantalon vert de chirurgien trop court de quinze centimètres. Les manches de son pull étaient coupées juste au-dessous des épaules. Il était nettement plus âgé que Francis, et ses cheveux grisonnants tombaient sur ses épaules en une masse broussailleuse. Il écarquilla les yeux, comme s'il était à moitié terrorisé, à moitié furieux. Il leva brusquement une main cadavérique qu'il pointa droit sur Francis.

— Arrêtez ça ! hurla-t-il. Arrêtez ça, tout de suite !

Francis eut un mouvement de recul.

— Arrêter quoi ?

— Arrêtez, c'est tout ! Je le sais ! Vous ne pouvez pas me berner ! J'ai compris dès que vous être entré ! Arrêtez ça !

— Je ne sais pas ce que je fais de mal ! répondit timidement Francis.

Le géant agitait maintenant les bras en tous sens, comme s'il essayait d'écarter des toiles d'araignée. À chaque seconde, sa voix semblait monter d'une octave.

— Arrêtez ça ! Arrêtez ça ! Je vois en vous ! Vous ne m'aurez pas !

Francis regarda autour de lui en se demandant s'il pouvait fuir ou se cacher quelque part, mais il était coincé entre l'homme qui fonçait vers lui en titubant et le fond de la pièce. Les autres hommes présents dans le dortoir dormaient toujours ou feignaient d'ignorer ce qui se passait.

À chaque pas, l'homme semblait grandir en taille et redoubler de férocité.

— Je le sais ! J'ai compris ! Dès que vous êtes entré ici ! Arrêtez ça !

En pleine confusion, Francis restait figé. Ses voix intérieures s'étaient mises à hurler en une cacophonie de conseils contradictoires : *Cours ! Cours ! Il va nous faire du mal ! Cache-toi !* Il tourna la tête de tous côtés, essayant de voir comment il pourrait échapper à l'assaut du géant. Il ordonna à ses muscles de lui obéir, il lui fallait au moins se lever de ce lit. Il eut simplement un mouvement de recul, presque recroquevillé sur lui-même.

— Si vous n'arrêtez pas, c'est moi qui vais vous faire arrêter ! hurlait l'homme.

Il semblait se préparer à l'attaque. Francis leva les bras pour le repousser.

Le géant lança une sorte de cri de guerre dans un gargouillement, se dressa en gonflant sa poitrine décharnée et en agitant les bras au-dessus de sa tête. Il semblait prêt à bondir sur Francis quand une voix retentit à l'autre bout du dortoir :

— L'Efflanqué ! Ça suffit !

Le géant hésita, puis se tourna dans la direction de la voix.

— Arrête tout de suite !

Francis, toujours le dos au mur, ne pouvait pas voir celui qui parlait, jusqu'à ce que le géant se retourne.

— Qu'est-ce que tu fais ?

— Mais c'est lui !

Le géant donnait l'impression de s'être tassé.

— Non, ce n'est pas vrai ! fit le nouveau venu.

Francis vit qu'il s'agissait de l'homme qu'il avait rencontré après son arrivée à l'hôpital.

— Fiche-lui la paix !

— Mais c'est lui ! Je l'ai su dès que je l'ai vu !

— C'est ce que tu m'as dit quand je me suis pointé, la première fois. C'est ce que tu dis à chaque nouveau.

L'homme hésita.

— C'est vrai ?

— Oui.

— Je crois quand même que c'est lui, répéta le géant dont la voix était étrangement dénuée de passion, remplacée par le doute et l'interrogation. J'en suis pratiquement sûr. Il faut absolument que ce soit lui.

Sa conviction apparente ne parvenait pas à masquer son incertitude.

— Mais pourquoi ? fit l'autre homme. Pourquoi tu en es si sûr ?

— C'était juste, quand il est entré, ça semblait si évident, je regardais, et puis…

La voix du géant diminua, finit par s'évanouir.

— Je me trompe peut-être.

— Je crois que tu t'es trompé, tout simplement.

— Ah bon ?

— Oui.

L'autre homme s'avança. Il souriait. Il dépassa le géant.

— Alors, C-Bird, je vois que tu es déjà dans le coup.

Francis hocha la tête. L'homme se tourna vers le géant.

— L'Efflanqué, voici C-Bird. J'ai fait sa connaissance l'autre jour dans le bâtiment administratif. Ce n'est pas le type que tu crois, pas plus que moi la première fois que tu m'as vu. Je t'assure.

— Comment tu peux en être si sûr ? demanda le géant.

— Je l'ai vu arriver, j'ai vu sa fiche, et je te jure que s'il était le fils de Satan envoyé pour répandre le mal dans cet hôpital, le fait serait mentionné, parce que tous les autres renseignements étaient là. Ville natale. Famille. Adresse. Âge. Tout ce que tu veux savoir, ça s'y trouve. Mais rien sur le fait qu'il est l'Antéchrist.

— Satan est le Grand Imposteur. Son fils doit être aussi malin. Doit bien être capable de se cacher. Même de Gulp-Pilule.

— C'est possible. Mais il y avait des flics avec moi, et on leur apprend certainement à repérer le fils de Satan. Ils doivent avoir des tracts et des communiqués, et des photos comme celles qui sont affichées sur le mur du bureau de poste, tu vois ce que je veux dire ? Je doute que le fils de Satan lui-même puisse échapper à deux policiers de l'État.

Le géant avait écouté l'explication avec beaucoup d'attention. Il se tourna vers Francis.

— Je suis désolé. Je me suis trompé. Je vois bien maintenant que vous n'êtes pas l'individu dont je guette l'arrivée. Je vous prie d'accepter mes plus humbles excuses. La vigilance est notre seule défense contre le mal. Il faut faire tellement attention, vous savez, jour après jour, heure après heure. C'est épuisant, mais absolument nécessaire...

Francis parvint enfin à ramper sur le bord du lit et à se lever.

— Oui. Bien sûr, dit-il. Aucun problème.

Le géant serra la main de Francis et lui secoua le bras avec enthousiasme.

— Je suis ravi de faire ta connaissance, C-Bird. Tu es généreux. Et bien élevé, c'est évident. Si je t'ai fait peur, j'en suis sincèrement désolé.

Francis le trouvait nettement moins effrayant, tout à coup. Il avait simplement l'air vieux, froissé, comme un magazine qu'on aurait laissé trop longtemps posé sur une table.

Le géant haussa les épaules.

— On m'appelle l'Efflanqué. La plupart du temps, je suis ici.

Francis hocha la tête.

— Moi, c'est…

— C-Bird, le coupa l'autre homme. Personne n'utilise son vrai nom, ici.

L'Efflanqué secoua vivement la tête de haut en bas.

— Le Pompier a raison, C-Bird. Rien que des surnoms, des abréviations, des choses comme ça.

Puis il fit demi-tour, retourna à grands pas à l'autre bout de la pièce, se laissa tomber sur son lit et se remit à contempler le plafond.

— Il n'a pas l'air d'un mauvais bougre, dit le Pompier. Je pense qu'en réalité – un mot qu'il faut employer avec prudence en ce bel endroit – il est plutôt inoffensif. Il m'a fait exactement le même numéro l'autre jour, hurlant et pointant du doigt, comme s'il allait me régler mon compte à lui tout seul, afin de protéger le monde de l'arrivée de l'Antéchrist, du fils de Satan ou de je ne sais qui. N'importe quel démon qui risquerait d'échouer ici par hasard. Il fait le coup à tous ceux qui arrivent, s'il ne les reconnaît pas. Ce n'est pas vraiment dingue, si on y réfléchit. Le mal circule dans le monde en quantité non négligeable, et je me dis qu'il doit bien venir de quelque part. Autant rester vigilant, comme il dit. Même ici.

— Merci, en tout cas, dit Francis.

Il se calmait, un peu comme un enfant qui croyait s'être perdu et qui retrouve d'une manière ou d'une autre une marque qui l'aide à se repérer.

— Mais je ne connais pas votre nom…

— Je n'ai plus de nom.

L'homme parlait avec une infime nuance de tristesse, que remplaça très vite un demi-sourire narquois teinté de regret.

— Comment est-ce possible ? demanda Francis.

— J'ai dû y renoncer. C'est ça qui m'a amené ici.

Francis ne comprenait pas. L'homme secoua la tête, amusé.

— Je suis désolé. Les gens m'ont baptisé le Pompier, car c'est ce que je faisais avant d'entrer à l'hôpital. J'éteignais des incendies.

— Mais…

— Dans le temps, mes amis m'appelaient Peter. Eh bien, Peter le Pompier, ça devrait vous suffire, Francis C-Bird.

— Très bien, répondit Francis.

— Je crois que vous découvrirez que notre système pour baptiser les gens facilite un peu les choses. Vous connaissez l'Efflanqué, ce qui est le surnom le plus évident pour quelqu'un de son gabarit. On vous a présenté les frères Moïse, sauf que tout le monde les appelle Big Black et Little Black, ce qui, là encore, semble approprié. Et Gulp-Pilule, ce qui est beaucoup plus facile à prononcer que le vrai nom du docteur. Et plus ressemblant, vu l'idée qu'il se fait des traitements. Qui d'autre avez-vous rencontré ?

— Les infirmières, là-bas, derrière leurs barreaux. Mlle…

— Ah ! Mlle Lagaffe et Mlle Ficelle ?

— Wright et Winchell.

— Exact. Il y a d'autres infirmières, comme Mlle Mitchell, qu'on a baptisée Mocheté. Mlle Smith, alias Tados parce qu'elle ressemble un peu à l'Efflanqué. Et Blondinette, qui est très jolie. Il y a le psy, M. Evans – pour nous, c'est M. Débile –, que tu connaîtras bientôt parce qu'il est plus ou moins responsable de ce dortoir. Et l'horrible secrétaire de Gulp-Pilule, Mlle Lewis. Quelqu'un l'a baptisée Miss Bien-Roulée. Elle déteste ce surnom, ce qui ne change rien parce qu'il lui colle autant à la peau que ses pull-overs moulants. On dirait que c'est un sacré morceau. Tout ça te paraît peut-être un peu compliqué, mais dans quelques jours tu seras au parfum.

Francis jeta un regard autour de lui.

— Est-ce que tout le monde est fou, ici ? murmura-t-il.

Le Pompier secoua la tête.

— C'est un hôpital pour les dingues, C-Bird, mais tout le monde ne l'est pas. Certains sont simplement vieux et séniles, ce qui leur donne l'air bizarre. Certains sont un peu retardés, un peu lents de la comprenette, mais pourquoi ont-ils atterri ici ? Mystère. D'autres sont simplement déprimés. D'autres entendent des voix. Tu entends des voix, C-Bird ?

Francis ne savait trop quoi répondre. Il avait l'impression qu'au fond de lui le débat faisait rage. Il entendait les échanges d'arguments, comme des décharges électriques entre les deux pôles d'un conducteur.

— Je ne peux rien dire, répondit-il d'un ton hésitant.
Le Pompier hocha la tête.
— Il y a des choses qu'on doit garder pour soi.
Il passa un bras autour des épaules de Francis et l'entraîna vers la porte.
— Allons-y, dit-il. Je vais te montrer le reste de notre foyer.
— Tu entends des voix, Peter ?
Le Pompier secoua la tête.
— Non.
— Non ?
— Non. Mais ce ne serait peut-être pas une mauvaise chose.
Il souriait, le coin des lèvres à peine levé – un sourire que Francis apprendrait vite à reconnaître, et qui semblait refléter la personnalité du Pompier. C'était le genre de personnage qui voyait à la fois la tristesse et l'humour là où d'autres ne voyaient que des situations neutres.
— Est-ce que tu es fou ? demanda Francis.
Le Pompier sourit à nouveau, mais cette fois il laissa échapper un petit rire.
— Est-ce que tu es fou, C-Bird ?
Francis inspira à fond.
— C'est possible, dit-il. Je ne sais pas.
Le Pompier secoua la tête.
— Je ne crois pas, C-Bird. Je ne l'ai pas cru, déjà, la première fois que je t'ai vu. Pas *trop* fou, en tout cas. Peut-être juste *un peu* fou, mais quel mal y a-t-il à ça ?
Francis hocha la tête, rassuré.
— Et toi ? insista-t-il.
Le Pompier hésita.

— Je suis bien pis que cela, dit-il lentement. C'est pour ça que je suis ici. Ils sont censés découvrir ce qui va de travers chez moi.

— Qu'y a-t-il de pire que d'être fou ? demanda Francis.

Le Pompier toussa.

— Oh, j'imagine que je peux te le dire. Tu l'apprendras tôt ou tard. Je tue des gens.

Sur ces mots, il précéda Francis hors du dortoir, vers le couloir de l'hôpital.

4

Et c'était comme ça, je suppose.

Big Black m'avait dit de ne pas me faire d'amis, d'être prudent, de rester dans mon coin et d'obéir aux règles. J'ai fait de mon mieux pour suivre ses conseils – à l'exception du premier –, et quand je regarde en arrière, je me demande s'il n'avait pas raison à ce sujet comme sur le reste. Mais la folie, c'est aussi la pire des solitudes, et j'étais fou et seul, c'est pourquoi quand Peter le Pompier m'a pris à part, j'ai accepté l'amitié qu'il m'offrait, sur le chemin descendant vers le monde de l'hôpital Western State. Je ne lui ai pas demandé ce que ses paroles signifiaient, même si je devinais que je ne tarderais pas à le savoir, parce que l'hôpital est un endroit où tout le monde a des secrets, mais où peu de gens parviennent à les garder.

Ma sœur cadette m'a demandé un jour – bien après ma libération – quel était le pire aspect de la vie à l'hôpital. Après y avoir longuement réfléchi, je lui ai répondu : la routine. L'hôpital consistait en un système de brefs moments décousus qui ne correspondaient à rien, ne servaient qu'à passer de lundi à mardi, de mardi à mercredi et ainsi de suite, une semaine après l'autre, un mois après l'autre. Tout le monde avait été amené là par des parents soi-disant animés de bonnes intentions, ou par le système froid et inefficace des services sociaux, à l'issue d'une audience judiciaire de pure forme à laquelle nous n'étions même pas présents, et qui ordonnait une hospitalisation de trente ou soixante jours. Mais nous apprenions bien vite que ces verdicts étaient aussi illusoires que nos voix intérieures. L'hôpital pouvait proroger les décisions de justice aussi longtemps qu'il jugeait que nous constituions une menace pour nous-même ou pour autrui – ce qui, vu notre état de folie, était toujours le critère déterminant. C'est ainsi qu'un mandat de dépôt de trente jours pouvait facilement aboutir à un séjour de vingt ans. Un aller simple direct de la psychose à la sénilité. Peu après notre arrivée, nous savions que nous étions comme des munitions périmées qu'on entrepose hors de vue, et qui s'abîment avec le temps qui passe, rouillent et deviennent de plus en plus instables.

La première chose qu'on comprenait, à Western State, c'était le plus gros mensonge de tous : personne n'essayait vraiment de vous aider à guérir ou à rentrer chez vous. On parlait et on agissait beaucoup, ostensiblement, pour vous réadapter à la vie en société, mais il s'agissait le plus souvent de mises en scène, comme les auditions de la commission de libération qui se tenaient de temps en temps. L'hôpital, c'était comme le goudron sur la route. Il vous collait aux pieds. Un poète célèbre écrivit un jour, élégant et naïf, que le foyer est l'endroit où l'on vous ramène toujours. C'est peut-être vrai pour les poètes, mais pas pour les fous. L'hôpital servait à nous maintenir hors de vue du monde sain. Nous étions enchaînés par des drogues qui émoussaient nos sens, barraient la route aux voix, mais ne supprimaient jamais complètement les hallucinations, de sorte que les illusions les plus fortes continuaient de résonner dans les couloirs. Mais le pire de tout, c'était la vitesse à laquelle nous en venions à accepter ces illusions. Quelques jours à peine après mon arrivée, cela ne me dérangeait pas de voir le petit Napoléon debout au pied de mon lit pour me parler avec énergie des mouvements de troupes à Waterloo et m'expliquer combien le destin de l'Europe aurait été différent si les Britanniques avaient cédé sous les assauts de sa cavalerie, si l'arrivée de Blücher avait été retardée, ou si la Vieille Garde n'avait pas été éreintée par une grêle de mitraille et les tirs des fusils. Je n'ai jamais vraiment su si Napoléon se prenait vraiment pour l'empereur français (même si, par moments, il se conduisait comme tel) ou s'il était simplement obsédé par tout cela parce qu'il était petit, parce qu'on l'avait mis à l'écart dans une maison de fous et parce que, avant tout, il voulait donner un sens à sa vie.

C'était le cas pour nous tous, les dingues. C'était notre plus grand souhait et notre plus grand rêve : être quelque chose. Affligés par la nature insaisissable de cet objectif, nous tentions d'y substituer nos illusions. Rien qu'à mon étage, il y avait une demi-douzaine de Jésus, ou du moins des types qui affirmaient qu'ils étaient capables de communiquer directement avec Lui, un Mahomet qui tombait à genoux cinq fois par jour pour prier vers La Mecque (même s'il regardait la plupart du temps dans la mauvaise direction), deux ou trois George Washington et d'autres présidents américains, de Lincoln et Jefferson à Johnson et Nixon, et un certain nombre de types qui guettaient, à l'instar de l'Efflanqué (inoffensif, mais parfois terrifiant), les signes de la présence de Satan ou de l'un de ses sous-fifres. Certains types étaient obsédés par les microbes, d'autres par des bactéries flottant dans l'air, d'autres croyaient que, pendant un orage, tous les éclairs étaient dirigés précisément contre eux, et ils partaient se planquer dans les coins. Il y avait des patients qui ne disaient rien, passaient des journées entières dans un silence total, et d'autres qui braillaient des obscénités dans toutes les directions. D'aucuns se lavaient les mains vingt ou trente fois par jour, d'autres ne prenaient jamais de bain. Nous étions l'armée des compulsions et des obsessions, des illusions et du désespoir. Je m'étais pris de sympathie pour un type que l'on appelait le Journaliste. Il errait dans les couloirs comme un crieur public des temps modernes, déclamait les gros titres, en véritable encyclopédie de l'actualité. Au moins, à sa manière démente, il nous maintenait en contact avec le monde et nous rappelait que des événements se déroulaient hors les murs de l'hôpital. Il y avait aussi une femme célèbre pour sa corpulence, qui poursuivait pendant des heures une partie de ping-pong dans la salle commune, mais qui passait l'essentiel de son temps à réfléchir aux problèmes découlant du fait qu'elle était la réincarnation directe de Cléopâtre. Parfois, Cléo se prenait simplement pour Elizabeth Taylor. On ne savait trop comment, elle était capable de citer pratiquement tous les dialogues du film, y compris ceux de Richard Burton, ou bien la totalité de la pièce de Shakespeare, tout en infligeant une raclée à quiconque osait s'opposer à elle au ping-pong.

Quand j'y repense aujourd'hui, tout cela me semble si ridicule que j'ai l'impression que je devrais éclater de rire.

Mais ce n'était pas ridicule. C'était un endroit où régnait une douleur indescriptible.

C'est précisément ce que les gens qui n'ont jamais été fous sont incapables de comprendre. À quel point la moindre illusion fait mal. À quel point la réalité semble hors d'atteinte. Un monde de désespoir et de frustration. Sisyphe et son rocher n'auraient pas détonné à l'hôpital Western State.

J'allais à mes séances de groupe quotidiennes avec M. Evans, que nous appelions M. Débile. C'était un psychologue sec et nerveux, à la poitrine maigre. Son attitude autoritaire semblait suggérer qu'il nous était supérieur parce qu'il rentrait chez lui le soir. Cela nous contrariait, mais c'était malheureusement le signe de supériorité le plus authentique. Lors de ces séances, on nous encourageait à parler franchement des raisons pour lesquelles nous nous trouvions à l'hôpital, et de ce que nous ferions quand nous en sortirions.

Tout le monde mentait. Des mensonges merveilleux, effrénés, optimistes, exagérés et enthousiastes.

Tout le monde sauf Peter le Pompier, qui intervenait rarement. Assis à côté de moi, il écoutait poliment les histoires invraisemblables que nous imaginions à haute voix – nous allions trouver un boulot, reprendre nos études ou nous associer à un programme d'action qui aurait pour objet de venir en aide à des gens aussi affligés que nous. Toutes ces conversations n'étaient que des mensonges et tournaient autour de notre désir désespéré d'avoir l'air normal. Assez, en tout cas, pour qu'on nous autorise à rentrer chez nous.

Au début, je me demandais si les deux hommes n'avaient pas passé un accord secret mais très subtil, car M. Débile ne sollicitait jamais Peter le Pompier pour ajouter quelque chose à la discussion, même quand elle s'éloignait de nous et de nos problèmes pour se pencher sur des choses plus intéressantes, comme certains faits de l'actualité, la crise des otages, l'agitation dans les quartiers déshérités ou les ambitions des Red Sox pour la prochaine saison – autant de sujets sur lesquels le Pompier en connaissait un rayon. Les deux hommes avaient en commun une certaine malveillance, mais l'un était un patient, l'autre faisait partie du personnel soignant, et au début elle était cachée.

Bizarrement, j'en vins assez vite à penser comme si j'étais parti en expédition vers les régions les plus lointaines et les plus désolées de la planète, coupées de toute civilisation, et que je m'éloignais toujours plus de tout ce que je connaissais pour avancer vers des contrées qui ne figurent sur aucune carte. Des contrées rudes.

Et qui le seraient bientôt encore plus.

Le mur me faisait signe. Même quand le téléphone posé dans un coin de la cuisine se mit à sonner. Je savais que c'était une de mes sœurs, qui appelait pour savoir comment j'allais. Alors que j'allais comme d'habitude, bien sûr, et, je le présume, comme il en sera toujours. Je ne répondis donc pas.

Quelques semaines plus tard, l'hiver semblait avoir battu en retraite après une défaite maussade. Francis marchait le long d'un couloir de l'hôpital en quête de quelque chose à faire. Sur sa droite, une femme était en train de pleurnicher à propos de bébés perdus, en se balançant d'avant en arrière, les bras serrés sur sa poitrine comme s'ils tenaient un précieux fardeau. Devant lui, un vieillard en pyjama, le visage ridé, avec une masse de cheveux argentés rebelles, contemplait tristement un mur blanc désolé, jusqu'à ce que Little Black le fasse pivoter doucement en le prenant par les épaules, de sorte qu'il fixait désormais une fenêtre munie de barreaux. Ce nouvel horizon amena un sourire sur les lèvres du vieil homme. Little Black lui tapota le bras d'un geste rassurant, puis se dirigea tranquillement vers Francis.

— Hé, C-Bird, comment allez-vous aujourd'hui ?

— Très bien, monsieur Moïse. Mais je m'ennuie un peu.

— Ils regardent des feuilletons, dans la salle commune.

— Je n'aime pas beaucoup ce genre d'émissions.

— Vous ne suivez pas cela, C-Bird ? Simplement pour vous demander ce qui va arriver à ces personnages qui ont une vie si extraordinaire ? Des tas de coups de théâtre et de retournements et de mystères qui obligent les gens à regarder la suite. Ça ne vous intéresse pas ?

— Je suppose que ça devrait m'intéresser, monsieur Moïse, mais ça ne me semble pas réel.

— Il y a aussi des pensionnaires qui jouent aux cartes. Ou à des jeux de société.

Francis secoua la tête.

— Une partie de ping-pong avec Cléo, peut-être ?

Francis sourit, mais il secouait toujours la tête.

— Quoi, monsieur Moïse, vous pensez que je suis assez dingue pour la défier ?

Little Black éclata de rire.

— Non, C-Bird. Même vous, vous n'êtes pas fou à ce point.

— Puis-je avoir l'autorisation de sortir dans la cour ? demanda brusquement Francis.

Little Black regarda sa montre.

— J'ai des gars qui sortent cet après-midi. Vont peut-être planter quelques fleurs, par cette belle journée. Se balader un peu. Respirer le bon air frais. Allez voir M. Evans, il vous arrangera peut-être ça. Pour moi, c'est d'accord.

Francis trouva M. Débile devant son bureau, en pleine conversation avec le docteur Gulp-Pilule. Les deux hommes semblaient énervés, faisaient de grands gestes et se disputaient avec véhémence, mais c'était une dispute bizarre : plus elle semblait intense, plus ils parlaient bas et doucement. Francis s'approcha d'un pas hésitant. Ils sifflaient en se balançant d'avant en arrière comme deux serpents se défiant mutuellement. Ils semblaient oublier la présence de ceux qui les entouraient. Un groupe de pensionnaires, en effet, s'était formé autour de Francis, traînant des pieds, remuant de gauche à droite. Finalement, Francis entendit Gulp-Pilule lancer avec colère :

— Eh bien, nous ne pouvons pas tolérer ce genre de fautes, voilà tout. J'espère pour vous qu'on va bientôt les retrouver.

— Il est évident qu'elles ont été mal rangées, peut-être volées, et ce n'est pas ma faute, répondit M. Débile. Nous allons continuer à chercher, je ne peux rien faire de plus.

Gulp-Pilule hocha la tête, mais son visage était figé dans une expression de fureur inhabituelle.

— Oui, c'est cela. J'espère qu'on les retrouvera au plus vite. N'oubliez pas de prévenir la sécurité, et demandez qu'on vous en donne un autre jeu. Il s'agit d'un grave manquement aux règles.

Le petit médecin indien fit brusquement demi-tour et s'éloigna sans accorder la moindre attention au groupe de patients, à l'exception d'un homme qui parvint à le rattraper mais fut renvoyé d'un geste sans avoir pu parler. M. Evans, irrité lui aussi, se tourna vers le groupe.

— Quoi ? Qu'est-ce que vous voulez ?

Devant le ton qu'il employait, une femme se mit à sangloter. Un vieil homme secoua la tête et emprunta le couloir d'un pas trébuchant en soliloquant. Il préférait la conversation qu'il avait avec son interlocuteur invisible à celle du psychologue furieux.

Francis hésita. Les voix hurlaient dans sa tête et l'incitaient à la prudence. *Va-t'en ! Va-t'en tout de suite !* Après un temps d'arrêt, il rassembla tout de même assez de courage pour lui dire :

— Je voudrais un bon de sortie. M. Moïse emmène un groupe dans la cour cet après-midi et j'aimerais les accompagner. Il m'a dit que pour lui, c'était d'accord.

— Vous voulez sortir ?

— Oui. S'il vous plaît.

— Pourquoi voulez-vous sortir, Petrel ? Qu'est-ce qui vous attire tant que ça, dehors ?

Francis ne savait pas s'il se moquait franchement de lui ou s'il s'amusait simplement à l'idée qu'on puisse franchir la porte d'entrée du pavillon Amherst.

— Il fait beau. Peut-être la plus belle journée depuis longtemps. Le soleil brille, il fait bon. Il y a de l'air frais.

— Et vous croyez que c'est mieux que ce qu'on trouve à l'intérieur ?

— Je n'ai pas dit cela, monsieur Evans. C'est le printemps, tout simplement, et j'avais envie de sortir.

M. Débile secoua la tête.

— Je crois que vous avez l'intention d'essayer de vous enfuir, Francis. De vous évader. Je crois que vous vous imaginez que vous pouvez fausser compagnie à Little Black quand il aura le dos tourné, escalader le lierre, sauter par-dessus le mur, descendre la colline à fond de train en passant devant l'école avant que quiconque ait le temps de vous repérer, et sauter dans un car qui vous emmènera loin d'ici. N'importe quel car, vous vous en fichez, parce que partout ailleurs ce sera mieux qu'ici. Voilà, à mon avis, quelles sont vos intentions.

Il parlait d'un ton dur, agressif.

— Non, non, non, répondit immédiatement Francis, je veux simplement aller au jardin.

— C'est vous qui le dites, poursuivit M. Débile, mais comment puis-je savoir que vous dites la vérité ? Comment puis-je vous faire confiance, C-Bird ? Comment allez-vous vous y prendre pour me convaincre que vous dites la vérité ?

Francis ignorait absolument ce qu'il pouvait répondre. Il ne savait pas comment prouver qu'une promesse était sincère autrement qu'en la tenant.

— Je veux simplement sortir, répéta-t-il. Je ne suis pas sorti depuis mon arrivée.

— Vous croyez que vous méritez le privilège de sortir ? Qu'avez-vous fait pour le gagner, Francis ?

— Je ne sais pas. Je ne savais pas que je devais le gagner. Je veux seulement sortir.

— Qu'est-ce que vos voix vous disent, C-Bird ?

Francis eut un léger mouvement de recul, car ses voix criaient toutes en même temps, lointaines mais claires, l'enjoignant et lui conseillant de s'éloigner du psychologue au plus vite et de remettre sa sortie à un autre jour. Mais il s'obstina, dans un exceptionnel mouvement de défi à l'égard de son vacarme intérieur.

— Je n'entends pas de voix, monsieur Evans. J'ai envie de sortir. C'est tout. Je ne veux pas m'enfuir. Je n'ai pas l'intention de prendre un car pour aller quelque part. Je veux simplement respirer un peu d'air frais.

Evans hocha la tête tout en serrant les lèvres.

— Je ne vous crois pas, dit-il.

Il sortit pourtant un petit carnet de la poche de sa chemise et écrivit quelques mots.

— Donnez ceci à M. Moïse. Permission de sortie accordée. Mais soyez à l'heure à la séance de groupe de l'après-midi.

Francis trouva Little Black en train de fumer une cigarette près du poste de soins, en flirtant avec les deux infirmières de service. Mlle Lagaffe était là, ainsi qu'une collègue plus jeune, une élève infirmière qu'on appelait Blondinette. Elle avait les cheveux coupés très court, dans un style qui tranchait avec les coiffures bouffantes des autres infirmières – mais celles-ci étaient toutes plus âgées qu'elle, et préoccupées par les plis et les rides de la quarantaine. Blondinette était jeune, fine et nerveuse, et dissimulait un physique de garçon sous son uniforme blanc. Elle avait une peau très pâle, presque translucide, qui luisait doucement sous la lumière des plafonniers. Elle parlait d'une voix faible, à peine audible, qui semblait baisser jusqu'au chuchotement quand elle était énervée. Ce qui arrivait souvent, pour autant que les patients pouvaient en juger. Les groupes importants et bruyants la rendaient nerveuse, et elle se crispait quand le poste de soins était assiégé, aux heures de distribution des médicaments. Il y avait toujours des moments de tension, lorsque des types jouaient des coudes pour atteindre le guichet qui s'ouvrait dans le grillage, où l'on disposait les cachets sur de petites coupelles de papier portant le nom de chaque patient. Elle avait du mal à maintenir les patients en file, elle avait du mal à maintenir le calme, et elle avait surtout du mal quand ils se mettaient à trépigner et à gesticuler, ce qui était assez fréquent. Blondinette s'en sortait bien mieux quand elle était seule avec un patient et qu'elle n'avait pas besoin de faire face à une foule avec sa petite voix aiguë. Francis l'aimait bien. En partie parce qu'elle était à peine plus âgée que lui, mais surtout parce qu'il trouvait qu'elle avait une voix apaisante qui lui rappelait celle de sa propre mère, il y avait très longtemps, quand elle lui racontait des histoires le soir. Pendant un moment, il essaya de se rappeler à quel moment elle avait cessé de le faire. Cela lui paraissait lointain. De l'histoire ancienne plutôt qu'un véritable souvenir.

— Vous avez le bon de sortie, C-Bird ? demanda Little Black.

— Le voici.

Il le lui donna. Levant les yeux, il vit Peter le Pompier qui arrivait dans le couloir.

— Peter ! s'exclama-t-il. J'ai l'autorisation de sortir. Si tu vas voir M. Débile, il te donnera peut-être aussi la permission.

Peter le Pompier s'approcha rapidement. Il secoua la tête en souriant.

— Impossible, C-Bird. Contre les règles.

Il jeta un coup d'œil vers Little Black qui hochait la tête.

— Désolé, fit l'aide-soignant. Le Pompier a raison. Pas lui.

— Pourquoi ? demanda Francis.

— Parce que c'est l'arrangement que nous avons ici, fit lentement le Pompier, d'une voix calme. Je n'ai pas le droit de franchir les portes extérieures.

— Je ne comprends pas, fit Francis.

— Décision du tribunal qui m'a envoyé ici, poursuivit le Pompier d'une voix teintée de regret. Quatre-vingt-dix jours en observation. Évaluation. Analyse psychologique. Tests avec des taches d'encre où je suis censé voir des gens qui font l'amour. Gulp-Pilule et M. Débile posent les questions, je réponds, ils prennent des notes et un de ces jours, ça retournera au tribunal. Mais je n'ai pas le droit de franchir les portes fermées à clé. Tout le monde est en prison, si l'on veut, C-Bird. Disons que la mienne est un peu plus fermée que la tienne.

— Ce n'est pas grave, C-Bird, ajouta Little Black. Il y a des tas de gens ici qui n'ont jamais le droit de sortir. Tout dépend de ce qu'ils ont fait pour qu'on les envoie ici. Bien sûr, il y en a aussi des tas qui ne veulent pas sortir mais qui pourraient s'ils le demandaient. Mais ils ne demandent jamais.

Francis comprenait, et en même temps il ne comprenait pas. Il regarda le Pompier.

— Ça ne me semble pas juste, dit-il.

— Je pense que personne n'avait vraiment en tête l'idée de justice, C-Bird. Mais j'ai donné mon accord, c'est donc ainsi. Je me tiens peinard. Je vois le docteur Gulp-Pilule deux fois par semaine. J'assiste aux séances de M. Débile. Je les laisse me surveiller. Regarde, même maintenant, alors que nous parlons, Little Black, Blondinette et Mlle Lagaffe m'ont à l'œil, ils écoutent ce que je dis, et tout ce qu'ils remarquent pourrait bien se retrouver dans le rapport que Gulp-Pilule va rédiger pour le tribunal. Alors il faut vraiment que je me surveille, que je fasse attention à ce que je dis, parce que sinon, inutile de préciser ce qu'ils pourraient décider. Pas vrai, monsieur Moïse ?

Little Black acquiesça. Francis trouvait ces propos curieusement détachés, comme s'il s'agissait de quelqu'un d'autre et non de la personne qui se trouvait devant lui.

— Quand tu parles comme cela, dit-il, on n'a pas l'impression que tu es fou.

Cette remarque arracha à un sourire narquois à Peter le Pompier. Un côté de sa bouche se souleva. Il avait l'air légèrement de guingois, mais très amusé.

— Oh, mon Dieu ! fit-il. C'est terrible. Terrible. (Une sorte de sanglot remonta du fond de sa gorge.) Je devrais faire encore plus attention. Parce que je suis censé être fou.

Francis ne comprenait pas. Pour un homme ainsi placé sous surveillance, Peter semblait plutôt insouciant. Cela tranchait avec la plupart des paranoïaques de l'hôpital qui s'imaginaient qu'on les épiait constamment, et qui passaient leur temps à user de manœuvres dilatoires. Bien sûr, ils croyaient que c'était le FBI ou la CIA, voire le KGB ou des extraterrestres qui les surveillaient, ce qui les plaçait dans des situations très différentes. Francis regarda le Pompier faire demi-tour pour se diriger vers la salle commune. Il se dit que même quand il sifflait, ou qu'il marchait d'un pas ostensiblement désinvolte, cela ne servait qu'à rendre sa tristesse plus évidente.

La chaleur du soleil frappa Francis au visage. Big Black avait rejoint son frère pour diriger l'expédition. L'un devant et l'autre derrière, ils maintenaient en file indienne la dizaine de patients qui étaient de sortie dans les jardins de l'hôpital. L'Efflanqué était là, lui aussi, marmonnant qu'il veillait au grain, aussi vigilant que d'habitude, ainsi que Cléo, qui observait le sol et regardait sous le moindre buisson, en espérant, disait-elle à ceux qui remarquaient son manège, y trouver une vipère. Francis se dit qu'une simple couleuvre pouvait faire le serpent de l'histoire, sans le chapitre « suicide ». Il y avait plusieurs vieilles femmes qui marchaient très lentement, deux ou trois hommes âgés, et trois patients dans la quarantaine, et tous avaient cet air négligé qui caractérise les gens qui ont passé des années dans la routine hospitalière. Ils étaient chaussés de tongs ou de chaussons, et portaient des hauts de pyjama aux manches effilochées et des pull-overs ou des gilets de laine usés jusqu'à la corde. Leurs vêtements avaient toujours l'air de n'être pas de la bonne taille – ce qui était la norme à l'hôpital. Deux ou trois des hommes arboraient un air sombre, irascible, comme si le rayon de soleil qui leur caressait le visage les exaspérait au-delà des mots. C'est ce qui fait, se dit Francis, que l'hôpital est un endroit si perturbant. Une journée qui aurait dû inspirer des rires et de la détente n'apportait qu'une fureur rentrée.

Les deux aides-soignants les conduisirent d'un pas tranquille vers l'arrière du complexe, où il y avait un petit jardin. Quelques boîtes de graines, à côté d'un seau d'enfant rouge, des déplantoirs et des petites pelles étaient disposés sur une table de pique-nique dont la surface déformée et rayée montrait qu'elle avait souffert de l'hiver. Il y avait aussi un seau en aluminium et un tuyau attaché à un robinet fixé à une canalisation qui sortait directement du sol. Quelques secondes plus tard, sous l'impulsion de Big Black et Little Black, tout le groupe se retrouva à quatre pattes sur le petit terrain meuble, ratissant et bêchant avec les petits outils, préparant la terre pour faire les plantations. Francis s'y consacra pendant quelques minutes avant de lever les yeux.

Au-delà du jardin, il y avait un autre bout de terrain : un long rectangle entouré d'une vieille palissade de bois dont la peinture blanche était devenue, avec le temps, d'un gris terne. La mauvaise herbe et un gazon mal entretenu sortaient en touffes, çà et là, de la terre misérable. Francis se dit qu'il devait s'agir d'une sorte de cimetière, car il apercevait deux pierres tombales de granit décoloré. Elles étaient légèrement de guingois, comme deux dents irrégulières sur la mâchoire d'un enfant. Plus loin encore, au fond, une ligne d'arbres plantés très serré formait une barrière naturelle et masquait une clôture grillagée.

Francis jeta un coup d'œil derrière lui, vers l'hôpital. Sur sa gauche, en partie dissimulée par un pavillon, c'était la centrale électrique, dont la cheminée laissait échapper vers le ciel bleu un filet de fumée blanche. Des tunnels souterrains, où couraient les conduites du chauffage, reliaient tous les bâtiments. Francis vit quelques cabanes, près desquelles on avait entreposé du matériel. Les autres bâtiments avaient l'air identiques : brique, lierre, toit d'ardoise grise. La plupart étaient conçus pour abriter les patients. Un pavillon avait été converti en dortoir pour les élèves infirmières, et plusieurs fournissaient des duplex aux jeunes internes en psychiatrie et leurs familles. On les reconnaissait aux jouets d'enfants qui traînaient devant, et l'un d'eux était même équipé d'un bac à sable. Près du bâtiment administratif se dressait celui de la sécurité, où les gardiens enregistraient les entrées et les sorties. Francis remarqua que l'administration disposait d'une aile avec un auditorium où devaient se tenir les réunions du personnel et les conférences. Il trouvait l'ensemble bizarrement déprimant. Il était difficile de percevoir l'intention des architectes, tant les bâtiments étaient agencés sur un mode aléatoire qui défiait tout projet rationnel. Là, deux bâtiments étaient adjacents, un peu plus loin un troisième se présentait selon un autre angle. On avait l'impression qu'ils avaient été posés au hasard.

L'avant du complexe hospitalier était fermé par un haut mur de briques rouges percé d'une entrée avec un portail ornementé en fer forgé noir. Francis ne voyait pas de panneau extérieur. Mais il doutait que ce fût nécessaire. Quiconque approchait de l'hôpital devait déjà savoir ce que c'était, et à quoi il servait, de sorte qu'un panneau était superflu.

Francis contempla le mur et essaya de le mesurer du regard. Il faisait au moins trois ou quatre mètres de haut. Sur les côtés et derrière l'hôpital, il laissait la place à un grillage rouillé en plusieurs endroits, surmonté de fil de fer barbelé également rouillé. En plus du jardin, il y avait un petit terrain de sport : une simple surface goudronnée avec un panier de basket-ball à une extrémité et un filet de volley-ball au milieu, l'un et l'autre tordus et abîmés, noircis par le temps et le manque d'entretien. Francis avait du mal à s'imaginer quelqu'un en train d'y jouer.

— Qu'est-ce que vous regardez, C-Bird ? lui demanda Little Black.

— L'hôpital. Je ne savais pas que c'était si grand.

— Il y a beaucoup, beaucoup trop de monde ici, fit tranquillement Little Black. Tous les dortoirs pleins à craquer. Les lits entassés les uns sur les autres. Des gens qui n'ont rien d'autre à faire que de traîner dans les couloirs. Pas assez de sport. Pas assez de thérapie. Juste des gens qui sont les uns sur les autres. Ce n'est pas bon.

Francis regarda l'énorme portail qu'il avait franchi le jour de son arrivée. Il était grand ouvert. Little Black anticipa sa question.

— On le ferme la nuit.

— M. Evans croyait que j'essaierais de m'enfuir, dit Francis.

Little Black secoua la tête en souriant.

— On s'imagine toujours que les gens qui vivent ici vont essayer de s'enfuir, mais ça n'arrive jamais. Même M. Débile, il devrait le savoir, il est là depuis plusieurs années.

— Pourquoi ? demanda Francis. Pourquoi les gens n'essaient-ils pas de s'enfuir ?

— Vous connaissez la réponse, C-Bird, fit Little Black avec un soupir. Ça n'a rien à voir avec les barrières, ni avec les portes fermées, même si on en a des tonnes ici. Il y a des tas de façons différentes d'enfermer quelqu'un. Réfléchissez à ça. Mais la meilleure raison n'a rien à voir avec les médicaments ou les doubles verrous, C-Bird. C'est simplement le fait que la plupart des gens qui sont ici n'ont nulle part où aller. Et quand on n'a nulle part où aller, on ne va nulle part. C'est aussi simple que ça.

Là-dessus, il se retourna pour aider Cléo à planter ses graines. Elle n'avait pas creusé assez profond, ou bien ses sillons n'étaient pas assez larges. Elle prit un air fâché, jusqu'au moment où Little Black lui rappela que lorsque la vraie Cléopâtre était entrée dans Rome, des serviteurs jetaient des pétales de fleurs sur son chemin. En entendant cela, elle marqua un temps d'arrêt, puis redoubla d'efforts. On vit bientôt Cléo creuser et gratter le sol moisi et râpeux avec une détermination qui semblait sincère. Elle était très grosse et portait des robes flottantes aux couleurs vives qui dissimulaient sa corpulence. Elle avait souvent du mal à respirer, fumait trop, et ses cheveux noirs retombaient en bataille sur ses épaules. Quand on la voyait marcher, on avait l'impression qu'elle tanguait d'avant en arrière, comme un navire privé de gouvernail, dérouté par les vents et les courants. Mais Francis savait qu'elle était transformée dès qu'elle tenait une raquette de ping-pong. Elle se débarrassait presque comme par magie de sa lourde carcasse et devenait d'un coup svelte, féline et vive.

Il regarda à nouveau le portail, puis ses compagnons, et finit par comprendre ce que Little Black lui avait dit. Un des vieillards avait des problèmes avec son déplantoir, qui tremblait violemment dans sa main sénile. Un autre contemplait d'un air absent un corbeau braillard perché dans un arbre, non loin de là.

Au fond de lui-même, Francis entendit une voix. Elle répétait d'un ton maussade les propos de Little Black, en en soulignant chaque mot : *Personne ne s'enfuit, parce que personne n'a d'endroit où aller. Toi comme les autres, Francis.*

Puis ce fut un chœur d'approbation générale.

Tout à coup, Francis regarda autour de lui, la tête tournant frénétiquement en tous sens. Car en cette seconde précise, sous le rayon du soleil et la légère brise printanière, les mains maculées par la terre du jardin, il avait vu ce que pourrait être son avenir. Et cela le terrifia plus que tout ce qui lui était arrivé jusque-là. Il vit que sa vie était comme une fine corde glissante, et qu'il fallait qu'il s'y accroche. C'était la sensation la plus terrible qu'il ait jamais connue. Il savait qu'il était fou, et savait aussi sûrement qu'il ne pouvait pas l'être. Il comprit alors qu'il devait trouver quelque chose qui lui permettrait de rester sain d'esprit. Ou qui donnerait l'impression qu'il était sain d'esprit.

Francis inspira à fond. Il savait que ce ne serait pas facile.

Comme pour souligner le problème, ses voix intérieures se disputaient violemment en faisant un raffut de tous les diables. Il essaya de les calmer, mais c'était difficile. Il leur fallut un bon moment pour s'apaiser, ce qui lui permit de comprendre en partie ce qu'elles disaient. Francis jeta un coup d'œil sur les autres patients. Plusieurs d'entre eux le regardaient avec attention. Il devait avoir marmonné quelques mots à voix haute, alors qu'il essayait de ramener un peu d'ordre dans son concert intérieur. Mais ni Big Black ni son frère ne semblaient avoir remarqué le combat dans lequel il était engagé.

L'Efflanqué, quant à lui, l'avait remarqué. Il était en train de travailler la terre à quelques mètres. Il s'approcha de Francis en se dandinant.

— Tu t'y habitueras, C-Bird, fit-il d'une voix brisée par une émotion qu'il semblait avoir du mal à contrôler. Comme nous tous. Du moment que nous restons sur nos gardes, et que nous avons l'œil en permanence. Il faut vraiment faire gaffe. Ne jamais tourner le dos une seule seconde. Ça se trouve tout autour de nous, et ça pourrait arriver n'importe quand. Il faut être toujours prêt. Comme les scouts. Prêts pour quand il arrivera.

Le géant semblait plus agité, plus désespéré que d'habitude.

Francis crut d'abord qu'il savait de quoi parlait l'Efflanqué. Il comprit que ce pouvait être presque n'importe quoi, mais que cela concernait probablement une présence satanique sur terre. L'Efflanqué se comportait très bizarrement. Il pouvait passer en quelques secondes de la violence de la folie à la gentillesse, ou presque. Il pouvait être tout en angles, gesticuler comme une marionnette dont les fils seraient tirés par des forces invisibles. Un instant plus tard, il paraissait s'être recroquevillé et, malgré sa taille, il n'était guère plus menaçant qu'un réverbère. Francis hocha la tête, prit dans un sachet quelques graines qu'il enfonça dans le sol.

Big Black se releva et épousseta sa blouse blanche pour la débarrasser de la terre qui la maculait.

— Très bien, les amis ! fit-il d'un ton enjoué. Nous allons arroser un peu, maintenant, et nous rentrerons.

Il jeta un coup d'œil vers Francis.

— Qu'est-ce que vous avez semé, C-Bird ?

Francis baissa les yeux vers le sachet de graines.

— Des roses. Des roses rouges. Jolies à regarder, mais difficiles à tenir en main. À cause des épines.

Il se releva, se mit en rang avec les autres, et tout le monde reprit le chemin du dortoir. Francis s'efforça d'absorber le plus d'air frais possible. Il se disait qu'il n'aurait peut-être pas l'occasion de sortir avant longtemps.

Quelles que soient les raisons de la crise de l'Efflanqué, elle persista durant la séance de groupe de l'après-midi. Ils se rassemblèrent comme d'habitude dans une des étranges pièces de l'Amherst, semblable à une petite salle de classe, avec une vingtaine de chaises pliantes en métal gris disposées plus ou moins en cercle. Francis aimait se placer là où il pouvait regarder par la fenêtre, entre les barreaux, si la conversation devenait ennuyeuse. M. Débile avait apporté le journal du matin afin de lancer une discussion sur les événements de l'actualité, ce qui semblait exciter encore plus le géant. Il était assis en face de Francis, qui se trouvait lui-même à côté de Peter le Pompier. L'Efflanqué gigotait sans arrêt sur sa chaise, tandis que M. Débile demandait au Journaliste d'énumérer les grands titres du jour. Ce dernier s'y employa sans se faire prier, d'une voix qui montait et descendait à chaque phrase. Les bonnes nouvelles étaient rares. La crise des otages en Iran continuait, inexorablement. À San Francisco, une manifestation avait dégénéré. Les policiers casqués avaient procédé à de nombreuses arrestations et répandu beaucoup de gaz lacrymogène. À Paris et à Rome, des manifestants avaient brûlé des drapeaux américains et des effigies de l'oncle Sam avant de se livrer à des violences de rue. À Londres, la police s'était servie de canons à eau contre les manifestants. Le Dow Jones avait subi une forte baisse, et une émeute dans une prison de l'Arizona avait été violemment réprimée, au point que l'on déplorait de nombreux blessés graves, tant du côté des détenus que des gardiens. À Boston, la police était encore impuissante devant plusieurs meurtres commis durant l'année qui venait de s'écouler. Elle avouait n'avoir aucune nouvelle piste dans cette affaire où des jeunes femmes étaient enlevées et violentées avant d'être assassinées. On déplorait plusieurs morts dans un accident impliquant trois véhicules sur la route 91, près de Greenfield. Un groupe écologiste avant entamé un procès contre une grosse entreprise de la région, à qui il reprochait de rejeter des déchets toxiques dans les eaux de la Connecticut.

À chaque fois que le Journaliste faisait une pause dans sa lecture, et que M. Débile tentait de lancer la discussion sur l'une ou l'autre de ces histoires toutes aussi décourageantes, l'Efflanqué hochait vigoureusement la tête en marmonnant : « Là ! Vous voyez ? C'est exactement ce que je veux dire. » On avait l'impression de se trouver dans une de ces églises revivalistes bizarres. Ignorant ces interventions, Evans essayait de convaincre les autres membres du groupe d'entamer la conversation.

Peter le Pompier, lui, ne pouvait les ignorer. Il se tourna brusquement vers l'Efflanqué.

— Qu'est-ce qui ne va pas, le grand ?

L'Efflanqué lui répondit d'une voix tremblante :

— Tu ne vois pas, Peter ? Il y a des signes partout. Les troubles, la haine, la guerre, le meurtre.

Il se tourna vers Evans et poursuivit :

— Est-ce qu'il n'y a pas aussi un article sur la famine, dans le journal ?

M. Débile hésita. Ce fut le Journaliste qui répondit avec jubilation :

— « Le Soudan fait face à de très mauvaises récoltes. La sécheresse et la faim provoquent d'importants mouvements de réfugiés », selon le *New York Times*.

— Des centaines de morts ? demanda l'Efflanqué.

— Oui. C'est très probable, répondit M. Evans. Peut-être plus.

L'Efflanqué secoua énergiquement la tête de haut en bas.

— J'ai déjà vu des photos. Des bébés au ventre gonflé, aux petites jambes grêles et aux yeux enfoncés, décharnés, désespérés. La maladie, elle est toujours là, elle accompagne la famine. Pas besoin de lire attentivement les *Révélations* pour reconnaître ce qui se passe. Tous les signes sont là.

Il se jeta en arrière sur sa chaise pliante, regarda longuement entre les barreaux de la fenêtre donnant sur les jardins, comme s'il contemplait les dernières lueurs du jour, puis reprit :

— Il n'y a aucun doute, Satan est parmi nous. Tout près. Regardez tout ce qui se passe dans le monde. Des mauvaises nouvelles, partout où vous regardez. Qui d'autre pourrait être responsable de tout ça ?

Là-dessus, il croisa les bras sur sa poitrine. Il s'était mis à haleter et de petites gouttes de sueur se formaient sur son front, comme si chaque pensée qui rebondissait en lui exigeait un effort considérable. Les autres membres du groupe, dix ou douze personnes, étaient figés sur leurs sièges. Personne ne bougeait. Ils avaient les yeux fixés sur le géant en lutte avec les peurs qui s'agitaient à l'intérieur de son crâne.

M. Débile changea brusquement de sujet, pour détourner l'attention de l'obsession de l'Efflanqué.

— Passons à la section des sports, dit-il.

Il parlait avec une gaieté ostentatoire, presque insultante.

Mais Peter le Pompier s'obstinait.

— Non, fit-il avec un soupçon de colère dans la voix. Non. Je ne veux pas parler de base-ball, ou de basket-ball, ni des équipes universitaires locales. Je crois que nous devrions plutôt parler du monde qui nous entoure. Et je crois que l'Efflanqué a vraiment mis le doigt sur quelque chose. Tout ce qui se passe à l'extérieur de ces portes est horrible. La haine, le meurtre, la mort. Cela vient d'où ? Qui fait ça ? Qu'est-ce qui est bon, encore, aujourd'hui ? Mais ce n'est peut-être pas parce que Satan est là, comme le croit l'Efflanqué. C'est peut-être parce que nous sommes tous devenus mauvais et qu'il n'a même pas besoin de se déplacer, parce que nous faisons nous-mêmes son boulot.

M. Evans fixa Peter le Pompier d'un regard dur. Il plissa les yeux.

— Je pense que c'est une opinion intéressante, dit-il lentement, en pesant ses mots d'un ton légèrement ironique. Sauf que vous exagérez les choses. Cela dit, je ne crois pas que votre opinion ait beaucoup à voir avec les objectifs de ce groupe. Nous sommes ici pour trouver des moyens de rejoindre la société. Pas des raisons de nous en cacher. Même si les choses, dans le monde, ne se présentent pas tout à fait comme nous aimerions. Et je ne crois pas non plus que cela serve nos objectifs de céder à nos illusions ou de leur accorder le moindre crédit.

Ces derniers mots s'adressaient autant à Peter qu'à l'Efflanqué. Peter le Pompier était impassible. Il s'apprêtait à répondre, mais il renonça. L'Efflanqué brisa ce silence inattendu. Sa voix tremblait, il était au bord des larmes.

— Si nous sommes responsables de tout ce qui se passe, eh bien, il n'y a aucun espoir pour aucun de nous. Aucun.

Il parlait avec un désespoir si communicatif que plusieurs patients qui étaient restés calmes jusque-là lâchèrent des cris étouffés. Un vieil homme se mit à tirer sur ses vêtements, et une femme qui portait un peignoir rose froissé, beaucoup trop de mascara et des mules blanches en forme de lapins lâcha un sanglot.

— Oh, comme c'est triste ! s'exclama-t-elle. Comme c'est triste…

Francis regarda le psychologue, qui essayait de reprendre le contrôle de la séance.

— Le monde est tel qu'il a toujours été, fit Evans. Ce qui nous intéresse ici, c'est le rôle que nous y jouons.

Ce n'était pas la chose à dire, parce que l'Efflanqué sauta sur ses pieds. Il agita les bras au-dessus de sa tête, exactement comme le jour où Francis l'avait vu pour la première fois.

— Mais c'est cela ! hurla-t-il, ce qui fit sursauter les membres les plus timides du groupe. Le mal est partout ! Il faut trouver le moyen de le repousser ! Il faut rassembler nos forces. Former des comités. Des groupes de surveillance. Il faut s'organiser ! Faire des plans. Élever des défenses. Surveiller les murs. Nous devons tout faire pour le repousser hors de l'hôpital !

Il inspira profondément et se retourna, cherchant le regard des autres patients.

Plusieurs d'entre eux hochèrent la tête en même temps. C'était logique.

— Nous pouvons repousser le mal, fit l'Efflanqué. Il suffit d'être vigilant.

Puis, le corps toujours pris de tremblements à cause de l'effort qu'il avait fourni pour parler, il se rassit, croisa les bras et s'enferma dans le silence.

M. Evans adressa un regard furieux à Peter le Pompier, comme s'il était responsable de la crise de l'Efflanqué.

— Eh bien, Peter, fit-il lentement. Dites-nous. Croyez-vous que si nous voulons repousser Satan hors de ces murs, nous devrions aller tous régulièrement à l'église ?

Peter le Pompier se raidit sur son siège.

— Non, répondit-il tout aussi lentement. Je ne crois pas.

— Nous devrions prier ? Aller à la messe ? Dire nos « Je vous salue Marie », « Notre-Père » et notre acte de contrition ? Communier chaque dimanche ? Est-ce que nous ne devrions pas confesser régulièrement nos péchés ?

Peter le Pompier parla d'une voix très basse, très douce :

— Tout ça peut aider à se sentir mieux. Mais je ne crois pas…

M. Evans l'interrompit une seconde fois.

— Oh, excusez-moi, fit-il d'un ton ironique. Fréquenter l'église, comme d'ailleurs n'importe quelle autre activité religieuse organisée, serait absolument déplacé pour le Pompier, c'est bien ça ? Parce que vous, le Pompier, vous avez un problème avec les églises, hein ?

Peter remua sur son siège. Francis aperçut dans son regard une colère fuyante qu'il n'y avait jamais vue.

— Pas les églises. Une église. Et *j'avais* un problème. Mais je l'ai résolu, n'est-ce pas, monsieur Evans ?

Les deux hommes se fixèrent pendant une seconde.

— Oui, répondit enfin Evans. Je suppose. Et vous voyez où ça vous a mené.

Au dîner, la situation empira encore pour l'Efflanqué.

Ce soir-là, le menu se composait de poulet à la crème (en fait, une épaisse crème grisâtre et très peu de poulet) avec des petits pois (ils avaient cuit tellement longtemps que tout ce qui pouvait rappeler leur état de légume s'était évaporé) et des pommes de terre bouillies (aussi dures que si elles étaient congelées, sauf qu'elles étaient brûlantes comme des boulets de charbon qu'on aurait sortis du feu). Le géant était assis tout seul dans un coin de la salle, alors que les pensionnaires s'entassaient autour des autres tables, essayant de lui laisser de l'espace. Un ou deux patients avaient essayé de s'asseoir à côté de lui au début du repas, mais l'Efflanqué les avait repoussés d'un geste furieux, grognant comme un vieux chien qu'on dérange dans son sommeil.

Le bourdonnement des conversations semblait plus sourd, le cliquetis des assiettes et des plateaux moins fort que d'habitude. Plusieurs tables étaient réservées aux résidents les plus séniles, qui avaient besoin qu'on les aide. Même l'activité attentive et zélée des employés qui les nourrissaient – ou aidaient les catatoniques qui fixaient l'espace de leur regard vide, à peine conscients de manger – semblait plus discrète, plus morose. De l'endroit où il se trouvait, mastiquant son repas insipide d'un air malheureux, Francis vit que tous les aides-soignants présents jetaient des coups d'œil en coin vers l'Efflanqué. Ils le surveillaient, sans cesser de s'occuper des autres pensionnaires. À un moment donné, Gulp-Pilule fit son apparition, observa l'Efflanqué pendant quelques instants et parla rapidement à Evans. Avant de s'en aller, il écrivit quelques mots sur un bout de papier qu'il tendit à une infirmière.

L'Efflanqué semblait ignorer totalement l'attention dont il était l'objet.

Il parlait tout seul, très vite, avec force arguments, tout en jouant avec sa nourriture qui se figeait dans son assiette. Il vida son verre d'eau, fit un ou deux gestes frénétiques en pointant du doigt quelque chose qui se trouvait en l'air devant lui, son index osseux traversant l'espace comme s'il l'enfonçait dans la poitrine d'un être invisible, ou pour convaincre d'un point important quelqu'un qui n'était pas là. Puis, tout aussi vite, il baissa la tête, fixa sa nourriture et se remit à marmonner tout seul.

Au moment du dessert – des cubes de gelée verdâtre –, l'Efflanqué leva enfin les yeux, comme s'il prenait soudain conscience de l'endroit où il se trouvait. Il pivota sur son siège, l'air ahuri. Ses cheveux gris et raides, qui tombaient d'ordinaire en mèches graisseuses sur ses épaules, semblaient chargés d'électricité, comme ceux d'un personnage de dessin animé qui met le doigt dans une prise de courant – sauf que ce n'était pas une blague et que personne ne riait. Il avait les yeux écarquillés, fous de terreur, comme le jour où Francis avait fait sa connaissance, mais cette crise était beaucoup plus forte, comme si une passion intérieure multipliait tout par cent. Francis vit son regard faire le tour de la salle avant de se fixer sur Blondinette, qui se trouvait non loin de lui. Elle aidait une vieille femme à manger, coupant chaque morceau de son poulet gras en tout petits fragments qu'elle levait devant sa bouche comme pour un bébé dans sa chaise haute.

L'Efflanqué repoussa son siège, qui tomba bruyamment sur le sol. Dans le même mouvement, il pointa son doigt cadavérique sur l'élève infirmière.

— Vous ! hurla-t-il d'une voix furieuse.

Blondinette leva les yeux, embarrassée. Elle se montra du doigt, et Francis vit ses lèvres former un mot : « Moi ? » Elle ne quitta pas son siège. Francis se dit que c'était parce qu'elle avait peu d'expérience. N'importe quel ancien de l'hôpital aurait réagi beaucoup plus vivement.

— Vous ! cria-t-il de nouveau. C'est vous, j'en suis sûr !

À l'autre bout du réfectoire, Little Black et son frère se précipitèrent. Mais les rangées de tables et de chaises et la foule des patients constituaient autant d'obstacles et ralentirent leur mouvement. Blondinette se leva en fixant l'Efflanqué qui fonçait maintenant vers elle à grands pas, le doigt tendu, pointé droit sur elle. Elle recula légèrement et s'appuya contre le mur.

— C'est vous, je le sais ! criait-il. Vous êtes la nouvelle ! La seule qui n'a pas été contrôlée ! C'est sûrement vous ! Démon ! Démon ! Nous l'avons laissé passer la porte ! Allez-vous-en ! Allez-vous-en ! Que tout le monde fasse attention ! Qui sait ce qu'elle est capable de faire ?

En entendant ces avertissements frénétiques, les autres patients pouvaient croire que Blondinette était contagieuse, ou qu'elle allait exploser. Dans tout le réfectoire, ils eurent un mouvement de recul, soudain terrifiés.

Blondinette recula jusqu'au mur le plus proche et leva la main. Francis vit la panique dans ses yeux, alors que le vieil homme s'approchait d'elle en agitant les bras comme les ailes d'un oiseau.

Il repoussait les autres dîneurs en faisant de grands gestes, tout en criant d'une voix de plus en plus aiguë et furieuse :

— Ne vous inquiétez pas ! Je vous protégerai !

Big Black repoussait les tables et les chaises, et Little Black enjamba un patient qui s'était agenouillé, sous l'effet d'une terreur indéfinissable. Francis vit M. Débile se ruer dans leur direction. Mlle Lagaffe et une autre infirmière se frayaient également un chemin dans la foule des patients en désordre. Ceux-ci se serraient les uns contre les autres, sans savoir s'ils devaient s'enfuir ou regarder.

— C'est vous ! hurlait l'Efflanqué en arrivant près de la jeune infirmière qu'il dominait d'un air menaçant.

— Non, ce n'est pas vrai ! hurla Blondinette de sa voix haut perchée.

— Si ! rétorqua l'Efflanqué de plus belle.

— L'Efflanqué ! Restez où vous êtes ! cria Little Black.

Big Black approchait rapidement, l'air déterminé, le visage figé comme un masque.

— Ce n'est pas vrai, ce n'est pas vrai ! fit Blondinette qui se recroquevilla, en se laissant glisser contre le mur.

Tout à coup, alors que Big Black et M. Débile se trouvaient encore à quelques mètres, il y eut un silence. L'Efflanqué se dressa, s'étira vers le plafond, comme s'il allait se jeter sur Blondinette. Francis entendit Peter le Pompier pousser un cri, non loin de lui, mais il ne savait pas où.

— Non, l'Efflanqué ! Arrête tout de suite !

À la grande surprise de Francis, le géant obéit.

Il baissa les yeux vers Blondinette avec un air dubitatif, comme un savant qui analyse les résultats d'une expérience ne répondant pas exactement à ses attentes. Son visage avait l'air curieusement de guingois. Beaucoup plus calme, il regarda Blondinette et lui demanda, presque poliment :

— Vous êtes sûre ?

— Oui, oui, oui, fit-elle d'une voix étranglée, je suis sûre !

Il la fixa avec attention.

— Je ne comprends pas, dit-il tristement.

Le changement avait été immédiat, spectaculaire. Un peu plus tôt, il était une force vengeresse, bandée pour livrer un assaut. En une fraction de seconde, il était devenu un gosse, tout petit, racorni par la tempête que le doute avait levée en lui.

Big Black arriva enfin près du géant. Il lui saisit brutalement les bras et les lui tordit derrière le dos.

— Bon Dieu, mais qu'est-ce que vous faites ? s'écria-t-il d'une voix furieuse.

Little Black, qui le suivait à moins d'un pas, s'interposa dans l'espace entre le patient et l'élève infirmière.

— Reculez ! ordonna-t-il.

Le géant obéit immédiatement, surtout parce que son costaud de frère le tirait en arrière.

— Je me suis peut-être trompé, dit l'Efflanqué en secouant la tête. C'était si clair, au début. Puis ça a changé. D'un seul coup, ça a changé. Je n'en suis plus sûr du tout.

Le géant tourna la tête vers Big Black en tirant sur son cou d'autruche. Sa voix n'exprimait que doute et tristesse.

— Je me suis dit que ce devait être elle, vous voyez. C'était obligé. Elle est la dernière arrivée. Elle n'est pas là depuis longtemps. Une nouvelle venue, c'est évident. Et nous devons faire tellement attention à ne pas laisser le mal entrer dans ces murs. Nous devons être vigilants à tout moment. Vigilants, sans cesse. Je suis désolé, dit-il en se tournant vers Blondinette qui se relevait en essayant de retrouver son sang-froid. J'en étais tellement sûr.

Il lui jeta de nouveau un regard intense, les yeux plissés.

— Je ne suis plus du tout sûr, dit-il d'un ton raide. C'est possible. Elle me ment peut-être. Les assistants de Satan sont des menteurs patentés. Ce sont des sournois, tous autant qu'ils sont. Il leur est facile de donner l'impression que quelqu'un est innocent, même quand ce n'est pas vrai.

Sa voix n'exprimait plus la colère ni le doute.

Blondinette s'écarta du groupe, tout en jetant un regard méfiant vers l'endroit où Big Black tenait encore l'Efflanqué. Evans était enfin parvenu à traverser la salle et avait rejoint le petit groupe. Il s'adressa directement à Little Black :

— Vous lui donnerez un sédatif, ce soir. Cinquante milligrammes de Nembutal en intraveineuse à l'heure des soins. Peut-être devrait-on aussi le mettre à l'isolement pour la nuit.

L'Efflanqué fixait toujours Blondinette, quand il entendit le mot « isolement ». Il se tourna brusquement vers M. Débile et secoua la tête avec force.

— Non, non, ça va, vraiment, je vous jure. Je faisais simplement mon boulot, vraiment. Je ne poserai pas de problèmes. C'est promis.

Sa voix s'éteignit.

— Nous verrons, dit Evans. Selon la manière dont il réagit au sédatif.

— Ça ira, répéta l'Efflanqué. Vraiment. Je ne poserai pas de problèmes. Pas du tout. Je vous en prie, ne me mettez pas à l'isolement.

Evans se tourna vers Blondinette.

— Vous pouvez faire une pause, lui dit-il.

Mais la svelte élève infirmière secoua la tête.

— Ça ira, répondit-elle, rassemblant tout son courage.

Puis elle retourna nourrir la vieille femme dans le fauteuil roulant. Francis nota que l'Efflanqué ne l'avait pas quittée des yeux, le regard empreint de ce qu'il interpréta comme de l'incertitude. Mais ce pouvait être aussi un mélange d'émotions différentes.

Ce soir-là, à l'heure des soins, la foule habituelle trépignait et se lamentait. Blondinette se trouvait derrière le grillage du poste de soins, où elle aidait à préparer les cachets tandis qu'une de ses collègues, plus âgée et plus expérimentée, dirigeait la distribution.

Quelques voix s'élevaient pour se plaindre, et un homme se mit à pleurer quand un autre le poussa de côté, mais Francis avait l'impression qu'après l'incident du dîner, la plupart des résidents de l'Amherst étaient sinon muets, en tout cas plus moroses que d'habitude. Il se dit qu'à l'hôpital tout était question d'équilibre. Les médicaments compensent la folie. L'âge et l'isolement compensent l'énergie et les idées. Tout le monde accepte une certaine routine où l'espace et l'action sont limités, définis, encadrés. Même le chahut et les disputes occasionnelles, comme le soir à l'heure des soins, font partie d'un ballet complexe et fou, aussi codifié qu'un pas de danse de la Renaissance.

Il vit l'Efflanqué arriver près du poste de soins, accompagné de Big Black. Le géant secouait la tête. Francis l'entendit se lamenter.

— Je vais bien, je vais bien. Je n'ai pas besoin de prendre des trucs supplémentaires pour me calmer…

Mais Big Black était moins accommodant que d'habitude. Il répondit d'une voix calme :

— L'Efflanqué, vous allez gentiment vous laisser faire, sans quoi on va devoir vous passer une camisole et vous mettre à l'isolement pour la nuit, et je sais que ce n'est pas ce que vous voulez. Alors inspirez à fond et relevez votre manche. Ne luttez pas, ça ne sert à rien.

L'Efflanqué hocha la tête, apparemment satisfait. Francis vit qu'il scrutait, l'air méfiant, Blondinette qui travaillait au fond du poste de soins. Quels que soient les doutes que l'Efflanqué avait eus sur l'origine satanique de Blondinette, Francis était sûr qu'ils n'avaient pas été levés, ni par les médicaments ni par la persuasion. La terreur faisait trembler le géant de la tête aux pieds. Mais il ne résista pas à Mlle Tados, qui s'approcha de lui avec une seringue hypodermique, lui frotta le bras avec un coton trempé dans l'alcool et lui enfonça d'un geste sec l'aiguille sous la peau. Francis se dit qu'il avait dû avoir mal, mais l'Efflanqué n'en montra rien. Il jeta un dernier regard appuyé vers Blondinette, avant de laisser Big Black le ramener au dortoir.

5

Devant mon appartement, la circulation du soir avait redoublé. J'entendais le diesel des poids lourds, un coup de Klaxon de temps en temps, et le bourdonnement continuel des pneus sur le pavé. La nuit tombe lentement, l'été, elle s'insinue comme une mauvaise pensée au milieu d'un heureux événement. Les traînées d'ombre recouvrent d'abord les ruelles, rampent le long des cours et des trottoirs, remontent sur les façades des immeubles, ondulant comme des serpents ou s'accrochant aux branches des arbres jusqu'à ce que l'obscurité finisse par s'imposer. J'ai souvent pensé que la folie était comme la nuit, à cause des différentes façons qu'elle avait d'envahir mon cœur et mon imagination, tout au long des années. C'était parfois brutal et rapide, d'autres fois plus lent, plus subtil, de sorte que je me rendais à peine compte qu'elle étendait son emprise.

J'essayais de réfléchir. Avais-je jamais connu une nuit plus sombre que celle-là, à l'hôpital Western State ? Avais-je jamais connu une nuit plus démente ?

J'allai à l'évier et remplis un verre d'eau. J'avalai une gorgée en pensant : j'ai oublié la puanteur. C'était un mélange de déjections humaines et de détergents concentrés. La puanteur de l'urine contre celle du désinfectant. À l'instar des nouveau-nés, beaucoup de patients séniles ne contrôlent plus leurs intestins, et l'hôpital empestait à cause de ces accidents. Pour y remédier, on avait créé dans chaque couloir au moins deux débarras où s'entassaient les torchons, les serpillières, les seaux pleins des détergents chimiques les plus corrosifs. On avait parfois l'impression qu'il y avait en permanence quelqu'un en train de frotter le sol, à un endroit ou un autre. Les produits à base d'eau de Javel étaient très puissants. Ils nous brûlaient les yeux quand ils entraient en contact avec le lino, et nous nous mettions à suffoquer comme si quelque chose nous agrippait les poumons.

Il était difficile d'anticiper ces accidents. Dans un monde normal, je suppose, on aurait pu identifier plus ou moins régulièrement les tensions ou les peurs qui pouvaient entraîner les pertes de contrôle chez un vieillard, et prendre des mesures pour rendre le phénomène moins fréquent. Il suffit d'un peu de logique, de bon sens, d'organisation et de prévoyance. Ce n'est pas la mer à boire. Mais à l'hôpital, où les tensions et les peurs qui hantaient les couloirs étaient imprévisibles, découlant de tant de pensées désordonnées, l'idée d'anticiper était absolument irréalisable.

C'est pourquoi nous avions des seaux et de puissants détergents.

Les infirmières et les aides-soignants étaient appelés si souvent à s'en servir que les débarras étaient rarement fermés à clé. Ils étaient censés l'être, bien sûr, mais comme pour tant de choses à l'hôpital Western State, l'application des règles laissait la place à un pragmatisme imposé par la folie.

Quels étaient mes autres souvenirs de cette nuit-là ? Est-ce qu'il pleuvait ? Est-ce qu'il y avait du vent ?

En tout cas, je me rappelais les bruits.

L'Amherst abritait près de trois cents pensionnaires, dans un espace prévu à l'origine pour en accueillir trois fois moins. Chaque nuit, plusieurs personnes pouvaient être transférées dans une de ces cellules d'isolement du quatrième étage dont on avait menacé l'Efflanqué. Les lits s'entassaient au point que les résidents endormis n'étaient séparés que de quelques centimètres. Une rangée de fenêtres crasseuses s'ouvrait sur un des côtés du dortoir. Elles étaient munies de barreaux et fournissaient un peu d'air frais, même si certains se relevaient pour les fermer, par peur de ce qui pouvait se trouver à l'extérieur.

La nuit était une véritable symphonie de détresse.

Grognements, quintes de toux, gargouillis se mêlaient aux cauchemars. Les dormeurs parlaient dans leurs rêves, à des parents et des amis qui n'étaient pas là, à des dieux qui ignoraient leurs prières, ou aux démons qui les tourmentaient. Ils criaient constamment, pleuraient sans fin tout au long des heures les plus sombres. Tout le monde dormait, mais personne ne trouvait le repos.

Nous étions enfermés dans la solitude qu'apporte la nuit.

C'était peut-être à cause du clair de lune qui se déversait par les fenêtres à barreaux, cette nuit-là, que je restai en apesanteur, entre le sommeil et la veille. Peut-être étais-je encore perturbé par ce qui s'était passé pendant la journée. Peut-être mes voix ne me laissaient-elles pas en paix. J'y ai souvent réfléchi, car je ne suis toujours pas sûr de savoir ce qui m'avait maintenu tout au long de la nuit dans cet état inconfortable qui sépare la vigilance et l'inconscience. Peter le Pompier gémissait dans son sommeil, s'agitant sporadiquement sur le lit voisin du mien. La nuit était un moment difficile, pour lui. Le jour, il était capable d'affecter une normalité qui semblait presque déplacée à l'hôpital. Mais la nuit, quelque chose le rongeait de l'intérieur. Tandis que je continuais à glisser sans cesse dans divers états d'anxiété, je me rappelle avoir vu l'Efflanqué, non loin de moi, assis en tailleur sur son lit comme un Indien durant un conseil tribal, les yeux fixés sur l'autre côté de la salle. Je me suis dit, je m'en souviens, que le calmant qu'on lui avait administré n'était pas très efficace : normalement, il aurait dû être plongé dans le sommeil profond, sans rêves, induit par la drogue. Mais les impulsions qui l'avaient tant électrisé un peu plus tôt n'avaient eu aucun mal à l'emporter sur le tranquillisant. Il était assis là, marmonnant dans sa barbe, agitant les mains comme un chef d'orchestre qui ne parvient pas à obtenir qu'on joue la symphonie à la bonne vitesse.

C'est ainsi que je me le rappelais, cette nuit-là, alors que je passais moi-même d'un côté à l'autre de la conscience… jusqu'au moment où j'avais senti qu'une main me secouait l'épaule pour me réveiller. C'est à ce moment-là, me dis-je. C'est là que tout a commencé.

Alors je pris mon crayon, et j'écrivis :

Francis dormait par à-coups, jusqu'au moment où quelqu'un le réveilla en le secouant avec insistance. Cela le tira brusquement d'un autre lieu incertain. Il se rappela immédiatement où il se trouvait. Il cligna des yeux, mais avant que sa vue ne s'ajuste à l'obscurité, il entendit la voix de l'Efflanqué, un murmure très bas mais énergique, plein d'une fièvre et d'un plaisir enfantins. « Nous sommes sauvés, C-Bird ! disait-il. Nous sommes sauvés ! »

Francis dormait par à-coups, jusqu'au moment où quelqu'un le réveilla en le secouant avec insistance. Cela le tira brusquement d'un autre lieu incertain. Il se rappela immédiatement où il se trouvait. Il cligna des yeux, mais avant que sa vue ne s'ajuste à l'obscurité, il entendit la voix de l'Efflanqué, un murmure très bas mais énergique, plein d'une fièvre et d'un plaisir enfantins. « Nous sommes sauvés, C-Bird ! disait-il. Nous sommes sauvés ! »

Le géant était perché sur le bord du lit, tel un dragon ailé. À la lueur de la lune qui filtrait entre les barreaux de la fenêtre, Francis voyait le regard fou de joie et de soulagement qui éclairait son visage.

— Sauvés de quoi, l'Efflanqué ? demanda-t-il.

Mais dès qu'il eut posé la question, il sut qu'il connaissait la réponse.

— Du mal !

L'Efflanqué s'enveloppa de ses bras, protégeant son propre corps. Dans le mouvement qui suivit, il leva la main gauche devant son visage et se tint le front, comme si la pression de sa paume et de ses doigts pouvait repousser quelques-unes des pensées et des idées qui cherchaient à jaillir avec tant de force.

Quand l'Efflanqué retira sa main de son front, Francis eut l'impression qu'il y avait laissé une marque. On aurait dit de la suie. C'était difficile à voir, dans la lumière pâle qui tronçonnait le dortoir. L'Efflanqué devait avoir senti quelque chose, lui aussi, car il baissa soudain les yeux sur ses doigts, d'un air interrogateur.

Francis s'assit sur son lit.

— L'Efflanqué ! chuchota-t-il. Qu'est-ce qui se passe ?

Avant que le géant ait le temps de répondre, Francis entendit un sifflement. Peter le Pompier s'était réveillé et ses jambes avaient basculé par-dessus le bord du lit. Il tendait le cou vers eux.

— L'Efflanqué, dis-le-nous immédiatement ! fit-il d'une voix aussi basse que possible. Qu'est-ce qui s'est passé ? Mais ne fais pas de bruit. Il ne faut pas réveiller les autres.

Le géant pencha légèrement la tête pour montrer qu'il avait compris. Mais quand il parla, ce fut comme un flot exalté, presque joyeux. Il n'exprimait que le soulagement, la libération.

— C'était une vision, Peter. Ce devait être un ange, envoyé spécialement pour moi. C-Bird, cette vision est venue directement à côté de moi, juste ici, pour me dire…

— Pour te dire quoi ? demanda doucement Francis.

— Me dire que j'avais raison. Depuis le début. Le mal a essayé de nous suivre ici, C-Bird. Le mal était ici, dans l'hôpital, avec nous tous. Mais ce mal a été détruit, et nous sommes sauvés, à présent.

Il expira longuement, puis ajouta :

— Dieu merci.

Francis ne savait pas comment interpréter ce qu'il venait d'entendre. Mais Peter le Pompier vint s'asseoir à côté du géant.

— Cette vision… elle est venue ici ? Dans ce dortoir ? demanda-t-il.

— Juste à côté de mon lit. Nous nous sommes étreints, comme des frères.

— La vision t'a touché ?

— Oui. Elle était aussi réelle que toi et moi, Peter. Je sentais sa vie juste à côté de la mienne. Comme si nos deux cœurs battaient à l'unisson. Sauf que c'était magique, C-Bird.

Peter le Pompier hocha la tête. Puis il tendit lentement le bras et toucha le front de l'Efflanqué, où les marques de suie étaient encore visibles. Pendant une seconde, il frotta ses doigts l'un contre l'autre.

— Est-ce que tu as vu la vision entrer par la porte, ou est-ce qu'elle est tombée de quelque part là-haut ? demanda-t-il lentement, en montrant l'entrée du dortoir, puis le plafond.

L'Efflanqué secoua la tête.

— Non. Elle est simplement arrivée, juste une seconde, près de mon lit. On aurait dit qu'elle était baignée de lumière, comme si elle venait directement du ciel. Mais je n'ai pas vraiment vu son visage. Un peu comme si elle était masquée. Ce devait être un ange. Tu te rends compte, C-Bird. Un ange, ici. Juste ici, dans cette pièce. Dans notre hôpital. Pour nous protéger.

Francis ne dit rien. Peter le Pompier acquiesçait, la tête légèrement penchée en avant. Il leva les doigts devant ses narines et renifla énergiquement. Puis il inspira à fond, et Francis eut l'impression qu'il était surpris par ce qu'il sentait. Le Pompier attendit quelques instants et jeta un regard circulaire sur la pièce. Puis il parla d'une voix basse, ferme, avec toute l'autorité dont il était capable, comme un officier qui donne ses ordres alors que l'ennemi est proche et que la moindre ombre dissimule un danger.

— L'Efflanqué, tu vas te remettre au lit et attendre jusqu'à notre retour, à C-Bird et à moi. Tu ne diras rien à personne. Pas un mot, compris ?

L'Efflanqué fit mine de répondre, puis il hésita.

— Très bien, dit-il lentement. Mais nous sommes sauvés. Nous sommes tous sauvés. Tu ne crois pas que les autres aimeraient le savoir ?

— Il faut en être absolument sûrs, fit Peter, pour ne pas leur donner de faux espoirs.

Cela devait sembler logique, car l'Efflanqué hocha de nouveau la tête. Il se leva et regagna son lit. Puis il se retourna vers eux et posa l'index sur ses lèvres, geste universel pour signifier le silence. Peter parut lui sourire, puis murmura :

— C-Bird, viens avec moi. Maintenant. Et ne fais pas de bruit !

Chaque mot semblait porteur d'une tension que Francis était incapable d'identifier.

Sans se retourner, Peter le Pompier se faufila avec précaution entre les lits, progressant furtivement dans l'espace étroit qui séparait les dormeurs. Il dépassa les toilettes, dont le bas de la porte laissait passer un rayon de lumière crue, et se dirigea vers l'unique sortie du dortoir. Quelques pensionnaires s'agitèrent, un homme se leva à demi quand ils passèrent en catimini devant son lit, mais Peter se contenta de lui intimer le silence. L'homme remua, gémit doucement, se tourna de l'autre côté et s'enfonça de nouveau dans le sommeil.

Arrivé à la porte, il regarda derrière lui et vit l'Efflanqué, toujours assis en tailleur sur son lit. Le géant leur fit un signe de la main et se recoucha.

Francis rattrapa Peter le Pompier au moment où il atteignait la porte.

— Elle est fermée, dit-il. Ils la verrouillent tous les soirs.

— Ce soir, dit lentement Peter, elle n'est pas fermée.

Comme pour le prouver, il avança la main et tourna la poignée. La porte s'ouvrit avec un léger chuintement.

— Allons-y, C-Bird ! dit-il.

Le couloir était plongé dans l'obscurité, avec seulement, çà et là, une veilleuse qui éclairait faiblement le sol. Pendant quelques instants, Francis fut dérouté par le silence. D'ordinaire, les couloirs de l'Amherst étaient noirs de monde, de gens assis, debout, marchant, fumant, soliloquant, parlant à des interlocuteurs invisibles, parlant même parfois entre eux. Les couloirs étaient les veines de l'hôpital, qui pompaient sans relâche le sang et l'énergie vers chaque organe central. Francis ne les avait jamais vus déserts. La sensation de solitude était troublante. Mais le Pompier n'avait pas l'air de s'inquiéter. Il avait les yeux fixés sur le milieu du couloir, où le halo jaune pâle d'une simple lampe de bureau marquait l'emplacement du poste des infirmières. De là où ils se trouvaient, il avait l'air désert.

Peter avança d'un pas, puis contempla le sol. Il se laissa tomber sur un genou et toucha avec précaution une tache sombre, comme il l'avait fait un peu plus tôt pour la suie sur le visage de l'Efflanqué. De nouveau, il approcha son index de son nez. Puis, sans prononcer un mot, il montra l'endroit, pour que Francis enregistre ce qu'il voyait.

Francis n'était pas très sûr de ce qu'il était censé voir, mais il suivait avec beaucoup d'attention tous les gestes de Peter le Pompier. Les deux hommes avançaient pas à pas vers le poste de soins. Ils s'arrêtèrent à mi-chemin, devant un des débarras.

Francis scruta à travers la pénombre. Le poste de soins était bel et bien désert. Cela l'étonnait : il était persuadé qu'il y avait quelqu'un de garde vingt-quatre heures sur vingt-quatre. Mais le Pompier avait les yeux fixés sur le sol, près de la porte du réduit. Il lui montra la grande tache qui maculait le lino.

— Qu'est-ce que c'est ? demanda Francis.

— Des ennuis comme tu n'en as encore jamais connu, fit le Pompier avec un soupir. Écoute, Francis, quoi qu'il y ait derrière cette porte, ne crie pas. Surtout ne hurle pas. Mords-toi la langue, et pas un mot. Ne touche à rien. Tu peux faire ça pour moi, C-Bird ? Je peux compter sur toi ?

Francis parvint à grommeler un « oui ». Ce n'était pas facile. Sous l'effet conjugué de l'adrénaline et de l'angoisse, le sang battait dans sa poitrine et résonnait dans ses oreilles. En cet instant précis, il réalisa que ses voix n'avaient pas prononcé un seul mot depuis que l'Efflanqué l'avait secoué pour le réveiller.

Peter avança avec précaution vers la porte du débarras. Il sortit son tee-shirt de son pantalon de pyjama et s'enveloppa la main dans le bout du vêtement pour toucher la poignée. Puis il poussa doucement la porte.

La pièce s'ouvrit devant eux. Il y faisait noir comme dans un four. Peter s'avança lentement et tendit la main vers l'endroit où se trouvait l'interrupteur. L'éclat soudain de la lumière fit l'effet d'un coup de poignard. L'espace d'une seconde, Francis ne vit plus rien. Il entendit Peter le Pompier éructer un seul juron, très cru.

Francis tendit le cou en avant, pour voir dans le débarras, au-delà de Peter le Pompier. Il suffoqua, frappé par la surprise et la terreur comme par une rafale de vent d'ouragan. Il eut un mouvement de recul en voyant le spectacle qui s'offrait à lui. Il fit marche arrière avec le sentiment que l'air lui brûlait les poumons. Il voulait parler, dire quelque chose, mais le « Merde... » qui sortit de ses lèvres n'était qu'un pauvre gémissement décousu.

Blondinette gisait sur le sol, au milieu du débarras.

Ou l'être qui avait été Blondinette.

Elle était presque nue. Sa blouse d'infirmière, qu'on lui avait apparemment découpée à même le corps, traînait dans un coin. Elle avait toujours ses sous-vêtements, mais ils avaient été arrachés, de sorte que ses seins et son sexe étaient visibles. Elle gisait en boule sur le flanc, presque en fœtus, sauf qu'une de ses jambes était relevée et l'autre tendue. Sa tête et sa poitrine baignaient dans une grande flaque de sang pourpre. Des filets rouges avaient ruisselé sur sa peau terreuse. Elle avait un bras coincé sous elle, l'autre était tendu, comme si elle faisait signe à une personne au loin, et reposait dans le sang. Elle avait les cheveux emmêlés, humides, et sa peau luisait bizarrement, au point de refléter la lumière crue du débarras. Non loin d'elle, un seau de produits de nettoyage était renversé, et la puanteur du détergent liquide et du désinfectant leur agressait les narines. Peter le Pompier se pencha vers le corps pour chercher le pouls, mais il s'immobilisa lorsque Francis et lui découvrirent que Blondinette avait la gorge tranchée : une énorme plaie béante rouge et noir, d'où la vie avait dû s'échapper en quelques secondes.

Peter le Pompier recula dans le couloir, près de Francis. Il inspira à fond, puis expira lentement. L'air produisait un léger sifflement en passant entre ses dents serrées.

— Regarde avec attention, C-Bird, dit-il en choisissant ses mots. Regarde attentivement tout ce que tu vois. Essaie de te rappeler tout ce que nous aurons vu ici cette nuit. Tu peux faire ça pour moi, C-Bird ? Être la seconde paire d'yeux qui note et enregistre tout ?

Francis hocha la tête. Il suivit le Pompier du regard, tandis qu'il retournait dans le débarras et commençait à lui montrer les choses sans prononcer un mot. D'abord l'entaille qui déchirait la gorge de Blondinette, puis le seau renversé et le vêtement en lambeaux jeté sur le côté. Il montra une traînée de sang sur le front de Blondinette, des lignes parallèles qui descendaient vers ses yeux. Francis était incapable d'imaginer comment cela avait pu se produire. Peter le Pompier commença ensuite à se déplacer dans l'espace étroit, montrant de l'index chaque quadrant de la pièce, chaque élément de la scène, comme un professeur qui frappe le tableau de sa baguette pour attirer l'attention d'élèves durs à la détente. Francis suivait tout cela, laissant tout ce qu'il voyait s'imprimer dans sa mémoire, comme s'il était l'assistant d'un photographe.

Peter s'attarda encore pour désigner la main de Blondinette, celle qui s'écartait du corps. Francis remarqua soudain que les bouts de quatre doigts manquaient, comme si quelqu'un les avait sectionnés pour les emporter. Les yeux fixés sur cette mutilation, il se rendit compte qu'il avait du mal à respirer.

— Qu'est-ce que tu vois, C-Bird ? demanda enfin Peter le Pompier.

Francis fixait le cadavre de la jeune femme.

— Je vois Blondinette. Pauvre Efflanqué. Oh, le pauvre Efflanqué. Il devait s'imaginer qu'il tuait vraiment le diable.

— Tu crois que c'est l'Efflanqué qui a fait ça ? Regarde de plus près, fit le Pompier. Et dis-moi ce que tu vois.

Presque en état d'hypnose, Francis contemplait le cadavre qui gisait sur le sol. Il se concentra sur le visage de la jeune femme, paralysé par un mélange de terreur, d'excitation et de sensation de vide. Il réalisa que c'était la première fois qu'il voyait un mort de près. Il se rappelait être allé à l'enterrement d'une de ses grand-tantes, quand il était petit. Sa mère lui tenait la main en la serrant très fort. Elle l'avait guidé vers le cercueil ouvert, sans cesser de chuchoter qu'il ne devait absolument rien dire, rien faire, et se tenir comme il faut – car elle craignait qu'il n'attire l'attention par un geste déplacé. Mais il n'en avait rien fait, pas plus qu'il n'était parvenu à voir vraiment la grand-tante dans le cercueil. Tout ce qu'il se rappelait, c'était le profil de porcelaine blanche qu'il n'avait vu qu'un instant, tandis qu'on l'éloignait – comme un objet qu'on voit passer par la fenêtre d'une voiture qui roule à vive allure. Il se disait que ce n'était pas la même chose. Ce qu'il voyait de Blondinette était tout à fait différent. C'était la mort dans ce qu'elle avait de pire.

— Je vois la mort, murmura-t-il.

— En effet, fit Peter le Pompier en hochant la tête. La mort. Et une mort horrible, en plus. Mais tu sais ce que je vois également ?

Il parlait lentement, comme s'il mesurait chaque mot selon une échelle intérieure.

— Quoi ? demanda Francis, timidement.

— Je vois un message, répondit le Pompier qui ajouta, avec une tristesse presque déchirante : Mais le mal n'a pas été tué, Francis. Il est ici, parmi nous, et il est aussi vivant que toi et moi ! Maintenant, il faut demander de l'aide ! fit-il tranquillement en sortant dans le couloir.

6

Parfois, je rêve de ce que j'ai vu.

Parfois, je me rends compte que je ne rêve plus. Je suis parfaitement éveillé, il s'agit d'un souvenir imprimé, comme la forme dressée d'un fossile de mon passé, et c'est encore pis. J'ai gardé l'image de Blondinette, parfaitement claire, comme sur une des photos que la police a prises plus tard cette nuit-là. Mais je crois que les clichés de la police étaient loin d'être aussi artistiques que l'image que ma mémoire en a conservée. Je revois sa forme un peu comme la vision, très colorée mais historiquement inexacte, de la mort d'une sainte martyre par un peintre mineur de la Renaissance.

Voici ce que je me rappelle… Elle avait la peau blanche et translucide comme de la porcelaine, son visage était figé dans un repos bienheureux. Il ne manquait qu'un halo rayonnant au-dessus de sa tête. La mort : un peu plus qu'un désagrément, un simple moment de douleur déplaisant et inconfortable sur le chemin inévitable, délicieux et glorieux du paradis. En réalité – un mot que j'ai appris à utiliser le moins possible –, il n'en était rien, évidemment. Elle avait la peau couverte de traînées de sang noir luisant, ses vêtements étaient en lambeaux, la plaie qui lui déchirait la gorge béait littéralement comme un sourire moqueur, et son visage aux yeux écarquillés était tordu par l'horreur et la stupéfaction. Une gargouille de mort. Le meurtre sous sa forme la plus hideuse. Je m'éloignai de la porte du débarras, cette nuit pleine de toutes sortes de terreurs frémissantes et troublantes. Quand on est si près de la violence, on a l'impression d'avoir le cœur brusquement écorché par du papier de verre.

Quand elle était vivante, je ne l'avais pas bien connue. Je la connaîtrais beaucoup mieux dans la mort.

Quand Peter le Pompier se détourna du corps, du sang, et de tous les indices de meurtre, grands et petits, je ne savais absolument pas ce qui allait suivre. Il devait en avoir une idée beaucoup plus précise, parce qu'il m'exhorta de nouveau à ne toucher à rien, à laisser mes mains dans mes poches, et à garder mes opinions pour moi.

— Tout à l'heure, C-Bird, des gens vont commencer à poser des questions. Des questions vraiment désagréables. Et il se pourrait qu'ils les posent de façon extrêmement désagréable. Ils diront peut-être qu'ils veulent des informations, et rien d'autre, mais crois-moi, ils ne veulent aider personne d'autre qu'eux-mêmes. Il faudra leur donner des réponses courtes, précises, et ne rien dire d'autre que ce que tu as vu et entendu cette nuit. Tu comprends ?

— Oui, lui répondis-je, même si je n'avais qu'une idée très vague de ce que j'approuvais. Pauvre Efflanqué, répétai-je une fois encore.

Peter le Pompier hocha la tête.

— Le pauvre Efflanqué a raison. Mais pas pour les motifs que tu crois. Il va devoir regarder le mal de très près. Comme nous tous, peut-être.

Nous enfilâmes le couloir vers le poste de soins désert. Nos pieds nus claquaient légèrement sur le sol. La porte grillagée, qui aurait dû être fermée à clé, était grande ouverte. Quelques feuilles de papier jonchaient le sol. Elles avaient pu s'envoler, simplement, si quelqu'un s'était déplacé trop vite. Ou bien elles avaient été éparpillées au cours d'une brève lutte. C'était difficile à dire. Deux autres indices montraient qu'il s'était passé quelque chose. Le placard normalement fermé à clé où l'on rangeait les médicaments était ouvert, et quelques coupelles en plastique dont on se servait pour les cachets recouvraient le sol. Le gros téléphone noir posé sur le bureau était décroché. Peter désignait tout ce qu'il voyait, comme un peu plus tôt, quand nous avions examiné le débarras. Il raccrocha le téléphone, puis le décrocha immédiatement et attendit la tonalité. Il composa le zéro pour appeler le service de sécurité de l'hôpital.

— La sécurité ? Il y a eu un incident à l'Amherst, fit-il très vite. Vous devriez venir tout de suite.

Il coupa vivement la communication et attendit d'avoir de nouveau la tonalité. Cette fois, il composa le numéro de la police.

— Bonsoir. Je veux vous signaler qu'un meurtre a été commis à l'hôpital Western State. Pavillon Amherst, près du poste de soins du premier étage. Non, je ne vous donne pas mon nom. Je viens de vous dire tout ce que vous avez besoin de savoir pour le moment. La nature de l'incident et l'endroit où ça s'est passé. Le reste, vous le verrez foutrement bien quand vous serez ici. Il vous faudra des gens de la police scientifique pour analyser le lieu du crime, des inspecteurs, et quelqu'un du bureau du coroner. Je pense aussi que vous devriez vous dépêcher.

Il raccrocha. Il se tourna vers moi et me dit, avec une touche d'ironie et peut-être un petit peu plus que de l'intérêt :

— Les choses vont bientôt devenir vraiment excitantes.

Voilà ce dont je me souviens. J'écrivis sur mon mur :

Francis n'avait aucune idée de l'ampleur du chaos qui allait se déchaîner au-dessus de sa tête, comme un orage à la fin d'un après-midi d'été.

Francis n'avait aucune idée de l'ampleur du chaos qui allait se déchaîner au-dessus de sa tête, comme un orage à la fin d'un après-midi d'été. Le crime le plus grave dont il se soit jamais approché était celui qu'il avait lui-même commis le jour où ses voix s'étaient mises à hurler au point que son univers avait basculé, le jour où il avait agressé et menacé sa famille, et lui-même par la même occasion, avec le couteau de cuisine. Le geste qui lui valait précisément de se trouver à l'hôpital. Il essaya de penser à ce qu'il avait vu et à ce que cela signifiait, mais il lui sembla que c'était trop choquant pour être analysé sereinement. Il prit conscience que ses voix lui parlaient, assourdies mais nerveuses, tout au fond de son crâne. Rien que des paroles de terreur. Il regarda autour de lui comme un fou pendant un instant, et se demanda s'il ne devrait pas simplement regagner discrètement son lit et attendre, mais il était incapable de bouger. Ses muscles semblaient lui faire défaut, il était comme emporté par un courant violent, entraîné inexorablement au loin. Peter et lui attendirent près du poste de soins. Quelques secondes plus tard, il entendit un bruit de pas précipités et celui des clés qu'on introduisait dans la serrure de la porte d'entrée. Au bout d'un moment, la porte s'ouvrit à la volée et deux agents de sécurité de l'hôpital se ruèrent à l'intérieur. Chacun d'eux était muni d'une lampe torche et d'une longue matraque noire. Ils portaient un uniforme gris qu'on eût dit couleur de brouillard. Les deux hommes, dont la silhouette se découpa un bref instant dans l'encadrement de la porte, se fondaient dans la lumière blême du couloir de l'hôpital. Ils s'approchèrent vivement des deux patients.

— Pourquoi n'êtes-vous pas dans votre dortoir ? fit le premier en brandissant sa matraque. Vous n'êtes pas censés sortir. Où est l'infirmière de garde ?

Son collègue s'était placé en position de soutien, arc-bouté, pour le cas où Francis et Peter le Pompier se montreraient menaçants.

— C'est vous qui avez appelé la sécurité ? fit-il d'un ton vif. Où est l'infirmière de garde ?

Peter se contenta de faire un geste du pouce derrière lui, vers le débarras.

— Là-bas.

Le premier gardien était un costaud, avec le crâne rasé à la manière des marines et un cou épais dont les plis débordaient de son col trop étroit. Il pointa sa matraque vers Francis et Peter.

— Vous deux, vous ne bougez pas, compris ?

Puis, se tournant vers son collègue :

— Le premier qui bouge un cil, tu lui en donnes un bon coup.

Le collègue, un homme maigre et nerveux, une sorte de poids coq avec un sourire en coin, sortit de sa ceinture un spray de gaz paralysant. Le costaud s'avança rapidement dans le couloir. Sa respiration sifflait légèrement à cause de la tension. Il tenait de la main gauche une torche à faisceau large, et sa matraque de l'autre. À mesure de sa progression, le rayon lumineux découpait le couloir gris en tranches mouvantes. Francis le vit ouvrir brutalement le débarras sans prendre les mêmes précautions que Peter.

Il resta un moment sans bouger, bouche bée. Puis il grogna.

— Bon Dieu !

Il recula en chancelant dès que le rayon de sa torche eut éclairé le corps de l'infirmière. Presque aussi vite, il bondit en avant. De là où ils se trouvaient, Francis et Peter virent le gardien poser la main sur l'épaule de Blondinette. Sans doute voulait-il retourner le corps afin de chercher le pouls.

— Ne faites pas cela, dit Peter d'une voix calme. Vous dérangez le lieu du crime.

Le plus petit des gardiens avait blêmi, même s'il n'avait pas compris tout à fait le sens de ce qui était donné à voir dans le débarras. D'une voix que l'angoisse rendait suraiguë, il s'écria :

— Fermez-la, espèces de foutus cinglés ! Fermez-la !

Le plus costaud revint de sa démarche chaloupée et se tourna vers Francis et Peter le Pompier, les yeux exorbités. Il marmonnait des obscénités.

— Vous ne bougez pas, vous deux ! Vous ne bougez pas, bordel de merde ! dit-il d'une voix furieuse.

En revenant vers eux, il glissa dans une des flaques de sang que Peter avait si soigneusement évitées. Il se retourna, saisit Francis par le bras, le fit pivoter pour le plaquer contre la cloison du poste de soins et lui colla violemment le visage sur le grillage. Presque dans le même mouvement, il lui donna un violent coup de matraque derrière les genoux. Une explosion de douleur accompagnée d'un éclair aveuglant frappa Francis derrière les globes oculaires. Il suffoqua, aspirant à pleins poumons un air plein d'aiguilles. Pendant un instant, il ne vit plus rien, la tête lui tournait, et il se dit qu'il allait peut-être s'évanouir. Puis il reprit son souffle, la douleur s'estompa, ne laissant dans sa mémoire qu'une vague ecchymose et des élancements. Le plus petit des gardiens imita son collègue : il fit pivoter Peter le Pompier en lui frappant le bas du dos avec sa matraque, ce qui eut le même résultat. Peter tomba à genoux avec un gémissement rauque. Les deux hommes furent immédiatement menottés, puis jetés à plat ventre sur le sol. Francis sentit l'odeur désagréable du désinfectant dont on se servait pour nettoyer le couloir.

— Foutus cinglés ! répéta le gardien.

Il entra dans le poste de soins et composa un numéro. Une seconde plus tard, quelqu'un décrocha à l'autre bout.

— Docteur, c'est Maxwell, de la sécurité. Nous avons un sérieux problème, à l'Amherst. Vous devriez venir au plus vite.

Il hésita avant d'ajouter, sans doute en réponse à une question :

— Deux des résidents ont tué une infirmière.

— Hé ! fit Francis. Nous ne l'avons pas…

Ses dénégations furent interrompues par le violent coup de pied que le plus petit des gardiens lui lança dans la cuisse. Francis se mordit la langue et la lèvre. Comme on l'avait fait pivoter, il ne voyait pas Peter le Pompier. Il avait envie de se tourner pour le regarder, mais pas de recevoir un autre coup de pied. Il resta donc en position. Une sirène, dehors, déchira l'obscurité. De plus en plus forte, elle hurla une dernière fois en s'arrêtant brutalement devant l'Amherst, puis s'évanouit comme une mauvaise pensée.

— Qui a appelé les flics ? demanda le petit gardien.

— C'est nous, dit Peter.

— Bon Dieu ! fit le gardien.

Il donna un autre coup de pied à Francis.

Il ramena son pied en arrière pour frapper une troisième fois, et Francis s'arc-bouta en prévision de la douleur. Le gardien n'acheva pas son geste. Au lieu de quoi, il lâcha brusquement :

— Hé ! Qu'est-ce que vous foutez ?

Plus qu'une question, c'était un cri qui n'appelait aucune réponse. Francis tourna légèrement la tête. Napoléon et deux ou trois autres occupants du dortoir avaient ouvert la porte du couloir. Ils se tenaient dans l'encadrement, indécis, se demandant s'ils pouvaient sortir. Francis comprit que les sirènes avaient réveillé tout le monde. Au même instant, quelqu'un actionna l'interrupteur principal et le couloir fut inondé de lumière. Francis entendit soudain, dans la partie sud du bâtiment, des gémissements aigus, et quelqu'un se mit à cogner sur la porte du dortoir des femmes. Les gonds métalliques et les doubles verrous la maintenaient fermée, mais le bruit, semblable à celui d'une grosse caisse, retentissait dans tout le couloir.

— Nom de Dieu ! s'écria le gardien aux cheveux ras. Vous, là-bas !

Il tendait sa matraque vers Napoléon et les autres patients, timides mais curieux, qui s'étaient glissés dans le couloir.

— Retournez là-dedans ! Immédiatement !

Il se rua vers eux en agitant le bras que prolongeait la matraque, comme un agent de la circulation qui fait avancer des automobilistes. Francis vit que les hommes, apeurés, reculaient. Le gardien se plaqua contre la porte, poussa pour la fermer complètement et la verrouilla à double tour. En se retournant, il dérapa sur une des flaques sombres qui maculaient le couloir. Chez les femmes, le martèlement était de plus en plus fort. Francis entendit deux autres voix, derrière lui.

— Bon Dieu, qu'est-ce qui se passe ici ?

— Qu'est-ce que vous faites ?

Il se retourna encore une fois et aperçut deux policiers en uniforme, juste au-delà de l'endroit où Peter le Pompier était étalé sur le sol. Un des deux hommes porta la main à son arme. Il ne la sortit pas mais dégrafa d'un geste nerveux la languette qui la maintenait en place.

— Quelqu'un a signalé un homicide ? demanda un des flics.

Mais il n'attendit pas la réponse, car il avait vu le sang dans le couloir. Dépassant le poste de soins, il s'avança vers le débarras. Francis le suivit des yeux et le vit s'arrêter devant la porte. Contrairement aux gardiens, il demeura silencieux. Il se contenta de contempler le spectacle, avec le regard vide des patients qui fixent l'espace devant eux pour n'y voir que ce qu'ils veulent y voir, ou doivent y voir, et non ce qui s'y trouve.

À partir de là, tout alla à la fois très vite et très lentement. Francis avait l'impression que le temps n'exerçait plus son emprise sur les événements, la succession régulière des heures sombres de l'après-minuit avait été perturbée, et la nuit se poursuivit dans la confusion. Quelques instants plus tard, on le transféra dans une salle de soins située au bout du couloir, où les techniciens de la police scientifique installaient leurs quartiers. Les photographes mitraillaient les lieux. À chaque fois qu'un flash crépitait, c'était comme si un éclair frappait un point lointain de l'horizon, et les patients, dans les dortoirs, redoublaient de cris et d'agitation. Pour commencer, le plus petit des gardiens le jeta sans cérémonie dans un siège puis le laissa seul. Un peu plus tard, il reçut la visite de deux inspecteurs en civil et du docteur Gulptilil. Il était toujours en pyjama, menotté, installé inconfortablement sur une chaise de bureau en bois très dure. Francis se dit que Peter le Pompier devait se trouver dans la même situation, dans une pièce voisine, mais il ne pouvait s'en assurer. Il aurait voulu ne pas devoir affronter tout seul les policiers.

Les deux inspecteurs portaient des costumes légèrement froissés et mal coupés. Ils avaient le cheveu ras et la mâchoire serrée, et leur regard, comme leur façon de s'exprimer, était dénué de toute amabilité. Ils avaient la même taille et la même carrure, au point que Francis se dit qu'il les confondrait sans doute s'il devait les revoir. Il n'avait pas vraiment compris leur nom quand ils s'étaient présentés, parce qu'il regardait le médecin en quête d'un signe rassurant. Mais Gulptilil, adossé au mur, les contemplait en silence, non sans avoir pressé Francis de dire la vérité aux inspecteurs. Un des deux flics se glissa près de lui et s'appuya contre le mur tandis que son collègue était à demi assis sur un bureau, en face de Francis. Il balançait une jambe, presque désinvolte, mais il était assis de sorte que le revolver d'acier bleu soit visible, dans l'étui noir passé à sa ceinture. L'homme avait un sourire légèrement oblique qui donnait l'impression que tout ce qu'il disait était malhonnête.

— Eh bien, monsieur Petrel, que faisiez-vous dans le couloir après l'extinction des feux ?

Francis hésita, se rappela ce que Peter le Pompier lui avait dit et se lança dans un bref récit de ce qui s'était passé depuis le moment où l'Efflanqué l'avait réveillé et où il avait suivi Peter dans le couloir, jusqu'à leur découverte du corps de Blondinette. L'inspecteur acquiesça. Puis il secoua la tête.

— La porte de ce dortoir est fermée à clé, monsieur Petrel. Elle est fermée à clé tous les soirs.

Il jeta un coup d'œil rapide en direction du docteur Gulptilil, qui opina énergiquement.

— Elle n'était pas fermée à clé, ce soir.

— Je ne suis pas sûr de vous croire.

Francis ne savait que répondre.

Le policier attendit un instant. Il laissa le silence s'installer dans la pièce, ce qui rendait Francis nerveux.

— Dites-moi, monsieur Petrel. Oh, ça ne vous dérange pas si je vous appelle Francis ?

Celui-ci secoua la tête.

— Francis, vous êtes jeune. Aviez-vous déjà fait l'amour avec une femme, avant ce soir ?

Francis s'enfonça dans son siège.

— Ce soir ?

— Ouais, reprit le policier. Ce soir, vous avez fait l'amour avec l'infirmière. Avant cela, vous aviez déjà eu des relations avec une fille ?

Francis était embarrassé. Les voix tonnaient dans ses oreilles, elles lui criaient toutes sortes de messages contradictoires. Il regarda le docteur Gulptilil, pour savoir si celui-ci était conscient du tumulte qui prenait possession de lui. Mais le médecin se trouvait dans la pénombre, et il avait du mal à voir son visage.

— Non, fit-il d'une voix hésitante.

— Non, quoi ? Jamais ? Un beau garçon comme vous ? Vous avez dû l'avoir mauvaise, non ? Surtout quand on vous repoussait, j'imagine. Et cette infirmière, elle n'était pas beaucoup plus vieille que vous, hein ? Vous deviez lui en vouloir, quand elle vous a repoussé…

— Non, répéta Francis. Ce n'est pas vrai.

— Elle ne vous a pas repoussé ?

— Non, non, non.

— Vous voulez dire qu'elle a accepté de faire l'amour, puis qu'elle s'est suicidée ?

— Non, répéta-t-il. Vous vous trompez sur toute la ligne.

— Oui. Bien sûr.

L'inspecteur regarda son collègue.

— Alors, elle a refusé de faire l'amour, et vous l'avez tuée ? C'est comme ça que ça s'est passé ?

— Non, vous vous trompez.

— Franny, vous m'embarrassez, vraiment. Vous me dites que vous vous trouvez dans le couloir après avoir franchi une porte fermée à clé alors que vous n'avez aucune raison d'être là. On retrouve une élève infirmière violée et assassinée, et vous êtes là par hasard ? Eh bien, ce n'est pas logique du tout. Vous ne croyez pas que vous pourriez faire un effort pour nous aider ?

— Je ne sais pas, répondit Francis.

— Qu'est-ce que vous ne savez pas ? Comment faire pour nous aider ? Eh bien, dites-moi seulement ce qui s'est passé quand l'infirmière vous a repoussé. C'est si difficile ? Alors tout le monde comprendra, et on pourra boucler l'affaire cette nuit.

— Oui. Ou non, dit Francis.

— Je vais vous dire une autre façon de mettre un peu de logique dans tout ça. Admettons que vous et votre copain, vous vous êtes retrouvés et vous avez décidé de sortir discrètement et de rendre une petite visite à l'infirmière, et admettons que les choses ne se soient pas passées exactement comme vous l'aviez prévu. Écoutez, Franny, il faut simplement que vous soyez franc avec moi. Mettons-nous d'accord sur une chose.

— Sur quoi ? hésita Francis.

Il savait que sa voix tremblait.

— Vous me dites simplement la vérité, d'accord ?

Francis acquiesça.

— Bien, fit l'inspecteur.

Il lui parla d'une voix sourde, caressante, comme si Francis était le seul à l'entendre, comme s'il parlait dans une langue qu'ils étaient les seuls à connaître. L'autre flic et le docteur Gulp-Pilule semblaient s'être volatilisés, et il continuait à parler, telle une sirène tentatrice, et il lui démontrait que son interprétation des faits était la seule valable.

— La seule façon d'expliquer tout ça, c'est qu'il y a eu comme un accident, hein ? Peut-être qu'elle vous a fait marcher, vous et l'autre type. Peut-être que vous vous attendiez à ce qu'elle soit un peu plus gentille. Un peu plus compréhensive. Voilà tout. Vous avez cru qu'elle pensait à quelque chose alors que, bon, disons qu'elle pensait à autre chose. Et les choses ont dégénéré, c'est ça ? Dans ce cas, vraiment, c'est un accident, hein ? Écoutez, Franny, personne ne vous en voudra vraiment. Je veux dire… après tout, vous êtes déjà ici. Et on vous a déjà déclaré un peu cinglé, alors tout ça ne changera pas grand-chose, hein ? Est-ce que j'ai bien présenté les choses, Franny ?

Francis inspira à fond.

— Pas du tout, dit-il d'un ton sec.

Pendant un instant, il se dit qu'en s'opposant à la force de conviction de l'inspecteur il avait peut-être commis l'acte le plus courageux de sa vie.

Soudain, l'inspecteur se leva et regarda son collègue en secouant la tête. D'un seul bond, le second flic traversa la pièce. Il donna un violent coup de poing sur la table et s'approcha si près de Francis que celui-ci ne tarda pas à être couvert de postillons.

— Nom de Dieu ! Espèce de cinglé ! C'est toi qui l'as tuée, on le sait ! Arrête de tourner autour du pot et dis-nous la vérité, ou je te jure que je vais te faire cracher ce que tu sais !

Francis recula. Il repoussa son siège en arrière pour essayer de gagner un peu d'espace, mais l'inspecteur le saisit par sa chemise et le plaqua en avant. Dans le même mouvement, il lui cogna brutalement la tête contre la table. Hébété, Francis releva péniblement la tête. Il avait le goût du sang sur les lèvres. Il saignait du nez. Il secoua la tête, essayant de reprendre conscience, mais une méchante gifle donnée du plat de la main l'envoya valser. La douleur lui brûla le visage, avant d'exploser derrière ses yeux. Presque simultanément, il sentit qu'il perdait l'équilibre, et il tomba par terre. La tête lui tournait, il était perdu. Il aurait voulu que quelqu'un ou quelque chose lui vienne en aide.

L'inspecteur le souleva comme s'il ne pesait pas plus lourd qu'une plume et le plaqua en arrière sur sa chaise.

— Maintenant, nom de Dieu, tu vas nous dire la vérité !

Il leva la main, prêt à frapper une nouvelle fois. Mais il la retint, dans l'attente d'une réponse.

Les coups semblaient avoir dispersé ses voix intérieures. Des avertissements venaient du plus profond de lui, difficiles à saisir, difficiles à comprendre. Un peu comme s'il se trouvait au fond d'une pièce pleine d'inconnus s'exprimant dans des langues différentes.

— Alors… ? répéta l'inspecteur.

Francis ne répondit pas. Il agrippa le bord de sa chaise, prêt à recevoir un nouveau coup.

L'inspecteur leva la main, puis s'immobilisa. Il recula avec un grognement résigné. Le premier flic s'avança.

— Franny, Franny… dit-il d'un ton qui se voulait apaisant. Pourquoi mettez-vous mon collègue en colère ? Est-ce que vous ne pouvez pas simplement débrouiller cela ce soir, pour que tout le monde puisse rentrer se coucher ? Que tout redevienne normal ? En tout cas, ajouta-t-il en souriant, ce qu'on appelle « normal » ici.

Il se pencha en avant et baissa la voix, comme un conspirateur :

— Vous savez ce qui se passe dans la pièce voisine, en ce moment ?

Francis secoua la tête.

— Votre copain, le type qui vous accompagnait dans votre petite sortie, cette nuit, eh bien, il est en train de vous lâcher. Voilà ce qui se passe.

— Me lâcher ? demanda Francis.

— Il est en train de vous mettre sur le dos tout ce qui est arrivé. Il explique à nos collègues que c'était votre idée, que c'est vous qui avez commis le viol et le meurtre, et que lui, il s'est contenté de regarder. Il leur explique qu'il a essayé de vous arrêter, mais que vous ne l'avez pas écouté. Il vous met tout le bordel sur le dos.

Francis réfléchit un instant à ce qu'il venait d'entendre, puis il secoua la tête. Les insinuations de l'inspecteur semblaient aussi dingues, aussi invraisemblables que les événements de la nuit. Il n'y croyait pas. Il passa sa langue sur ses lèvres et sentit que c'était enflé, là où il y avait le goût salé du sang.

— Je vous l'ai dit, fit-il faiblement. Je vous ai dit ce que je sais.

Le premier inspecteur grimaça, comme si cette réponse n'était pas satisfaisante, pas le moins du monde, et fit un petit geste de la main vers son collègue, toujours furieux. Celui-ci s'avança, baissa la tête pour regarder Francis droit dans les yeux. Francis eut un mouvement de recul. Incapable de bouger pour se défendre, il attendit un autre coup. Il était totalement vulnérable. Il ferma les yeux, paupières serrées.

Mais, avant que le coup n'arrive, il entendit la porte s'ouvrir.

Après cette interruption, tout dans la pièce sembla marcher au ralenti. Francis vit un policier en uniforme s'avancer dans l'encadrement de la porte. Les deux inspecteurs étaient penchés vers lui, et ils avaient une conversation étouffée. Au bout d'un moment, elle s'anima, mais ils parlaient très bas pour que Francis ne puisse pas comprendre ce qu'ils disaient. Quelques instant plus tard, le premier inspecteur secoua la tête et soupira avec un petit bruit dégoûté. Il se tourna de nouveau vers Francis.

— Hé, Franny, mon garçon, dites-moi une chose. Le type dont vous nous avez parlé tout à l'heure, au début de notre petite conversation… Celui qui serait venu vous réveiller, soi-disant avant que vous ne sortiez dans le couloir, c'est celui qui a agressé l'infirmière hier soir, au réfectoire ? Qui l'a poursuivie devant tous les occupants de ce pavillon ?

Francis acquiesça.

L'inspecteur fit mine de rouler des yeux et jeta la tête en arrière avec un geste résigné.

— Merde ! On perd notre temps, ici.

Furieux, il se tourna vers le docteur Gulptilil, toujours dissimulé dans la pénombre.

— Bon Dieu, mais pourquoi vous ne nous l'avez pas dit plus tôt ? Est-ce que tout le monde est complètement dingue, ici ?

Gulp-Pilule ne répondit pas.

— Est-ce qu'il y aurait autre chose d'important que vous auriez oublié de nous dire, docteur ?

Gulp-Pilule secoua la tête.

— Bien sûr, fit le flic d'un ton sarcastique.

Il fit un geste vers Francis.

— Amenez-le par ici.

Un agent en uniforme poussa Francis sans ménagement dans le couloir. Sur sa droite, il vit un autre duo de flics émerger d'un bureau avec Peter le Pompier. Celui-ci arborait près de l'œil droit une énorme ecchymose rouge vif – et il avait un air de défi, de colère, qui semblait englober tous les policiers dans le même mépris. Francis aurait bien voulu avoir l'air aussi sûr de lui. Le premier inspecteur le prit soudain par le bras et le fit légèrement pivoter, de sorte qu'il vit l'Efflanqué, menotté, entre deux autres flics. Un peu plus loin, derrière lui, une demi-douzaine de gardiens de l'hôpital avaient rassemblé en un petit groupe les résidents du premier étage, à l'écart de l'endroit où les techniciens de la police scientifique photographiaient et mesuraient le débarras. Deux infirmiers se détachèrent du groupe de policiers. Ils poussaient un lit à roulettes recouvert d'un drap blanc sur lequel reposait une housse mortuaire noire. Le lit ressemblait à celui que Francis avait utilisé à son arrivée à l'hôpital Western State.

Un gémissement général monta de la foule des patients quand ils virent la housse noire. Plusieurs d'entre eux se mirent à pleurer, d'autres tournèrent la tête, comme si, en regardant ailleurs, ils pouvaient continuer à ignorer ce qui se passait. D'autres se crispèrent, et quelques-uns continuèrent simplement à faire ce qu'ils faisaient avant. C'est-à-dire surtout agiter les doigts et les mains, trépigner sur place ou fixer les murs d'un regard vide. Francis entendit grommeler ceux qui échangeaient des commentaires. L'aile des femmes semblait plus calme. Mais quand on sortit le cadavre du débarras, et bien qu'elles fussent enfermées, elles durent sentir quelque chose car le martèlement sur la porte reprit, comme un roulement de tambour durant un enterrement militaire. L'Efflanqué regardait passer le corps de l'infirmière d'un air atone. Dans le couloir vivement éclairé, Francis vit les traînées de sang séché sur la chemise de nuit flottante du géant.

— C'est le type qui vous a réveillé, Francis ? demanda le premier inspecteur.

La question exprimait toute l'autorité d'un homme habitué à tenir les choses en main. Francis hocha la tête.

— Il vous a réveillé, après quoi vous êtes sortis dans le couloir, et vous avez trouvé l'infirmière déjà morte, c'est ça ? Et vous avez appelé la sécurité, hein ?

Francis acquiesça de nouveau. L'inspecteur jeta un coup d'œil en direction des deux policiers qui encadraient Peter le Pompier. Ils acquiescèrent à leur tour.

— C'est exactement ce que nous a dit ce gars-là, fit l'un d'eux en réponse à une question non formulée.

L'Efflanqué semblait pris de frissons. Il était pâle, et sa lèvre inférieure tremblait sous l'effet de la peur. Il baissa les yeux sur ses menottes et joignit les mains, comme s'il était en prière. De l'autre côté du couloir, il vit Francis et Peter.

— C-Bird, dit-il d'une voix frémissante, les mains tendues en avant comme un suppliant lors d'un service religieux, dis-leur pour l'Ange. Explique-leur, dis-leur que l'Ange est venu au milieu de la nuit pour me dire qu'on s'était occupé du démon. Nous sommes sauvés, maintenant, dis-leur, C-Bird, je t'en supplie.

Il parlait d'un ton plaintif, égaré, comme si chaque mot l'enfonçait un peu plus dans le désespoir.

Brusquement, l'inspecteur se mit à lui crier dessus. L'Efflanqué fit le dos rond devant les questions, aussi dangereuses que des flèches empoisonnées.

— Comment ce sang est-il arrivé sur ta chemise, le vieux ? Comment se fait-il que tu as le sang de l'infirmière sur les mains ?

L'Efflanqué regarda ses doigts et secoua la tête.

— Je ne sais pas. C'est peut-être l'Ange qui l'a mis ?

Alors qu'il prononçait ces mots, un agent en uniforme remonta le couloir, un petit sac plastique à la main. Tout d'abord, Francis ne put voir ce qu'il contenait. Mais quand l'agent s'approcha, il reconnut un de ces petits bonnets blancs triangulaires que portent les infirmières. Il semblait froissé, et le bord portait des taches de la même couleur que les traînées sur la chemise de l'Efflanqué.

— On dirait qu'il avait envie de garder un souvenir, fit le flic. On a trouvé ça sous son matelas.

— Vous avez le couteau ? lui demanda l'inspecteur.

Le flic secoua la tête.

— Et les morceaux de doigts ?

Nouvelle réponse négative de l'agent en uniforme.

L'inspecteur réfléchit un instant, évaluant la situation. Il se tourna brusquement vers l'Efflanqué, toujours recroquevillé contre le mur, entouré par des agents. Ils étaient tous plus petits que lui, mais, en cet instant précis, ils semblaient nettement plus costauds.

— Où as-tu pris ce bonnet ?

Le géant secoua la tête.

— Je ne sais pas. Je ne sais pas ! s'écria-t-il. Je ne l'ai jamais vu.

— Il était sous ton matelas. Pourquoi l'as-tu mis là ?

— Je ne l'ai pas mis. Je ne l'ai pas mis !

— Peu importe, fit l'inspecteur en haussant les épaules. Nous avons plus de preuves qu'il nous en faut. Que quelqu'un lui lise ses droits. Et foutons le camp de cette maison de dingues.

Les policiers se démenèrent pour traîner l'Efflanqué dans le couloir. Francis vit la panique s'emparer de lui. Le géant tressaillit, comme s'il était traversé par un courant électrique on qu'on l'obligeait à marcher sur des braises.

— Non, je vous en supplie, je n'ai rien fait ! Je vous en supplie. Oh, le mal, le mal est tout autour de nous, ne m'emmenez pas, ici c'est chez moi, je vous en supplie !

Tandis que l'Efflanqué lançait ses cris pitoyables, faisant résonner son désespoir dans tout le couloir, Francis sentit qu'on lui ôtait ses menottes. Il leva les yeux, et l'Efflanqué croisa son regard.

— C-Bird, Peter, je vous en prie, aidez-moi ! s'écria-t-il encore.

Francis se dit qu'il n'avait jamais entendu une telle douleur exprimée par si peu de mots.

— Dites-leur que c'était un Ange. Un Ange est venu me voir au milieu de la nuit. Expliquez-leur ! Aidez-moi, je vous en supplie !

D'une ultime poussée, les agents de police firent sortir l'Efflanqué du pavillon Amherst, et la fin de la nuit l'avala définitivement.

7

Je suppose que j'ai dormi un peu cette nuit-là, mais je ne me rappelle pas vraiment avoir fermé les yeux.

Je ne me rappelle même pas si je respirais.

Ma lèvre enflée me picotait, et même après m'être un peu lavé, je sentais le goût du sang là où le policier m'avait frappé. Mes jambes me faisaient encore mal, à cause des coups de matraque du gardien, et j'étais étourdi par tout ce que j'avais vu. Peu importe le nombre d'années écoulées depuis cette nuit-là, le nombre de jours qui sont devenus des décennies, je sens toujours la douleur de ma rencontre avec les autorités qui ont cru (même si cela n'a pas duré longtemps) que j'étais l'assassin. Allongé, très raide, sur mon lit, j'avais du mal à établir un lien entre Blondinette qui vivait encore quelques heures plus tôt et la forme sanglante qu'on avait emmenée, enveloppée dans une housse mortuaire, sans doute pour la poser sur une table métallique glacée où elle attendrait le scalpel du légiste. Aujourd'hui, j'ai presque autant de mal à concilier les deux images. Comme s'il s'agissait de deux entités différentes, à des mondes de distance, qui avaient très peu, sinon rien à voir l'une avec l'autre.

Mes souvenirs sont clairs. Je restai immobile dans le noir, sentant la pression de chaque seconde qui passait, conscient que le dortoir tout entier était en proie à une agitation exceptionnelle. Les bruits nocturnes habituels du sommeil troublé étaient amplifiés par une nervosité et une tension épouvantables qui semblaient donner du relief à l'air dense de la pièce, comme une couche de peinture. Autour de moi, les gens remuaient et tressaillaient, en dépit des médicaments qu'on leur avait donnés avant de les ramener au dortoir. Un calme chimique. C'était du moins ce que souhaitaient Gulp-Pilule, M. Débile et le reste du personnel. Mais les peurs et les angoisses qui étaient nées cette nuit-là étaient hors d'atteinte des médicaments. Nous nous tournions en tous sens, mal à l'aise, gémissant et grognant, pleurant et sanglotant, toutes sensations tendues et durcies à l'excès. Nous avions tous peur de la nuit qui restait à venir, et étions tout aussi terrifiés par ce que le matin apporterait.

Tous, sauf un absent, bien sûr. La manière dont l'Efflanqué avait été si brutalement enlevé à notre petite communauté d'aliénés semblait laisser une ombre. Depuis mon arrivée à l'Amherst, un ou deux résidents très vieux et impotents étaient morts de ce qu'on appelait des causes naturelles, mais qu'on aurait mieux qualifié de négligence ou d'abandon. De temps en temps, par miracle, on libérait pour de bon quelqu'un dont la vie n'était pas tout à fait arrivée à son terme. Plus souvent, la sécurité expédiait dans une cellule d'isolement, aux étages supérieurs, un patient excité et turbulent, ou tel autre dont on ne pouvait faire cesser les hurlements. Mais ils revenaient en général au bout de quelques jours, avec des doses de médicaments plus fortes qu'avant, des gestes un peu plus lents et des tics plus marqués. Les disparitions n'étaient donc pas si rares. Mais la façon dont ils avaient emmené l'Efflanqué était exceptionnelle. C'était cela qui suscitait nos émotions désordonnées, tandis que nous regardions les premiers rayons du jour se glisser entre les barreaux des fenêtres.

Je me préparai deux toasts au fromage et je remplis d'eau du robinet un verre légèrement crasseux. Appuyé sur le comptoir de la cuisine, je me mis à dévorer à belles dents. Une cigarette oubliée se consumait dans un cendrier plein à ras bord, à deux mètres de moi. Je contemplai le filet de fumée qui s'élevait dans l'air confiné de mon appartement.

Peter le Pompier fumait.

J'avalai une bouchée de sandwich puis une gorgée d'eau. Quand je regardai de nouveau de l'autre côté de la pièce, il était là. Il tendit le bras vers le mégot, qu'il porta à ses lèvres.

— Ah ! fit-il d'un air légèrement narquois. À l'hôpital, on pouvait fumer sans se sentir coupable. Qu'est-ce qui était le pire, hein ? Risquer d'attraper le cancer ou être dingue ?

— Peter. Il y a des années que je ne t'ai pas vu, lui dis-je en souriant.

— Je t'ai manqué, C-Bird ?

J'acquiesçai. Il haussa les épaules comme pour s'excuser.

— Tu as bonne mine, C-Bird. Un peu maigre, peut-être. Mais tu n'as presque pas vieilli.

Il souffla deux ou trois ronds de fumée insouciants tout en jetant un regard circulaire sur la pièce.

— Alors, c'est ici que tu habites, hein ? Pas mal. Tout va bien pour toi, on dirait.

— Je ne sais pas si on peut dire ça. Ça va aussi bien que possible, peut-être.

— C'est vrai. C'est ça, le plus rare, quand on est fou, hein, C-Bird ? Nos attentes n'étaient jamais satisfaites, il fallait les modifier. Les choses les plus simples, comme garder un emploi, avoir une famille ou assister aux matches de deuxième division par un bel après-midi d'été, tout cela était vraiment difficile à accomplir. Alors il fallait se réorganiser, hein ? Se corriger, se restreindre, changer d'avis.

— Oui, c'est vrai, fis-je en souriant. Le simple fait de posséder un canapé, c'est toute une affaire.

Peter se mit à rire, en jetant la tête en arrière.

— La possession d'un canapé et le chemin vers la santé mentale. On dirait un de ces articles que préparait M. Débile pour son doctorat, et qui n'étaient jamais publiés.

Peter continuait à regarder autour de lui.

— Tu as des amis ?

— Pas vraiment, fis-je en secouant la tête.

— Tu entends toujours des voix ?

— Un peu, de temps en temps. Seulement des échos. Des échos ou des murmures. Les médocs qu'ils m'ont donnés pendant tout ce temps-là ont mis une sacrée sourdine au raffut qu'elles faisaient.

— Les médicaments ne peuvent pas être si mauvais, fit Peter avec un clin d'œil, puisque je suis ici.

C'était vrai.

Peter se dirigea vers l'entrée de la cuisine et regarda le mur couvert d'écriture. Il se déplaçait toujours avec la même grâce athlétique, ces mouvements totalement contrôlés que je revoyais quand je me rappelais les heures passées ensemble dans les couloirs de l'Amherst. Peter le Pompier n'avait pas la démarche traînante, il ne titubait pas. Il avait exactement le même air que vingt ans plus tôt, sauf que la casquette de base-ball aux couleurs des Red Sox qu'il portait à l'époque avec désinvolture était fourrée dans la poche arrière de son jean. Mais ses cheveux étaient toujours longs et épais, son sourire, exactement comme je me le rappelais, et son humour n'avait pas changé.

— L'histoire avance bien ? demanda-t-il.

— Elle me revient.

Peter ouvrit la bouche, s'interrompit et contempla les colonnes de mots gribouillés sur le mur.

— Qu'est-ce que tu leur as dit à mon sujet ?

— Pas assez, dis-je. Mais ils ont sans doute déjà compris que tu n'as jamais été fou. Pas de voix intérieures. Pas de visions. Pas d'idées bizarres ni de pensées scabreuses. Pas fou, en tout cas, comme l'Efflanqué, ou Napoléon, ou Cléo ou n'importe lequel des autres. Ni même comme moi, d'ailleurs.

Il eut un petit sourire narquois.

— Un bon petit catholique, une grande famille d'émigrés irlandais de Dorchester, deuxième génération. Un père qui buvait trop le samedi soir, une mère qui croyait aux démocrates et au pouvoir de la prière. Des fonctionnaires, des instituteurs, des flics et des militaires. Fréquentation régulière de la messe le dimanche, suivie du catéchisme. Une bande d'enfants de chœur. Les filles apprenaient le quadrille et chantaient à la chorale. Les garçons jouaient au football. À l'heure de la conscription, on signait sans attendre. Pas de sursis universitaire, chez nous. Et pas question d'être fou. Pas exactement, en tout cas. Pas de cette manière identifiable, clairement définie qu'aimait Gulp-Pilule, parce que ça lui permettait de chercher les symptômes dans le *Manuel diagnostique et statistique* et de trouver précisément le type de traitement à proposer. Non, dans ma famille, on était plutôt bizarres. Ou excentriques. Peut-être un peu spéciaux, légèrement décalés, détraqués, déglingués.

— Tu n'étais pas si bizarre que ça, Peter.

Il rit. D'un rire bref, amusé.

— Un pompier qui met le feu délibérément ? Dans l'église où il a été baptisé ? Comment appelles-tu cela ? Au moins un peu bizarre, hein ? Un peu plus que simplement étrange, tu ne crois pas ?

Je ne répondis pas. Je le regardais se balader dans mon petit appartement. Même s'il n'était pas vraiment là, c'était toujours agréable d'avoir de la compagnie.

— Tu sais ce qui m'ennuyait, parfois, C-Bird ?

— Quoi ?

— J'ai eu tellement d'occasions, dans ma vie, de devenir fou. Tu sais, ces instants où tout est possible, ces moments simplement horribles qui auraient pu mettre l'écume à la gueule de la folie. Des moments où l'on devient adulte. Des moments de guerre. Des moments de mort. Des moments de colère. Mais celui qui m'a toujours semblé le plus significatif, celui qui était le plus clair, c'est celui qui m'a valu d'aller à l'hôpital.

Il marqua une pause, sans cesser d'examiner mon mur.

— J'avais à peine neuf ans quand mon frère est mort, reprit-il d'une voix sourde. Il était le plus proche de moi par l'âge, il n'avait qu'un an de plus. Les jumeaux irlandais, on nous appelait dans la famille. Mais il avait les cheveux beaucoup plus clairs que les miens, et il avait toujours l'air très pâle, comme si sa peau était plus tendue et plus fine que la mienne. Et je pouvais courir, sauter, faire du sport, rester dehors toute la journée, tandis que lui, il pouvait à peine respirer. De l'asthme, une maladie au cœur et des reins qui fonctionnaient mal. Dieu avait voulu qu'il soit spécial de cette façon-là, c'est en tout cas ce qu'on m'avait dit. Pourquoi Dieu avait décidé cela, on considérait que cela dépassait ma compréhension. Alors nous voilà tous les deux, neuf et dix ans, et nous savions qu'il allait mourir, mais ça ne changeait rien pour nous, on riait, on s'amusait, on échangeait nos petits secrets comme le font tous les frères. Le jour où ils nous ont séparés pour de bon pour l'emmener à l'hôpital, il m'a dit que je serais le garçon pour deux, désormais. J'avais tellement envie de l'aider. J'ai dit à ma mère que Billy pouvait prendre mon poumon droit et mon cœur, que les docteurs pouvaient me donner les siens, qu'on échangerait pendant quelque temps. Mais ils n'ont rien de fait de tel, bien sûr.

Je l'écoutais sans l'interrompre. Tout en parlant, Peter s'était approché du mur où j'avais commencé à écrire notre histoire, mais il ne lisait pas les mots que j'avais griffonnés, il me disait les siens. Il tira une bouffée de la cigarette et se remit à parler, lentement :

— Est-ce que je t'ai parlé de l'éclaireur qui s'est fait descendre, au Vietnam, C-Bird ?

— Oui, Peter. Tu m'en as parlé.

— Tu devrais en parler, dans l'histoire que tu écris. De l'éclaireur, et de mon frère qui est mort jeune. Je crois qu'ils appartiennent à la même histoire.

— Il faudra que je leur parle aussi de ton neveu, et de l'incendie.

Il hocha la tête.

— Je savais que tu le ferais. Mais pas encore. Parle-leur simplement de l'éclaireur. Tu sais ce que je me rappelle le mieux de ce jour-là ? C'est cette foutue chaleur. Oh, pas la chaleur que connaissent des gens comme toi et moi et tous ceux qui ont grandi en Nouvelle-Angleterre. Ce qu'on connaissait, nous, c'est la canicule du mois d'août, quand on allait se baigner dans le port. Là, c'était une chaleur atroce, malsaine, presque toxique. On avançait en zigzag dans la jungle, en file indienne, et le soleil était haut au-dessus de nos têtes. Le paquetage que j'avais sur le dos aurait pu contenir tout ce dont j'avais besoin et tout ce qui m'importait dans le monde. La stratégie des snipers, en face, était très simple, tu sais. Visez le gars qui marche en tête, et descendez-le. Blessez-le, si possible. Visez les jambes, pas la tête. En entendant le coup de feu, tout le monde se mettra à couvert. Sauf le toubib, tu vois, et ça c'était moi. Le toubib devait rejoindre le blessé. À chaque fois. À l'entraînement, ils nous disaient de ne pas risquer notre vie à la légère, mais on y allait toujours. Alors le sniper essayait de descendre le toubib, parce que c'était le seul type de la section à qui tout le monde était redevable. S'il était touché, tout le monde voudrait se découvrir pour aller le chercher. Un processus génial, élémentaire. Comment un seul coup de feu vous donne la possibilité de tuer des tas d'ennemis. C'est ce qui s'est passé ce jour-là, ils ont eu l'éclaireur, et je l'entendais qui m'appelait. Mais le chef de section et deux autres types m'ont retenu. J'étais près de la quille. Il me restait à peine deux semaines à tirer. Alors on est restés là, à l'écouter, en train de se vider de son sang. Et c'est ça qu'on a expliqué dans le rapport au quartier général, en leur disant qu'on n'avait pas pu faire autrement. Sauf que ce n'était pas vrai. Ils me retenaient, et je me débattais, je protestais et je gueulais, mais pendant tout ce temps je savais que si je voulais, je pouvais me libérer. Que je pouvais aller le chercher, que ça n'exigeait qu'un petit effort supplémentaire. Et que c'était justement ça que je ne ferais pas. Ce petit geste en plus. Voilà la petite comédie que nous avons jouée dans la jungle pendant qu'un homme agonisait. C'était le genre de situation où ce qui est bien s'avère fatal. Je n'y suis pas allé, personne ne m'a fait de reproches, j'ai survécu et je suis rentré chez moi à Dorchester, et l'éclaireur est mort. D'ailleurs je ne le connaissais pas vraiment. Il y avait moins d'un mois qu'il était dans notre section. C-Bird, ce n'est pas comme si j'avais écouté les cris d'agonie d'un de mes amis. C'était simplement un homme qui était là, qui criait à l'aide, et qui a crié jusqu'à ce qu'il ne puisse plus crier parce qu'il était mort.

— Même si tu l'avais rejoint, il ne s'en serait peut-être pas sorti.

Peter hocha la tête, le sourire aux lèvres.

— Ouais. C'est vrai. C'est ce que je me suis dit, aussi. Toute ma vie, poursuivit-il en soupirant, j'ai eu des cauchemars, où des gens appelaient à l'aide. Et je n'y allais pas.

— Mais tu es devenu pompier…

— Une manière facile de faire pénitence, C-Bird. Tout le monde aime les pompiers.

Peter s'effaça peu à peu, à côté de moi. Je me souvins que ce n'est qu'au milieu de la matinée que nous avons eu l'occasion de nous parler. Le pavillon Amherst était noyé sous la lumière du soleil qui se mêlait par vagues à l'odeur stagnante de la mort violente. Les murs blancs semblaient produire une forte luminosité. Les patients marchaient de long en large, traînant des pieds et titubant, mais un peu plus prudemment que d'habitude. Nous nous déplacions avec précaution parce que nous savions, même dans notre folie, qu'il était arrivé quelque chose, et nous sentions que ce n'était pas fini. Je cherchai autour de moi, et je finis par trouver mon crayon.

Ce n'est qu'au milieu de la matinée que Francis eut l'occasion de parler à Peter le Pompier. Un soleil trompeur de printemps, aux rayons éblouissants, se glissait entre les barreaux d'acier des fenêtres, projetant dans les couloirs des explosions de lumière réfléchie par le sol qu'on avait lavé de tous les signes visibles du meurtre. Mais l'odeur de la mort flottait encore dans l'air confiné de l'hôpital. Les patients allaient et venaient, seuls ou en petits groupes, contournant en silence les endroits où le meurtre aurait pu laisser des traces. Personne ne marchait là où le sang de l'infirmière avait coulé. Tout le monde faisait un détour en passant devant le débarras, comme si l'on risquait, en s'approchant trop près du lieu du crime, d'absorber un peu du mal qui s'y était manifesté. Les voix étaient assourdies, les conversations à peine audibles. Les malades traînaient les pieds un peu plus que d'habitude, comme si l'hôpital s'était transformé en chapelle. Même les crises de délire dont tant de patients étaient affligés semblaient plus rares, cédant la place à une folie plus réelle et beaucoup plus terrifiante.

Peter, lui, avait pris position dans le couloir. Appuyé contre le mur, il contemplait le débarras. À intervalles réguliers, il mesurait du regard la distance séparant l'endroit où l'on avait découvert le corps de l'infirmière et celui où elle avait été agressée, dans le poste de soins grillagé au milieu du couloir.

Francis se dirigea lentement vers lui.

— Qu'y a-t-il ? demanda-t-il d'un ton calme.

Peter le Pompier serrait les lèvres, comme s'il faisait un effort pour se concentrer.

— Dis-moi, C-Bird, est-ce que tu trouves tout cela très logique ?

Francis allait répondre, puis il hésita. Il s'adossa au mur, près du Pompier, et regarda dans la même direction.

— C'est comme si on lisait un livre en commençant par la fin, fit-il au bout d'un moment.

Peter hocha la tête avec un sourire.

— Comment ça ?

— Eh bien, c'est tout à l'envers, fit lentement Francis. Pas inversé comme par un miroir, non, plutôt comme si on nous donnait la conclusion sans nous expliquer comment on en est arrivé là.

— Continue, C-Bird.

Francis sentait une sorte d'énergie s'emparer de lui, tandis que son imagination bouillonnait au souvenir de ce qu'il avait vu la nuit précédente. Au fond de lui, il entendit un chœur d'approbations et d'encouragements.

— Plusieurs choses me turlupinent. Des choses que je ne comprends pas.

— Parle-moi de ces choses, fit Peter.

— L'Efflanqué, pour commencer. Pourquoi aurait-il voulu tuer Blondinette ?

— Il croyait qu'elle était le démon. Il a essayé de l'attaquer, plus tôt, au réfectoire.

— Oui, mais on lui a fait une piqûre qui aurait dû le calmer.

— Mais elle n'a pas fait son effet.

— Je crois que si, dit Francis en secouant la tête. Pas complètement, mais elle a fait son effet. Quand on m'a fait cette piqûre, à moi, j'ai eu l'impression que tous les muscles de mon corps devenaient liquides. J'avais à peine assez d'énergie pour soulever les paupières et regarder ce qui m'entourait. Même s'ils n'en ont pas donné assez à l'Efflanqué, je pense que quelqu'un d'autre a fait le boulot. Pour tuer Blondinette, il fallait de la force. Et de l'énergie. Et autre chose, je crois.

— Autre chose ?

— Il fallait un motif, dit Francis.

— Continue, lui dit Peter en hochant la tête.

— Eh bien… comment l'Efflanqué est-il sorti du dortoir ? Il est toujours fermé à clé. Et s'il s'est débrouillé pour ouvrir la porte du dortoir, où sont les clés ? Et pourquoi, s'il était sorti, aurait-il emmené Blondinette dans le débarras ? Je veux dire, comment il s'y est pris ? Et puis, pourquoi l'aurait-il…

Francis hésita, comme s'il cherchait le mot.

— Pourquoi l'aurait-il *agressée* ? Et laissée là, comme ça ?

— Il avait le sang de l'infirmière plein ses vêtements. Et son bonnet se trouvait sous son matelas, fit Peter, du ton impassible et sans réplique du flic professionnel.

Francis secoua la tête.

— Je ne comprends pas. Ce bonnet. Mais pas le couteau dont il se serait servi pour la tuer ?

Peter baissa la voix.

— Qu'est-ce que l'Efflanqué nous a dit, quand il nous a réveillés ?

— Il a dit qu'un ange s'était approché de lui et l'avait serré dans ses bras.

Les deux hommes restèrent silencieux. Francis essayait d'imaginer l'ange en train de secouer l'Efflanqué pour le sortir de son sommeil agité.

— Je croyais qu'il l'avait inventé. Qu'il avait imaginé cette histoire.

— Moi aussi, dit Peter. Maintenant, je ne sais plus.

Il se remit à contempler le débarras. Francis fit de même. Et, plus il le fixait, plus il s'approchait du moment crucial. Un peu comme s'il assistait aux derniers instants de Blondinette. Peter devait l'avoir remarqué, car il avait pâli, lui aussi.

— Je n'arrive pas à imaginer que l'Efflanqué ait pu faire ça, dit-il. Ça ne lui ressemble pas du tout. Même quand il est au plus mal, et il n'a sans doute jamais été aussi effrayant qu'hier, ça ne lui ressemble tout de même pas. L'Efflanqué pouvait montrer du doigt, gueuler, faire du vacarme. Je ne crois pas qu'il était capable de tuer quelqu'un. Et certainement pas de cette manière sournoise et calme qu'ont les assassins.

— Il disait que le mal devait être détruit. Il l'a dit très fort, devant tout le monde.

Peter hocha la tête, mais sa voix montrait son incrédulité.

— Tu crois qu'il aurait pu tuer quelqu'un, C-Bird ?

— Je ne sais pas. Peut-être que dans certaines circonstances, n'importe qui peut tuer. Mais ce n'est qu'une hypothèse. Je ne connais pas d'assassin.

Cette remarque fit sourire Peter.

— Tu me connais, pourtant, dit-il. Mais je crois que nous en connaissons un autre.

— Un autre assassin ?

— Un Ange, dit Peter.

Le lendemain, un peu avant la séance de groupe de l'après-midi, Napoléon vint parler à Francis. Le petit homme avait l'air hésitant. Il bégayait légèrement, comme si les mots étaient suspendus au bout de sa langue mais refusaient de sortir, de crainte d'être mal accueillis. Napoléon avait un défaut d'élocution mais quand il se lançait dans l'histoire ancienne, en s'identifiant à son célèbre homonyme, il devenait beaucoup plus clair et précis. Pour son interlocuteur, le problème était de séparer les deux éléments disparates, les réflexions du moment et les remarques sur des événements qui avaient eu lieu un siècle et demi plus tôt.

— C-Bird ? fit-il, aussi nerveux que d'habitude.

— Qu'y a-t-il, Nappy ?

Ils traînaient au fond de la salle commune, sans rien faire de particulier, sauf ruminer patiemment leurs pensées, comme le faisaient souvent les gens de l'Amherst.

— Il y a quelque chose qui me turlupine vraiment, dit Napoléon.

— Tout le monde a des tas de choses qui le turlupinent, répondit Francis.

Napoléon se passa les mains sur ses joues potelées.

— Est-ce que tu savais qu'on considère qu'il n'existe aucun général plus brillant que Bonaparte ? Même pas Alexandre le Grand, ni Jules César, ni George Washington. C'est quelqu'un qui a façonné le monde grâce à son intelligence.

— Oui, fit Francis. Je sais cela.

— Mais si tout le monde le prend pour un génie, je ne comprends pas pourquoi on ne se souvient que de ses défaites.

— Hein ?

— Les défaites. Trafalgar. La Berezina. Waterloo.

— Je ne sais pas si j'ai réponse à ça, Nappy…

— Ça me turlupine vraiment, fit Napoléon, très vite. Je veux dire, pourquoi se souvient-on de nous pour nos échecs ? Pourquoi les défaites et les reculs ont-ils plus d'importance que les victoires ? Est-ce que tu crois que Gulp-Pilule et M. Débile parlent des progrès que nous faisons, dans les séances de groupe ou avec les médicaments ? Non, je ne crois pas. Je crois qu'ils ne parlent que des revers et des erreurs, de tous les petits signes qui montrent que nous devons rester ici, et pas des symptômes qui prouvent que nous allons mieux et qu'ils pourraient nous renvoyer chez nous.

Francis hocha la tête. Ça semblait logique.

Mais le petit homme continuait, oubliant ses hésitations et son bégaiement :

— Les victoires de Napoléon ont redessiné la carte de l'Europe. On devrait s'en souvenir. Ça me met vraiment en rogne...

— Je ne sais pas si tu peux y faire grand-chose... commença Francis.

Mais le petit homme se pencha vers lui et l'interrompit, presque à voix basse :

— J'étais tellement en rogne, la nuit dernière, en pensant à la façon dont Gulp-Pilule et M. Débile me traitent, et traitent tous ces faits d'histoire si importants, que je n'ai pas fermé l'œil...

Francis, tout à coup, dressa l'oreille.

— Tu ne dormais pas ?

— Je ne dormais pas quand j'ai entendu quelqu'un fourrager dans la serrure.

— Tu as vu...

Napoléon secoua la tête.

— J'ai entendu la porte s'ouvrir, tu sais, mon lit n'est pas très loin, et j'ai fermé les yeux, en serrant bien les paupières, parce qu'on est censés dormir, et je ne voulais pas qu'on s'imagine que je ne dormais pas, et qu'on augmente mes doses de médicaments. Alors j'ai fait semblant.

— Continue, le pressa Francis.

Napoléon, la tête penchée en arrière, s'efforça de reconstituer ses souvenirs.

— J'ai senti que quelqu'un passait devant mon lit. Et puis, quelques minutes plus tard, il est repassé, cette fois pour sortir. J'ai dressé l'oreille, mais je n'ai pas entendu le bruit de la serrure qui se fermait. Un peu plus tard, j'ai jeté un tout petit coup d'œil, et je vous ai vus sortir, toi et le Pompier. Nous ne sommes pas censés sortir la nuit. Nous sommes censés rester au lit et dormir profondément, alors j'ai eu peur quand vous êtes passés devant moi, et j'ai essayé de m'endormir, mais j'entendais l'Efflanqué qui parlait tout seul, et ça m'a empêché de fermer l'œil, jusqu'au moment où la police est arrivée, qu'on a allumé les lumières et que tout le monde a vu les horreurs qui étaient arrivées.

— Alors tu n'as pas vu l'autre personne ?

— Non. Je ne crois pas. Il faisait sombre. Mais j'ai tout de même regardé un petit peu.

— Et qu'est-ce que tu as vu ?

— Un homme en blanc. C'est tout.

— Est-ce qu'il était grand ? Tu as vu son visage ?

Napoléon secoua à nouveau la tête.

— Pour moi, tout le monde est grand, C-Bird. Même toi. Et je n'ai pas vu son visage. Quand il est passé devant mon lit, j'ai serré les paupières, et j'ai caché ma tête. Mais je me rappelle quelque chose. On aurait dit qu'il flottait en l'air. Il était tout blanc, et il flottait en l'air.

Le petit homme inspira profondément.

— Pendant la retraite de Russie, certains corps étaient tellement gelés que la peau avait la couleur de la glace à la surface d'un étang. Comme du gris et blanc, mais translucide, tout ça à la fois. Comme le brouillard. C'est ça que je me rappelle.

Tout en absorbant ce qu'il venait d'entendre, Francis vit M. Débile traverser la salle commune, pour signaler le début de leur séance de groupe. Il vit également Big Black et Little Black qui se mouvaient dans la foule des patients. Il sursauta en remarquant les pantalons blancs et les vestes blanches des deux hommes.

Des anges, se dit-il.

En se rendant à la séance de groupe, Francis eut une autre brève conversation. Cléo se dressa devant lui, lui bloquant le passage dans le couloir menant à une des petites salles de soins. Avant de se jeter à l'eau, elle se balança un peu d'avant en arrière, comme un ferry-boat à l'amarre le long d'un quai.

— C-Bird… Tu crois que c'est l'Efflanqué qui a fait ça à Blondinette ?

Francis secoua légèrement la tête, comme s'il avait un doute.

— Ça ne ressemble pas à l'Efflanqué, dit-il. Ça semble bien plus horrible que tout ce qu'il serait capable de faire.

Cléo expira violemment et toute sa carcasse trembla.

— J'ai toujours pensé que c'était un type bien. Un peu dingo, comme nous tous ici, un peu confus pour certaines choses, mais un type bien. Je n'arrive pas à croire qu'il ferait une chose aussi horrible.

— Il y avait du sang sur sa chemise. Il semblait avoir choisi Blondinette, et pour une raison ou pour une autre, il croyait qu'elle était le démon, et ça lui faisait peur, Cléo. Quand on a peur, on fait des choses inhabituelles. C'est vrai pour tout le monde. En fait, je parie que c'est arrivé à tous ceux qui sont ici… et c'est pour ça qu'ils sont ici.

Cléo acquiesça.

— Mais l'Efflanqué avait l'air différent. Non. Ce n'est pas vrai. Il avait l'air pareil aux autres. Nous sommes tous différents, c'est ça que je veux dire. Il était différent à l'extérieur, mais en dedans il était pareil, et ce qui est arrivé, on dirait que c'est une chose de l'extérieur qui serait arrivée à l'intérieur.

— De l'extérieur ?

— Tu sais bien, imbécile. De l'extérieur. De « là-bas ».

Cléo fit un grand geste du bras, comme pour indiquer le monde qui se trouvait au-delà des murs de l'hôpital.

C'était logique. Francis parvint à ébaucher un petit sourire.

— Je crois que je vois ce que tu veux dire.

Cléo se pencha en avant.

— Il s'est passé quelque chose, cette nuit, dans le dortoir des femmes. Je n'en ai parlé à personne.

— Quoi ?

— J'étais réveillée. Impossible de dormir. J'essayais de dire mentalement toutes les répliques de la pièce, mais ça ne marchait pas, pas comme d'habitude. Rien à faire, je veux dire. D'habitude, quand j'en suis au discours d'Antoine, au deuxième acte, mes yeux roulent en arrière et je ronfle comme un bébé. Sauf que je ne sais pas si les bébés ronflent, parce que personne ne m'a jamais laissée approcher assez près – les sales garces –, mais c'est une autre histoire.

— Alors tu ne dormais pas.

— Tout le monde dormait, à part moi.

— Et ?

— J'ai vu la porte s'ouvrir, et une silhouette qui entrait. Je n'avais pas entendu la clé dans la serrure, mon lit se trouve à l'autre bout, près des fenêtres, et il y avait un clair de lune, cette nuit, qui me frappait la tête. Est-ce que tu savais que les gens, autrefois, croyaient que si un rayon de lune vous frappe le front pendant votre sommeil, vous vous réveillez fou ? Le mot « lunatique » vient de là. C'est peut-être vrai, C-Bird. Je dors tout le temps à la lumière de la lune, et je suis de plus en plus folle, et personne ne veut de moi. Je n'ai personne, nulle part, qui ait envie de me parler, alors on m'a mise ici. Toute seule. Personne ne vient jamais me voir. On dirait que ce n'est pas juste, hein ? Je veux dire, quelqu'un, quelque part, devrait me rendre visite. C'est si difficile ? Les salauds. Les foutus salauds.

— Mais quelqu'un est entré dans le dortoir ?

— Bizarre. Oui, dit Cléo en frissonnant légèrement. Personne n'entre jamais la nuit. Mais cette nuit, oui. Et il est resté quelques secondes, et puis la porte s'est refermée, et cette fois j'ai tendu l'oreille, et j'ai entendu la clé dans la serrure.

— Tu crois que quelqu'un dont le lit est près de la porte aurait vu cette personne ? demanda Francis.

Cléo fit la grimace et secoua la tête.

— J'ai déjà demandé autour de moi. Discrètement, tu sais. Non. Beaucoup de filles dormaient. Les médicaments, tu vois. Tout le monde est sonné.

Son visage se colora, et Francis vit ses yeux se remplir de larmes.

— J'aimais vraiment Blondinette. Elle était toujours si gentille avec moi. Il lui arrivait de me donner la réplique, elle jouait le rôle d'Antoine, ou celui du chœur. Et j'aimais vraiment l'Efflanqué, aussi. C'était un gentleman. À l'heure du dîner, il tenait la porte ouverte et laissait passer les dames. Il disait les actions de grâce pour toute la table, et m'appelait toujours « Miss Cléo ». Il était si poli, si gentil. Et il avait vraiment nos intérêts à cœur. Il tenait le mal à distance. Logique.

Elle se tamponna les yeux avec un mouchoir, et se moucha.

— Pauvre Efflanqué. Il avait raison depuis le début. Personne ne l'écoutait, et regarde maintenant. Il faut trouver un moyen de l'aider, parce que, après tout, il essayait de nous aider, tous autant que nous sommes. Les salauds. Les foutus salauds.

Puis elle prit Francis par le bras et le laissa la conduire à la séance de groupe.

M. Débile était en train de disposer les chaises pliantes en cercle dans la salle de soins. Il fit signe à Francis d'aller chercher celles qui étaient empilées sous une fenêtre. Francis lâcha le bras de Cléo et traversa la pièce, tandis qu'elle se laissait tomber avec précaution sur une chaise. Il en attrapa deux autres, et il allait se retourner, pour les porter au milieu de la pièce, quand il remarqua un mouvement, dehors. De là où il se trouvait, il voyait l'entrée principale, le portail d'acier grand ouvert et l'allée qui remontait vers le bâtiment administratif. Une grosse voiture noire se gara devant l'entrée. En soi, cela n'avait rien d'exceptionnel. Tout au long de la journée, des voitures et des ambulances arrivaient à l'hôpital et en repartaient. Mais celle-ci avait quelque chose de spécial qu'il ne pouvait définir, mais qui attira son attention. Comme si elle était pressée.

Francis vit l'auto s'arrêter dans un frémissement. Une seconde plus tard, une grande femme à la peau sombre en descendait. Elle portait un long imperméable brun clair et tenait une serviette noire assortie aux cheveux qui retombaient sur ses épaules. La femme se redressa, sembla passer en revue l'ensemble du centre hospitalier. Puis elle se jeta en avant et monta les marches à grands pas, avec un air si décidé que Francis pensa à une flèche fonçant sur sa cible.

8

Les choses se remirent en place lentement et, pour tout le monde, ce fut peu naturel. Non qu'ils fussent devenus tout à coup turbulents ou indisciplinés, se disait Francis, comme des écoliers à qui l'on demande de prêter attention à un cours ennuyeux. Les pensionnaires étaient surtout agités et nerveux. Ils avaient eu trop peu de sommeil, trop de médicaments, et beaucoup trop de motifs d'excitation mêlée à beaucoup d'incertitude. Une vieille femme dont les cheveux gris étaient emmêlés éclatait en sanglots, essuyait bien vite ses larmes avec sa manche, secouait la tête, souriait, affirmait qu'elle allait bien et se remettait à sangloter. Un homme d'une quarantaine d'années au regard dur – un ancien marin pêcheur qui s'était fait tatouer une femme nue sur l'avant-bras – avait l'air fuyant, mal à l'aise, et se tortillait sans arrêt sur sa chaise pour regarder la porte derrière lui, comme s'il s'attendait que quelqu'un s'introduise silencieusement dans la pièce. Les bègues bégayaient plus que d'habitude. Les patients habituellement renfrognés restaient perchés sur leur chaise. Ceux qui avaient tendance à pleurer étaient plus prompts à laisser couler leurs larmes. Ceux qui étaient muets s'enfonçaient dans un silence encore plus profond.

Même Peter le Pompier, dont le calme dominait les séances, d'habitude, avait du mal à rester en place. À plusieurs reprises, il alluma une cigarette et se mit à aller et venir autour du groupe. Francis pensa à un boxeur qui, dans les secondes qui précèdent le début du combat, s'échauffe sur le ring en jetant des crochets vers des mâchoires imaginaires, tandis que son adversaire en chair et en os attend dans le coin opposé.

Si Francis avait passé plus de temps dans un hôpital psychiatrique, il aurait reconnu cette hausse significative du degré de paranoïa d'un grand nombre de ses compagnons. Elle ne s'exprimait pas encore nettement – comme une bouilloire dont l'eau arrive à ébullition, mais qui n'a pas encore commencé à chanter. Mais elle était évidente, comme une mauvaise odeur par un après-midi chaud. Ses propres voix intérieures exigeaient son attention. Comme d'habitude, il dut faire appel à toute son énergie pour les apaiser. Il sentit les muscles de ses bras et de son ventre se durcir, comme s'ils pouvaient aider la force mentale dont il se servait pour garder le contrôle de son imagination.

— Je crois que nous devrions parler des événements de la nuit, dit lentement M. Evans.

Ses lunettes pour lire reposaient sur son nez, de sorte qu'il regardait par-dessus les verres, ses yeux passant nerveusement d'un patient à l'autre. Francis se dit qu'Evans faisait partie de ces gens qui peuvent faire une remarque apparemment directe – comme l'obligation, précisément, de parler de ce qui occupait les pensées de chacun – en ayant l'air de penser à autre chose.

— On dirait que cela préoccupe tout le monde.

Un des patients souleva immédiatement sa chemise sur sa tête et appliqua ses mains sur ses oreilles. Les autres se tortillèrent un peu sur leurs chaises. Personne ne parla tout de suite, et le silence s'insinua au sein du groupe, aussi compact, se dit Francis, que le vent qui gonfle les voiles d'un bateau. Invisible. Au bout d'un instant, il décida de briser le silence :

— Où est l'Efflanqué ? Où l'ont-ils emmené ? Qu'est-ce qu'ils en ont fait ?

M. Evans eut l'air soulagé, tant il était facile de répondre aux premières questions. Il se renversa en arrière sur son fauteuil métallique et répondit :

— On a emmené l'Efflanqué au centre de détention provisoire du comté. Il y restera en observation dans une cellule d'isolement pendant vingt-quatre heures. Le docteur Gulptilil lui a rendu visite ce matin pour s'assurer qu'on lui donne les médicaments qui conviennent, et à la posologie qui convient. Il va bien. Il est un peu plus calme qu'avant le... qu'avant l'incident.

L'assemblée mit quelques instants à digérer cette réponse.

Cléo lança la question suivante :

— Pourquoi ne le ramènent-ils pas ici ? C'est ici qu'il doit être, pas dans une prison avec des barreaux, sans soleil, et sans doute au milieu d'une bande de criminels. Des salauds. Des violeurs et des voleurs, j'en suis sûre. Et ce pauvre Efflanqué. Entre les mains de la police. Ces salopards fascistes.

— Parce qu'il est accusé d'un crime, répondit très vite le psychologue.

Francis eut l'impression qu'il lui répugnait, bizarrement, de prononcer le mot « meurtre ».

— Il y a quelque chose que je ne comprends pas, fit Peter le Pompier d'une voix si basse que tout le monde dut se tourner vers lui. L'Efflanqué, clairement, est fou. Nous avons tous vu comment il luttait, quel est le mot que vous aimez utiliser…

— Décompensait, fit M. Débile avec raideur.

— Un mot vraiment con, fit Cléo d'un ton furieux. Une saloperie de mot débile, con, et foutrement inutile.

— Exact, poursuivit Peter, qui parlait de plus en plus vite. Il traversait vraiment une crise grave. Je veux dire, tout le monde l'a vu, c'était de pis en pis et personne n'a rien fait pour lui venir en aide. Alors il a explosé. Et il était déjà ici, à l'hôpital, à cause de tous ses problèmes, pourquoi faut-il qu'ils l'accusent en plus ? Est-ce que ce n'est pas exactement l'exemple de quelqu'un qui ne sait pas ce qu'il fait ?

Evans hocha la tête. Il se mordit légèrement la lèvre avant de répondre.

— Il revient au procureur d'en juger. En attendant, l'Efflanqué restera là où il est…

— Eh bien, je pense qu'ils devraient le ramener ici, là où sont ses amis, fit Cléo avec colère. Il ne connaît personne d'autre que nous, maintenant. Il n'a pas d'autre famille.

Ces mots furent accueillis par un murmure général d'assentiment.

— N'y a-t-il pas moyen de faire quelque chose ? demanda la femme aux cheveux gris.

La question suscita une autre vague de marmonnements approbateurs.

— Eh bien, fit M. Débile d'un ton rien moins que convaincant, je crois que nous devrions tous continuer à parler des problèmes qui nous ont amenés ici. Si nous œuvrons pour aller mieux, nous trouverons peut-être un moyen d'aider l'Efflanqué...

Cléo lâcha un grognement dégoûté.

— Bon Dieu de crétins mollassons ! Bande de cons, de stupides salauds.

Francis ne savait pas trop bien à qui Cléo s'adressait, mais il était plutôt d'accord avec le choix des mots. Cléo avait un talent royal pour aller droit à l'essentiel, avec un mélange d'autorité et de condescendance. Des grossièretés fusèrent un peu partout dans le groupe. La pièce sembla se remplir d'un bruit de fond incontrôlable.

Visiblement exaspéré, M. Débile leva la main.

— Ce genre de propos belliqueux ne sera d'aucune utilité à l'Efflanqué... Ni à aucun d'entre nous. Alors cessons cela immédiatement.

Il fit un geste dédaigneux, tranchant. Le genre de mouvement auquel le psychologue avait habitué Francis, et qui soulignait une fois de plus qui était sain et, par conséquent, qui était censé être surveillé. Cela eut le même effet intimidant que d'habitude. Les membres du groupe se rencognèrent en grommelant sur leurs chaises métalliques, les brèves velléités de rébellion se dissipant très vite dans l'air confiné de la pièce. Francis vit que Peter le Pompier, quant à lui, avait toujours l'air préoccupé, les bras croisés et les sourcils froncés.

— Je pense au contraire qu'il n'y a pas assez de propos belliqueux, dit enfin Peter, pas très fort, mais d'un ton décidé. Et je ne vois pas pourquoi ce ne serait pas utile à l'Efflanqué. Qui sait, à ce stade, ce qui peut ou ne peut pas lui être utile ? Je pense que nous devrions protester encore plus énergiquement.

M. Débile pivota sur son siège.

— Je suis sûr que vous en êtes capable, dit-il.

Les deux hommes échangèrent un regard furieux, prolongé. Francis comprit qu'ils se trouvaient au bord d'un affrontement beaucoup plus grave, plus physique. Mais cela prit fin presque aussitôt, car M. Débile se détourna de Peter, non sans lui avoir dit :

— Vous devriez garder vos opinions pour vous. Elles n'intéressent personne.

En entendant ces mots méprisants, le groupe se figea.

Francis vit que Peter le Pompier hésitait sur la réponse à donner. Ce bref instant de silence fut interrompu par un bruit à l'entrée de la salle.

Toutes les têtes se tournèrent vers la porte, qui venait de s'ouvrir. La grande carcasse de Big Black fit son entrée, nonchalamment, dans la pièce. Pendant une seconde, il emplit l'encadrement de la porte, bloquant la vue de tous. Puis on découvrit, derrière lui, la femme que Francis avait vue par la fenêtre avant le début de la réunion. Elle-même précédait Gulp-Pilule, et Little Black fermait la marche. Les deux aides-soignants se postèrent de part et d'autre de la porte, comme des sentinelles.

— Monsieur Evans, fit vivement le docteur Gulptilil, je suis désolé d'interrompre votre séance…

— Je vous en prie, répondit M. Débile. Nous en avions presque terminé.

Francis avait la conviction qu'ils se trouvaient plutôt au début qu'à la fin de quelque chose. Mais il n'écoutait pas vraiment la conversation des deux médecins. Il avait les yeux rivés sur la femme qui se tenait entre les frères Moïse.

Il vit beaucoup de choses en même temps. Elle était mince, très grande – presque un mètre quatre-vingts –, et il lui donna tout juste trente ans. Elle avait la peau chocolat clair, d'un ton rappelant celui des feuilles de chêne qui, les premières, changent de couleur à l'automne, et des yeux vaguement orientaux. Ses cheveux retombaient sur ses épaules en un magnifique flot noir chatoyant. Elle portait un simple imper brun ouvert, par-dessus un tailleur bleu. Ses longs doigts délicats tenaient une serviette de cuir, et elle regardait devant elle avec une détermination qui aurait calmé le malade le plus excité. Francis eut l'impression que la présence de cette femme suffisait à neutraliser les hallucinations et les peurs qui hantaient les patients assis sur la rangée de chaises.

Il se dit tout d'abord que c'était la plus belle femme qu'il eût jamais vue. Puis elle se tourna légèrement, et il vit que le côté gauche de son visage était barré d'une longue cicatrice blanche qui lui coupait un sourcil, sautait par-dessus l'œil, puis descendait en zigzag le long de la joue pour s'arrêter à la mâchoire. La cicatrice produisit sur lui le même effet que la montre d'un hypnotiseur. Francis était incapable de détacher le regard de cette ligne brisée qui lui coupait le visage en deux. Pendant un instant, il se dit qu'il regardait peut-être l'œuvre d'un artiste dément qui, bouleversé par une perfection inattendue, avait décidé, le burin à la main, de traiter son œuvre avec une cruauté sans limite.

La femme s'avança.

— Qui sont les deux hommes qui ont trouvé le corps de l'infirmière ?

Sa voix profonde pénétra littéralement le corps de Francis.

— Peter, Francis, fit vivement le docteur Gulptilil, cette jeune dame est venue spécialement de Boston en voiture pour vous poser quelques questions. Voulez-vous nous accompagner au bureau, je vous prie, pour qu'elle puisse vous interroger correctement ?

Francis se leva. Immédiatement, il sut que Peter le Pompier fixait la jeune femme avec la même intensité.

— Je vous connais, dit Peter à voix basse.

Au moment où il prononçait ces mots, Francis vit la jeune femme poser son regard sur Peter, et son front se plissa, dans son effort pour le reconnaître. Puis, presque aussitôt, elle retrouva sa beauté impassible, marquée par sa cicatrice.

Les deux hommes s'avancèrent hors du cercle de chaises.

— Faites attention, dit brusquement Cléo, avant de citer un vers de sa pièce préférée : « La radieuse journée est finie, et nous entrons dans les ténèbres. »

Il y eut un bref silence puis Cléo ajouta, d'une voix que le tabac rendait rauque :

— Faut avoir les salauds à l'œil. Ils ne vous veulent jamais du bien.

Je m'éloignai du mur du salon et des mots que j'y avais inscrits. Là, me dis-je. Ça y est. Nous sommes tous en place. La mort est parfois comme une équation algébrique, une longue série d'inconnues x et de valeurs y qu'on multiplie, divise, ajoute et soustrait jusqu'à ce qu'une réponse apparaisse, simple mais terrible. Zéro. À ce moment-là, la formule était prête.

Quand je suis entré à l'hôpital, j'avais vingt et un ans et je n'avais jamais été amoureux. Je n'avais jamais embrassé une fille ni senti sous mes doigts la douceur d'une peau féminine. Les femmes étaient un mystère pour moi, des sommets aussi inaccessibles, aussi impénétrables que la santé mentale. Elles occupaient pourtant mon imagination. Il y avait tant de secrets à percer : la courbe d'un sein, la naissance d'un sourire, la chute des reins cambrée dans un mouvement sensuel. Je ne savais rien, j'imaginais tout.

Il faut dire que dans ma vie de malade mental beaucoup de choses sont restées hors de ma portée. Je suppose que je devais m'attendre à tomber amoureux de la femme la plus exotique que j'aie jamais connue. Sans doute aurais-je dû comprendre qu'en cet instant précis – ce regard étincelant qu'avaient échangé Peter le Pompier et Lucy Kyoto Jones –, il y avait beaucoup plus à dire, et qu'un lien beaucoup plus profond allait se nouer. Mais j'étais jeune, et je ne voyais qu'une chose : la présence soudaine, dans ma petite vie, de l'être le plus extraordinaire sur lequel j'aie jamais posé les yeux. Elle semblait rayonner, un peu comme les lampes à bulles si populaires chez les hippies et les étudiants – une forme en perpétuel mouvement, capable de se modifier à chaque instant.

Lucy Kyoto Jones était la fille d'un soldat américain noir et d'une Nippo-Américaine. Son deuxième prénom rappelait la ville où sa mère était née. Elle avait donc les yeux légèrement bridés et la peau chocolat. J'apprendrais plus tard qu'elle était diplômée en droit de Stanford et Harvard.

Je finirais aussi par tout savoir sur la cicatrice qui lui barrait le visage, sur l'homme qui la lui avait faite, et sur l'autre cicatrice, moins visible, qu'elle avait au plus profond d'elle-même et qui avait fini par l'amener à l'hôpital Western State, avec des questions qui ne tarderaient pas à s'avérer très impopulaires.

Une des choses que j'ai apprises durant les années où ma folie était à son comble, c'est qu'on peut se trouver dans une pièce avec des barreaux aux fenêtres et des portes fermées à double tour, entouré d'autres déments, ou même enfermé dans une cellule d'isolement, mais qu'il ne s'agit jamais de la véritable cellule. La seule vraie cellule est construite par la mémoire, par des relations, par des événements, par toutes sortes de forces invisibles. Parfois des illusions. Parfois des hallucinations. Parfois des désirs. Parfois des rêves et des espoirs, ou l'ambition. Parfois la colère. C'est cela qui est important : toujours reconnaître où se trouvent les véritables murs.

Et c'était le cas, cette fois-là, alors que nous étions assis dans le bureau de Gulp-Pilule.

Par la fenêtre de mon appartement, je vis qu'il était tard. La lumière du jour s'en était allée, elle s'était effacée devant les ténèbres épaisses qui enveloppaient la petite ville. J'avais plusieurs réveils dans mon appartement. Ils m'avaient été offerts par mes sœurs qui, pour une raison inconnue, semblent croire que je ressens un besoin pressant et permanent de savoir l'heure qu'il est. Je me suis dit que les mots étaient le seul temps qui m'importait désormais, et j'ai fait une pause. En fumant une cigarette, je les ai tous débranchés ou j'en ai ôté les piles, afin qu'ils s'arrêtent. Ils s'étaient tous arrêtés plus ou moins à la même heure – dix heures dix, dix heures onze, dix heures treize. Je les repris l'un après l'autre et je déplaçai en tous sens l'aiguille des heures et celle des minutes : il n'y avait plus le moindre semblant de logique. Chacun était arrêté à une heure différente. J'éclatai de rire. Comme si je m'étais emparé du temps et que je m'étais libéré de ses contraintes.

Je me rappelais comment Lucy s'était assise, penchée en avant, et comment elle avait posé sur Peter, puis sur moi, puis de nouveau sur Peter, un regard hautain, sans joie. Je suppose qu'au départ elle voulait nous impressionner avec sa détermination. Peut-être se disait-elle que c'était la meilleure manière de procéder avec des dingues – avec fermeté, plus ou moins comme avec un chiot désobéissant.

« Je veux que vous me disiez tout ce que vous avez vu la nuit dernière », avait-elle décrété.

Peter le Pompier hésita avant de répondre.

— Peut-être devriez-vous d'abord nous dire pourquoi, mademoiselle Jones, nos souvenirs vous intéressent ? Après tout, nous avons déjà fait l'un et l'autre une déclaration à la police locale.

— Pourquoi je m'intéresse à cette affaire ? fit-elle vivement. Certains détails ont été portés à mon attention peu après la découverte du corps. Après avoir donné un ou deux coups de fil aux autorités locales, je me suis dit que c'était assez important pour que je vienne personnellement afin d'essayer d'éclaircir tout ça.

— Ce n'est pas une réponse, répliqua Peter avec un petit geste dédaigneux.

Assis sur le bord de sa chaise, il se pencha vers la jeune femme.

— Vous voulez savoir ce que nous avons vu, mais C-Bird et moi, on soigne nos bleus depuis notre rencontre avec la sécurité de l'hôpital et les flics de la Criminelle. Je pense que nous avons beaucoup de chance de ne pas être enfermés dans les cachots de la prison du comté après avoir été accusés à tort d'un crime grave. Avant que nous acceptions de vous aider, vous devriez peut-être nous dire pourquoi vous avez envie d'avoir des détails supplémentaires. S'il vous plaît.

Le docteur Gulptilil avait l'air légèrement choqué. Qu'un patient osât interroger une personne saine d'esprit défiait toutes les règles.

— Peter, fit-il avec raideur, Mlle Jones est assistante du procureur du comté de Suffolk. Je crois que c'est elle qui devrait poser les questions.

Le Pompier hocha la tête.

— Je savais que je vous avais déjà vue, fit-il d'une voix calme. Sans doute au tribunal.

— J'étais assise en face de vous durant deux ou trois audiences, répondit-elle après l'avoir contemplé quelques instants. Je vous ai vu témoigner dans l'affaire de l'incendie Anderson, il y a deux ans. Jeune assistante, je m'occupais des délits mineurs et des conduites en état d'ivresse. Mes supérieurs voulaient que plusieurs d'entre nous assistent à votre contre-interrogatoire.

— Je crois me souvenir que je m'en suis plutôt bien sorti, répondit Peter en souriant. C'est moi qui avais découvert où la lampe avait déclenché l'incendie. C'était assez astucieux, vous savez. Installer un appareil électrique près de l'endroit où étaient entreposés les produits inflammables dans l'entrepôt, de sorte que ces produits propagent l'incendie. Ça exigeait pas mal de préparation. C'est cela qui fait les bons incendiaires : la préparation. Préparer l'incendie, pour eux, fait partie du plaisir. C'est grâce à ça que les bons pyromanes s'en sortent.

— C'est pour cette raison qu'on nous avait envoyés à l'audience, dit Lucy. Parce qu'on pensait que vous pouviez devenir le meilleur enquêteur anti-pyromanes de la brigade de pompiers de Boston. Mais les choses ont mal tourné, n'est-ce pas ?

— Oh ! fit Peter dont le sourire s'élargit, comme si Lucy Jones avait fait une plaisanterie qui avait échappé à Francis. On pourrait dire ça, en effet. Ça dépend de la manière dont on voit les choses. Comme pour la justice, ce qui est bien, ce qui est mal. Mais sérieusement, ce n'est tout de même pas mon histoire qui vous amène ici, mademoiselle Jones ?

— Non. C'est le meurtre de l'élève infirmière.

Peter regardait Lucy Jones. Il jeta un coup d'œil vers Francis, puis vers Big Black et Little Black, qui se tenaient au fond de la pièce, enfin vers Gulp-Pilule, qui était assis derrière son bureau, mal à l'aise.

— Dans ce cas, fit-il calmement en se tournant vers Francis, pourquoi une assistante du procureur de Boston laisserait-elle tomber tout ce qu'elle est en train de faire pour se taper la route jusqu'à l'hôpital Western State et interroger deux cinglés sur un crime qui a eu lieu bien en dehors de sa juridiction, et pour lequel un homme a déjà été arrêté et inculpé ? Quelque chose dans ce crime doit avoir éveillé son intérêt, C-Bird. Mais quoi ? Qu'est-ce qui a pu pousser Mlle Jones à venir ici précipitamment pour rencontrer deux doux dingues ?

Francis regarda Lucy Jones. Celle-ci se concentrait sur Peter le Pompier, avec un mélange de surprise et de reconnaissance que Francis était incapable d'identifier. Après un long moment, elle se tourna vers lui et, avec un petit sourire légèrement déformé par sa cicatrice, elle demanda :

— Eh bien, monsieur Petrel... Pouvez-vous répondre à cette question ?

Francis prit le temps de réfléchir. Il tenta de visualiser Blondinette exactement comme ils l'avaient trouvée.

— Le corps, dit-il enfin.

— Oui, en effet, fit Lucy en souriant. Monsieur Petrel... puis-je vous appeler Francis ?

Celui-ci acquiesça.

— Alors, ce corps ?

— Quelque chose n'allait pas.

— Quelque chose n'allait pas, sans doute. Vous voulez intervenir maintenant ? demanda-t-elle à Peter le Pompier.

— Non, fit ce dernier en croisant les bras. C-Bird s'en sort très bien. Qu'il continue.

Elle se tourna de nouveau vers Francis.

— Et alors… ?

Francis se renversa en arrière, et se redressa aussi vivement. Il se demandait où elle voulait en venir. Il était envahi sans répit par les images de Blondinette : la manière dont son corps était tordu dans la mort, la disposition des vêtements. Il réalisa que tout cela était une énigme, dont la jolie femme assise en face de lui était un élément.

— Le bout des doigts coupés, dit brusquement Francis.

Lucy hocha la tête et se pencha vers lui.

— Parlez-moi de cette main. Dites-moi à quoi elle ressemblait, pour vous.

Le docteur Gulptilil s'avança brusquement.

— La police a pris des photos, mademoiselle Jones. Vous pourrez certainement les examiner. Je ne suis pas sûr que…

Il n'alla pas plus loin. D'un geste, la femme incita Francis à continuer.

— On aurait dit que quelqu'un, l'assassin, les avait emportés, dit Francis.

Lucy acquiesça.

— Maintenant, pouvez-vous me dire pourquoi l'accusé, comment s'appelle-t-il… ?

— L'Efflanqué, fit Peter le Pompier d'une voix plus profonde, plus ferme qu'auparavant.

— Oui… Cet « Efflanqué », que vous connaissez tous les deux, avait-il une raison de faire cela ?

— Non. Aucune raison.

— Vous pensez qu'il n'avait aucune raison de marquer cette jeune femme de cette façon ? Rien dans ce qu'il avait dit précédemment ? Ou dans son comportement ? Je crois savoir qu'il avait été fort agité…

— Non, dit Francis. Rien dans la manière dont Blondinette est morte ne colle avec ce que je sais de l'Efflanqué.

— Je vois, fit Lucy en hochant la tête. Vous êtes d'accord, docteur ?

— Absolument pas ! répondit le médecin avec force. Le comportement de cet homme avant le meurtre était excessif, il était à cran. Plus tôt dans la soirée, il a essayé d'agresser l'infirmière. À de nombreuses reprises, dans le passé, il a fait preuve d'une très nette propension à proférer des menaces de violences, et dans l'état d'agitation où il se trouvait, il a dépassé les bornes, exactement comme le craignait notre personnel soignant.

— Alors vous n'êtes pas d'accord avec l'opinion exprimée par ces messieurs ?

— Non. Par ailleurs, la police a trouvé des preuves près de son lit. Et les taches de sang sur sa chemise de nuit correspondent à celui de l'infirmière assassinée.

— Je connais ces détails, répondit froidement Lucy Jones.

Elle se tourna vers Francis.

— Pouvons-nous revenir à ces bouts de doigts manquants, Francis, s'il vous plaît ? fit-elle d'un ton nettement plus doux. Voulez-vous décrire avec précision ce que vous avez vu ?

— Quatre phalanges, sans doute sectionnées. Sa main trempait dans une flaque de sang.

Il leva sa propre main devant ses yeux, comme s'il essayait de voir à quoi elle ressemblerait avec les phalanges coupées.

— Si l'Efflanqué, votre ami, avait fait cela…

— Il a peut-être fait certaines choses, l'interrompit Peter. Mais pas cela. Et certainement pas l'agression sexuelle, non plus.

— Vous n'en savez rien ! dit le docteur Gulptilil d'une voix furieuse. Ce ne sont que des suppositions. J'ai déjà vu ce genre de mutilations, et je peux vous assurer qu'elles peuvent être causées de plusieurs manières. Y compris par accident. L'hypothèse que l'Efflanqué était incapable de lui couper la main, ou que cela ait pu se produire selon d'autres moyens douteux, n'est que pure conjecture ! Je vois bien où vous voulez en venir, mademoiselle Jones, et je crois que votre intervention est à la fois une erreur et une source de perturbation dans la marche de cet hôpital !

— Vraiment ? fit Lucy en se tournant de nouveau vers le psychiatre.

Elle n'avait pas besoin d'en dire plus. Elle regarda les deux patients. Alors qu'elle ouvrait la bouche pour poser une autre question, Peter l'interrompit de nouveau :

— Tu sais quoi, C-Bird ? dit-il à Francis, mais les yeux fixés sur Lucy Jones. Je crois que cette jeune femme procureur a vu d'autres corps semblables à celui de Blondinette. Des cadavres à qui il manquait une ou plusieurs phalanges, tout comme à Blondinette. C'est ce que je suis en train de me dire.

Lucy Jones eut un sourire sans joie. Francis se dit que c'était le genre de sourire qui pouvait dissimuler toutes sortes de sentiments.

— Bien deviné, Peter, dit-elle.

Plissant les yeux, Peter s'enfonça dans son siège, comme s'il était en proie à d'intenses réflexions, et il se remit à parler, lentement. Il s'adressait à Francis, mais il parlait visiblement à la femme qui était assise en face de lui.

— Je crois aussi que notre visiteuse est chargée de retrouver celui qui a coupé les bouts de doigts aux autres femmes. Et que c'est pour cela, C-Bird, qu'elle est venue ici sans attendre, si impatiente de nous parler. Et tu sais quoi, C-Bird ?

— Quoi, Peter ? demanda Francis, qui se doutait déjà de la réponse.

— Je parierais que la nuit, bien après minuit, dans l'obscurité de sa chambre, là-bas à Boston, allongée seule dans son lit, les draps tout emmêlés et trempés de sueur, Mlle Jones a des cauchemars quand elle pense à chacune de ces mutilations et à ce qu'elles peuvent bien signifier.

Francis ne répondit pas. Il jeta un coup d'œil vers Lucy Jones, qui hochait lentement la tête.

9

Je m'écartai du mur et laissai tomber mon crayon par terre.

Ressasser mes souvenirs me barbouillait l'estomac. J'avais la gorge sèche et je sentais mon cœur battre furieusement. Je tournai le dos aux mots qui flottaient, devant moi, sur la médiocre peinture blanche, et me rendis dans ma petite salle de bains. J'ouvris en grand le robinet d'eau chaude, puis celui de la douche, pour remplir la pièce d'une chaleur poisseuse, humide. La vapeur m'enveloppa, et le monde commença à se transformer en brouillard. C'était ainsi que je me rappelais ces instants dans le bureau de Gulp-Pilule, alors que nous découvrions la véritable nature de notre situation. La pièce se remplissait de buée et je me mis à haleter, exactement comme ce jour-là. Je regardai mon reflet dans le miroir. À cause de la vapeur, tout était trouble, indistinct, les contours mal définis. Difficile de dire si j'étais comme maintenant, vieillissant, avec le crâne dégarni et quelques rides, ou comme à l'époque, quand ma jeunesse et mes problèmes formaient encore un tout, quand ma peau et mes muscles étaient aussi tendus que mon imagination. Juste derrière mon reflet se trouvaient les étagères où s'alignaient mes médicaments. Je sentais que mes mains s'étaient mises à trembler. Pis encore, un effroyable grondement me secouait les entrailles, comme si un séisme avait eu lieu dans la région de mon cœur. Je savais que j'aurais dû prendre quelque chose. Me calmer. Reprendre le contrôle de mes émotions. Apaiser les forces qui rôdaient sous ma peau. Je sentais que la folie essayait de prendre possession de ma pensée. Comme des ongles cherchant une prise sur une pente, comme un alpiniste qui sent tout à coup qu'il perd l'équilibre et qui vacille un instant, sachant qu'une glissade peut se transformer en chute et, s'il ne peut s'agripper à quelque chose, en un aller simple vers l'oubli définitif.

J'expirai l'air chauffé à blanc. J'avais l'esprit carbonisé.

J'entendais la voix de Lucy, qui s'était penchée vers Peter et moi :

«… on peut se réveiller d'un cauchemar, Peter. Mais les pensées et les idées qui restent longtemps après que les terreurs ont disparu sont bien pis que les cauchemars. »

Peter acquiesça.

— J'ai l'habitude de ce genre de réveil, dit-il très doucement, d'un ton un peu raide qui semblait combler un fossé entre eux.

Le docteur Gulptilil décida de s'immiscer dans les pensées qui se formaient dans la pièce.

— Écoutez, mademoiselle Jones, dit-il d'un ton un peu trop affecté, je n'aime pas du tout le tour que prend cette conversation. Ce que vous suggérez est vraiment difficile à croire.

— Qu'est-ce que je suggère, selon vous ? demanda Lucy Jones en se tournant vers lui.

Là, c'est le procureur qui parle, se dit Francis. Au lieu de nier ou de contester, ou de formuler une réponse périlleuse, elle lui renvoie sa question.

Gulp-Pilule, qui, contrairement à ce qu'on pouvait croire, n'était pas un imbécile, s'était sans doute fait la même réflexion, et il avait reconnu une technique familière aux psychiatres. Il se tortilla, mal à l'aise. Il répondit avec circonspection, la tension qui lui donnait une voix aiguë avait presque entièrement disparu, et ses intonations mielleuses, légèrement britanniques, étaient revenues en force.

— Ce que je crois, mademoiselle Jones, c'est que vous refusez de tenir compte de faits qui risquent de vous entraîner dans une autre direction que celle que vous avez choisie. Un décès malheureux a été constaté. Les autorités compétentes ont été convoquées sur-le-champ. Le lieu du crime a été examiné selon des techniques professionnelles. Les témoins ont été soumis à un interrogatoire approfondi. On a trouvé des preuves. On a procédé à une arrestation. Tout cela a été fait dans les formes et dans le respect des procédures. Il me semble qu'il est temps maintenant de laisser le processus judiciaire suivre son cours, et de voir ce qu'on découvrira.

Lucy hocha la tête, préparant sa réponse.

— Est-ce que les noms de Frederick Abberline et sir Robert Anderson vous disent quelque chose, docteur ?

Gulp-Pilule hésita, comme s'il examinait mentalement ces deux noms. Francis se dit qu'il feuilletait en vain l'index de sa mémoire. C'était le genre d'échec que le docteur Gulptilil détestait, apparemment. Il refusait d'afficher la moindre faiblesse, aussi dérisoire fût-elle. Il se renfrogna, les lèvres serrées, remua sur son siège, s'éclaircit la gorge une ou deux fois.

— Non, je suis désolé, fit-il en secouant la tête. Ils ne me disent rien. Quel rapport ont-ils avec cette conversation, je vous prie ?

Lucy ne répondit pas directement à la question.

— Un de leurs contemporains vous est peut-être plus familier, docteur. Un gentleman que nous connaissons sous le nom de Jack l'Éventreur ?

— Bien sûr, fit Gulptilil en plissant les yeux. Il est cité dans des tas de livres de médecine et de psychiatrie, surtout pour l'incontestable sauvagerie et la triste réputation de ses crimes. Les deux autres noms…

— Abberline était l'inspecteur de police chargé de l'enquête sur les meurtres commis à Whitechapel en 1888. Anderson était son supérieur. Est-ce que les événements vous sont familiers ?

Le docteur haussa les épaules.

— Même les enfants connaissent l'Éventreur. Il y a des comptines et des chansons sur lui, et je crois qu'il a inspiré des romans et des films.

— Ses crimes faisaient la une des journaux, poursuivit Lucy. Ils terrorisaient la population. Ils sont devenus plus ou moins le standard auquel on compare beaucoup de crimes semblables, y compris de nos jours. Même si, en réalité, ils ont été commis dans une zone très limitée, et même si les victimes appartenaient à une classe sociale très précise. Ils ont suscité des peurs hors de proportion avec leur impact réel, comme d'ailleurs avec leur impact sur l'histoire. Savez-vous qu'à Londres, aujourd'hui, on propose aux touristes un circuit en autobus pour voir les endroits où les crimes ont eu lieu ? Des groupes de discussion continuent à enquêter sur les meurtres. De vrais « éventrologues ». Presque un siècle plus tard, une fascination morbide s'exerce toujours sur les gens, qui veulent savoir qui était vraiment Jack…

— Quel est le but de cette leçon d'histoire, mademoiselle Jones ? J'ai bien peur de ne pas vous suivre.

Il en fallait plus pour arrêter Lucy Jones.

— Savez-vous ce qui a toujours intrigué les criminologistes dans les meurtres de l'Éventreur, docteur ?

— Non.

— Ils se sont interrompus aussi brusquement qu'ils avaient commencé.

— Ah bon ?

— Comme un robinet de terreur qu'on aurait ouvert, puis fermé. Clic ! Comme ça !

— Très intéressant, mais…

— Dites-moi, docteur, d'après votre expérience, est-ce que des gens qui sont dominés par une compulsion de nature sexuelle – surtout au point de commettre des crimes horribles, des crimes toujours plus violents et spectaculaires –, est-ce que ces gens finissent par trouver une satisfaction dans leurs actes, au point de cesser spontanément ?

— Je ne suis pas psychiatre médico-légal, mademoiselle Jones, répondit-il vivement.

— Docteur, d'après votre expérience…

Gulptilil secoua la tête.

— La réponse est non, mademoiselle Jones, dit-il d'un ton condescendant. Je suis sûr que vous le savez aussi bien que moi. Il s'agit de crimes sans fin. Un psychopathe meurtrier ne cherche pas l'achèvement. Pas intérieurement, du moins, même si on en trouve un certain nombre, dans la littérature spécialisée, qu'un sentiment de culpabilité excessif a poussés à se donner la mort. Malheureusement, ils semblent constituer une minorité. Non, en général, seuls des facteurs externes peuvent arrêter les tueurs en série.

— Oui. C'est plutôt vrai. Anderson et sans doute, par procuration, Abberline avaient imaginé officieusement trois théories pour expliquer que l'Éventreur avait cessé de commettre des crimes à Londres. Selon la première hypothèse, le tueur avait émigré aux États-Unis (peu probable, mais pas impossible), même si l'on n'y a jamais enregistré de meurtres similaires. Seconde théorie : il était mort, suicidé ou tué – ce qui n'était pas non plus très vraisemblable. À l'époque victorienne, le suicide n'était pas très commun, et il aurait fallu supposer que l'Éventreur était torturé par sa propre monstruosité, ce dont nous n'avons aucune preuve. Mais il existait une troisième possibilité, beaucoup plus réaliste.

— C'est-à-dire ?

— Que l'homme que l'on connaissait sous le nom de Jack l'Éventreur avait été enfermé dans un hôpital psychiatrique. Incapable d'en sortir, il aurait été avalé et perdu à jamais derrière des murs épais.

Lucy attendit une seconde, puis :

— Quelle est l'épaisseur des murs, ici, docteur ?

La réaction de Gulp-Pilule ne se fit pas attendre. Il bondit sur ses pieds, le visage déformé par la colère.

— Ce que vous insinuez est purement scandaleux, mademoiselle Jones ! Impossible ! Un Éventreur moderne se trouverait ici, dans cet hôpital ?!

— Existe-t-il meilleure cachette ? demanda-t-elle tranquillement.

Gulp-Pilule s'efforça de recouvrer son sang-froid.

— L'hypothèse qu'un meurtrier – même génial – soit capable de dissimuler son véritable état d'esprit à l'ensemble des professionnels qui travaillent ici est parfaitement ridicule ! Peut-être était-ce possible au XIXe siècle, quand la psychologie en était à ses premiers balbutiements. Mais pas de nos jours ! Cela exigerait une force de caractère permanente, une sophistication et une connaissance de la nature humaine beaucoup plus profondes que ce dont est capable un patient. Votre hypothèse est tout simplement aberrante.

Il scanda ces derniers mots avec une détermination qui masquait sa propre terreur.

Lucy allait répondre, mais elle s'interrompit. Elle tendit le bras et saisit sa serviette. Elle fouilla dedans un instant, puis se tourna vers Francis.

— Comment vous l'appeliez, l'élève infirmière qui a été assassinée ? demanda-t-elle d'une voix calme.

— Blondinette, dit Francis.

Lucy Jones acquiesça.

— Oui. C'est logique. Elle avait les cheveux coupés court, hein…

Tout en disant cela, comme si elle se parlait à elle-même, elle tira de sa serviette une enveloppe en papier kraft. Elle en sortit ce que Francis identifia immédiatement comme une série de photos couleur, de format A4. Elle y jeta un coup d'œil en feuilletant le paquet sur ses genoux, puis en choisit une qu'elle poussa sur le bureau, devant Gulp-Pilule.

— Il y a dix-huit mois, dit-elle en regardant la photo glisser sur le bois.

Une autre photo émergea du paquet.

— Il y a quatorze mois.

Une troisième tomba en tournoyant.

— Il y a dix mois.

Francis tendit le cou en avant. Chacune des photos représentait une jeune femme. Il vit les traînées de sang luisantes près de leur gorge. Il vit les vêtements qu'on avait arrachés puis réarrangés. Il vit les yeux grands ouverts sur rien, sauf l'horreur. Elles étaient toutes Blondinette, et Blondinette était chacune d'elles. Elles étaient différentes, pourtant c'était la même. Francis regarda de plus près, tandis que trois autres photos atterrissaient sur le bureau. Des gros plans de la main droite de chacune des victimes. Alors il vit. Il manquait une phalange à un doigt de la première. Deux à la seconde. Trois à la troisième.

Il parvint à détourner le regard, pour le poser sur Lucy Jones. Celle-ci plissait les yeux, impassible. Francis eut l'impression qu'il émanait d'elle une ardeur à la fois brûlante et glacée.

Elle inspira lentement et dit d'une voix calme, dure :

— Je trouverai cet homme, docteur.

Gulp-Pilule fixait les photos, l'air consterné. Francis voyait bien qu'il était en train de jauger la gravité de la situation. Au bout d'un moment, il prit les photos. Il les empila, comme un joueur qui rassemble un jeu de cartes après l'avoir battu, mais qui sait parfaitement où se trouve l'as de pique. Il en fit un paquet bien net, en tapota les bords sur la table, l'un après l'autre. Puis il les tendit à Lucy.

— Oui, je vous crois, dit-il. En tout cas, vous ferez tout pour ça.

Francis se dit que Gulp-Pilule ne croyait pas un mot de ce qu'il disait. Puis il changea d'avis. Le docteur croyait peut-être une partie de ce qu'il disait. Quant à savoir laquelle, c'était une autre paire de manches.

Le médecin se renfonça dans son siège et s'efforça de retrouver son sang-froid. Pendant quelques instants, il laissa ses doigts tambouriner sur le bureau. Il jeta un coup d'œil à la jeune assistante du procureur et leva ses sourcils noirs broussailleux, comme s'il attendait une autre question.

— J'aurai besoin de votre aide, dit enfin Lucy.

Le docteur Gulptilil haussa les épaules.

— Bien sûr. C'est parfaitement évident. Mon aide, et celle des autres, certainement. Mais je crois qu'en dépit des similitudes spectaculaires qui apparaissent entre le crime qui a eu lieu ici et ceux que vous venez d'exposer de manière si théâtrale, vous vous trompez. Je crois que notre élève infirmière a été agressée par le patient qui a été arrêté et inculpé pour ce crime. Mais il va de soi que, dans l'intérêt de la justice, je vous aiderai avec tous les moyens à ma disposition. Ne serait-ce que pour vous tranquilliser, mademoiselle Jones.

Francis eut à nouveau l'impression que les mots avaient un sens caché.

— Je resterai ici jusqu'à ce que j'obtienne certaines réponses, dit Lucy.

Le docteur Gulptilil hocha lentement la tête. Il eut un sourire sans joie.

— Les réponses, ce n'est peut-être pas ce qu'on trouve le plus facilement, ici. Des questions, nous en avons en quantité. Mais les solutions ont beaucoup de mal à s'imposer. Et sûrement pas avec la précision légale dont vous avez sans doute besoin, mademoiselle Jones. Mais nous serons tous à votre disposition, au mieux de nos possibilités.

— Pour mener correctement une enquête, dit vivement Lucy, comme vous l'avez très justement fait remarquer, j'aurai besoin d'assistance. Et je dois avoir accès aux dossiers.

— Une fois de plus, mademoiselle Jones, je voudrais vous rappeler ceci. Nous sommes dans un hôpital psychiatrique. Notre tâche est différente de la vôtre. Elles pourraient même entrer en conflit. En tout cas cette possibilité existe, comme vous le voyez. Votre présence ne doit pas perturber la routine méthodique de l'établissement. Et vos indiscrétions ne doivent pas perturber davantage les situations de fragilité où se trouvent nombre de nos patients.

Le médecin s'interrompit un instant, avant de reprendre avec une suave assurance :

— Vous aurez accès à tous nos dossiers, comme vous le souhaitez. Quant aux salles, et aux interrogatoires auxquels vous voudriez soumettre d'éventuels témoins ou suspects… eh bien, nous ne sommes pas équipés pour vous aider sur ce plan. Après tout, notre travail quotidien est de venir en aide à des gens qui souffrent de maladies graves, souvent invalidantes. Notre approche est thérapeutique, elle ne relève pas de l'investigation. Personne ici ne dispose des compétences dont vous aurez besoin, à mon avis…

— Ce n'est pas vrai, fit Peter le Pompier à voix basse.

Tout le monde se figea. Un silence menaçant, incertain, flotta dans la pièce.

— Moi, je peux faire ça ! ajouta Peter d'une voix ferme.

DEUXIÈME PARTIE

Un monde d'histoires

10

J'avais la main raide, et aussi douloureuse que ma vie elle-même. Je serrais le bout de mon crayon comme s'il s'agissait de la corde de sécurité qui me reliait à la santé mentale. Ou à la folie, peut-être. J'avais de plus en plus de mal à faire la différence. Les mots que j'avais tracés sur les murs autour de moi vacillaient, comme des nuages de chaleur au-dessus d'une autoroute, à midi, par un jour d'été sans nuages. Je me disais parfois que l'hôpital était un univers unique, renfermé sur lui-même, que nous étions tous des petites planètes maintenues en place par des forces de gravité que personne ne pouvait détecter, chacun tournant sur son orbite mais dépendant des autres. Chacun de nous relié aux autres, mais séparé d'eux. Il me semblait que si des gens sont rassemblés pour une raison quelconque : en prison ou à l'armée, dans une équipe de basket-ball professionnel ou à une réunion du Lions Club, à une avant-première hollywoodienne, une réunion syndicale ou de parents d'élèves, il se crée entre eux un objectif commun, ils partagent un lien. Mais c'était beaucoup moins vrai pour nous tous : le seul véritable lien qui nous unissait, c'était le désir d'être différent de ce que nous étions, et pour nombre d'entre nous, c'était un rêve peut-être à jamais inaccessible. Pour ceux qui étaient enfermés à l'hôpital depuis des années, je suppose, ce n'était même plus un choix. Beaucoup d'entre nous avions peur du monde extérieur et de ses mystères, au point que nous préférions affronter le danger, quel qu'il soit, qui était tapi à l'intérieur des murs. Chacun de nous était une île, avec ses propres histoires, et nous étions tous projetés dans un lieu qui devenait de moins en moins sûr.

Big Black m'avait dit un jour, alors que nous traînions dans un couloir – dans un de ces moments où nous n'avions rien d'autre à faire que d'attendre quelque chose qui n'arrivait que très rarement –, que les enfants des employés de Western State qui logeaient sur place avaient un rituel. Quand ils sortaient, le samedi soir, ils descendaient sur le campus de l'université voisine, pour qu'on les arrête. Quand on les interrogeait, ils disaient que leurs parents faisaient partie du personnel – mais ils montraient la fac, pas le sommet de la colline où nous passions nos jours et nos nuits. Notre folie était leur stigmate. Comme s'ils craignaient de contracter les maladies dont nous souffrions. Je trouvais cela logique. Qui aurait envie de nous ressembler ? Qui aurait envie d'être associé à notre monde ?

La réponse à cette question faisait froid dans le dos : une seule personne.

L'Ange.

Je respirai à fond, en rythme, laissant l'air chaud siffler entre mes dents. Il y avait des années que je ne m'étais pas permis de penser à lui. Je regardai ce que j'avais écrit, et je compris que je ne pouvais pas raconter toutes ces histoires sans raconter également la sienne, et c'était profondément troublant. Une nervosité et une peur venues du passé s'insinuaient dans ma tête.

Là-dessus, il entra dans la pièce.

Oh, pas en voisin, ni en ami, ni même comme un étranger qui frappe à la porte et entre en disant un mot aimable. Comme un spectre. Il n'y eut ni grincement de porte, ni frottement de chaise sur le sol, ni présentations. Mais il était là, pourtant. Je pivotai d'un côté puis de l'autre, essayant de le distinguer dans l'air immobile, mais c'était impossible. Il était de la couleur du vent. Des voix que je n'avais pas entendues depuis des mois, des voix qui s'étaient calmées, au fond de moi, se mirent soudain à hurler des avertissements qui résonnaient dans mes oreilles, courant en tous sens dans ma tête. Mais le message me parvenait dans une langue inconnue. Je ne savais plus comment écouter. J'avais le sentiment horrible que quelque chose d'insaisissable mais de terriblement important venait soudain de se dérégler, et que le danger était très proche. Si proche que je sentais son souffle sur mon cou.

Dans le bureau, il y eut un long silence. À travers la porte fermée, on entendit soudain le bruit de mitraillette d'une machine à écrire. Quelque part, dans les profondeurs du bâtiment administratif, un patient égaré lâcha un long cri plaintif, d'une intensité douloureuse. Le cri finit par s'évanouir, comme le hurlement d'un chien dans le lointain. Peter le Pompier glissa à l'avant de sa chaise, tel un gosse impatient qui connaît la réponse à la question du professeur.

— C'est exact, dit Lucy Jones d'une voix calme.

Ces mots semblèrent avoir pour seul effet de secouer la léthargie de la pièce.

Pour un homme formé à la psychiatrie, le docteur Gulptilil appréciait une certaine habileté politique, peut-être même au-delà des décisions d'ordre médical. Il lui fallut un moment pour prendre la mesure du groupe hétéroclite qui se trouvait dans son bureau.

Comme beaucoup de médecins de l'esprit, il possédait cette mystérieuse capacité qui permet de prendre assez de recul pour étudier une situation comme s'il la contemplait du haut d'un mirador. Il voyait une jeune femme qui mettait farouchement en avant des certitudes et des intentions très différentes des siennes. Et dont les cicatrices semblaient luire sous l'effet de la chaleur. Il observa le patient qui se trouvait devant lui. Il était beaucoup moins fou que tout autre pensionnaire de l'hôpital (mais beaucoup plus perdu), à l'exception peut-être de l'homme que la jeune femme pourchassait avec un tel zèle. À condition qu'il existât vraiment, ce dont le docteur Gulptilil doutait fort. Il se dit que l'association de ces deux-là aurait peut-être un caractère explosif qui pourrait s'avérer embarrassant. Puis il regarda Francis, en se disant tout à coup qu'il semblait entraîné par la force des deux autres. Ce qui, aux yeux du docteur, n'était pas nécessairement une bonne chose.

Le docteur Gulptilil s'éclaircit la gorge plusieurs fois en s'agitant sur son fauteuil. Il imaginait les problèmes qui pouvaient se présenter à tout moment. Or, il consacrait l'essentiel de son temps et de son énergie à combattre les problèmes avant qu'ils arrivent. Non qu'il aimât particulièrement son travail de psychiatre en chef de l'hôpital, mais il avait été élevé dans la tradition du devoir accompli, doublée d'un respect presque religieux du travail bien fait. Par ailleurs, être au service de l'État combinait de nombreuses vertus qu'il considérait comme fondamentales, comme l'assurance d'un salaire régulier et des avantages afférents. Rien à voir avec le risque de devoir ouvrir son propre cabinet, ce qui se résumait à accrocher une enseigne sur la porte et souhaiter l'arrivée d'un flot de névrosés suffisant pour recevoir sur rendez-vous.

Il s'apprêtait à mettre le holà quand son regard se posa sur la photographie sur le coin de son bureau. C'était un portrait de sa femme et de leurs deux enfants : un fils à l'école primaire et une fille qui venait d'avoir quatorze ans. Sur le cliché, réalisé en studio moins d'un an plus tôt, les longs cheveux noirs de sa fille lui tombaient presque jusqu'au bas du dos. Même s'ils se trouvaient loin de leur pays d'origine, c'était là un signe traditionnel de beauté, pour son peuple. Quand sa fille était petite, il aimait s'asseoir et regarder sa femme peigner la cascade de cheveux noirs étincelants. Mais cette époque était révolue. Une semaine plus tôt, dans un accès de rébellion, leur fille était allée sans rien dire chez un coiffeur de la ville pour se faire couper les cheveux très court, à la garçonne, défiant à la fois la tradition familiale et la mode du moment. Sa femme avait pleuré sans interruption pendant deux jours. Il avait dû infliger un sermon rigoureux à sa fille qui l'avait quasiment ignoré, et une punition marquante en la privant pendant deux mois de toutes ses activités extrascolaires, y compris l'usage du téléphone (sauf si c'était utile à son travail). Cela entraîna une furieuse crise de larmes et quelques grossièretés dont il s'étonna que sa fille les connaisse. Il sursauta en réalisant que les quatre victimes, sur les photos que Lucy Jones venait de pousser vers lui, avaient les cheveux courts. Des coupes à la garçonne. Et elles étaient toutes très minces, comme si elles n'arboraient leur féminité qu'avec répugnance. Sa fille était bâtie sur le même gabarit, tout en os et en articulations, avec des courbes très discrètes. Sa main trembla un peu, tandis qu'il réfléchissait à ce détail. Il savait aussi que sa fille résistait à ses efforts pour lui interdire de sortir du domaine de l'hôpital. Quand il s'en rendit compte, il se mordit brièvement la lèvre inférieure. La peur, se dit-il brusquement, n'appartient pas aux psychiatres. Elle appartient aux patients. La peur est irrationnelle, et elle se fixe comme un parasite sur l'inconnu. Sa profession reposait sur la connaissance, l'étude et son application méthodique à toutes sortes de situations. Il essaya de repousser l'idée qui en découlait, mais elle s'imposa, comme à contrecœur.

— Que proposez-vous exactement, mademoiselle Jones ? fit-il avec raideur.

Lucy inspira à fond. Elle se donnait le temps d'organiser ses pensées avec une précision de mitrailleuse.

— Je propose de découvrir l'homme qui, selon moi, est responsable de ces crimes. Trois meurtres commis dans trois juridictions différentes, à l'est de l'État, plus celui qui a été commis ici. Je pense que l'assassin n'a pas été identifié, même si on a arrêté quelqu'un. Pour y parvenir, il me faut avoir accès aux dossiers de vos patients, et l'autorisation de mener des interrogatoires dans les locaux de l'hôpital. En outre…

Pour la première fois, sa voix laissa percer une certaine hésitation.

— En outre, j'aurai besoin de quelqu'un qui m'aidera à découvrir cet homme de l'intérieur, dit-elle en jetant un coup d'œil à Francis. Car je pense qu'il aura anticipé mon arrivée. Je pense que puisqu'il saura que je suis en train d'enquêter sur sa présence, il devra modifier son comportement. J'ai besoin de quelqu'un capable de repérer cela.

— Qu'entendez-vous exactement par « anticiper » ? demanda Gulp-Pilule.

— Je pense que celui qui a tué la jeune élève infirmière a procédé comme il l'a fait parce qu'il était sûr de deux choses. Premièrement, qu'il pourrait facilement faire porter le chapeau à quelqu'un d'autre – le malheureux bougre que vous appelez l'Efflanqué. Deuxièmement, que quelqu'un dans mon genre viendrait pour le traquer.

— Je vous demande pardon...

— Il devait savoir que si les enquêteurs chargés des autres crimes étaient à ses trousses, ils finiraient par venir ici.

Cette révélation provoqua un bref silence dans la pièce.

Lucy regardait Francis et Peter le Pompier, qu'elle contemplait d'un œil distant, détaché. Elle se disait qu'elle aurait pu trouver des candidats bien pires que ces deux-là pour ce qu'elle avait en tête, bien qu'elle s'inquiétât un peu de l'inconstance de l'un et de la fragilité de l'autre. Elle regarda aussi les deux frères Moïse. Big Black et Little Black se tenaient au fond de la pièce, immobiles. Elle se dit qu'elle pourrait les enrôler, eux aussi. Mais elle n'était pas sûre d'être capable de les contrôler aussi facilement que les deux patients.

Le docteur Gulptilil secoua la tête.

— Je crois que vous accordez à ce type – dont je ne suis toujours pas certain qu'il existe – une sophistication dans le crime qui dépasse tout ce que nous pouvons ou devons raisonnablement attendre. Si vous voulez commettre un crime impunément, pourquoi inciter quelqu'un à vous poursuivre ? Vous ne faites qu'augmenter le risque d'être pris et condamné.

— Parce que tuer, pour lui, n'est qu'une petite partie de l'aventure. C'est ce que je soupçonne, en tout cas.

Lucy ne dit pas un mot de plus. Elle ne voulait pas qu'on lui demande ce que pouvaient être les autres éléments de ce qu'elle appelait l'« aventure ».

Francis comprit que la conversation avait atteint une tension inédite. Il sentit les courants violents à l'œuvre dans la pièce, et il eut brièvement l'impression de perdre pied. Ses orteils s'étirèrent presque contre son gré, comme ceux d'un nageur qui, sous la vague, essaie de toucher le fond de l'eau.

Il savait que Gulp-Pilule n'acceptait pas plus la présence de l'assistante du procureur que celle de l'individu qu'elle prétendait traquer. Quel que soit le degré de folie de ses pensionnaires, l'hôpital était une bureaucratie sous la tutelle des gratte-papier et des intrigants du gouvernement de l'État. Quand son gagne-pain est soumis aux machinations de l'administration, personne ne veut de ce qui risque de lui attirer des ennuis. Francis voyait le médecin s'agiter sur son siège en essayant de s'y retrouver dans ce qu'il savait être un bourbier politique potentiellement dangereux. Si Lucy Jones avait raison à propos de l'homme qui se cachait dans l'hôpital, et que Gulptilil lui refusait l'accès aux dossiers, alors Gulp-Pilule lui-même prenait le risque de provoquer de nouveaux désastres – par exemple si le tueur décidait de tuer à nouveau et si la presse avait vent de l'affaire.

Francis sourit. Il était heureux de ne pas être à la place du médecin-chef. Tandis que le docteur Gulptilil réfléchissait au cul-de-sac où il se trouvait, Francis regarda Peter le Pompier. Il avait l'air à cran. Électrique. Comme si on l'avait relié au secteur et qu'on avait actionné l'interrupteur. Quand il prit la parole, ce fut d'une voix basse, égale, empreinte d'une singulière férocité.

— Docteur Gulptilil, commença-t-il lentement, si vous faites ce que suggère Mlle Jones et qu'elle trouve l'homme qu'elle cherche, vous en retirerez presque tout le bénéfice. Si elle échoue – et nous avec elle, qui allons l'aider –, on pourra difficilement vous le reprocher, car l'échec sera le sien. Cela lui retombera dessus, et sur les dingues qui auront essayé de l'aider.

Après avoir digéré cela, le docteur finit par hocher la tête.

— Ce que vous dites là est probablement vrai, Peter, admit-il en toussotant une ou deux fois. C'est peut-être injuste, mais c'est tout à fait vrai.

Il regarda l'assemblée.

— Voici ce que j'autoriserai, dit-il en gagnant un peu d'assurance à chaque phrase. Mademoiselle Jones, vous pouvez avoir accès à tous les dossiers que vous voudrez, à condition que vous en respectiez le caractère confidentiel. Vous pourrez aussi choisir les gens que vous voudrez interroger. Il faudra que moi-même ou M. Evans assistions à vos interrogatoires. C'est normal. Les patients ont des droits, même ceux qui sont soupçonnés de meurtre. Si l'un d'eux refuse de répondre à vos questions, je ne l'y forcerai pas. À moins que je ne lui recommande, au contraire, d'être accompagné d'un avocat. Seul notre personnel sera habilité à prendre les décisions médicales que pourraient justifier ces conversations. Cela vous va ?

— Bien sûr, docteur, répondit Lucy, peut-être un peu trop vite.

— Enfin, je vous conseille d'agir avec promptitude. Nombre de nos patients – la majorité, en fait – sont atteints de maladies chroniques. Ils ont donc peu d'espoir de sortir avant d'avoir reçu des soins pendant des années. Mais une partie significative des autres malades parviennent à se stabiliser. Grâce aux médicaments, ils finissent par être autorisés à retrouver leur famille, leur foyer. Je ne puis deviner d'emblée dans quelle catégorie se trouve votre suspect, même si j'ai mon idée là-dessus.

De nouveau, Lucy opina.

— En d'autres termes, continua le docteur Gulptilil, nous n'avons aucun moyen de savoir s'il restera ne serait-ce qu'un instant, à présent que vous êtes arrivée. Et je n'interromprai pas le processus de libération des patients qui rassemblent les conditions pour sortir, sous prétexte que vous fouinez dans l'hôpital. Comprenez-vous ? Le travail quotidien de notre établissement ne peut pas être compromis.

Une fois de plus, Lucy eut l'air de vouloir répondre, mais elle n'en fit rien.

— Maintenant, pour ce qui est de faire appel à d'autres patients pour vous aider dans vos…

Le docteur regarda longuement Peter le Pompier, puis Francis.

— … dans vos enquêtes, eh bien, il m'est absolument impossible de cautionner officiellement une telle démarche, même si je comprends son intérêt. Il va de soi que vous ferez comme bon vous semble, officieusement s'entend. Je ne vous mettrai pas de bâtons dans les roues. Ni à eux, en l'occurrence. Mais je ne peux pas leur accorder la moindre dérogation, ni la moindre autorité, vous me comprenez ? Et ils ne doivent en aucun cas interrompre leur traitement.

Il jeta un coup d'œil vers le Pompier et fixa Francis.

— Vous comprendrez que ces deux messieurs ont ici des statuts totalement différents. Ni les circonstances qui les ont amenés dans cet hôpital, ni les critères de leurs séjours respectifs ne sont identiques. Cela pourrait vous poser des problèmes, si vous souhaitez les recruter.

Lucy balaya l'air de la main, comme pour demander la parole, n'en fit rien dans un premier temps. Puis elle répondit enfin, d'un ton raide et cérémonieux qui semblait souligner leur accord :

— Bien sûr, fit-elle. Je comprends tout à fait.

Il y eut encore un bref silence, puis elle reprit :

— Il va sans dire que la raison de ma présence, ce que je cherche à faire et comment je m'y prendrai, tout cela doit rester confidentiel.

— Bien entendu. Est-ce que vous croyez que je vais annoncer publiquement qu'un meurtrier sadique se trouve peut-être en liberté dans notre hôpital ? Il est évident que cela provoquerait une panique et, pour certains patients, une régression annulant plusieurs années de traitement. Vos investigations devront être aussi discrètes que possible. Même si, comme je le crains, des rumeurs et des spéculations vont circuler. Votre présence suffira à les provoquer. Les questions que vous poserez susciteront des doutes. C'est inévitable. Et il est évident qu'une partie du personnel devra être mise au courant, de façon plus ou moins précise. Ce sera aussi inévitable, malheureusement, et j'ignore comment cela affectera vos recherches. En tout cas, je vous souhaite bonne chance. Je mettrai un bureau à votre disposition dans l'Amherst, une salle de soins pas trop éloignée du lieu du crime. Vous pourrez y mener vos interrogatoires quand vous le jugerez bon.

Vous devrez simplement me biper – moi ou M. Evans – depuis le poste de soins des infirmières le plus proche avant d'interroger un patient. Est-ce que cela vous convient ?

— C'est logique, fit Lucy en hochant la tête. Je vous remercie, docteur. Je comprends totalement vos inquiétudes, et je ferai mon possible pour garder le secret.

Elle s'interrompit, parce qu'elle réalisait qu'il ne faudrait pas longtemps pour que tout l'hôpital – en tout cas ceux de ses occupants qui entretenaient des liens suffisamment forts avec le monde réel pour s'en soucier – connaisse les motifs de sa présence. Elle savait que c'était une raison supplémentaire de se mettre rapidement au travail.

— Pour des questions pratiques, il faudrait également que je loge à l'hôpital pendant le temps nécessaire.

Le médecin réfléchit un instant. L'espace d'une seconde, un sourire féroce se dessina au coin de ses lèvres. Francis se dit qu'il était sans doute le seul à s'en être aperçu.

— Certainement, fit Gulptilil. Il y a une chambre vacante dans le dortoir des élèves infirmières.

Francis constata qu'il avait omis de préciser qui était l'ancienne occupante du lit en question.

Quand ils retournèrent dans le couloir principal de l'Amherst, le Journaliste s'y trouvait. Souriant, il les regarda venir vers lui.

— « Holyoke : les enseignants concoctent un nouveau pacte syndical », dit-il vivement, *Springfield Union-News*, page B-1. Salut, C-Bird, comment ça va ? « Le week-end des Red Sox face aux Yankees, sur fond du problème des lanceurs », *Boston Globe*, page D-1.

Est-ce que tu vas voir M. Débile ? Il te cherchait, et il n'a pas l'air commode. Qui est ton amie ? Elle est très jolie, j'aimerais bien faire sa connaissance.

Le Journaliste fit un petit geste, accompagné d'un sourire timide, en direction de Lucy Jones. Puis il déplia le journal qu'il avait sous le bras et s'éloigna d'une démarche qui rappelait celle d'un ivrogne, le regard vissé sur le texte. Son attitude montrait qu'il essayait d'apprendre par cœur tout ce qu'il lisait. Il croisa deux hommes, un vieillard et l'autre dans la quarantaine, vêtus de pyjamas d'hôpital trop grands pour eux. Ni l'un ni l'autre ne semblaient s'être peignés depuis dix ans. Tous deux se tenaient au milieu du passage, à un mètre l'un de l'autre, et parlaient doucement. On eût dit qu'ils discutaient, mais à les regarder de plus près, on voyait que chacun monologuait, ignorant la présence de l'autre. Francis se dit que les gens comme eux appartenaient à l'hôpital au même titre que les meubles, les murs ou les portes. Les catatoniques. Cléo les appelait les « catas », ce qui semblait un nom aussi judicieux qu'un autre. Francis vit une femme, qui marchait d'un pas vif dans le couloir, s'arrêter brusquement. Elle repartit. Puis s'arrêta. Puis repartit. Elle poursuivit son chemin en gloussant, traînant derrière elle son long peignoir rose.

— Ce n'est pas exactement le monde auquel vous vous attendiez, disait Peter le Pompier.

Lucy écarquillait les yeux.

— Vous connaissez bien la folie ? demanda Peter.

Elle secoua la tête.

— Pas de tante Martha folle à lier ou d'oncle Fred déjanté dans votre famille ? Pas de cousin Timmy un peu bizarre, qui prend plaisir à torturer de petits animaux ? Ou peut-être des voisins qui parlent tout seuls, ou qui sont persuadés que le président des États-Unis est un extraterrestre ?

Les questions de Peter semblaient détendre Lucy. Elle secoua de nouveau la tête.

— Je dois avoir de la chance, dit-elle.

— Eh bien, C-Bird vous apprendra tout ce que vous devez savoir sur les dingues, répondit Peter avec un petit rire. Il est devenu un spécialiste, hein, C-Bird ?

Francis, ne sachant que répondre, se contenta de hocher la tête. Il vit une série de sentiments incontrôlés se succéder sur le visage de l'assistante du procureur. Il se dit que c'était une chose de débarquer dans un endroit comme l'hôpital Western State avec des idées, des hypothèses et des soupçons, mais que c'en était une autre de s'y confronter. Elle avait l'air de quelqu'un qui contemple le sommet d'une montagne. Avec un mélange de doute et de confiance.

— Eh bien, mademoiselle Jones, reprit Peter. Par où commençons-nous ?

— Ici, dit-elle d'un ton vif. Le lieu du crime. Il faut que je sente l'endroit où le meurtre a eu lieu. Ensuite, je me ferai une idée de l'hôpital dans son ensemble.

— Une visite ? demanda Francis.

— Deux visites. Une pour inspecter tout cela, dit Peter en englobant le bâtiment. Et une qui commencera par examiner cela.

Il se tapota le front.

Little Black et son frère les avaient raccompagnés du bâtiment administratif à l'Amherst, puis avaient rejoint le poste de soins. Après quoi Big Black avait disparu dans une des salles voisines. Little Black les rejoignit en souriant.

— Voilà une situation inhabituelle, fit-il d'un ton amène.

Lucy ne répondit pas. Francis essaya de lire sur le visage du Noir maigre et nerveux ce qu'il pensait vraiment des événements. Au début en tout cas, il n'y parvint pas.

— Mon frère est allé préparer votre bureau, mademoiselle Jones. Et j'ai informé les infirmières de garde que vous serez ici pour quelques jours au moins. L'une d'elles vous montrera tout à l'heure le dortoir des stagiaires. Et je crois qu'en ce moment même M. Evans a une longue et désagréable conversation avec le patron. Lui aussi, il voudra vous parler sans tarder.

— M. Evans est le psychologue responsable ?

— De cette unité. Oui, madame.

— Et vous pensez que ma présence ne lui fera pas plaisir ? dit-elle avec un petit sourire narquois.

— Pas exactement, ma'ame, répondit Little Black. Vous devez comprendre quelque chose, sur la façon dont vont les choses, ici.

— Que voulez-vous dire ?

— Peter et C-Bird sont aussi capables que moi de vous mettre en courant. En deux mots, disons que l'hôpital fait tout pour que les choses se passent sans accrocs. Tout ce qui n'est pas comme d'habitude, qui sort de l'ordinaire… eh bien, ça énerve les gens.

— Les patients ?

— Oui, les patients. Et si les patients sont énervés, le personnel aussi. Le personnel est énervé, alors les patrons sont énervés. Vous voyez le tableau ? Les gens aiment quand tout roule. Tout le monde. Les dingues. Les vieux. Les jeunes. Ceux qui ne sont pas malades. Et je ne crois pas qu'avec vous, mademoiselle Jones, les choses vont rouler comme il faut. Non, je crois que ça va être exactement le contraire.

Little Black avait un large sourire, comme s'il trouvait tout cela très amusant. Lucy Jones haussa les épaules.

— Et vous ? Vous et votre frère, le costaud ? Qu'en pensez-vous, tous les deux ?

Tout d'abord, Little Black eut un bref éclat de rire.

— Ne croyez pas, sous prétexte qu'il est costaud et que je suis petit, que nous n'avons pas les mêmes idées. Non, ma'ame. Faut pas se fier aux apparences.

Il montra les groupes de patients qui erraient dans le couloir, et Lucy Jones comprit ce qu'il voulait dire. Puis l'aide-soignant inspira brièvement et la regarda bien en face. Il parlait assez bas pour que personne d'autre ne l'entende.

— Peut-être qu'on se dit qu'il s'est passé ici quelque chose de mal, et on n'aime pas ça, parce que ce serait un peu de notre faute, et ça, mademoiselle Jones, on n'aime pas ça, non, pas du tout. Alors si quelqu'un doit perdre des plumes, on se dit que ça ne peut pas être mauvais.

— Merci, dit Lucy.

— Ne me remerciez pas encore, répliqua Little Black. Rappelez-vous que quand tout sera dit et que tout sera fini, moi, mon frère, les infirmières, les médecins et la plupart des patients, mais pas tous, eh bien… on sera encore ici, mais pas vous. Alors ne remerciez personne pour le moment. Ça dépendra beaucoup de qui perdra des plumes, si vous voyez ce que je veux dire.

— Bien dit, fit Lucy en hochant la tête.

Puis elle reprit, à voix basse, en levant les yeux :

— Oh, je pense que ce doit être M. Evans ?

Francis se retourna. M. Débile se dirigeait vers eux à grands pas. Il souriait, les bras écartés, toute son attitude exprimant la bienvenue. Francis ne crut pas un instant que ce fût sincère.

— Mademoiselle Jones, dit très vite Evans, je suis ravi de vous rencontrer.

Ils échangèrent une poignée de main indifférente.

— Le docteur Gulptilil vous a informé des raisons de ma présence ? demanda Lucy.

— Il m'a dit que vous soupçonniez qu'on avait arrêté un innocent pour le meurtre de la jeune infirmière. Soupçons que je trouve quelque peu risibles. Mais vous êtes ici. Il doit s'agir, m'a-t-il dit, d'une sorte d'enquête complémentaire.

Lucy observait le psychologue avec attention. Elle savait qu'il ne disait pas toute la vérité, mais dans les grandes lignes, il ne mentait pas.

— Alors je peux compter sur votre aide ? demanda-t-elle.

— Absolument.

— Merci.

— Mais peut-être aimeriez-vous commencer à examiner les dossiers des patients du pavillon Amherst ? Nous pourrions nous y mettre tout de suite. Il reste un peu de temps avant le dîner et les activités du soir.

— Je préférerais d'abord visiter les lieux, dit-elle.

— Je peux vous les faire visiter maintenant.

— J'espérais que les deux patients pourraient me guider.

— Je ne pense pas que ce soit une très bonne idée, fit M. Débile en secouant la tête.

Lucy ne répondit pas. M. Evans brisa le silence :

— Peter et Francis n'ont malheureusement pas de le droit de quitter cet étage. Et l'autorisation de sortie des patients, quel que soit leur statut, restera limitée tant que les tensions provoquées par le meurtre et l'arrestation de l'Efflanqué ne se seront pas estompées. Et pour compliquer les choses, votre présence en ces lieux… je déteste vraiment dire cela… votre présence prolonge la crise que nous traversons. Dans un avenir prévisible, nous allons devoir travailler sur le mode « haute sécurité ». C'est notre version de la procédure de « lockdown », des prisons. Les mouvements à l'intérieur de l'hôpital seront limités. Jusqu'à ce que nous parvenions à stabiliser de nouveau les patients qui auront été perturbés par les événements.

Lucy commença à répondre, puis elle renonça.

— Je crois qu'ils peuvent me montrer le lieu du crime et cet étage, reprit-elle au bout d'un moment, et m'expliquer ce qu'ils ont vu et fait, comme ils l'ont déjà raconté à la police. Cela ne risque pas de trop déranger le règlement, n'est-ce pas ? Après quoi, vous-même ou un des frères Moïse pourrez m'accompagner dans le reste du bâtiment et me faire visiter les autres unités ?

— Bien sûr, répliqua M. Débile. Une visite courte, puis une autre plus longue. Je vais prendre les dispositions nécessaires.

Lucy se tourna vers Peter et Francis.

— Nous allons passer en revue, une fois de plus, les événements de la nuit.

— Montre-nous le chemin, C-Bird, fit Peter en passant devant M. Débile.

Le lieu du crime avait été très consciencieusement nettoyé. Quand Lucy ouvrit la porte du débarras, ils sentirent l'odeur puissante du désinfectant. Francis n'avait plus l'impression d'une présence maléfique. C'était comme si cet endroit cauchemardesque avait retrouvé son état normal, qu'il était redevenu totalement inoffensif. Les détergents, les serpillières, les seaux, les ampoules de rechange, les balais, les piles de draps et un tuyau enroulé étaient rangés en bon ordre sur les étagères. L'ampoule allumée au plafond faisait luire le sol, où l'on ne voyait plus la moindre trace du sang de Blondinette. Francis était légèrement déconcerté par la propreté et l'ordre qui régnaient dans la pièce. Une pensée fugitive le traversa : redonner au débarras sa fonction normale de débarras était presque aussi obscène que les actes qui y avaient été perpétrés. Il regarda autour de lui. On ne voyait plus aucune trace des événements horribles qui s'étaient déroulés si peu de temps auparavant dans cet espace réduit.

Lucy se pencha et passa le doigt à l'endroit où le cadavre avait reposé. Francis eut l'impression que le contact avec la fraîcheur du linoléum lui permettait de sentir la vie qui avait été gaspillée en cet endroit précis.

— C'est ici qu'elle est morte ? demanda Lucy en se tournant vers Peter.

Il se pencha vers elle et lui répondit à voix basse, sur le ton de la confidence.

— Oui. Mais je crois qu'elle était déjà inconsciente.

— Pourquoi ?

— Parce que les objets qui se trouvaient autour du corps ne suggéraient pas qu'une lutte venait d'avoir lieu. Je crois qu'on s'est servi des détergents pour nettoyer le lieu du crime et entraîner les enquêteurs sur une fausse piste.

— Pourquoi tremperait-il le cadavre dans la lessive ?

— Pour effacer des indices qu'il aurait pu laisser derrière lui.

— Cela me semble logique, fit Lucy en hochant la tête.

Peter la regarda. Voyant qu'elle ne disait rien, il se frotta le menton et se releva en secouant légèrement la tête.

— Les autres affaires, celles dont vous vous occupez… Comment était le lieu du crime ?

Lucy Jones eut un sourire sans joie.

— Bonne question. Pluies violentes. Tempêtes. Tous les meurtres ont eu lieu à l'extérieur, à un moment où il pleuvait. Pour autant qu'on peut en être sûr, les corps des victimes ont été transportés après le crime, dans un endroit caché mais exposé. Sans doute choisi à l'avance. Très difficile pour les légistes. Le mauvais temps avait détruit pratiquement toutes les preuves matérielles.

Peter jeta un regard circulaire dans le débarras, puis il sortit à reculons.

— Cette fois, il a fait sa propre pluie.

Lucy sortit à son tour du débarras. Elle regarda en direction du poste de soins.

— Alors, s'il y a eu lutte…

— Elle a eu lieu là-bas.

— Et le bruit ? demanda Lucy en regardant tout autour d'elle.

Jusqu'alors, Francis était resté silencieux. En entendant cette question, Peter se tourna vers lui.

— Dis-lui, C-Bird.

Brusquement au centre de l'attention, Francis rougit. Il se dit tout d'abord qu'il n'en avait absolument aucune idée, et il ouvrit la bouche pour leur en faire part. Mais il s'interrompit. Il réfléchit un instant et entrevit une réponse.

— Deux choses, mademoiselle Jones. D'abord, les murs sont isolés et épais, et les portes sont en acier, alors le son a du mal à passer. Il y a beaucoup de bruit, dans cet hôpital, mais il est le plus souvent étouffé. Mais surtout… à quoi cela servirait-il d'appeler à l'aide ?

Au fond de lui, il entendit gronder ses voix intérieures. *Dis-lui !* criaient-elles. *Dis-lui comment c'est !*

— Les patients crient tout le temps. Ils ont des cauchemars. Ils ont peur. Ils voient des choses, en entendent d'autres, ou ils les sentent, tout simplement. Je crois que tout le monde ici est habitué aux bruits que peut produire la tension nerveuse. Si quelqu'un se mettait à hurler « A l'aide ! », ce ne serait guère différent de toutes les fois où l'on entend plus ou moins la même chose. Si quelqu'un crie « A l'assassin ! », ou si quelqu'un hurle simplement sous l'effet de la terreur, ce n'est rien qui sorte vraiment de l'ordinaire. Et il n'y aura aucune réaction, mademoiselle Jones. Peu importe que vous soyez terrorisée. Ici, c'est à chacun de gérer ses cauchemars.

Elle le regarda et comprit qu'il parlait d'expérience. Tout en souriant au jeune patient, elle vit qu'il se frottait nerveusement les mains, avec une envie impérieuse de se rendre utile. Elle se dit que toutes sortes de terreurs devaient cohabiter à l'hôpital Western State, à côté de celle qu'elle pourchassait. Elle se demanda si elle finirait par les connaître toutes.

— Francis, dit-elle, vous semblez être un peu poète. Mais ce doit être difficile.

Les voix, qui étaient assourdies depuis quelques jours, avaient haussé le ton. C'était presque un cri, maintenant, qui retentissait derrière les yeux de Francis.

— Il serait peut-être bon que vous compreniez, mademoiselle Jones, fit-il pour calmer ses voix, que si nous sommes tous enfermés ensemble, ici, en vérité nous sommes seuls. Plus seuls que n'importe où ailleurs, je pense.

Ce qu'il voulait dire, c'était : « plus seuls que n'importe où, dans le monde entier ».

Lucy le regarda. Elle venait de comprendre une chose : dans le monde extérieur, quand quelqu'un appelle à l'aide, celui qui entend cette plainte doit réagir, comme son devoir l'exige. Une preuve de savoir-vivre élémentaire. Mais ici, à l'hôpital Western State, tout le monde appelait à l'aide, tout le temps. Tout le monde, à tout moment, avait besoin d'aide. La routine quotidienne de l'hôpital voulait simplement qu'on ignore ces appels, aussi désespérés et pathétiques soient-ils.

D'un haussement d'épaules, elle rejeta le sentiment de claustrophobie qui l'envahissait. Puis elle se tourna vers Peter. Il avait les bras croisés et un grand sourire aux lèvres.

— Je crois que vous devriez voir le dortoir où nous dormions quand cela s'est passé.

Sur ces mots, il la guida le long du couloir, ne s'arrêtant que pour lui montrer les endroits où le sang avait formé une flaque. Mais ces traces, elles aussi, avaient été effacées.

— La police a cru que ces taches de sang était la piste que l'Efflanqué avait laissée derrière lui, dit-il d'une voix calme. Et c'était un vrai gâchis, parce que ce crétin de la sécurité avait marché dessus. Il a même glissé sur une flaque, il est tombé et en a mis partout…

— Et vous, qu'en pensez-vous ? demanda Lucy.

— Que c'était une piste, en effet. Et elle menait à l'Efflanqué. Mais ce n'est pas lui qui l'a laissée.

— On a retrouvé le sang de l'infirmière sur sa chemise de nuit.

— L'Ange l'a serré dans ses bras.

— L'Ange ?

— C'est comme cela qu'il l'appelait. L'Ange qui était descendu jusqu'à son lit pour lui dire que le mal était détruit.

— Vous pensez…

— Ce que je pense, mademoiselle Jones, est évident.

Elle était bien d'accord là-dessus. Elle remarqua l'assurance avec laquelle Peter la guidait dans le couloir.

Il ouvrit la porte du dortoir, et ils entrèrent. Francis montra où se trouvait son lit, et Peter le Pompier fit de même. Ils lui montrèrent aussi celui de l'Efflanqué. On l'avait défait, et on avait ôté le matelas, de sorte qu'il ne restait que le sommier à ressorts métalliques. On avait aussi emporté le petit casier où l'Efflanqué rangeait ses rares vêtements et objets personnels. Il ne restait donc plus grand-chose de ce qui avait été son modeste espace vital. Francis vit que Lucy notait les distances, mesurant du regard l'espace entre les lits, l'allée menant à la porte, le trajet de la porte au cabinet de toilette le plus proche. Pendant un instant, il fut un peu gêné de lui montrer où ils vivaient. Il avait une conscience plus aiguë que jamais du peu d'intimité dont ils disposaient – et de la manière dont on les dépouillait de leur humanité, dans ce dortoir. En regardant l'assistante du procureur qui inspectait la salle, il était à la fois furieux et embarrassé.

Comme toujours, quelques patients étaient allongés sur leur lit et contemplaient le plafond. Un homme grommelait dans sa barbe, menant avec lui-même une conversation assez intense. Un autre aperçut Lucy et roula sur lui-même pour la regarder. D'autres l'ignorèrent simplement, perdus dans leurs pensées. Francis vit Napoléon se lever et, avec un grognement, déplacer sa carcasse corpulente à travers le dortoir, aussi vite qu'il en était capable.

Il s'approcha de Lucy et s'inclina devant elle, avec une emphase déplacée.

— Nous recevons si peu de visiteurs venus du monde extérieur, dit-il. Surtout des visiteuses, et aussi belles. Bienvenue.

— Merci, répliqua-t-elle.

— Ces deux messieurs vous informent-ils comme vous le souhaitez ?

— Oui, fit Lucy en souriant. Jusqu'ici, ils ont été très obligeants.

Napoléon avait l'air un peu découragé.

— Ah, bien, répondit-il, c'est parfait. Mais je vous en prie, si vous avez besoin de quoi que ce soit, n'hésitez pas à demander.

Il tâtonna un instant, tapotant sa chemise d'hôpital.

— Je crois que j'ai oublié mes cartes de visite. Êtes-vous par hasard étudiante en histoire ?

— Non, pas précisément fit Lucy en haussant les épaules. Mais j'ai suivi des cours d'histoire de l'Europe, à l'université.

Les sourcils de Napoléon se levèrent.

— Et où étiez-vous donc ?

— À Stanford, répondit Lucy Jones.

— Alors vous devriez comprendre, dit Napoléon avec un grand geste circulaire, alors que les autres se pressaient à ses côtés. De grandes forces sont en jeu. Le monde connaît un équilibre instable. Le temps se fige parfois, tandis que d'énormes convulsions sismiques secouent l'humanité. L'histoire retient son souffle. Les dieux se battent sur le terrain. Nous vivons une ère de changements considérables. Je frémis en pensant à la portée de tout cela.

— Chacun de nous fait ce qu'il peut, répondit Lucy.

— Bien sûr, dit Napoléon en faisant une courbette. Nous faisons ce qu'on attend de nous. Nous jouons tous un rôle dans la grande mise en scène de l'histoire.

Le petit homme peut devenir grand. Les détails prennent une importance démesurée. Une décision minuscule peut affecter les grands courants du temps.

Puis il murmura, penché en avant :

— Le soir tombera-t-il ? Ou les Prussiens arriveront-ils à temps pour sauver le Duc de Fer ?

— Je crois que Blücher arrivera à temps, fit Lucy sur le ton de la confidence.

— Oui, dit Napoléon avec quelque chose qui ressemblait à un clin d'œil. C'était vrai à Waterloo. Mais aujourd'hui ?

Un sourire énigmatique aux lèvres, il fit un petit signe à Peter et Francis, tourna les talons et s'éloigna.

Peter haussa les épaules, soulagé, avec son habituel sourire narquois. Il chuchota, à l'intention de Francis :

— Je parie que M. Débile a tout entendu et qu'il fera augmenter, dès ce soir, les doses de médicaments de Nappy.

Il avait parlé doucement, mais assez fort pour que Lucy Jones l'entende et assez fort, se dit Francis, pour que M. Evans, qui les avait suivis dans le dortoir, entende lui aussi.

— Il semble plutôt amical, dit Lucy. Et inoffensif.

M. Débile s'avança vers eux.

— Vous avez raison, mademoiselle Jones, dit-il vivement. C'est le cas de la plupart des gens qui sont ici. Ils se font surtout du mal à eux-mêmes. Notre problème à nous, personnel soignant, est le suivant : qui est capable de violence ? Qui possède en lui cette propension à la violence ? Voilà ce que nous cherchons.

— C'est peut-être plus ou moins ce pour quoi je suis ici, répliqua-t-elle.

— Pour certains, bien entendu, nous connaissons déjà la réponse, dit M. Evans en regardant Peter le Pompier.

Les deux hommes échangèrent un regard glacé, comme ils le faisaient toujours. Puis M. Débile prit gentiment Lucy Jones par le bras : un geste de galanterie traditionnelle qui, étant donné les circonstances, pouvait signifier bien autre chose.

— Je vous en prie, mademoiselle Jones, permettez-moi de vous montrer les autres parties de l'hôpital, même si tout y est plus ou moins identique à ce que vous avez vu ici. Il y a les séances de groupe et les autres activités de l'après-midi, et le dîner, et il y a beaucoup à faire.

Pendant un instant, Lucy sembla sur le point de se libérer de la main du psychologue. Puis elle hocha la tête.

— Avec plaisir, dit-elle.

Avant de s'en aller, elle se tourna vers Francis et Peter le Pompier.

— J'aurai encore des questions à vous poser. Demain matin, peut-être. Est-ce que ça vous convient ?

Peter et Francis acquiescèrent.

— Je ne suis pas du tout certain qu'ils puissent vous aider vraiment, fit M. Evans en secouant la tête.

— Peut-être, peut-être pas. Nous verrons cela. Mais une chose est certaine, monsieur Evans.

— Ah oui ? Laquelle ? demanda-t-il.

— Pour le moment, ce sont les deux seules personnes que je considère comme hors de soupçon.

Cette nuit-là, Francis eut du mal à trouver le sommeil. Les bruits habituels, les ronflements et les sifflements qui constituaient le chœur nocturne du dortoir le rendaient nerveux. C'est du moins ce qu'il crut. Jusqu'au moment où, allongé sur son lit, les yeux fixés au plafond, il réalisa que ce n'était pas la banalité de la nuit qui le perturbait, mais les événements de la journée. Ses voix étaient calmes, mais elles posaient beaucoup de questions. Il se demanda s'il serait capable de faire face à ce qui l'attendait. Il ne s'était jamais considéré comme quelqu'un d'attentif aux détails, qui trouvait un sens aux paroles et aux actes, comme Peter dans une certaine mesure – et comme Lucy Jones, il le savait. Il sentait que ces deux-là contrôlaient leurs idées, ce que lui-même aurait bien voulu faire. Ses pensées allaient au hasard, elles couraient à gauche et à droite comme des écureuils, voletaient en tous sens, aiguillées d'abord d'un côté puis de l'autre, mues par des forces intérieures qu'il ne comprenait pas vraiment.

Francis soupira, se retourna à demi sur son lit. C'est alors qu'il découvrit qu'il n'était pas le seul patient éveillé. Quelques mètres plus loin, Peter le Pompier était assis sur son lit, le dos appuyé au mur, les bras autour de ses genoux relevés. Il regardait devant lui, de l'autre côté de la pièce. Francis vit qu'il avait les yeux fixés sur la rangée de fenêtres la plus éloignée. Sur le quadrillage hachuré de barreaux métalliques et de verre laiteux, vers les rayons de lune porteurs de poussière lumineuse, vers la nuit d'encre au-delà. Francis eut envie de lui parler, mais il y renonça. Il se dit que ce qui maintenait Peter éveillé, cette nuit-là, était un courant bien trop puissant pour être interrompu.

11

Je sentais que l'Ange lisait tout ce que j'écrivais, mais le calme était intact. Quand vous êtes fou, le calme est parfois comme un brouillard qui masque les objets les plus ordinaires, les plus quotidiens, les images et les sons les plus familiers, et qui rend toute chose un peu déplacée, un peu mystérieuse. Comme une route connue qui vous semble soudain tourner à droite à cause de la façon dont le brouillard réfracte la lumière des phares, alors que votre cerveau vous hurle qu'en réalité elle continue tout droit. La folie est comme ce moment de doute, où l'on se demande si on doit se fier à ses yeux ou à sa mémoire, parce que les uns et l'autre semblent capables des mêmes erreurs insidieuses. Je sentais la sueur sur mon front. Je m'ébrouai, comme un chien mouillé, pour me libérer de cette sensation de moiteur et de désespoir que l'Ange avait apportée dans mon appartement.

— Fiche-moi la paix, dis-je en sentant que toutes mes forces et ma confiance en moi m'abandonnaient brusquement. Fiche-moi la paix ! Je t'ai combattu une fois, déjà ! Je ne veux pas recommencer !

Mes mains tremblaient, et j'avais envie d'appeler Peter le Pompier. Mais je savais qu'il était beaucoup trop loin et que j'étais seul, alors je serrai les poings, pour que mon tremblement soit moins visible.

Tandis que je m'efforçais de contrôler ma respiration, quelqu'un tambourina à la porte de l'appartement. Des coups aussi brutaux que des détonations, qui paraissaient éclater au sein même de ma rêverie. Quand je me levai, la tête me tourna un instant, et je dus chercher mon équilibre. Je traversai la pièce à grands pas et me dirigeai vers la porte.

Il y eut une volée de coups. J'entendis une voix.

— Monsieur Petrel ! Monsieur Petrel ? Tout va bien, chez vous ?

J'appuyai mon front contre le panneau de bois. Il était frais, comme si j'avais de la fièvre et que la porte était de glace. Lentement, je passai en revue les voix que je connaissais. Une de mes sœurs ? Je l'aurais reconnue immédiatement. Je savais que ce n'étaient pas mes parents. Ils n'étaient jamais venus chez moi.

— Monsieur Petrel ! Répondez, s'il vous plaît ! Tout va bien ?

Je souris. J'avais reconnu l'accent.

Mon voisin de palier, Ramon Santiago, qui travaille au service de la voirie municipale. Il vit avec son épouse, Rosalita, et une jolie petite fille nommée Esperanza, qui a l'air d'une enfant très intelligente : perchée dans les bras de sa mère, elle examine le monde qui l'entoure avec le sérieux d'un professeur d'université.

— Monsieur Petrel ?

— Je vais bien, monsieur Santiago, merci.

— Vous êtes sûr ?

Nous nous parlions à travers la porte fermée, et je sentais sa présence à quelques centimètres, de l'autre côté.

— Je vous en prie, vous devriez ouvrir. Je veux seulement être sûr que tout va bien.

M. Santiago frappa de nouveau. Cette fois, je tendis le bras et tournai la poignée, pour ouvrir la porte de quelques centimètres. Nos yeux se croisèrent. Il me regarda avec attention.

— Nous avons entendu crier, dit-il. Comme si quelqu'un était prêt à se battre.

— Non. Je suis seul.

— Je vous ai entendu parler. Comme si vous vous disputiez avec quelqu'un. Vous êtes sûr que vous allez bien ?

Ramon Santiago n'était pas très grand, mais les années passées à soulever de lourdes poubelles au petit matin lui avaient musclé les bras et les épaules. Il aurait fait un redoutable adversaire. Il était rarement obligé de monter le ton pour se faire comprendre.

— Non. Tout va bien. Je vous remercie.

— Vous n'avez pas l'air très bien, monsieur Petrel. Vous êtes malade ?

— J'ai été un peu stressé ces derniers temps, rien de plus. J'ai peut-être sauté quelques repas.

— Vous voulez que j'appelle quelqu'un ? Une de vos sœurs, peut-être ?

— Je vous en prie, monsieur Santiago, fis-je en secouant la tête. Ce sont les dernières personnes au monde que j'ai envie de voir.

Il souriait.

— Je sais. La famille. Il y a des jours où ils sont capables de vous rendre dingue.

Dès que le mot eut franchi ses lèvres, il prit un air affligé, comme s'il m'avait insulté.

— Non, vous avez raison, lui dis-je en riant. Elles en sont capables. Dans mon cas, il est clair qu'elles m'ont déjà rendu fou. Et je me dis qu'elles recommenceront sans doute, un jour. Mais pour le moment je vais parfaitement bien.

Il me fixait toujours d'un air méfiant.

— Je vous jure, mon pote, vous m'inquiétez quand même un peu. Vous prenez bien vos cachets ?

Je haussai les épaules.

— Oui, mentis-je.

Je voyais bien qu'il ne me croyait pas. Il me regardait toujours avec attention, comme s'il fouillait au fond de chaque ride sur mon visage, de chaque trait, en quête de quelque chose qu'il reconnaîtrait. Comme si le mal dont je souffrais pouvait être identifié, comme une éruption de boutons ou la jaunisse. Sans me quitter des yeux, il jeta quelques mots en espagnol par-dessus son épaule. J'aperçus sa femme et leur petite fille, dans l'entrée de leur appartement. Rosalita, l'air un peu effrayée, me fit un signe de la main. La gamine me rendit elle aussi mon sourire. Puis M. Santiago revint à l'anglais.

— Rosie, dit-il d'un ton ferme, prépare pour M. Petrel une assiette du poulet au riz que nous avons pour dîner. Je crois qu'un bon repas consistant lui fera du bien.

La femme hocha la tête, me jeta un sourire timide et disparut dans l'appartement.

— Vraiment, monsieur Santiago, c'est très gentil à vous, mais ce n'est pas la peine…

— Pas de problème. *Arroz con pollo*. Dans mon pays, monsieur Petrel, ça résout tous les problèmes. Vous êtes malade, mangez du poulet au riz. Vous êtes renvoyé de votre travail ? Un plat de poulet au riz. Vous avez un chagrin d'amour ?

— Un plat de poulet au riz, fis-je sans lui laisser le temps de finir.

— Absolument ! Vous avez cent pour cent raison !

Nous échangeâmes un sourire. Quelques instants plus tard, Rosie revint avec une assiette en carton où s'entassait une grosse portion de poulet fumant et de riz au curry. Elle traversa le couloir pour me la donner. Je lui frôlai la main en prenant l'assiette, et me dis qu'il y avait longtemps que je n'avais touché un être humain.

— Il ne fallait pas… repris-je.

Mais les Santiago secouèrent la tête de concert.

— Vous êtes sûr que vous ne voulez pas que j'appelle quelqu'un ? Pas votre famille, mais les services sociaux ? Ou un ami, peut-être ?

— Je n'ai plus beaucoup d'amis, maintenant, monsieur Santiago.

— Ah, monsieur Petrel, il y a plus de gens que vous ne croyez qui s'inquiètent pour vous.

Mais je secouai la tête.

— Quelqu'un d'autre ? fit-il.

— Non. Vraiment.

— Vous êtes sûr que personne ne vous ennuie ? J'ai entendu des éclats de voix. Comme si une dispute avait éclaté…

Je souris, car il y avait bel et bien quelqu'un qui m'ennuyait. Sauf qu'il n'était pas là. J'ouvris ma porte en grand et le laissai jeter un coup d'œil à l'intérieur.

— Je suis seul, je vous le promets.

Je vis son regard glisser de l'autre côté de la pièce et se poser brièvement sur les mots tracés sur les murs.

J'aurais dû dire quelque chose à ce moment-là, mais je n'en fis rien. Il me posa la main sur l'épaule.

— Si vous avez besoin d'aide, monsieur Petrel, venez frapper à ma porte. À n'importe quelle heure du jour ou de la nuit. Compris ?

— Merci, monsieur Santiago, fis-je en hochant la tête. Et merci pour le dîner.

Après avoir refermé la porte, j'inspirai à fond, emplissant mes narines de la bonne odeur de nourriture. Il me semblait tout à coup que je n'avais rien mangé depuis des jours. C'était peut-être vrai, mais je me rappelai pourtant le fromage grillé. C'était quand ? Je trouvai une fourchette dans un tiroir et attaquai le bon plat de Rosalita. Je me demandai si l'*arroz con pollo*, capable de guérir tant de maux de l'esprit, pouvait quelque chose pour moi. À ma grande surprise, chaque bouchée sembla me redonner de l'énergie. Tout en mastiquant, je vis les progrès que j'avais faits, sur le mur. Des colonnes d'histoire.

Et je constatai que j'étais à nouveau seul.

Il reviendrait. Cela ne faisait aucun doute. Il se cachait, vaporeux, dans un espace qui se trouvait hors de ma portée et échappait à ma vue. Il m'évitait. Il évitait les Santiago. Il évitait l'*arroz con pollo*. Il se cachait de ma mémoire. Mais pour le moment, à mon grand soulagement, je n'avais rien d'autre que du poulet, du riz, et des mots. Et je me disais : Tout ce bavardage, dans le bureau de Gulp-Pilule, pour que les choses restent confidentielles, cela n'avait été que du vide et de la frime.

Il n'avait pas fallu longtemps pour que tous les patients et les employés soient au courant de la présence de Lucy Jones à l'Amherst. Ce n'était pas seulement sa manière de s'habiller – pantalon noir flottant et pull-over –, ou de porter sa serviette de cuir avec un sérieux qui était un défi pour les pensionnaires les plus négligés de l'hôpital. Ce n'était pas non plus sa taille ni son allure, ni la cicatrice sur son visage, qui la différenciait des occupants du bâtiment. Non, c'était plutôt la manière dont elle parcourait les couloirs, ses talons claquant sur le linoléum, avec un regard vif qui donnait l'impression qu'elle inspectait tout et tout le monde, en quête d'un signe qui pourrait la mener dans la direction qu'elle cherchait. Et cette idée n'était pas provoquée par la paranoïa, les visions ou les voix intérieures. Même les catas, debout dans les coins ou appuyés contre les murs, même les vieillards séniles prisonniers de leur fauteuil roulant, perdus dans leurs rêveries, même les attardés mentaux qui fixaient d'un regard vide tout ce qui passait autour d'eux, semblaient remarquer que Lucy était mue par des forces aussi puissantes que celles contre lesquelles ils luttaient. Sauf que les leurs, d'une certaine manière, étaient normales. Mieux liées au monde. De sorte que lorsqu'elle les croisait, les patients la suivaient des yeux, sans cesser de murmurer ou de marmonner. Leurs mains continuaient à trembler, mais ils l'observaient avec une attention qui semblait défier leurs propres angoisses. Même aux heures des repas, qu'elle prenait au réfectoire avec les patients et le personnel, après avoir fait la queue comme tout le monde pour recevoir un plateau de cette nourriture banale qu'on sert dans tous les établissements publics, elle restait à part. Elle avait pris l'habitude de s'asseoir à une table d'angle, d'où elle pouvait regarder les personnes présentes dans la salle, le dos contre le mur de parpaings recouvert d'une peinture vert-jaune. De temps en temps, quelqu'un se joignait à elle – M. Débile, très intéressé par tout ce qu'elle faisait, ou l'un des frères Moïse, qui faisaient glisser immédiatement la conversation sur le sport. Parfois, une ou deux infirmières allaient lui tenir compagnie, mais leur sévère uniforme blanc et les bonnets à pointes l'isolaient encore un peu plus du reste de l'hôpital. Même quand elle bavardait avec un de ses compagnons de table, elle avait toujours l'air de balayer la pièce du regard : Francis pensait alors à une buse chevauchant les courants aériens, qui scrute le sol dans l'espoir de repérer un mouvement et d'isoler sa proie dans les épis brunâtres de la Nouvelle-Angleterre, au début du printemps.

Aucun patient ne s'asseyait près d'elle. Pas même, au début, Francis et Peter le Pompier. C'était Peter lui-même qui l'avait suggéré. Il lui avait dit qu'il était inutile que tout le monde sache qu'ils travaillaient avec elle, d'autant qu'ils le découvriraient assez tôt. C'est ainsi que, pendant les cinq premiers jours au moins, Francis et Peter l'ignorèrent, au réfectoire.

Ce ne fut pas le cas de Cléo.

Quand Lucy rapporta son plateau au comptoir, la grosse femme l'aborda :

— Je sais pourquoi vous êtes ici !

Elle parlait fort, d'un ton agressif, et sans le vacarme habituel des plats, des plateaux et des assiettes, elle aurait attiré l'attention de tous.

— Ah bon ? répondit calmement Lucy.

Elle passa devant Cléo et entreprit de rassembler les restes sur son assiette pour les jeter dans la poubelle.

— Oui, en effet, reprit Cléo d'un ton neutre. C'est évident.

— Vraiment ?

— Oui, fanfaronna Cléo avec cette arrogance que la folie autorise parfois lorsqu'elle lève les inhibitions.

— Alors peut-être pourriez-vous me dire ce que vous pensez.

— Ah, ah ! Bien sûr. Vous avez l'intention de vous emparer de l'Égypte.

— L'Égypte ?

— L'Égypte, dit Cléo en embrassant la salle d'un geste de la main, un peu exaspérée, comme si l'évidence de la situation avait échappé à Lucy Jones. Et dans la foulée, j'en suis sûre, vous allez séduire Antoine et César.

Cléo bougonna bruyamment, croisa les bras, dressée comme un obstacle sur le chemin de Lucy, et conclut comme elle le faisait d'habitude, quel que soit le sujet :

— Les salauds. Les foutus salauds.

Lucy Jones lui jeta un regard interrogateur, puis secoua la tête.

— Non, vous vous trompez du tout au tout. L'Égypte est en sécurité entre vos mains. Jamais je n'aurai l'orgueil de me mesurer à vous pour une telle couronne, ni pour les amours de votre vie.

Les mains sur les hanches, Cléo la toisa.

— Pourquoi devrais-je vous croire ?

— Ma parole devra vous suffire.

La grosse femme hésita, puis gratta la masse de cheveux emmêlés qui se dressait sur son crâne.

— Êtes-vous un être honnête et intègre ? demanda-t-elle brusquement.

— C'est ce qu'on dit de moi, fit Lucy.

— Gulp-Pilule et M. Débile diraient la même chose, mais je ne m'y fierais pas.

— Moi non plus, dit Lucy d'un ton calme, légèrement penchée en avant. Là-dessus, nous sommes d'accord.

— Mais si vous n'avez pas l'intention de conquérir l'Égypte, que faites-vous ici ? demanda Cléo d'un ton à nouveau agressif, toujours les mains sur les hanches.

— Je crois qu'il y a un traître dans votre royaume, fit lentement Lucy.

— Quel genre de traître ?

— De la pire sorte.

Cléo hocha la tête.

— Cela a quelque chose à voir avec l'arrestation de l'Efflanqué et le meurtre de Blondinette, hein ?

— Oui, fit Lucy.

— Je l'ai vu. Pas très bien, mais je l'ai vu. Cette nuit-là.

— Qui ? Qui avez-vous vu ? demanda Lucy, soudain en alerte.

Cléo eut un sourire félin, complice, puis elle haussa les épaules.

— Si vous avez besoin de mon aide, dit-elle, soudaine et parfaite incarnation de la morgue, la voix condescendante, il faudra en faire la demande de manière appropriée, au bon moment et au bon endroit.

Là-dessus, Cléo fit un pas en arrière et, après avoir pris le temps qu'il fallait pour allumer une cigarette d'un geste large, elle tourna les talons et s'éloigna, l'air satisfaite. Un peu embarrassée, Lucy lui emboîta le pas… pour tomber sur Peter le Pompier, qui rapportait son plateau au comptoir. Il n'avait quasiment pas touché à sa nourriture, comme Francis le remarqua. Il nettoya son assiette et jeta ses couverts dans l'ouverture qui donnait sur le coin vaisselle. En même temps, Francis l'entendit qui disait à Lucy :

— C'est vrai. Elle a vu l'Ange cette nuit. Elle nous a dit qu'il est entré dans le dortoir des femmes, qu'il y est resté un instant, puis qu'il est sorti en fermant la porte à clé derrière lui.

Lucy hocha la tête.

— Drôle de façon de faire, dit-elle en réalisant au même instant que cette remarque était assez vaine dans un hôpital psychiatrique où toutes les attitudes étaient curieuses ou, au pire, parfaitement atroces.

Elle jeta un coup d'œil vers Francis, qui s'était levé et se trouvait maintenant à côté d'eux.

— C-Bird, expliquez-moi pourquoi quelqu'un qui vient de commettre un crime violent, qui s'est efforcé d'effacer ses traces avec un soin extraordinaire, qui a dépensé une telle énergie pour faire accuser quelqu'un d'autre... quelqu'un qui a tout fait pour disparaître dans la nature... pourquoi cet individu entre-t-il dans une salle pleine de femmes capables de se souvenir de lui, si d'aventure elles étaient réveillées ?

Francis secoua la tête. *Pouvaient-elles se souvenir de lui ?* Plusieurs voix, au fond de lui-même, le suppliaient de répondre à la question, mais il les ignora et regarda Lucy dans les yeux. Elle haussa les épaules.

— Une énigme, fit-elle. Mais tôt ou tard, il me faudra connaître la réponse. Vous pensez que vous pourrez me trouver cette réponse, Francis ?

Celui-ci acquiesça.

— C-Bird est optimiste, fit Lucy en riant. Excellent.

Elle les précéda dans le couloir. Elle allait dire quelque chose, quand Peter leva la main.

— C-Bird, il faut que personne d'autre ne sache ce que Cléo a vu.

Il se tourna vers Lucy Jones.

— Quand Francis lui a parlé la première fois, et qu'elle a mentionné que l'homme que nous cherchons était entré dans le dortoir des femmes, elle était incapable de fournir la moindre description cohérente de l'Ange. Mais tout le monde était bouleversé. Maintenant qu'elle a eu un peu de temps pour y réfléchir, elle se rappellera peut-être un détail important. Elle aime bien Francis. Je crois qu'il serait sage qu'il aille la voir, pour parler de nouveau avec elle des événements de cette nuit-là. Cela présenterait l'avantage de ne pas attirer l'attention sur elle. Si c'est vous qui l'interrogez, tout le monde saura immédiatement qu'elle a quelque chose à voir avec tout cela.

Lucy soupesa la proposition de Peter. Elle hocha la tête.

— Cela tient debout. Pouvez-vous vous en charger, Francis, et venir m'en rendre compte ?

— D'accord, fit Francis.

Mais il n'était pas du tout sûr de lui, en dépit de la remarque de Lucy sur son optimisme. Il ne se rappelait pas avoir jamais interrogé quelqu'un pour lui soutirer des informations.

Au même moment, le Journaliste s'approcha d'eux d'un pas nonchalant. Il s'arrêta à un ou deux mètres et esquissa un petit entrechat sur le sol poli, ce qui fit grincer ses souliers.

— *Union News* : « Chute de la Bourse à la suite des mauvaises nouvelles de l'économie. »

Puis il pivota de nouveau avec un grand geste du bras et s'enfonça dans le couloir en tenant devant lui un journal déployé comme une voile.

— Si je retourne parler à Cléo, qu'est-ce que tu vas faire, Peter ? demanda Francis.

— Qu'est-ce que je vais faire ? C'est plutôt « Qu'est-ce que j'aimerais faire » qu'il faut dire. Ce que j'aimerais, c'est que Mlle Jones fasse moins de mystères sur les dossiers qu'elle a apportés avec elle.

Lucy ne réagissant pas, Peter se retourna pour lui faire face.

— Il nous serait bien utile d'avoir une idée un peu plus précise des détails qui vous ont amenée ici. Surtout si nous sommes censés vous aider.

De nouveau, elle sembla hésiter.

— Pourquoi pensez-vous… commença-t-elle.

Mais Peter l'interrompit. Il souriait, avec cet air désinvolte qui signifiait, aux yeux de Francis, qu'il trouvait quelque chose à la fois amusant et inhabituel.

— Vous avez apporté les dossiers avec vous. Je l'aurais fait, moi aussi, pour les mêmes raisons. Comme n'importe qui travaillant sur une affaire qui ne repose que sur une hypothèse. Parce que vous aurez besoin de vérifier les points communs, quasiment à chaque étape. Et parce que quelque part, mademoiselle Jones, vous avez un patron qui va exiger que vous obteniez rapidement des résultats. Un patron qui se met en boule pour un rien, sans doute – comme tous les patrons –, et qui a une idée très précise de la manière dont ses jeunes assistantes devraient occuper utilement leur temps. C'est pourquoi notre première véritable priorité est de trouver les fils communs entre ce qui est arrivé avant, dans les autres meurtres, et ce qui s'est produit ici. C'est pourquoi je crois que je devrais voir ces dossiers.

Lucy inspira à fond.

— C'est intéressant. M. Evans m'a demandé la même chose, ce matin, en s'appuyant plus ou moins sur le même raisonnement.

— Les grands esprits se rencontrent parfois, dit Peter avec une ironie non dissimulée.

— J'ai refusé.

— Parce que vous ne savez pas encore si vous pouvez lui faire confiance, fit Peter après une hésitation.

Cela aussi semblait l'amuser, et il riait presque en achevant sa phrase.

Lucy sourit.

— C'est plus ou moins ce que je viens de dire à la femme que vous appelez Cléo.

— Mais C-Bird et moi, nous appartenons à une autre catégorie, hein ?

— Oui. Deux innocents. Mais si je vous les montre…

— Vous allez vexer M. Evans. Dur.

Une fois de plus, Lucy ne répondit pas tout de suite. Elle hésita.

— Est-ce que vous vous moquez vraiment, Peter, lui demanda-t-elle lentement, de savoir qui vous fichez en rogne ? Surtout s'il s'agit de quelqu'un dont l'opinion sur votre santé mentale peut être si déterminante pour votre avenir…

Peter semblait prêt à éclater de rire. Il se passa la main dans les cheveux, se gratta le crâne et finit par secouer la tête, avec le même sourire de biais.

— En un mot, la réponse est oui. Je me fiche totalement de savoir qui je fous en rogne. Evans me déteste. Quoi que je fasse ou dise, il continuera à me détester. Et c'est moins pour ce que je suis que pour ce que j'ai fait. Alors je sais que ça ne risque pas de changer. Cela dit, ce n'est pas à moi de lui demander de changer. Il n'est sans doute pas le seul membre du club des Gens-Qui-Détestent-Peter, mais seulement le plus visible et, si j'ose dire, le plus odieux. Rien de ce que je ferai ne pourra changer cela. Dans ce cas, pourquoi devrais-je m'inquiéter de ce qu'il pense ?

Lucy eut à son tour un léger sourire. Cela tordit un peu sa cicatrice. Francis se dit que le plus bizarre, avec un défaut aussi grave, c'était qu'il mettait en valeur le reste de sa beauté.

— Je râle trop ? demanda Peter, toujours souriant.

— Vous savez ce qu'on dit à propos des Irlandais ?

— On dit beaucoup de choses. Avant tout, qu'ils s'écoutent parler. C'est le cliché le plus incroyablement éculé. Mais il repose, hélas, sur des siècles de vérité.

— Parfait, dit Lucy. Francis, pourquoi n'iriez-vous pas voir Mlle Cléo, pendant que Peter m'accompagne à mon petit bureau ?

Francis hésitait.

— Cela ne vous dérange pas ? insista-t-elle.

Il hocha la tête en signe d'accord. Il se sentait tout drôle. Il avait envie de l'aider, en effet, parce qu'à chaque fois qu'il la regardait il la trouvait encore plus belle. Mais il était aussi un peu jaloux de Peter, qui allait l'accompagner pendant que lui, il devait partir à la recherche de Cléo. Ses voix, quoique assourdies, grondaient au fond de lui. Il les ignora et, après une brève hésitation, prit le couloir en direction de la salle commune. Cléo devait être à son poste habituel, derrière la table de ping-pong, à essayer d'entraîner une nouvelle victime dans un match.

Il ne s'était pas trompé. Cléo avait disposé trois patients en face d'elle, de l'autre côté de la table, leur avait distribué des raquettes et assigné la zone précise où chacun était censé frapper la balle si elle y venait. Elle leur montrait également comment ils devaient tenir la raquette et déplacer leur poids sur la plante des pieds en prévision du coup. C'était une véritable thérapie par l'apprentissage du ping-pong, se disait Francis. Condamnée à l'échec, elle aussi. Les trois adversaires de Cléo étaient des hommes âgés aux cheveux gris, dont la peau flasque était marquée par des taches de vieillesse. Tous trois s'efforçaient en vain de se concentrer sur ses explications et de faire face à leurs responsabilités. Francis vit aussi que le désir de répondre au service de Cléo était d'autant plus impérieux qu'ils en étaient incapables, quelle que soit la qualité de leur apprentissage.

— Prêt ? demanda Cléo par trois fois en regardant chacun d'eux dans les yeux.

Les trois adversaires hochèrent la tête à contrecœur.

Avec un léger mouvement du poignet, Cléo lança la balle à la verticale. À la vitesse de l'éclair, sa raquette la frappa au-dessus de la table. La balle toucha la surface de la table de son côté avec un claquement sec puis franchit le filet, frappa de l'autre côté et, tournant sur elle-même, passa droit entre deux des adversaires, qui n'eurent pas le temps de faire un geste.

Francis crut que Cléo allait exploser. Elle rougit, et il eut l'impression que sa lèvre inférieure se retroussait sous l'effet de la colère. Puis, aussi vite, la tempête se dissipa. Un de ses adversaires ramassa la petite balle blanche et la lui lança par-dessus la table. Elle l'arrêta sur la surface verte en la bloquant sous sa propre raquette.

— Merci pour le match, soupira-t-elle.

La colère avait laissé la place à la résignation.

— Nous travaillerons notre jeu de jambes un peu plus tard.

Visiblement soulagés, les trois adversaires s'en allèrent tranquillement vers des coins éloignés de la salle.

La salle commune était bondée, comme d'habitude, et abritait un mélange bizarre d'activités diverses. C'était une pièce ouverte et bien éclairée. D'un côté, une rangée de fenêtres munies de barreaux métalliques laissait entrer la lumière du soleil et, de temps en temps, une légère brise. Les murs blancs luisants semblaient réfléchir la lumière et l'énergie et les redistribuer dans l'espace. La salle était pleine de patients aux accoutrements variés – des incontournables chaussons et robes de chambre avachies aux jeans et aux pardessus. Des canapés bon marché en cuir rouge et vert et des fauteuils usagés y étaient disséminés, occupés par des hommes et des femmes qui lisaient tranquillement en dépit du bourdonnement général. Ils avaient l'air de lire, en tout cas. Car on ne les voyait pas souvent tourner les pages. Des magazines périmés et des livres de poche écornés s'empilaient sur les solides tables basses en bois. Deux téléviseurs trônaient dans deux coins opposés de la salle, attirant une ribambelle d'habitués qui s'agglutinaient pour se gaver de mauvais feuilletons. Les téléviseurs réglés sur des chaînes différentes étaient en conflit permanent, comme si les personnages de chaque émission cherchaient à l'emporter sur les autres. La présence d'un second récepteur était une réponse aux bagarres presque quotidiennes qui éclataient auparavant entre les amateurs respectifs des deux chaînes.

Francis continua son exploration. Quelques patients jouaient à des jeux de société, comme le Monopoly ou le Risk, d'autres s'affrontaient aux échecs ou aux dames, d'autres encore jouaient aux cartes. Le huit américain était le jeu préféré de la salle commune. Gulp-Pilule avait interdit le poker quand il avait découvert qu'on se servait de plus en plus souvent de cigarettes en guise de jetons, et que certains patients s'étaient mis à les stocker. C'étaient les moins atteints par la folie – ou, se disait Francis, ceux qui n'avaient pas rompu tous les liens avec le monde extérieur. Il aurait pu se classer dans cette catégorie, honneur que toutes ses voix intérieures auraient accepté. Enfin, bien entendu, il y avait les catas, qui passaient leur temps à errer dans la salle, en parlant à personne et à tout le monde à la fois. Certains dansaient. Certains traînaient des pieds. Certains marchaient de long en large, d'un pas vif. Mais chacun avait son propre rythme, poussé par des visions si lointaines que Francis ne pouvait que les deviner. Les catas l'attristaient et l'effrayaient un peu, parce qu'il avait peur d'être un jour comme eux. Il se disait que parfois, sur le balancier de sa propre existence, il était plus proche d'eux que de la normale. Il se disait qu'ils étaient condamnés.

Une fine brume bleutée de fumée de cigarette planait au-dessus de tout cela. Francis détestait cette pièce. Il essayait autant que possible de l'éviter.

C'était un endroit où chacun laissait libre cours à ses pensées les plus incontrôlées. Cléo, bien sûr, régnait sur la table de ping-pong et ses environs immédiats.

Ses fanfaronnades et son aspect monstrueux terrifiaient la plupart des autres patients, y compris, à un certain degré, Francis lui-même. Mais en même temps il lui trouvait une vitalité qui manquait à la plupart. Il savait aussi qu'elle pouvait être drôle, au point qu'il lui arrivait souvent de faire rire les pensionnaires. Ce qui était une qualité appréciable et rare dans cet hôpital. Elle le vit en train d'hésiter à la limite de sa zone d'influence et lui adressa un sourire tout excité.

— C-Bird ! Tu viens faire une partie ?

— Seulement si tu m'y obliges, dit Francis.

— Alors j'insiste. Je t'y oblige. S'il te plaît…

Il s'approcha et prit une raquette.

— Il faut que nous parlions de ce que tu as vu l'autre soir.

— La nuit du crime ? C'est cette femme procureur qui t'envoie pour me poser des questions ?

Il hocha la tête.

— Cela a quelque chose à voir avec le traître qu'elle cherche ?

— Exact.

Cléo réfléchit un instant. Elle leva sa petite balle blanche et la fixa avec attention.

— Écoute. Tu peux poser tes questions pendant qu'on joue. Tant que tu me renverras la balle, je répondrai. Nous en ferons un jeu à l'intérieur du jeu.

— Je ne sais pas… commença Francis.

Mais Cléo repoussa son objection d'un geste nonchalant.

— Prends cela comme un défi, dit-elle.

Sur ces mots, elle jeta la balle en l'air et servit. Francis se pencha au-dessus de la table verte et frappa brutalement la balle. Cléo la lui renvoya sans difficulté. Un tic-tac régulier emplit soudain l'espace, au rythme des allers et retours de la balle.

— Est-ce que tu as pensé à ce que tu as vu cette nuit-là ? demanda Francis en s'étirant pour rattraper la balle.

— Bien sûr, répliqua Cléo en la lui renvoyant d'un coup léger, avec la même aisance. Et plus j'y pense, plus cela m'intrigue. Il y a anguille sous roche, ici, en Égypte. Rome y a aussi des intérêts, non ?

— Et alors ? fit Francis.

Cette fois, il grogna, mais il parvint à maintenir la balle en jeu.

— Ce que j'ai vu n'a duré que quelques secondes, mais je crois que c'est important.

— Continue, fit Francis.

Cléo lui retourna le coup suivant un peu plus vite et en diagonale, pour le forcer à le rattraper avec son revers. Il y parvint d'ailleurs, à sa grande surprise. Il vit Cléo sourire en parant à son tour sans aucune difficulté.

— Qu'il passe le dortoir en revue après avoir fait ce qu'il avait fait, dit Cléo, ça veut dire qu'il n'avait pas très peur, hein ?

— Je ne te suis pas, dit Francis.

— Bien sûr que si, répliqua Cléo en lui offrant un coup lent, très facile, au milieu de la table. Nous avons tous peur de quelque chose, n'est-ce pas, C-Bird ? Peur de ce qui se trouve en nous, peur de ce qui se trouve à l'intérieur des autres, peur de ce qui se trouve à l'extérieur. Nous avons peur du changement. Nous avons peur de ne pas changer. Nous sommes pétrifiés par tout ce qui sort de l'ordinaire, terrifiés par le moindre changement dans la routine. Tout le monde veut être différent, mais c'est la plus grande de toutes les menaces. Et alors, que sommes-nous ? Nous vivons dans un monde dangereux qui nous défie. Tu suis ?

Francis se dit que tout cela était vrai.

— Tu veux dire que nous sommes tous captifs ?

— Prisonniers. Absolument. Captifs de tout ce qui nous entoure. Les murs. Les médicaments. Nos propres pensées.

Cette fois, elle frappa la balle un peu plus fort, mais sans l'envoyer hors de portée de Francis.

— Mais l'homme que j'ai vu, il n'est pas comme ça, hein ? Ou si c'est le cas, il ne pense pas du tout comme nous tous, hein ?

Francis envoya la balle dans le filet. Elle revint vers lui.

— Un point pour moi, fit Cléo. À toi le service.

Francis fit claquer la balle sur la table, et le cliquetis régulier résonna de nouveau dans la salle.

— Il n'avait pas peur, dit-il, en ouvrant la porte de votre dortoir…

Cléo attrapa la balle à la main, interrompant l'échange. Elle s'appuya sur la table.

— Il a les clés, dit-elle doucement. Mais quelles clés ? Celles qui ouvrent les portes de l'Amherst ? Ou plus que cela ? Les clés qui ouvrent les autres dortoirs ? Les débarras ? Et les bureaux, dans le bâtiment administratif ? Et les logements du personnel ? Est-ce qu'il peut ouvrir le portail extérieur, Francis ? Est-ce qu'il peut ouvrir le portail extérieur et sortir d'ici, tout simplement, quand il en a envie ?

Elle remit la balle en jeu.

— Les clés, c'est le pouvoir, hein ? fit-il après avoir réfléchi un instant.

Tic, tic, faisait la balle en allant et venant sur la table.

— L'accès, c'est toujours le pouvoir, fit Cléo d'un ton sans réplique. Les clés parlent. Je me demande comment il les a eues.

— Pourquoi est-il entré dans votre dortoir alors qu'il risquait d'être repéré ?

Cléo attendit que la balle ait fait plusieurs allers et retours au-dessus du filet.

— Peut-être parce qu'il pouvait le faire.

De nouveau, Francis réfléchit à ce qu'il venait d'entendre.

— Tu es sûre que tu ne le reconnaîtrais pas si tu le revoyais ? Est-ce que tu as essayé de te souvenir de sa taille, de sa corpulence… Tout ce qui peut le distinguer de quelqu'un d'autre. Quelque chose qui nous aiderait à chercher…

Cléo secoua la tête, puis elle se tut. Inspirant à fond, elle semblait se concentrer sur la partie. Elle frappait de plus en plus vite, et la balle allait et venait au-dessus de la table. Un peu surpris d'être capable de soutenir le rythme, Francis lui rendait les coups, courait de droite à gauche, d'avant en arrière, rattrapant parfaitement la balle à chaque fois. Cléo souriait en dansant d'un bord à l'autre, évoluant avec une grâce de ballerine que sa corpulence aurait dû lui interdire.

— Mais toi et moi, Francis, nous n'avons pas besoin de connaître son visage pour le reconnaître, dit-elle au bout d'un moment. Il suffit de repérer sa manière de se comporter. Elle est unique. Ici. Chez nous. Personne d'autre n'aura cet air-là, n'est-ce pas, C-Bird ? Dès qu'on aura retrouvé ça, on saura exactement ce qu'on a sous les yeux. Pas vrai ?

Francis tendit le bras et frappa la balle un tout petit peu trop fort. Elle vola au-dessus de la table, dépassa la ligne blanche de cinq centimètres. D'un geste vif, rapide, Cléo la rattrapa en l'air avant qu'elle n'aille rebondir de l'autre côté de la salle.

— Un peu trop long. Mais c'était un coup difficile, C-Bird, bien essayé.

En ce lieu peuplé de peurs, ils cherchaient l'homme qui en était dénué, se dit Francis. Dans un coin de la salle, plusieurs personnes se mirent à crier. Il entendit une voix coléreuse, et il se retourna. Un sanglot bruyant puis un hurlement furieux firent vibrer la salle. Il posa sa raquette et s'écarta de la table.

— Tu fais des progrès, C-Bird, gloussa Cléo dont le rire s'ajoutait aux bruits de la rixe qui commençait. Il faudra qu'on en refasse une.

Quand Francis arriva au bureau de Lucy, il avait eu un peu de temps pour réfléchir à ce qu'il avait appris. Il la trouva adossée au mur, derrière un simple bureau métallique gris. Les bras croisés, elle regardait Peter qui était assis, trois grandes chemises cartonnées ouvertes devant lui. Des photos aux couleurs vives de format A4 étaient éparpillées sur le bureau, ainsi que des plans de scènes de crime d'un noir et blanc austère, couverts de flèches, de cercles et de notes, et des formulaires remplis de détails. Il y avait aussi les rapports des médecins légistes et des photographies aériennes des différents sites. Quand Francis entra dans la pièce, Peter leva les yeux, l'air exaspéré.

— Salut, Francis. Tu as trouvé quelque chose ?

— Peut-être. J'ai parlé à Cléo.

— Elle a pu te donner une description plus précise ?

Francis secoua la tête. Il montra les piles de documents et de photos.

— C'est énorme, non ?

Il n'avait jamais vu le volume de paperasse qui s'entassait dans une enquête criminelle. Il était impressionné.

— C'est énorme, mais ça ne nous apprend pas grand-chose, répondit Peter.

Lucy approuva d'un signe de tête.

— Mais en même temps, ajouta Peter, on apprend beaucoup.

Lucy avait l'air un peu triste, comme si cette remarque lui faisait mal ou la troublait.

— Je ne comprends pas, dit Francis.

— Eh bien voilà, fit Peter. Nous avons trois crimes, tous commis dans des juridictions différentes, probablement, parce que les cadavres ont été déplacés après la mort. Cela veut dire que personne en particulier n'est en charge de ces affaires, ce qui provoque inévitablement une pagaille bureaucratique, même quand la police de l'État s'en mêle. Nous avons des victimes qui ont été découvertes à des stades divers de décomposition, dont les corps ont été exposés aux éléments, ce qui rend très difficile, parfois impossible, la tâche des légistes. Et nous avons des crimes qui, d'après ce qu'on peut déduire des rapports d'enquête, ont été commis à l'aveuglette. En tout cas les victimes ont été choisies au hasard : à part la corpulence, le type de cheveux et l'âge, il y a peu, voire pas du tout de points communs entre les femmes assassinées. Des cheveux courts, un corps mince. Une serveuse, une étudiante, une secrétaire. Les trois victimes ne se connaissaient pas. Elles ne vivaient pas à proximité les unes des autres. On n'a rien pu trouver qui établisse un lien entre elles, sinon le fait que toutes empruntaient les transports en commun pour rentrer chez elles – métro ou autobus – et que toutes devaient parcourir des rues sombres avant d'arriver chez elles. Ce qui les rendait éminemment vulnérables.

— Facile, pour un homme patient, de repérer une fille et de la suivre, dit Lucy.

Peter hésita, comme si quelque chose dans ce que Lucy avait dit amenait une question. Francis voyait bien qu'une idée germait sous son crâne, et qu'il ne savait pas s'il devait l'énoncer. Au bout d'un moment, enfin, Peter se renversa en arrière.

— Des juridictions différentes. Des endroits différents. Des services de police différents. Tout cela réuni ici…

— C'est vrai, dit Lucy prudemment, comme si elle devait tout à coup choisir ses mots.

— Intéressant, répondit Peter.

Il se pencha en avant, revenant aux documents étalés sur le bureau, et examina l'ensemble. Au bout d'un moment, il s'immobilisa et prit les photos des mains droites des trois victimes. Il contempla longuement les doigts mutilés.

— Des souvenirs, dit-il tout à coup. Très classique.

— Comment ça ? demanda Francis.

— Dans les études consacrées aux tueurs en série, dit Lucy d'une voix calme, on trouve un élément récurrent. Le besoin qu'a l'assassin de prendre quelque chose à la victime, pour pouvoir revivre l'expérience.

— Prendre quelque chose ?

— Une mèche de cheveux. Un vêtement. Un morceau du corps.

Francis frissonna. Il avait l'impression d'être jeune, en cet instant. Plus jeune qu'il ne l'avait jamais été. Il se demanda comment il pouvait si mal connaître le monde, alors que Peter et Lucy, qui avaient à peine huit ou dix ans de plus que lui, en savaient autant.

— Mais tu as dit que cela nous apprenait beaucoup de choses, fit-il. Quoi, par exemple ?

Peter regarda Lucy, et leurs yeux se croisèrent pendant une seconde. Francis fixa avec attention la jeune assistante du procureur, en se disant que sa question avait en quelque sorte franchi une limite. Il y a des moments, il le savait, où assembler des mots et les prononcer crée des passerelles, des liens. Il devinait qu'ils vivaient un de ces moments-là.

— Ce que nous apprenons, Francis, dit Peter en s'adressant à son ami, mais les yeux fixés sur la jeune femme, c'est que l'Ange de l'Efflanqué sait parfaitement, quand il commet ses crimes, comment rendre la tâche difficile aux gens qui veulent l'arrêter. Ce qui veut dire qu'il est intelligent. Et instruit, en tout cas quant aux façons de tuer. Si on y réfléchit bien, C-Bird, il n'y a que deux manières de résoudre une affaire criminelle. La première, et la meilleure, c'est quand la masse d'indices rassemblés sur le lieu du crime entraîne inexorablement les enquêteurs dans une seule direction. Empreintes digitales, fibres textiles, tests sanguins, arme du crime quand on la retrouve, voire témoins oculaires directs. Puis tout cela peut être mis en relation avec des motifs évidents : police d'assurance, cambriolage, violente dispute au sein d'un couple.

— Et l'autre manière ? demanda Francis.

— On découvre un suspect, et on trouve un moyen d'établir un lien entre lui et les événements.

— Une enquête à l'envers.

— C'est exactement cela, fit Lucy.

— C'est plus difficile ?

Peter soupira.

— Difficile ? Oui. Sûrement. Mais pas impossible.

— C'est bien, dit Francis en regardant Lucy. Je n'aimerais pas que ce que nous avons à faire soit impossible.

Peter éclata de rire.

— En fait, C-Bird, tout ce que nous avons à faire c'est de trouver d'autres moyens de découvrir qui est l'Ange. Nous dressons une liste de suspects possibles, et nous procédons par élimination jusqu'à ce que nous soyons plus ou moins certains de savoir de qui il s'agit. En tout cas jusqu'à n'avoir plus que quelques noms de tueurs potentiels. Alors nous appliquerons à ces suspects ce que nous savons de chaque crime. J'espère que l'un d'eux se détachera du lot. Lorsque cela se produira, il ne sera pas difficile d'établir le lien entre lui et ces victimes. Les choses se mettront en place. Sauf que nous ne savons pas comment, ni ce que ce sera. Mais il y aura quelque chose, dans cette pagaille de papiers, de rapports et de preuves, qui le piégera.

— Et quels sont ces autres moyens ? fit Francis en inspirant à fond.

Peter sourit.

— Eh bien, mon jeune ami, voilà le hic. C'est ce que nous devons découvrir. Il y a quelqu'un, ici, qui n'est pas celui que tout le monde croit. Il porte en lui une folie furieuse complètement différente, C-Bird. Et il le cache foutrement bien. Nous devons découvrir qui joue à feindre ce qu'il n'est pas.

Francis regarda Lucy.

— Ce qui est plus facile à dire qu'à faire, bien sûr, ajouta-t-elle lentement en hochant la tête.

12

Il arrive que la frontière qui sépare le rêve et la réalité devienne floue. Difficile de dire où ils se situent exactement. Je suppose que c'est pour cela que je suis censé prendre tant de médicaments, comme si la réalité pouvait être renforcée par la chimie. Avalez ce qu'il faut de milligrammes de telle ou telle molécule, le monde redeviendra net. C'est malheureusement vrai et, pour l'essentiel, toutes ces drogues font plus ou moins ce qu'elles sont censées faire. Si on excepte les effets secondaires, pas toujours agréables. Sans doute le résultat est-il globalement positif. Tout dépend de l'importance qu'on accorde à la netteté.

À ce moment-là, je m'en fichais totalement.

J'ai dormi, j'ignore combien d'heures, sur le plancher du salon. J'avais pris sur mon lit un oreiller et une couverture pour m'étendre à côté des mots que j'avais écrits, répugnant à les abandonner, un peu comme un parent attentif qui s'inquiète de laisser seul, la nuit, son enfant malade. Le plancher était dur. À mon réveil, mes articulations protestèrent. Un peu de la lumière de l'aube se glissait dans l'appartement, comme un héraut qui vient claironner les nouvelles. Je me levai pour poursuivre ma tâche, pas tout à fait retapé mais un peu moins groggy.

Je pris quelques instants pour regarder autour de moi et m'assurer que j'étais seul.

L'Ange n'était pas loin, je le savais. Il ne s'était pas enfui. Ce n'était pas son style. Et il ne s'était pas caché derrière mon épaule, cette fois. Tous mes sens étaient en alerte, en dépit de ces quelques heures de sommeil. Il était proche. Il épiait. Il attendait. Quelque part, tout près. Mais la pièce était vide, pour le moment en tout cas, et j'étais un peu soulagé. Les seuls bruits étaient mes échos intérieurs.

J'essayai de me convaincre d'être très prudent. À l'hôpital Western State, nous étions trois, unis contre lui. Et la partie avait été difficile. Maintenant, seul dans mon appartement, je craignais de n'être pas capable de mener le même combat.

Je me tournai vers le mur. J'avais interrogé Peter, et je me rappelais qu'il m'avait répondu, d'un ton optimiste : « Le travail de la police repose sur un examen approfondi des faits. L'intuition est toujours la bienvenue, mais seulement dans les limites imposées par les détails avérés. »

Je me mis à rire haut et fort. Cette fois, je compris l'ironie, et je répondis : « Mais ce n'est pas cela qui a marché, n'est-ce pas ? » Peut-être que dans le monde réel (surtout aujourd'hui, avec les tests d'ADN, les microscopes électroniques et les techniques médico-légales affinées par la science et la technologie, avec toutes les possibilités modernes triomphantes), il ne serait pas si difficile de démasquer l'Ange. Il suffirait de placer les bonnes substances dans un tube à essai, un peu de ceci, un peu de cela, d'appliquer des techniques dignes de l'ère spatiale et d'imprimer les conclusions de l'ordinateur, et on trouverait notre homme. Mais à l'époque, à l'hôpital Western State, nous ne disposions de rien de tout cela. Rien du tout.

Tout ce que nous avions, c'était nous-mêmes.

Rien que dans le pavillon Amherst, il y avait près de trois cents patients masculins. Le chiffre était presque deux fois plus élevé dans les autres pavillons : l'hôpital comptait en tout presque deux mille cent pensionnaires. La population féminine était un peu moins élevée : cent vingt-cinq femmes à l'Amherst, un peu plus de neuf cents dans l'hôpital. Si l'on ajoutait à cela les infirmières, les stagiaires, les aides-soignants, le personnel de la sécurité, les psychologues et les psychiatres, la population totale était nettement supérieure à trois mille personnes. Ce n'était pas le monde le plus grand, se disait Francis, mais ce n'était pas négligeable.

Durant les jours qui suivirent l'arrivée de Lucy Jones, il s'était mis à examiner avec un intérêt accru les hommes qui hantaient les couloirs. L'idée qu'un assassin se cachait parmi eux le perturbait, et il lui arrivait de se retourner brusquement quand quelqu'un s'approchait de lui par-derrière. Il savait que c'était déraisonnable, et il savait aussi que ses peurs étaient déplacées. Mais il ne parvenait pas à se débarrasser de sa terreur permanente.

Il passait beaucoup de temps à essayer de regarder les gens dans les yeux, alors que l'endroit décourageait ce genre de tentative. Il y avait autour de lui toutes sortes de maladies mentales, à des degrés divers, et il se demandait comment il pourrait modifier le regard qu'il avait sur ces maux pour être capable de repérer une maladie d'une nature différente. Le vacarme qu'il entendait au fond de lui-même, celui de ses voix, ajoutait encore à la nervosité qui lui brûlait le corps. Il avait l'impression d'être chargé de multiples impulsions électriques qui partaient au hasard, dans tous les sens, en quête d'un endroit où s'établir. Tous ses efforts pour se détendre étaient vains, et il était épuisé.

Peter le Pompier, lui, ne semblait pas perturbé, loin de là. Francis remarqua que plus il se sentait mal, plus Peter avait l'air d'aller bien. Il parlait avec plus d'empressement et parcourait les couloirs à grands pas. La tristesse indéfinissable qu'il montrait en arrivant à l'hôpital Western State avait presque complètement disparu. Peter débordait d'énergie. Francis l'enviait, lui qui n'avait que la peur.

Mais le temps passé avec Lucy et Peter dans leur petit bureau compensait un peu cela. Dans cet espace réduit, mêmes ses voix intérieures se calmaient, et il était capable d'écouter ses compagnons dans un calme relatif.

Leur priorité, comme Lucy le lui avait expliqué, était de trouver le moyen de réduire le nombre de suspects. Il lui serait facile de passer en revue les dossiers de tous les patients de l'hôpital, afin de déterminer qui s'était trouvé en situation de tuer les autres victimes, leur meurtre, elle en était persuadée, étant lié à celui de Blondinette. Chacun des meurtres avait eu lieu quelques jours ou quelques semaines avant la découverte des cadavres. Il était évident que la grande majorité des pensionnaires de l'hôpital n'était pas en liberté à l'époque de ces crimes. Il était facile d'éliminer de la liste des suspects tous les patients à long terme, notamment les vieillards.

Même si Peter et Francis étaient au courant, Lucy ne parla pas de ce travail préliminaire au docteur Gulptilil ni à M. Evans. Cela ne manqua pas de créer certaines tensions, notamment quand elle demanda les dossiers de l'Amherst à M. Débile.

— Bien sûr, lui dit-il. Les dossiers originaux se trouvent dans les classeurs de mon bureau. Vous pourrez venir les examiner quand vous voudrez.

Lucy se trouvait devant son propre bureau. C'était le début de l'après-midi. M. Débile était venu la voir deux fois dans la matinée, frappant bruyamment à la porte, pour lui proposer son aide et rappeler à Francis et Peter que l'heure de leur séance de groupe approchait et qu'ils étaient censés y assister.

— Maintenant, ce serait bien, dit-elle.

Elle avança dans le couloir, mais M. Débile l'arrêta.

— Vous seule, fit-il d'un ton raide. Pas les deux autres.

— Ils m'aident. Vous le savez.

M. Débile acquiesça, puis il secoua la tête.

— Peut-être bien. Cela reste à démontrer, vous connaissez mes doutes à ce sujet. Mais cela ne leur donne pas le droit de consulter les dossiers confidentiels des autres patients. Ces dossiers contiennent des informations personnelles très sensibles, glanées au cours des séances de thérapie. Je ne puis leur en autoriser l'accès. Cela serait immoral de ma part et constituerait une violation des lois de cet État sur la protection de la vie privée. Vous devriez le savoir, mademoiselle Jones.

— Pardonnez-moi, fit Lucy après avoir réfléchi un instant. Vous avez raison, bien sûr. J'imaginais simplement que la situation vous inciterait à me laisser un peu de liberté.

— Bien sûr, sourit-il. Et je souhaite vous faciliter la tâche au maximum. Mais je ne peux pas violer la loi, et il ne serait pas bien de votre part de me demander de le faire, à moi ou à un autre responsable.

M. Débile avait de longs cheveux bruns et des lunettes cerclées de métal qui lui donnaient l'air presque négligé. Pour compenser cela, il portait souvent une cravate et une chemise blanche, bien qu'il eût toujours des souliers éraflés et usés. Francis avait l'impression qu'il voulait qu'on ne le considère ni comme un rebelle, ni comme un membre de l'establishment. Son refus d'être l'un ou l'autre le plaçait dans une position difficile.

— Je n'en ai pas l'intention, dit-elle.

— D'autant que j'attends que vous me prouviez d'une manière ou d'une autre que cet être mythique que vous poursuivez se trouve vraiment ici.

Tout d'abord, elle se contenta de sourire.

— Quel genre de preuve voudriez-vous que je vous montre ? fit-elle enfin, après un bref silence.

Evans souriait, lui aussi, comme s'il appréciait leur ping-pong verbal. Coup droit. Amorti.

— Quelque chose qui ne soit pas du domaine de l'hypothèse. Peut-être un témoin crédible. Encore que je me demande où vous pourriez trouver ça dans un hôpital psychiatrique, dit-il avec un petit rire, comme s'il s'agissait d'une bonne blague. Ou bien l'arme du crime, qu'on n'a pas encore trouvée. Du concret. Du solide. Bien sûr, comme vous vous en êtes déjà rendu compte, mademoiselle Jones, « concret » et « solide » ne sont pas des concepts particulièrement adaptés à notre petit monde. Vous savez aussi que, statistiquement, les malades mentaux ont beaucoup plus tendance à se faire du mal qu'à en faire à autrui.

— L'homme que je cherche n'est peut-être pas exactement ce que vous appelez un malade mental, dit Lucy. Peut-être appartient-il à une catégorie tout à fait différente.

— Peut-être, répondit vivement Evans. En fait, c'est très probable. Mais ce que nous avons en abondance, ici, ce sont les représentants de la première catégorie.

Sur ces mots, il s'inclina légèrement et fit un grand geste en direction de son bureau.

— Vous avez toujours envie de consulter les dossiers ?

Lucy se tourna vers Peter et Francis.

— Il faut que je le fasse. Je vais commencer, en tout cas. Je vous retrouverai plus tard.

Peter jeta un regard furieux à M. Evans, qui ne se retourna pas. Le psychologue accompagna Lucy Jones dans le couloir, repoussant avec des gestes brefs, tranchants, les patients qui s'approchaient de lui. Francis se dit qu'il avait l'air de s'ouvrir un chemin dans la jungle à la machette.

— Je serais heureux, fit Peter à voix basse, que ce fils de pute soit l'homme que nous pourchassons. Ce serait vraiment extraordinaire, et nous n'aurions pas perdu notre temps. Mais bon, C-Bird, ce serait trop beau. Et tu sais ce qu'on dit : méfiez-vous des souhaits qui se réalisent.

Tout en parlant, il suivait des yeux M. Evans qui s'éloignait dans le couloir. Il attendit quelques instants, puis ajouta en soupirant :

— Je vais parler à Napoléon. On aura au moins sur tout cela le point de vue du passé.

Francis aurait dû se joindre à lui, mais il hésita, et Peter partit très vite vers la salle commune. Au même moment, il vit Big Black. Appuyé contre le mur du couloir, il fumait une cigarette. Son uniforme blanc baignait dans la lumière qui tombait par les fenêtres, et on avait l'impression qu'il brillait. La lumière rendait sa peau encore plus noire. Francis se rendit compte que l'aide-soignant les avait observés. Il s'approcha de l'hercule, qui se décolla du mur et laissa tomber sa cigarette sur le sol.

— Une mauvaise habitude, dit Big Black. Le genre d'habitude qui peut vous tuer, aussi facilement que n'importe quoi ici. Peut-être. On n'est vraiment sûr de rien, avec tout ce qui s'est passé. Mais n'allez pas vous y mettre aussi, C-Bird. Il y a des tas de mauvaises habitudes ici. Et pas grand-chose à y faire. Débarrassez-vous de vos mauvaises habitudes, C-Bird, et vous vous retrouverez dehors, tôt ou tard.

Francis ne répondit pas. L'aide-soignant contemplait le couloir, fixant un patient, puis un autre, son attention visiblement ailleurs.

— Pourquoi se détestent-ils, monsieur Moïse ? demanda Francis au bout d'un moment.

Big Black ne répondit pas directement à la question.

— Vous savez, là-bas, dans le Sud où je suis né, il y avait des vieilles femmes qui étaient capables de sentir les changements de temps. Elles savaient quand les tempêtes viendraient de la mer, et surtout, pendant la saison des ouragans, elles passaient leur temps à marcher de long en large, reniflant l'air, chantant parfois des gospels ou bien lançant des os et des coquillages sur un morceau de chiffon. Un peu comme de la sorcellerie, je dirais, et maintenant que je suis un homme instruit, que je vis dans un monde moderne, C-Bird, je sais que je ne dois pas croire à ces sorts et à ces incantations. Le problème, c'est qu'elles ne se trompaient jamais. Quand une tempête se préparait, elles le savaient longtemps avant tout le monde. Ce sont elles qui disaient aux gens de rentrer les troupeaux, de réparer le toit de la maison, parfois de mettre de l'eau en bouteilles, pour répondre à une urgence que personne n'était capable de voir venir. Mais qui venait tout de même. Ça n'a aucun sens, si on y réfléchit. Mais c'est parfaitement logique, si on ne cherche pas à comprendre.

Il sourit et posa la main sur l'épaule de Francis.

— Qu'en pensez-vous, C-Bird ? Vous regardez ces deux-là et leur façon d'agir, et vous sentez la tempête qui approche, aussi ?

— Je ne comprends toujours pas, monsieur Moïse.

Le gros homme secoua la tête.

— Je vais vous dire. Evans, il avait un frère. Peut-être que c'est à cause de ce que Peter a fait, peut-être qu'il a fait quelque chose à ce frère. Quand Peter est arrivé ici, Evans s'est arrangé pour être responsable de ses évaluations. Il s'est arrangé pour que Peter sache que, quoi qu'il demande, il ferait tout ce qui est son pouvoir pour que Peter ne l'obtienne jamais.

— Mais c'est injuste, dit Francis.

— J'ai jamais dit que quelque chose était juste, C-Bird. Jamais rien dit sur des choses qui seraient justes, d'aucune façon. Seulement qu'une partie de ces petits ennuis sont peut-être en train de mal tourner, hein ?

Big Black glissa sa main dans sa poche. Son geste fit tinter le trousseau de clés accroché à sa ceinture.

— Monsieur Moïse, ces clés… elles vous permettent d'entrer n'importe où ?

Big Black acquiesça.

— Ici. Et dans tous les autres dortoirs. Elles ouvrent les portes de la sécurité. Elles ouvrent les portes des dortoirs. Je peux même aller aux cellules d'isolement.

Vous voulez franchir la porte d'entrée, Francis ? Ces clés vous aideront à trouver le chemin.

— Qui d'autre possède les mêmes clés ?

— Les infirmières-chefs. La sécurité. Les aides-soignants, comme mon frère et moi. Les cadres.

— Est-ce qu'ils savent où se trouvent tous les trousseaux, à tout moment ?

— Sont censés le savoir. Mais c'est comme tout le reste. Y a une marge entre ce qu'on est censé faire et la réalité.

Il se mit à rire.

— C-Bird, vous commencez à poser des questions comme Mlle Jones. Et Peter aussi. Lui, il sait comment poser les questions. Vous, vous apprenez.

Le compliment fit sourire Francis.

— Je me demande si tous ces trousseaux de clés sont surveillés à tout moment.

Big Black secoua la tête.

— Z'avez mal posé votre question, cette fois, C-Bird. Essayez encore.

— Est-ce qu'il manque des clés ?

— Oui. Voilà la bonne question, hein ? Oui. Il manque des clés.

— Est-ce que quelqu'un a fait des recherches ?

— Oui. Mais peut-être que « recherches » n'est pas le mot qui convient. On a regardé aux endroits les plus probables, et comme on n'a rien trouvé, on a laissé tomber.

— Qui les a perdues ?

— Eh bien, fit Big Black en souriant, personne d'autre que notre excellent ami, M. Evans.

Une fois de plus, le gros aide-soignant éclata de rire. Rejetant la tête en arrière, il aperçut son frère qui se dirigeait vers eux.

— Hé ! s'écria-t-il. C-Bird commence à comprendre.

Francis vit que les infirmières de garde derrière le grillage du poste de soins avaient levé les yeux vers eux et souriaient, comme s'il s'agissait d'une bonne plaisanterie. Little Black souriait lui aussi en les rejoignant de son pas nonchalant.

— Vous savez quoi, Francis ? fit-il.

— Quoi, monsieur Moïse ?

— Vous comprenez la manière dont fonctionne ce petit monde, fit Little Black avec un geste du bras englobant l'hôpital. Vous maîtrisez parfaitement cela, et pour parler franchement, comprendre le monde extérieur, qui se trouve au-delà des murs… eh bien, ça ne devrait pas être trop difficile pour vous. Si vous saisissez votre chance.

— Comment puis-je saisir cette chance, monsieur Moïse ?

— Est-ce que ce n'est pas là la grande question, petit frère ? C'est la question numéro un qu'on se pose ici, chaque jour, à chaque instant. Comment un gentleman peut saisir cette chance. Il y a des façons, C-Bird. Il y a plus d'une façon, en tout cas. Mais ce n'est pas simplement une liste de choses qu'on doit faire ou ne pas faire. Faites ceci. Faites cela. Saisissez une chance. Non, monsieur, ça ne marche pas exactement comme ça. Chacun doit trouver son propre chemin. Vous y arriverez, C-Bird. Vous le verrez bien quand il sera devant vous. Tout le problème est là, non ?

Francis ne savait que répondre. Mais il se disait que l'aîné des frères Moïse se trompait certainement. Il ne pensait pas avoir la moindre capacité à comprendre quelque monde que ce soit. Quelques-unes de ses voix grondaient au fond de lui, et il essayait d'écouter ce qu'elles avaient à lui dire, car il les soupçonnait d'avoir une ou deux idées sur la question. Il commença à se concentrer, lorsqu'il vit que les deux aides-soignants l'observaient. Son visage trahissait ce qui se passait en lui, et ils l'avaient remarqué. L'espace d'un instant, il se sentit nu, comme si on lui avait arraché ses vêtements. Il sourit, l'air aussi aimable que possible, puis s'éloigna dans le couloir, au rythme des doutes qui lui martelaient le cerveau.

Lucy était assise derrière le bureau de M. Evans, qui fouillait dans un des quatre grands classeurs métalliques alignés contre le mur. Ses yeux se posèrent sur la photo de mariage qui se trouvait sur un coin du bureau. Elle reconnut Evans, les cheveux un peu plus courts et mieux peignés, vêtu d'un costume bleu à fines rayures qui semblait souligner sa maigreur, à côté d'une jeune femme dont la robe de mariée peinait à dissimuler la grossesse, et qui portait une guirlande de fleurs dans ses cheveux bruns frisés. Ils se trouvaient au milieu d'un groupe de personnes qui affichaient toutes le même sourire, que Lucy trouvait un peu forcé. Au milieu du groupe, elle vit un homme habillé en prêtre, le brocart doré reflétant la lumière du flash. Il posait une main sur l'épaule d'Evans. Lucy se pencha vers la photo et vit qu'il ressemblait beaucoup au psychologue.

— Vous avez un frère jumeau ? demanda-t-elle.

Evans vit qu'elle regardait la photo. Il se tourna vers elle, les bras chargés d'une pile de chemises jaunes.

— C'est de famille, dit-il. J'ai moi-même des jumelles.

Lucy regarda autour d'elle, en quête d'une photo qu'elle ne trouva pas. Evans saisit son regard inquisiteur.

— Elles vivent chez leur mère. Nous traversons une période difficile.

— Désolée de l'apprendre, fit-elle, sans préciser que cela n'expliquait pas l'absence d'une photo de ses filles.

Il haussa les épaules, puis laissa tomber les dossiers qui atterrirent sur le bureau avec un bruit sourd.

— Quand vous grandissez avec un jumeau, vous entendez toutes sortes de plaisanteries. Toujours les mêmes, vous savez. Comment peut-on vous prendre à part ? Est-il vrai que vous avez les mêmes pensées, les mêmes idées ? Quand on vous répète pendant des années que c'est un reflet de vous-même qui dort dans le lit du dessus, cela finit par modifier votre perception du monde. Pour le meilleur et pour le pire, mademoiselle Jones.

— Vous êtes de vrais jumeaux ? demanda-t-elle pour prolonger la conversation, alors qu'un simple coup d'œil à la photo lui donnait la réponse.

M. Evans hésita un instant, plissa les yeux et répondit d'un ton nettement plus froid :

— Nous l'étions. Plus maintenant.

Elle lui jeta un regard interrogateur. Evans toussota.

— Et si vous demandiez à votre nouvel ami et partenaire de vous expliquer cela ? Il connaît la réponse mieux que moi. Demandez à Peter le Pompier. Le type qui commence par éteindre des incendies, et qui finit par les allumer.

Ne sachant que répondre, Lucy tira les dossiers vers elle. M. Evans prit un siège en face d'elle, se pencha en arrière, croisa les jambes dans une attitude détendue, et la regarda faire. Lucy n'aimait pas son regard insistant, qui la mettait mal à l'aise.

— Vous voulez m'aider ? demanda-t-elle brusquement. Mon idée n'est pas très compliquée. Pour commencer, je voudrais éliminer de la liste des suspects les hommes qui se trouvaient ici, dans cet hôpital, quand au moins un des trois autres meurtres a été commis. En d'autres termes, ceux qui étaient ici…

— Ceux qui étaient ici ne pouvaient pas être là-bas, la coupa-t-il. Il ne doit pas être très difficile de comparer les dates.

— Exact, dit-elle.

— Sauf que certains éléments risquent de nous compliquer la tâche.

— Quels éléments ? fit-elle après un instant de silence.

Evans se frotta le menton.

— Un certain pourcentage de patients sont internés volontairement. Ils peuvent être autorisés à sortir, pour un week-end par exemple, sur simple demande. C'est une chose que nous encourageons. Il est donc possible qu'un patient dont le dossier affirme qu'il était ici à temps plein ait passé quelque temps à l'extérieur de l'établissement. Sous surveillance, bien sûr. Théoriquement du moins. Cela dit, ce ne peut être le cas pour les patients qui sont ici sur décision judiciaire. Ni pour ceux dont le personnel soignant aura jugé qu'ils représentent un danger pour eux-mêmes ou pour autrui. Si vous avez été interné pour avoir commis des actes violents, on ne vous libère pas comme cela, même pour une simple visite à votre famille. Sauf évidemment si votre toubib estime que c'est compatible avec votre thérapie. Mais cela dépend aussi des médicaments qu'on vous prescrit. Un patient peut rentrer chez lui pour une nuit s'il prend des cachets. Pas s'il a besoin de piqûres. Vous me suivez ?

— Je crois.

— Par ailleurs, reprit Evans qui s'échauffait en parlant, nous avons des auditions. Nous sommes tenus de présenter les cas à intervalles réguliers, selon une procédure quasi judiciaire, afin de justifier le maintien d'un patient en internement ou, dans certains cas, sa libération. Un défenseur public vient de Springfield, et un avocat représente le patient. Ils siègent autour d'une table avec le docteur Gulptilil et un type du bureau de santé mentale de l'État. Un peu comme une commission de mise en liberté sur parole, si vous voulez. Les auditions ont lieu de temps en temps, et elles ont des résultats inégaux.

— Que voulez-vous dire ?

— Des patients sont libérés parce que leur état s'est stabilisé, et on les renvoie ici deux ou trois mois plus tard quand ils ont décompensé. Il y a quelque chose, dans le traitement de la maladie mentale, qui fait penser à une porte à tambour. Ou à un tapis de jogging.

— Mais les patients que vous avez ici, dans le pavillon Amherst…

— J'ignore si certains de nos patients réunissent aujourd'hui les conditions sanitaires ou sociales pour avoir droit à une permission. Peut-être deux ou trois au maximum. Je ne sais pas si certains doivent passer devant une commission. En outre, je n'en ai pas la moindre idée pour les autres pavillons. Il vous faudra vérifier tout cela auprès de mes confrères.

— Je pense que nous pouvons éliminer les autres pavillons, dit vivement Lucy. Après tout, c'est ici qu'a eu lieu le meurtre de Blondinette, et je soupçonne le tueur d'être ici.

M. Evans eut un sourire désagréable, comme s'il y avait dans ces propos une drôlerie dont Lucy n'avait pas conscience.

— Qu'est-ce qui vous fait dire cela ?

— Je me disais simplement… commença-t-elle avant de s'interrompre.

— Si cet individu est aussi malin que vous le pensez, la coupa-t-il à nouveau, je ne crois pas que se balader d'un bâtiment à l'autre au milieu de la nuit lui posera un problème insurmontable.

— Mais les hommes de la sécurité patrouillent dans les jardins. Est-ce qu'ils ne sont pas capables de repérer quelqu'un qui se déplacerait entre les bâtiments ?

— Hélas, comme tant d'organismes publics, nous manquons de personnel. Et les patrouilles de la sécurité ont lieu à intervalles réguliers. Quelqu'un qui aurait envie de les éviter n'aurait pas beaucoup de mal à le faire. Il existe d'autres moyens de se déplacer sans être vu.

Lucy hésita une nouvelle fois. Elle savait qu'elle devait lui poser une question. M. Evans profita du silence pour reprendre la parole :

— L'Efflanqué, fit-il avec un petit geste presque nonchalant. L'Efflanqué avait un motif, il avait l'occasion, il avait le désir, et il était couvert du sang de l'infirmière. Je ne comprends pas pourquoi vous tenez tellement à chercher quelqu'un d'autre. J'admets que l'Efflanqué est à maints égards un type sympathique. Mais c'est aussi un schizophrène paranoïaque, avec un passé ponctué d'actes violents. En particulier à l'égard des femmes, qu'il considère souvent comme des valets de Satan. Quelques jours avant le crime, on a découvert que ses médicaments étaient inadaptés. Si vous examinez le dossier médical que la police a emporté quand elle l'a embarqué, vous verrez un document où je suggère qu'il doit avoir trouvé le moyen de dissimuler le fait que ses doses quotidiennes sont insuffisantes.

En fait, j'avais ordonné qu'on lui donne ses médicaments par intraveineuse désormais, parce que j'avais l'impression que les prises orales étaient inopérantes.

Cette fois encore, Lucy ne répondit pas. Elle aurait pu lui dire que la mutilation de l'infirmière suffisait à innocenter l'Efflanqué. Mais elle garda cela pour elle.

Evans poussa les dossiers vers elle.

— Cela dit, fit-il, si vous examinez ces dossiers – et les milliers d'autres que vous trouverez dans les autres pavillons –, vous pourrez éliminer un certain nombre de suspects. Je crois que je laisserais tomber les dates, pour me concentrer sur les diagnostics. J'écarterais les attardés mentaux. Et les catatoniques, qui ne réagissent à aucun traitement médicamenteux, ni aux électrochocs, tout simplement parce qu'ils sont physiquement incapables de faire ce à quoi vous pensez. Cela vaut pour d'autres troubles de la personnalité, qui vont dans la direction opposée à ce que vous cherchez. Je serais heureux de vous aider en répondant à toutes vos questions. Mais la partie difficile… eh bien, elle est pour vous.

Il se renversa en arrière et la regarda tirer le premier dossier qu'elle ouvrit d'une chiquenaude, avant d'en commencer la lecture.

Francis était adossé au mur, devant le bureau de M. Débile, sans trop savoir ce qu'il devait faire. Il n'attendit pas longtemps. Peter le Pompier venait vers lui de son pas nonchalant. Peter se laissa aller contre le mur et regarda la porte du bureau où Lucy était plongée dans les dossiers des patients. Il se vida lentement les poumons, avec une sorte de sifflement.

— Tu as parlé à Napoléon ?

— Il a voulu jouer aux échecs. J'ai dû faire une partie, et il m'a foutu une raclée. Cela dit, c'est un jeu que tous les enquêteurs devraient connaître.

— Pourquoi ?

— Parce qu'il y a un nombre infini de variations pour élaborer une stratégie, et en même temps on est limité par les mouvements de chaque pièce. Un cavalier peut faire ça… Tandis que le fou se déplace en diagonale… Tu sais jouer aux échecs, C-Bird ?

Francis secoua la tête.

— Tu devrais apprendre.

Tandis qu'ils parlaient, un colosse du dortoir du troisième étage s'arrêta en vacillant juste devant eux. Francis comprit à son regard qu'il s'agissait d'un des nombreux attardés mentaux de l'hôpital. On y voyait à la fois le vide et une certaine curiosité, comme si l'homme attendait une réponse à quelque chose, tout en sachant qu'il ne la comprendrait pas – ce qui créait un état de frustration quasi permanente. Ils étaient nombreux, comme lui, à l'Amherst et dans le reste de Western State. Francis, comme tout le monde, était terrifié par ces hommes en équilibre instable. Parfaitement inoffensifs, et pourtant capables d'une agressivité aussi soudaine qu'inexplicable. Francis avait très vite compris qu'il devait rester à l'écart des attardés mentaux. Quand il vit qu'il le regardait, le costaud ouvrit grand les yeux. Il lâcha une sorte de grondement, comme s'il était furieux que tant de choses dans le monde lui soient inaccessibles. Il fit entendre un petit gargouillis et continua à fixer Peter et Francis d'un regard intense.

Peter lui retourna son regard, avec la même férocité.

— Qu'est-ce que tu regardes ? lui fit-il.

L'homme se contenta de gargouiller un peu plus fort.

— Qu'est-ce que tu veux ? insista Peter.

Il se décolla du mur, tous les muscles tendus.

L'attardé mental émit un grognement prolongé, comme un fauve qui fait face à un rival. Il fit un pas en avant, en arrondissant les épaules. Son visage se crispa, et Francis eut l'impression que son manque d'imagination le rendait encore plus terrifiant : il ne possédait rien d'autre que sa rage. Et il n'y avait aucun moyen de savoir où elle prenait naissance. Elle éclatait tout simplement, à un moment donné, en un lieu donné. L'attardé mental serra les poings et se mit à battre l'air, devant lui, comme s'il luttait contre une vision.

Peter avança encore d'un pas, puis s'arrêta.

— Ne fais pas ça, mon pote, dit-il.

L'homme semblait prêt à charger.

— Ça n'en vaut pas la peine, répéta Peter.

Mais, en disant cela, il s'arc-bouta.

L'attardé mental fit encore un pas dans sa direction, puis s'immobilisa. Sans cesser de grogner avec une rage indescriptible, il leva soudain le poing et se frappa brutalement la tempe. Le choc résonna dans tout le couloir. Il se donna un autre coup, puis un troisième, aussi fort que le premier. Un filet de sang apparut près de son oreille.

Ni Peter ni Francis ne bougèrent.

L'homme lâcha un cri. Un cri de victoire, mêlé d'angoisse. Francis aurait eu du mal à dire si c'était un cri de défi ou un signal.

Tout à coup, alors que son hurlement résonnait encore dans le couloir, l'homme se figea. Avec un soupir, il se redressa. Il jeta un coup d'œil vers Francis et Peter et secoua la tête comme pour expulser quelque chose de son champ de vision. Il fronça les sourcils d'un air interrogateur, comme si une question importante venait de pénétrer son cerveau et que dans le même mouvement il avait vu la réponse. Grognant et souriant tout à la fois, il fonça brusquement dans le couloir en titubant et en marmonnant dans sa barbe.

Francis et Peter le regardèrent s'éloigner d'une démarche incertaine.

— Pourquoi a-t-il fait ça ? demanda Francis d'une voix tremblante.

Peter secoua la tête.

— C'est comme ça, dit-il doucement. Ici, on ne sait jamais ce qui se passe, tu vois. Impossible de dire pourquoi quelqu'un pète les plombs, tout à coup. Ou ne le fait pas. Bon Dieu, C-Bird ! C'est l'endroit le plus bizarre que je connaisse, et j'espère qu'on n'aura jamais le malheur de connaître pis que ça !

Les deux hommes s'étaient adossés au mur. Peter semblait affligé par l'attaque qui n'avait pas eu lieu, comme si elle avait signifié quelque chose.

— Tu sais, C-Bird, quand j'étais au Vietnam, je trouvais que tout était très bizarre. Des choses étranges pouvaient arriver à tout moment. Des choses étranges et mortelles. Du moins n'arrivaient-elles pas comme ça, sans rime ni raison. Après tout, on était là-bas pour les tuer, et eux étaient là pour nous tuer. Ce qui rendait la logique perverse. À mon retour, quand je suis entré chez les pompiers… Dans un incendie, tu sais que les choses peuvent être risquées. Les murs qui tremblent. Les planchers qui s'effondrent. La chaleur et la fumée partout. Pourtant tout cela est géré par un ordre cosmique général, si j'ose dire. Les incendies se déclarent selon des lois définies, certaines matières accélèrent la combustion, et quand tu sais ce que tu fais, tu dois être capable de prendre les précautions nécessaires. Mais ici c'est autre chose. Comme si tout brûlait tout le temps. Comme si tout était caché. Avec des pièges partout.

— Tu l'aurais frappé ?

— Est-ce que j'aurais eu le choix ?

Il jeta un regard circulaire sur la foule des patients qui allaient et venaient dans le pavillon.

— Comment peut-on survivre ici ? demanda-t-il.

Francis ne connaissait pas la réponse.

— Je ne sais pas si on est censé survivre, murmura-t-il.

Peter hocha la tête. Il avait retrouvé son sourire narquois.

— Ça, mon jeune et dingue ami, ça pourrait bien être la chose la plus foutrement juste que tu aies jamais dite.

13

Quand Lucy sortit du bureau de M. Evans, l'air mécontente, elle tenait dans la main droite un paquet de feuilles jaunes de format A4. Une longue série de noms gribouillés recouvrait la première page. Elle marchait vite, comme si sa mauvaise humeur lui faisait presser le pas. Elle leva les yeux quand elle vit que Francis et Peter le Pompier l'attendaient. Elle se dirigea vers eux avec un petit mouvement contrit de la tête.

— C'était sans doute un peu idiot, mais je croyais qu'il suffirait de vérifier les dates figurant dans les dossiers de l'hôpital. Ce n'est pas si simple. Surtout parce que les dossiers sont dans une vraie pagaille, et ne sont pas centralisés. Beaucoup de boulot en perspective. Merde.

— M. Débile n'a pas été aussi utile que prévu ? demanda Peter avec ironie.

Mais poser la question, c'était y répondre.

— Non. Je crois qu'on peut le dire comme ça.

— Dans ce cas… dit Peter en prenant un léger accent britannique qui aurait pu être celui de Gulp-Pilule, je suis choqué. Simplement choqué…

Lucy avançait d'un pas aussi rapide que ses pensées.

— Qu'avez-vous découvert ? demanda Peter.

— Ce que j'ai découvert, c'est que je vais devoir vérifier chaque pavillon l'un après l'autre, pas seulement l'Amherst. En outre, je vais devoir chercher les dossiers de tous les patients qui auraient pu avoir une permission d'un week-end pendant la période qui m'intéresse. Et pour compliquer encore les choses, je ne suis pas sûre du tout qu'il existe quelque part une liste de référence qui pourrait me simplifier la tâche. Ce que j'ai pour le moment, c'est une liste de patients de ce pavillon qui entrent plus ou moins dans le créneau que nous avons défini. Quarante-trois noms.

— Vous avez pu en éliminer à cause de leur âge ? demanda Peter d'un ton plus sérieux.

— Oui. C'est la première chose à laquelle j'ai pensé. Inutile d'interroger les vieux de la vieille.

Peter se frotta la joue, comme si cela pouvait libérer les idées cachées à l'intérieur.

— Je crois, dit-il lentement, qu'on pourrait tenir compte d'un autre critère important...

Lucy lui jeta un regard interrogateur.

— La force physique, fit Peter.

— Comment cela ? demanda Francis.

— Je crois qu'il fallait une certaine force physique pour commettre le crime qui nous intéresse. Il a dû maîtriser Blondinette, puis la tirer jusqu'au débarras. Il y a des traces de lutte dans le poste de soins. Nous savons donc qu'il n'est pas parvenu à se glisser derrière elle et à l'assommer par surprise. En fait, d'après moi, il avait envie que ça dure.

— Exact, fit Lucy avec un soupir. Il la bat, et ça l'excite. Cela collerait avec ce que nous savons de ce genre de personnalité.

Francis frissonna, en espérant que ses compagnons ne le remarqueraient pas. Il avait un peu de mal à parler si froidement, avec une telle désinvolture, de faits qui dépassaient le comble de l'horreur.

— Nous savons donc, poursuivit Peter, que celui que nous cherchons est plutôt costaud. Ce qui élimine d'office un tas de types qui sont ici pour le moment, car, même si Gulptilil le nierait sans doute, cet endroit n'a pas l'air d'attirer les athlètes. On n'y trouve pas beaucoup de marathoniens ou de culturistes. Nous devrions aussi réduire l'éventail à une certaine tranche d'âge. Il me semble qu'un autre critère peut nous aider à réduire encore la liste. Le diagnostic. Trouver ceux dont le passé révèle une tendance significative à la violence. Ceux qui souffrent de maladies mentales qui pourraient aller jusqu'au meurtre.

— C'est exactement mon avis, répondit Lucy. Dressons le portrait de l'homme que nous cherchons, et les choses se mettront en place d'elles-mêmes. C-Bird, je vais avoir besoin de votre aide pour ça.

Francis se pencha vers elle, impatient.

— Qu'est-ce que je peux faire ?

— Je ne crois pas que je comprenne bien la folie, dit-elle.

Francis devait avoir l'air gêné, car Lucy sourit.

— Oh, comprenez-moi bien. Je connais le langage de la psychiatrie, les critères de diagnostic, les traitements à long terme et tout ce qu'on trouve dans les bouquins. Ce que je ne comprends pas, c'est à quoi tout ça ressemble de l'intérieur. Je crois que vous pouvez m'aider. Il faut que je sache qui aurait pu commettre ces crimes, et il ne va pas être facile de trouver des preuves formelles.

Francis n'était pas certain de comprendre, mais il accepta tout de même.

— Tout ce que vous voudrez...

Peter hochait la tête, comme s'il voyait quelque chose qui était évident à ses yeux et sans doute aux yeux de Lucy, mais qui échappait à Francis.

— Je suis sûr qu'il en est capable. Pour lui, ça coule de source. C'est son truc. Tu peux le faire, hein, C-Bird ?

— J'essaierai.

Au fond de lui-même, il entendit un grondement, comme si une dispute opposait ceux qui vivaient dans sa tête, puis une de ses voix se fit insistante : *Dis-leur. Pas de problème. Dis-leur ce que tu sais.* Il hésita un instant puis parla enfin, avec le sentiment que ses paroles lui étaient dictées de l'intérieur.

— Il y a une chose que vous devez comprendre... dit-il avec précaution.

Lucy et Peter le regardèrent, comme s'ils étaient un peu surpris de le voir intervenir.

— De quoi s'agit-il ? demanda Lucy.

Francis fit un signe de tête en direction de Peter.

— Peter a raison, je crois, quand il parle de la force physique. Il a raison aussi quand il dit qu'il n'y a pas beaucoup de gens, ici, qui seraient assez forts pour venir à bout de quelqu'un comme Blondinette. Je crois que c'est logique. Mais pas complètement. Si l'Ange entendait des voix qui lui ordonnaient de s'en prendre à Blondinette et aux autres femmes... eh bien, ce n'est pas vrai, il n'aurait pas besoin d'être aussi fort que Peter le dit. Quand vous entendez cela, que les voix vous ordonnent de faire quelque chose, je veux dire... quand elles hurlent en vous et qu'elles insistent, et qu'elles n'acceptent aucune discussion... eh bien, la douleur, la difficulté, la force, tout cela devient secondaire.

Vous faites ce qu'elles vous demandent, c'est tout. Vous obéissez. Si une voix vous dit de soulever une voiture, ou un rocher, eh bien, vous le faites ou bien vous mourez en essayant. Alors, quand Peter dit que l'Ange est doué d'une grande force, ce n'est pas nécessairement vrai. Ce pourrait être pratiquement n'importe qui, parce qu'il trouverait la force nécessaire. Les voix lui diraient où la trouver.

Il marqua une pause. Au fond de son crâne, un écho : *Parfait. Bien joué, Francis.*

Peter le regarda intensément, puis un sourire éclaira son visage. Il lui donna un coup sur le bras.

Lucy sourit à son tour et soupira.

— J'essaierai de ne pas l'oublier, Francis, je vous remercie. Je crois que vous avez raison. On va découvrir que cette enquête n'est pas tout à fait comme les autres. Les règles sont différentes, ici, n'est-ce pas ?

Francis se sentit un peu soulagé, satisfait d'avoir pu être utile. Il montra son front.

— Là-dedans aussi, les règles sont différentes, dit-il.

Lucy lui toucha le bras.

— Je ne l'oublierai pas. Cela dit, messieurs, j'aimerais que vous cherchiez autre chose pour moi.

— Tout ce que vous demanderez, dit Peter.

— Evans prétend qu'il est possible de se déplacer entre les pavillons, la nuit, sans être vu par la sécurité. Je pourrais lui demander des explications précises, mais j'aimerais qu'il soit impliqué le moins possible dans l'enquête…

— Parfaitement logique, fit Peter.

Il avait peut-être parlé un peu trop vite, car Lucy lui jeta un regard aigu.

— Alors je me demande si vous pourriez vous pencher là-dessus, du point de vue des patients. Qui est capable d'aller d'un point à un autre ? Comment faites-vous ? Quels sont les risques ? Et qui aurait envie de le faire ?

— Vous croyez que l'Ange est venu d'un autre pavillon ?

— Je veux savoir si c'est possible.

Peter acquiesça de nouveau.

— Je vois, dit-il. Nous ferons ce que nous pourrons.

— Bien, fit Lucy avec une confiance soudaine. Je vais aller voir le docteur Gulptilil, et me pencher un peu plus attentivement sur les dates et les emplois du temps. Je vais lui demander de m'introduire dans les autres pavillons, pour pouvoir établir une liste approximative de noms dans chacun d'eux.

— Vous pouvez sans doute aussi éliminer les hommes qui présentent un diagnostic d'arriération mentale, fit Peter. Cela rétrécira encore le champ. Mais seulement les handicaps profonds.

— C'est logique, acquiesça-t-elle. Nous pourrions nous retrouver tous les trois à mon bureau avant le dîner pour comparer nos notes.

Elle fit demi-tour et s'éloigna rapidement dans le couloir. Francis remarqua que les patients qui croisaient son chemin s'écartaient pour la laisser passer. Il crut d'abord que ces gens avaient peur d'elle, et il ne comprenait pas pourquoi. Puis il réalisa que c'était l'inconnu qui les effrayait. Elle n'était pas folle, contrairement à eux. En outre, elle représentait quelque chose qui leur était totalement étranger : un être dont l'existence se prolongeait au-delà des murs. Enfin, se disait Francis, le plus troublant dans le fait de voir une femme comme elle dans l'hôpital, c'est que cela créait une incertitude quant au monde dans lequel ils vivaient.

Il regarda attentivement le visage de certains patients. La plupart d'entre eux n'acceptaient pas la perturbation que Lucy provoquait dans leur univers. À l'hôpital Western State, employés et résidents s'accrochaient à la routine, parce que c'était la seule façon de tenir en échec les forces contre lesquelles les patients se battaient. Francis secoua la tête. Tout était à l'envers, se disait-il. L'hôpital était un endroit plein de risques, un chaudron où bouillonnaient en permanence les conflits, la colère et la folie. Pourtant, il s'avérait moins terrifiant que le monde extérieur. Lucy représentait l'extérieur. Francis tourna la tête. Peter le Pompier suivait des yeux, lui aussi, Lucy qui s'éloignait. Le visage de Peter exprimait la frustration d'être enfermé. Ils étaient semblables, se dit Francis. Ils appartenaient l'un et l'autre à un autre monde.

Il n'était pas sûr d'appartenir à la même catégorie.

Au bout d'un moment, Peter se tourna vers lui et secoua la tête.

— Ça va être coton, C-Bird.

— Que veux-tu dire ?

— Lucy croit qu'il s'agit d'une question sans importance. Juste de quoi nous occuper. Mais c'est un peu plus que ça.

Francis le regarda, l'incitant à continuer.

— Dès que nous commencerons à poser les questions de Lucy, quelqu'un en entendra parler. Le bruit va se répandre, et parviendra tôt ou tard aux oreilles de quelqu'un qui sait vraiment comment aller d'un pavillon à l'autre la nuit, quand tout le monde est censé être enfermé, drogué et endormi. Et ce type, c'est celui que nous cherchons. C'est inévitable. Et cela nous rendra vulnérables.

Peter inspira à fond et vida lentement ses poumons.

— Réfléchis une seconde, dit-il presque à voix basse. Nous habitons tous dans ces pavillons indépendants éparpillés sur le domaine de l'hôpital. Nous y prenons nos repas. Nous y avons nos séances de groupe. Nous y avons des loisirs. Nous y dormons. Et chaque unité est semblable aux autres. Elles sont toutes pareilles. Des petits mondes clos, à l'intérieur d'un monde clos plus grand qu'elles. Les pavillons n'ont presque pas de contacts entre eux. Ton frère pourrait se trouver dans le pavillon voisin et tu n'en saurais rien. Alors, pourquoi quelqu'un ressentirait-il le besoin de se rendre dans un endroit qui est exactement la réplique de celui où il est ? Ce n'est pas comme si nous étions une bande de voyous minables de South Boston condamnés à croupir à la prison de Walpole sans espoir de libération conditionnelle, et qui cherchent un moyen de s'enfuir. Personne ici ne pense à s'échapper, pour ce que j'en sais, en tout cas. Ce qui veut dire que la seule raison pour laquelle quelqu'un chercherait à passer d'un pavillon à l'autre, c'est ce pour quoi nous enquêtons. Et à chaque fois que nous poserons des questions qui feront comprendre à l'Ange que nous sommes sur une piste qui nous permet de réduire la liste des suspects, eh bien…

Peter hésita.

— Je ne sais pas s'il a déjà tué un homme. Peut-être qu'il s'en tient aux femmes, et aux crimes que nous connaissons.

Il laissa sa voix s'évanouir.

Cet après-midi-là, pour remplacer la séance de groupe de M. Débile, Big Black et Mlle Lagaffe organisèrent une activité de peinture dans la salle commune. Personne n'avait la moindre idée de l'endroit où avait disparu Evans, et Lucy n'était pas non plus dans le pavillon Amherst. Les quelque douze membres du groupe reçurent de grandes feuilles d'un papier blanc rugueux. On les plaça plus ou moins en cercle, et on leur donna le choix entre la gouache et les crayons.

Si Peter observait tout cela d'un air légèrement méfiant, Francis apprécia le changement. Pour une fois, il ne s'agissait pas d'une séance qui ne servirait qu'à souligner leur folie et à l'opposer à la bonne santé mentale de M. Evans. Francis en était venu à penser que c'était le programme exclusif des séances collectives. La plupart des autres membres semblaient du même avis que lui, et il réalisa qu'ils étaient tous habitués à ce genre de petit changement dans la routine. Ce n'était sans doute pas la première fois qu'on les rassemblait ainsi. Ils disposèrent consciencieusement leur feuille de papier devant eux, prirent quelques crayons ou un petit pinceau, et se tinrent prêts, comme des coureurs dans l'attente du départ. Cléo avait l'air impatiente, comme si elle savait déjà ce qu'elle avait l'intention de dessiner. Napoléon fredonnait un petit air martial en contemplant la feuille posée sur ses genoux, dont il frottait le bord avec les doigts. Mlle Lagaffe, que Francis trouvait plutôt agréable mais un peu autoritaire, s'avança au milieu du groupe. Elle traitait les patients comme s'ils étaient des enfants, et Francis détestait cela.

— M. Evans veut que chacun de vous utilise le temps de cette séance pour faire son propre portrait, dit-elle vivement. Un portrait qui exprimerait la manière dont vous vous voyez.

— Je peux dessiner un arbre ? demanda Cléo.

Elle montra la rangée de fenêtres qui réfractaient la lumière de l'après-midi. De l'autre côté des vitres et du grillage, Francis vit un arbre qui se balançait au gré du vent. Le printemps agitait doucement ses feuilles vertes toutes neuves.

— Oui, si vous vous voyez comme un arbre, répondit Mlle Lagaffe comme si elle rappelait une évidence.

— Un arbre-Cléo ? (Elle leva un bras grassouillet, qu'elle plia comme le ferait un culturiste.) Un arbre très fort.

Mlle Lagaffe sourit et haussa les épaules.

— Eh bien, pourquoi pas ?

Peter leva la main.

— Une question ? lui dit-elle.

— Oui, fit Peter en lui souriant. En fait, non. Non merci. Ça va bien.

Il tendit le bras, prit un crayon noir dans le tas qui se trouvait au centre, le brandit avec un grand geste. Le Journaliste, à côté de lui, fit de même. Un simple crayon noir.

Francis choisit un petit assortiment d'aquarelles. Bleu. Rouge. Noir. Vert. Orange. Marron. Il posa par terre, à côté de ses pieds, un récipient en papier rempli d'eau. Il regarda Peter, qui s'était penché sur sa feuille de papier et s'était mis activement au travail. Puis il se tourna vers sa propre feuille blanche. Il trempa le bout de son pinceau dans l'eau, puis dans la peinture noire. Il traça une grande forme ovale sur le papier et entreprit d'en préciser les détails.

Au fond de la salle, un homme se tenait face au mur. Il marmonnait continûment comme s'il était en prière, s'interrompait à intervalles réguliers pour jeter un coup d'œil en direction du groupe, et reprenait son monologue. Francis remarqua l'attardé mental qui les avait menacés un peu plus tôt. Il allait et venait dans la salle en titubant, il grognait, regardait de temps en temps dans leur direction et frappait régulièrement sa paume de son poing. Francis retourna à son dessin, passant doucement son pinceau sur le papier et contemplant d'un air satisfait la forme qui apparaissait peu à peu au centre de la feuille.

Francis était absorbé par son travail. Il essaya de doter son portrait d'un sourire, mais il le dessina de travers. On avait l'impression que la moitié de son visage se réjouissait, l'autre n'exprimant que du regret. Les yeux le fixaient avec intensité, et il se dit qu'il pouvait voir ce qu'il y avait au-delà. Il peignit ses cheveux en brun. Ils étaient un peu plus foncés que son blond-roux véritable, mais ses voix, déployées comme une escouade de critiques d'art, avancèrent que, vu le matériel dont ils disposaient, c'était un bon départ. Il se dit que le Francis du tableau avait peut-être les épaules un peu trop affaissées, et une attitude un peu trop résignée. Mais c'était moins important que de montrer que le Francis qu'il avait peint avait des sentiments, des rêves, des désirs, qu'il avait toutes les émotions que lui, Francis, associait au monde extérieur. Il travailla dur pour donner à son tableau un peu de la grâce de l'espoir.

Il ne leva pas les yeux avant que Mlle Lagaffe annonce que la séance allait prendre fin.

Il jeta un coup d'œil de côté. Très absorbé, Peter apportait la dernière touche à son dessin. Il n'avait pas posé son crayon noir une seule fois, et ce qu'il avait imaginé était très explicite. On ne voyait que deux mains serrées sur des barreaux qui traversaient la feuille de haut en bas. Pas de visage, pas de corps, aucune identification possible. Rien que des doigts serrant les épais montants noirs qui occupaient la plus grande partie de la page.

Alors que Mlle Lagaffe commençait à ramasser les dessins, Francis vit Peter apposer sur le sien une signature ornementée. Il mit cet instant à profit pour écrire son nom en bas de son propre dessin, en caractères nettement plus petits. Il jeta un coup d'œil sur le travail de quelques autres patients. Cléo avait bel et bien peint un arbre, un chêne au tronc épais et aux grosses branches feuillues, et l'on voyait un visage au milieu de la frondaison. Francis trouva qu'il exprimait la grandeur de la femme qui se prenait pour une reine. Le Journaliste, quant à lui, s'était contenté de reproduire une fausse une de journal. Francis ne put en lire les titres, mais il se dit qu'ils devaient avoir un rapport avec l'hôpital.

Mlle Lagaffe prit son dessin et s'arrêta pour l'examiner. Elle eut un sourire.

— C'est très bon, Francis, fit-elle dans un grand accès d'enthousiasme. Vous dessinez vraiment bien !

Elle leva le dessin devant elle pour l'admirer.

— C'est vraiment quelque chose. Excellent. Je suis surprise.

Big Black s'approcha et contempla la peinture de Francis par-dessus l'épaule de l'infirmière.

— Fichtre, C-Bird, dit-il en souriant à son tour. C'est sacrément bon. Il a du talent, ce gars-là, et il ne nous en a rien dit !

L'infirmière et l'énorme aide-soignant s'éloignèrent pour ramasser le travail des autres patients. Francis se retrouva à côté de Napoléon.

— Depuis combien de temps tu es ici, Nappy ? lui demanda-t-il doucement.

— À l'hôpital ?

— Oui. Ici, à l'Amherst, ajouta Francis en montrant la salle commune d'un geste circulaire.

Napoléon réfléchit un instant.

— Deux ans, C-Bird. Ou peut-être trois, je ne suis pas sûr. Un bail, ajouta-t-il tristement. Très longtemps. On perd le fil. Ou bien ce sont eux qui veulent qu'on perde le fil. Je ne suis pas sûr.

— Tu connais sacrément bien les habitudes de la maison, hein ?

Napoléon inclina légèrement la tête, presque avec grâce.

— Je préférerais ne pas avoir à m'en vanter, C-Bird. Mais c'est vrai, en effet.

— Si je voulais sortir d'ici et passer dans un autre pavillon, comment devrais-je m'y prendre ?

Napoléon eut l'air légèrement effrayé par la question. Il recula d'un pas et secoua la tête. Il ouvrit la bouche, se troubla, et finit par bafouiller :

— Tu n'es pas bien, ici, avec nous ?

Francis, à son tour, secoua la tête.

— Non. Je veux dire, pendant la nuit. Après les médicaments, après l'extinction des feux. Supposons que j'aie envie d'aller dans un autre pavillon sans qu'on me voie, est-ce que ce serait possible ?

Napoléon soupesa la question.

— Je ne crois pas, dit-il lentement. Nous sommes toujours enfermés.

— Supposons que je ne sois pas enfermé.

— Nous sommes toujours enfermés…

— Mais admettons que… répéta Francis, un peu exaspéré par la réaction du gros homme.

— Cela a quelque chose à voir avec Blondinette, hein ? Et avec l'Efflanqué. Mais l'Efflanqué ne pouvait pas sortir du dortoir. Sauf la nuit où Blondinette est morte, parce que la porte était ouverte. Avant cela, je n'ai jamais entendu dire qu'elle était ouverte. Non, tu ne peux pas sortir. Personne ne peut. Et je crois que je n'ai jamais entendu dire que quelqu'un aurait eu envie de le faire.

— Quelqu'un a pu le faire. Quelqu'un l'a fait. Et quelqu'un a eu envie de le faire. Quelqu'un a un trousseau de clés.

Napoléon avait l'air terrifié.

— Un patient a un trousseau de clés ? murmura-t-il. Je n'ai jamais rien entendu de pareil.

— C'est ce que je pense, dit Francis.

— C'est peut-être pas vrai, C-Bird. Nous ne sommes pas censés avoir les clés.

Napoléon faisait passer son poids d'un pied sur l'autre, comme si le sol, sous ses pantoufles déchirées, était devenu brûlant.

— Je crois que si tu sortais, je veux dire si tu sortais du bâtiment, il serait assez facile d'éviter les rondes de la sécurité. Ils n'ont pas l'air d'avoir inventé la poudre, hein ? Et je crois qu'ils doivent pointer aux mêmes endroits, à la même heure toutes les nuits, alors tu vois… même quelqu'un d'aussi dingue que nous, avec un peu de préparation, ne devrait pas avoir de mal à les éviter…

Il glousa légèrement, riant à l'idée inimaginable que les gens de la sécurité étaient incompétents. Puis il se rembrunit.

— Mais le problème ne serait pas là, hein, C-Bird ?

— Où serait le problème, d'après toi ? demanda Francis.

— Pour rentrer. Même si tu as une clé, la porte se trouve juste devant le poste de soins. Tous les pavillons sont pareils, non ? Et même si l'infirmière, ou l'aide-soignant de garde, s'est endormie, le bruit de la porte les réveillera.

— Et les sorties de secours, sur le côté du pavillon ?

— Je crois qu'elles sont condamnées. Ça va sans doute contre les règles de la protection incendie. Il faudrait demander à Peter. Il doit savoir ça.

— Sans doute. Mais alors, même si on veut le faire, tu crois que c'est impossible ?

— Il doit exister un autre moyen. Sauf que je n'en ai jamais entendu parler, depuis le temps que je suis ici. Et je n'ai jamais entendu parler de quelqu'un qui voudrait changer d'endroit, C-Bird. Jamais. Pas une seule fois. Pourquoi donc, alors que nous avons ici, dans ce pavillon, tout ce que nous voulons ?

Francis se dit que la question était déprimante. En outre, ce n'était pas vrai. Il existait au moins une personne dont les besoins allaient au-delà de ce dont parlait Napoléon. Alors Francis se posa la question, pour la première fois : De quoi l'Ange a-t-il besoin ?

C'est Peter qui repéra le type du service d'entretien au moment où nous sortions de la salle commune. Par la suite, je me suis demandé si les choses auraient pu se passer autrement si nous avions été capables de voir exactement ce qu'il faisait. Mais nous allions parler à Lucy, ce qui était toujours notre priorité absolue. Plus tard, je passai des heures, voire des jours à réfléchir à la manière dont les choses s'accordent entre elles… Est-ce que le résultat aurait été différent si l'un de nous trois avait été capable de voir les relations, si importantes, entre les causes et les effets ? La folie, parfois, est affaire de fixation, de manie. L'obsession de l'Efflanqué pour le mal. Le besoin d'absolution de Peter. Le désir de justice de Lucy. Mais Peter et Lucy n'étaient pas fous, bien sûr, en tout cas pas au sens que je connaissais, que Gulp-Pilule connaissait, que peut-être même M. Débile connaissait. Mais, curieusement, les désirs sont parfois assez puissants pour devenir en soi une sorte de folie. À la différence près qu'ils ne sont pas aussi facilement identifiables que ma propre folie, par exemple. Cela dit, le type du service d'entretien, un homme d'une quarantaine d'années avec des poches sous les yeux, vêtu d'une chemise et d'un pantalon gris, de grosses bottes de chantier, aux cheveux noirs parsemés de blond-roux, aux vêtements abîmés par les taches de graisse, aurait dû nous mettre la puce à l'oreille. Sa main crasseuse tenait une caisse à outils en bois, et un chiffon déchiré pendait à sa ceinture. Ses clés tintaient légèrement en frappant la lampe torche jaune revêtue de plastique accrochée à sa taille. Il arborait l'air satisfait de l'homme qui voit approcher la fin d'une tâche longue et désagréable. Peter et moi, nous l'entendîmes déclarer aux frères Moïse, en allumant une cigarette : « Il n'y en a plus pour longtemps, maintenant. Presque fini. Bon Dieu, quelle garce ! » Puis il se dirigea vers un débarras, à l'extrémité opposée du couloir par rapport à celui où on avait trouvé Blondinette.

Quand j'y repense, je revois tant de petites choses qui auraient dû avoir du sens. Des petits faits qui auraient dû être des événements importants. Un employé du service d'entretien. Un attardé mental. Un homme qui parlait tout seul. Un autre, apparemment endormi, dans un fauteuil. Une femme qui se prenait pour une antique reine égyptienne. J'étais jeune, et je n'avais pas compris que le crime était un ensemble de mécanismes et de pièces détachées. Des boulons et des écrous, des vis et des broches, assemblés pour créer un mouvement autonome qui va de l'avant, contrôlé par des forces qui sont un peu comme le vent. Invisibles, mais laissant des signes de leur passage. Un morceau de papier qui s'envole tout à coup et retombe sur le trottoir, une branche d'arbre qui s'agite de part et d'autre, ou simplement les nuages noirs, au loin, qui filent dans un ciel menaçant. Il m'a fallu longtemps pour le comprendre.

Peter le savait, Lucy également. C'était peut-être ce qui faisait le lien entre eux, au début en tout cas. Ils étaient en éveil, en quête permanente de tout indice susceptible de leur dire où chercher l'Ange. Plus tard, après coup, j'ai pensé qu'ils étaient liés par quelque chose de plus complexe. C'était le fait qu'ils étaient arrivés à l'hôpital Western State à la même époque, sans savoir précisément ce qu'ils cherchaient. Ils avaient l'un et l'autre un grand vide en eux, et l'Ange était là pour le combler.

J'étais assis au milieu de mon salon, les jambes croisées.

Le monde autour de moi semblait calme et silencieux. Je n'entendais même pas un pleur d'enfant dans l'appartement des Santiago. Dehors, au-delà de la fenêtre du salon, il faisait nuit noire. Une obscurité aussi épaisse qu'un rideau de scène. Je tendis l'oreille, cherchant le bruit de la circulation, mais même cela était étouffé. Aucun moteur Diesel de camion ne venait interrompre le silence. Je regardai mes mains et me dis que l'aube serait là dans deux ou trois heures. Peter m'avait dit un jour que les dernières heures de la nuit étaient le moment de la journée où le plus de gens mouraient.

C'était l'heure de l'Ange.

Je me levai, je pris mon crayon et je me mis à dessiner. Quelques minutes plus tard, j'avais reproduit Peter tel que je me le rappelais. Puis j'entrepris de dessiner Lucy à côté de lui. Je voulais que sa beauté soit pure, alors je trichai un peu avec la cicatrice. Je la fis plus courte qu'en réalité. Ils furent bientôt là tous les deux, exactement comme ils étaient dans mon souvenir, pendant les premiers jours. Avant que nous changions, tous.

Lucy Jones ne voyait pas quel raccourci pourrait lui permettre d'approcher l'homme qu'elle pourchassait. Rien d'aussi simple et évident, en tout cas, qu'une liste de patients qui auraient pu commettre les quatre meurtres. Alors elle suivit le docteur Gulptilil qui l'escorta d'un pavillon à l'autre, et dans chacun d'eux, elle passa en revue la liste des résidents masculins. Elle élimina tous ceux qui souffraient de démence sénile, et elle examina attentivement les listes de patients considérés comme des attardés profonds. Elle barra aussi de sa liste le nom de tous ceux qui se trouvaient à l'hôpital depuis plus de cinq ans. Elle devait reconnaître qu'elle suivait son intuition. Elle se disait que quelqu'un ayant été si longtemps enfermé serait tellement bourré d'antipsychotiques, tellement dérangé par sa folie, qu'il aurait toutes les peines du monde à fonctionner hors de l'établissement, même avec une efficacité limitée. Et la personne qu'elle appelait l'Ange était capable de vivre aussi bien dehors que dedans. Plus elle y réfléchissait, plus elle était persuadée que l'homme qu'elle cherchait était apte à fonctionner dans les deux univers.

À sa grande consternation, elle réalisa qu'elle ne pouvait pas éliminer les membres du personnel. Elle aurait beaucoup de mal à convaincre le médecin-chef de lui confier les dossiers des employés. Il refuserait certainement, en l'absence d'indices suggérant qu'un médecin, une infirmière ou un aide-soignant pouvait être lié au crime. Elle suivait sans l'écouter vraiment le petit médecin indien, qui pérorait sans fin sur les qualités des établissements spécialisés pour malades mentaux. Elle se demandait plutôt comment elle allait procéder.

À la fin du printemps, le soir, en Nouvelle-Angleterre, se répand une lumière grise, comme si le monde n'était pas sûr que le moment est venu de quitter les mois d'hiver, froids et humides, pour entrer dans l'été. Les vents chauds du Sud renforcés par la haute pression se mêlaient aux courants froids qui tombaient du Canada. Les deux phénomènes antagonistes étaient comme des immigrants importuns en quête d'un nouveau foyer. Lucy prit conscience que les ombres, autour d'elle, s'étiraient sur le sol des jardins de l'hôpital et progressaient irrésistiblement vers les pavillons. Elle avait à la fois chaud et froid, comme si elle avait la fièvre.

Plus de deux cent cinquante suspects figuraient sur les listes qu'elle avait établies dans les pavillons successifs, et elle se disait, non sans inquiétude, qu'elle en avait peut-être éliminé une centaine un peu trop vite. Elle estimait aussi qu'il pouvait y avoir vingt-cinq ou trente suspects possibles dans le personnel, mais elle n'était pas prête à creuser dans cette direction, parce que cela lui aliénerait le médecin-chef, dont l'aide lui était indispensable.

Alors qu'ils approchaient du pavillon Amherst, elle réalisa qu'elle n'avait entendu aucun sifflet, aucun cri émaner des pavillons qu'elle venait de dépasser. Ou bien elle en avait entendu, et elle n'avait pas réagi. Elle s'en fit la remarque, en se disant qu'il ne fallait pas longtemps, dans le monde de l'hôpital, pour que les choses les plus bizarres deviennent une routine.

— J'ai fait quelques recherches sur le genre d'individu que vous poursuivez, lui dit le docteur Gulptilil alors qu'ils traversaient la cour centrale.

Leurs pas résonnaient sur le goudron de l'allée. Lucy vit qu'un agent de sécurité fermait pour la nuit les portes métalliques de l'hôpital.

— Il est intéressant de voir le peu de littérature médicale consacrée à ce phénomène meurtrier. Très peu de véritables études, hélas. Les services de police ont bien essayé, à plusieurs reprises, d'établir un profil criminel, mais les ramifications psychologiques, les diagnostics et les traitements mis en œuvre pour ce genre d'individus sont généralement laissés de côté. Vous devez comprendre, mademoiselle Jones, que, dans la communauté psychiatrique, nous n'aimons pas perdre notre temps avec les psychopathes.

— Et pourquoi cela, docteur ?

— Parce qu'on ne peut pas les soigner.

— Pas du tout ?

— Non. Pas du tout. Pas le psychopathe classique, en tout cas. Il ne répond pas aux traitements par antipsychotiques, contrairement aux schizophrènes. Contrairement aussi aux patients souffrant de personnalités multiples, de troubles obsessionnels compulsifs, de dépression chronique, et à un certain nombre de diagnostics pour lesquels nous avons développé des traitements pharmacologiques. Ah, cela ne veut pas dire que les psychopathes ne présentent pas de pathologies identifiables et médicalement reconnaissables. Loin de là. Mais leur manque d'humanité – je suppose que c'est la meilleure façon de le dire – les place dans une catégorie différente. Une catégorie qui est mal comprise.

Ils résistent aux traitements à long terme, mademoiselle Jones. Ils sont de mauvaise foi, manipulateurs, souvent grandiloquents et extrêmement séduisants. Ils obéissent à des pulsions personnelles, inadmissibles selon les critères de la morale et de la vie en société. Terrifiants, je dois dire. Des individus très inquiétants, quand il s'agit d'établir un contact médical avec eux. Le génial psychiatre Hervey Cleckley a publié un recueil intéressant d'études de cas, que je serais très heureux de vous prêter. Il s'agit peut-être du travail définitif sur ce type de patients. Mais vous en trouverez la lecture extrêmement pénible, mademoiselle Jones, parce que ses conclusions suggèrent que nous ne pouvons pas faire grand-chose, cliniquement parlant.

Lucy s'arrêta devant l'Amherst. Le petit médecin se tourna vivement vers elle en inclinant légèrement la tête, comme s'il tendait l'oreille. Un seul hurlement aigu déchira l'air, venant d'un des pavillons voisins, mais ils l'ignorèrent.

— Combien de vos patients sont diagnostiqués comme psychopathes ? demanda-t-elle brusquement.

— Ah, je m'attendais à cette question, dit-il en secouant la tête.

— Et quelle est la réponse ?

— Aucun des traitements que nous proposons ici ne convient à un patient diagnostiqué comme psychopathe. Les traitements à long terme ne pourraient rien pour lui, pas plus que les cures de psychotropes. Pas même certains programmes radicaux que nous pouvons dispenser à l'occasion, comme les électrochocs. Ce patient ne réagirait pas non plus à des formes traditionnelles de traitement, comme une psychothérapie ou une psychanalyse classique. Non, mademoiselle Jones, les psychopathes n'ont pas leur place à Western State.

Leur place est plutôt en prison. C'est là, d'ailleurs, qu'on les trouve en général.

— Vous n'essayez pas de me dire qu'il n'y en a aucun ici, n'est-ce pas ? demanda-t-elle après un temps d'hésitation.

Le docteur Gulptilil sourit, tel le chat du Cheshire.

— Il n'y a personne ici dont le dossier mentionne ce diagnostic clairement et sans équivoque, mademoiselle Jones. Nous avons quelques patients chez qui on signale d'éventuelles tendances psychopathologiques, mais seulement comme symptômes secondaires d'une maladie mentale plus profonde.

Lucy fit la grimace, énervée par ses manières évasives.

Le docteur Gulptilil toussota.

— Mais évidemment, mademoiselle Jones, si vos soupçons sont fondés, et si votre séjour parmi nous ne repose pas sur un malentendu, comme beaucoup de gens semblent le croire, il est clair qu'un de nos patients a fait l'objet d'une grave erreur de diagnostic.

Il tendit le bras et ouvrit la porte de l'Amherst avec sa clé. Il la tint ouverte devant Lucy, avec une petite révérence et une galanterie légèrement forcée.

14

Il était tard ce soir-là quand Lucy regagna sa petite chambre au premier étage du pavillon des élèves infirmières, et elle devait se déplacer dans le noir. C'était un des bâtiments les plus obscurs de l'hôpital. Il était isolé dans un coin sombre, non loin de la centrale électrique, avec son bourdonnement permanent et ses nuages de fumée, et dominait le petit cimetière. Comme si les morts, enterrés là un peu au hasard, aidaient à amortir les bruits autour du pavillon. C'était un immeuble de brique droit et carré : deux étages, murs couverts de lierre, imposantes colonnes doriques devant le portique extérieur. Il avait été reconverti cinquante ans plus tôt, puis réaménagé à la fin des années quarante et au début des années soixante, et ce qui avait été sa première incarnation – une belle et prestigieuse demeure à flanc de coteau – n'était plus que souvenirs. Lucy tenait des deux mains une boîte en carton contenant une quarantaine de dossiers de patients, qu'elle avait sélectionnés dans sa liste de noms. Les dossiers de Peter le Pompier et de Francis étaient dans le lot. Elle avait profité d'un moment où M. Evans avait relâché son attention. Elle les avait pris pour satisfaire, espérait-elle, une curiosité persistante. Elle voulait savoir pourquoi ses deux partenaires se trouvaient à l'hôpital psychiatrique.

Elle avait l'intention de se familiariser avec le contenu général des dossiers. Après quoi, quand elle maîtriserait les informations disponibles, elle commencerait à interroger les patients. Dans l'immédiat, elle ne pouvait pas élaborer d'autre stratégie. Elle ne disposait d'aucune preuve matérielle lui permettant d'aller de l'avant, même si elle savait parfaitement qu'il devait s'en trouver quelque part. Un couteau. Une arme tranchante. Une lame bricolée comme on en trouve dans les prisons, ou un cutter. Un objet soigneusement caché. Il devait y avoir des vêtements ensanglantés, peut-être une chaussure dont la semelle aurait gardé des traces du sang de l'infirmière. Quelque part, aussi, il y avait les quatre phalanges manquantes.

Elle avait appelé les inspecteurs qui avaient emmené l'Efflanqué en garde à vue et les avait interrogés à ce sujet. Ils s'étaient révélés singulièrement inutiles. Le premier affirmait qu'il les avait jetées dans les toilettes après les avoir sectionnées. Ce qui supposerait beaucoup d'effort pour rien, se dit-elle. L'autre, sans l'affirmer clairement, caressait l'hypothèse que l'Efflanqué les avait avalées.

« Après tout, avait déclaré cet inspecteur, ce mec est vraiment fou à lier. »

Lucy avait eu l'impression qu'ils n'avaient pas envie de chercher d'autres réponses.

« Allons, mademoiselle Jones, lui avait dit le premier flic. Nous tenons le type. Et nous avons une affaire plaidable, sauf qu'il est cinglé. »

Le carton rempli de dossiers était lourd. Elle dut le poser en équilibre sur son genou pour tirer la porte latérale du dortoir. Elle n'avait encore rien trouvé qui suggérât un comportement qu'elle aurait dû examiner de plus près. Tout le monde était bizarre, dans cet hôpital. C'était un monde qui avait aboli les lois ordinaires de la raison. Hors de l'hôpital, un voisin aurait peut-être remarqué quelque chose d'anormal. Un collègue de travail, au bureau, se serait senti mal à l'aise. Un parent aurait eu des soupçons.

À l'hôpital, c'était impossible. Elle devait découvrir de nouvelles pistes. Il lui fallait débusquer le tueur qui s'y cachait. À ce jeu, elle savait qu'elle avait des chances de gagner. Il ne serait pas très difficile de déjouer les plans d'un aliéné. Ou d'un homme qui feignait d'être fou. Le problème, dans l'immédiat, se disait-elle, un peu découragée, était de définir les paramètres du jeu.

Une fois que les règles seraient en place, elle gagnerait la partie. Elle se hissa péniblement dans l'escalier, aussi épuisée qu'après une longue maladie. On lui avait enseigné que toutes les enquêtes se ressemblent, que c'est toujours la même pièce de théâtre prévisible qu'on joue sur une scène bien définie. Et c'était vrai, qu'il s'agisse d'examiner les livres comptables d'une firme soupçonnée de fraude fiscale ou de mettre la main sur un braqueur de banques, un pédophile ou un escroc. Un élément en amenait un autre, qui menait à un troisième, jusqu'à ce que tout le puzzle – ou une partie suffisante du puzzle – soit visible. Lorsqu'une enquête n'aboutissait pas (cela ne lui était encore jamais arrivé), c'était parce qu'une des pièces du puzzle était cachée, ou obscure, et que quelqu'un exploitait cette absence. Expirant à fond, elle haussa les épaules. Il fallait absolument qu'elle pousse cet homme, celui qu'ils appelaient l'Ange, à commettre une erreur.

La première chose à faire était de chercher, dans les dossiers, les actes de violence mineure. Un homme capable de commettre tous ces meurtres ne pouvait pas dissimuler totalement une tendance naturelle à l'emportement, même dans cet hôpital. Il doit y avoir des signes, se dit-elle. Un éclat. Des menaces. Une explosion de rage. Il fallait seulement qu'elle soit sûre de les reconnaître quand ils se présenteraient. Dans le monde décalé de l'hôpital psychiatrique, quelqu'un devait avoir remarqué quelque chose qui ne collait pas avec les types de comportement acceptables.

Lucy Jones était également persuadée que, dès qu'elle se mettrait à poser des questions, elle obtiendrait des réponses. Elle se fiait énormément à son talent pour interroger les gens et faire apparaître la vérité. Elle n'imaginait pas encore les différences qu'il y avait entre poser une question à une personne saine d'esprit et poser la même question à un malade mental.

La cage d'escalier lui rappelait certains pavillons de dortoirs à Harvard. Ses pas résonnaient sur les marches de ciment. Brusquement, elle prit conscience qu'elle était seule dans un espace isolé et clos. Un afflux de souvenirs horribles l'envahit soudain, l'obligeant à retenir son souffle. Puis elle expira lentement, comme si le fait d'expulser l'air chaud de ses bronches pouvait l'aider à évacuer les souvenirs qui la paralysaient. Elle regarda autour d'elle, fiévreusement, pendant un moment. *Je suis déjà venue ici*, se dit-elle, avant de repousser cet accès de terreur. Il n'y avait pas de fenêtres, et aucun son ne lui parvenait de l'extérieur. C'était la deuxième fois ce jour-là qu'elle était surprise par l'environnement sonore. La première fois, c'était lorsqu'elle avait réalisé qu'il régnait dans l'hôpital un vacarme continu. Gémissements, cris aigus, huées et murmures. Elle s'y était habituée sans s'en rendre compte. Elle s'immobilisa.

Ce silence, se dit-elle, est aussi inquiétant qu'un hurlement.

Penchée au-dessus de la rampe de métal noir, elle regarda en haut et en bas pour s'assurer qu'elle était seule. La cage d'escalier était bien éclairée, et il n'y avait aucune zone d'ombre où quelqu'un aurait pu se dissimuler. Elle attendit encore quelques instants, en essayant de repousser le sentiment de claustrophobie qui s'emparait d'elle : elle avait l'impression que les murs s'étaient légèrement rapprochés. Il faisait frais dans l'escalier. Elle frissonna, en se disant que le chauffage des chambres ne venait pas jusque-là. Mais elle se trompait. Elle sentit tout à coup la sueur couler sous ses bras.

Lucy secoua la tête, comme si un mouvement énergique allait suffire à la débarrasser de son malaise. Elle avait les mains moites, ce qu'elle attribua à l'hôpital et à la mission qu'elle s'était fixée. Elle tenta de se rassurer, se répétant qu'elle était une des rares personnes saines d'esprit dans l'établissement, et que cela expliquait sa nervosité. Elle subissait sans doute le choc en retour de tout ce qu'elle avait vu et ressenti depuis son arrivée.

Elle frotta son pied sur le sol, comme pour ramener dans l'escalier une sorte de normalité rassurante.

Mais le bruit qu'elle produisit lui arracha un frisson. Ses souvenirs la brûlaient comme de l'acide.

Lucy sentit sa gorge se nouer. Elle se concentra sur la règle qu'elle s'était fixée : ne jamais ressasser ce qui lui était arrivé, tant d'années auparavant. Il était inutile de revisiter la douleur, de se rappeler la peur, ou de raviver une blessure si profonde. Elle se rappela le mantra qu'elle avait adopté après avoir été agressée. *Si tu te laisses faire, tu resteras une victime toute ta vie.* Machinalement, elle leva la main vers sa joue balafrée, mais le poids de la boîte en carton arrêta son mouvement. Elle sentait l'endroit où elle avait été marquée, comme si la cicatrice la brûlait, et elle se rappela la pression des points de suture, aux urgences, alors que le chirurgien tentait de rapprocher les tissus déchirés. Une infirmière s'était efforcée de la réconforter, doucement, tandis que deux inspecteurs, un homme et une femme, attendaient derrière le rideau blanc. Les médecins s'occupèrent d'abord des blessures visibles, celles qui saignaient, puis des autres, plus douloureuses mais internes. C'est alors qu'elle avait entendu parler pour la première fois du « kit de viol ». (Ce ne serait pas la dernière. Dans les années qui suivirent, elle ferait de ces mots un usage professionnel et personnel.) Elle expira de nouveau, lentement. La pire nuit de sa vie avait commencé dans un escalier semblable à celui-ci. Elle repoussa énergiquement cette idée terrifiante, aussi vite qu'elle était apparue.

Je suis seule, se répéta-t-elle. Il n'y a personne d'autre que moi.

Les dents serrées, l'oreille tendue pour repérer le moindre bruit inhabituel, elle ferma la porte et entra au premier étage du pavillon. Sa chambre (celle qu'avait occupée Blondinette) était la plus proche de la cage d'escalier. Elle posa le carton pour sortir de sa poche la clé que lui avait donnée le docteur Gulptilil.

Elle l'introduisit dans la serrure, puis se figea. Sa porte était ouverte. Elle s'écarta de quelques centimètres, révélant le début d'un rectangle obscur. Lucy recula brusquement dans le couloir, comme si la porte était électrifiée.

Elle regarda à droite et à gauche, la tête penchée en avant, essayant de voir s'il y avait quelqu'un, ou d'entendre un bruit qui lui révélerait une présence. Mais elle avait l'impression d'être devenue aveugle et sourde. Elle fit appel à tous ses sens, et tous la mirent en garde.

Elle hésita, ne sachant trop ce qu'elle devait faire. Durant les trois années passées à instruire les affaires de crimes sexuels au bureau du procureur du comté de Suffolk, elle avait beaucoup appris. Tout en s'élevant rapidement dans la hiérarchie, jusqu'à devenir bientôt la première assistante du patron, elle s'était immergée dans toutes ces agressions, les analysant dans le moindre détail. La régularité des crimes avait créé chez elle une sorte de mécanisme de contrôle permanent, grâce auquel le moindre détail de son existence se voyait confronté à un critère invisible : *Est-ce qu'il s'agit de la petite erreur qui fournira une occasion à quelqu'un ?* En résumé, cela voulait dire qu'elle ne devait pas se trouver seule, en pleine nuit, dans un parking obscur, ni ouvrir quand un visiteur non identifié frappait à sa porte. Cela voulait dire laisser ses fenêtres fermées, rester sur ses gardes continuellement, parfois même porter le revolver que le bureau du procureur l'autorisait à posséder. Cela voulait aussi dire qu'elle ne devait pas répéter les erreurs innocentes qu'elles avait commises durant cette fameuse nuit d'horreur, alors qu'elle était étudiante en droit.

Elle se mordit la lèvre. Son arme était cachée dans un étui, au fond de son sac, dans la chambre. Elle tendit l'oreille et se dit qu'il n'y avait rien d'anormal. Mais tout ce qu'il y avait de rationnel en elle clamait le contraire. Prise de terreur, elle posa le carton plein de dossiers et le repoussa sur le côté. Le versant prudent de son cerveau lui lançait inlassablement un signal de mise en garde. Elle l'ignora et tendit la main vers la poignée de la porte. La main sur le bouton de cuivre, elle se figea. Si le métal avait été brûlant, elle ne l'aurait sans doute pas remarqué. Elle expira lentement et recula d'un pas.

Elle s'interrogea, comme si le fait de repousser sa décision lui donnait plus de poids : La porte était fermée à clé, et maintenant elle est ouverte. Qu'est-ce que tu vas faire ?

Lucy recula encore un peu, fit brusquement demi-tour et s'engagea dans le couloir qu'elle fouilla du regard, à droite puis à gauche, l'oreille tendue. Elle pressa le pas. Elle courait presque sur le sol recouvert de moquette qui étouffait le bruit de ses pas. Toutes les autres chambres de l'étage étaient fermées et silencieuses. Essoufflée, elle atteignit le bout du couloir. Elle se jeta dans l'escalier, ses souliers claquant sur les marches. Déserte et sonore, la cage d'escalier était identique à celle qui se trouvait de l'autre côté. Elle franchit une lourde porte et, enfin, elle entendit des voix. Elle tourna dans leur direction, descendit les marches quatre à quatre et tomba sur trois jeunes femmes près de l'entrée principale du rez-de-chaussée. Elles portaient l'uniforme blanc des infirmières sous des gilets de couleurs variées. Surprises, elles regardèrent Lucy qui se précipitait vers elles.

Avec des gestes un peu erratiques, Lucy reprit sa respiration.

— Excusez-moi…

Les trois élèves infirmières la dévisagèrent.

— Excusez-moi d'interrompre votre conversation. Je suis Lucy Jones, assistante du procureur. Je suis ici pour…

— Nous savons qui vous êtes, mademoiselle Jones, et pourquoi vous êtes ici, dit une des infirmières, une grande Noire, avec de larges épaules athlétiques et des cheveux assortis à la couleur de sa peau. Quelque chose ne va pas ?

Lucy hocha la tête. Elle reprit son souffle, en s'efforçant de retrouver son sang-froid.

— Je ne suis pas sûre, dit-elle. En revenant ici tout à l'heure, j'ai trouvé la porte de ma chambre ouverte. Je suis certaine de l'avoir fermée à clé ce matin, avant d'aller au pavillon Amherst…

— Ce n'est pas normal, dit une autre infirmière. Même si le service d'entretien ou les gens du ménage étaient entrés, ils étaient censés fermer à clé en partant. C'est le règlement.

— Je suis désolée, dit Lucy, mais j'étais toute seule, là-haut, et…

La grande Noire acquiesça d'un air compréhensif.

— Nous sommes toutes un peu sur les nerfs, mademoiselle Jones, même si l'Efflanqué a été arrêté. Ce genre de chose n'est pas censé arriver à l'hôpital. Voulez-vous que nous vous accompagnions, toutes les trois, et que nous jetions un coup d'œil ?

Personne ne ressentit le besoin de lui demander ce que signifiait « ce genre de chose ».

— Merci, fit Lucy avec un soupir. C'est très gentil. J'en serais très heureuse.

Les quatre femmes montèrent l'escalier de concert. On aurait dit une formation de canards au milieu d'un lac au petit matin. Les infirmières continuaient leur bavardage, échangeant des potins sur un couple de médecins de l'hôpital, et des plaisanteries sur le groupe d'avocats qui étaient venus à l'hôpital cette semaine-là pour les auditions judiciaires. Lucy, qui les précédait, s'approcha rapidement de sa porte.

— C'est très gentil, répéta-t-elle.

Elle saisit le bouton de porte, le tourna, poussa. Le pêne l'empêcha d'aller plus loin. La porte remua vaguement, mais elle ne s'ouvrit pas.

Lucy poussa de nouveau. Les infirmières lui jetèrent un regard étonné.

— Elle était ouverte, dit Lucy. Elle était vraiment ouverte.

— Maintenant, on dirait bien qu'elle est fermée, rétorqua l'infirmière noire.

— Je suis sûre qu'elle était ouverte. J'ai mis la main sur la poignée, j'ai mis la clé dans la serrure, et avant que j'aie le temps de la tourner, la porte s'est ouverte, fit Lucy sans conviction.

Brusquement, elle doutait.

Il y eut un silence gêné. Elle sortit sa clé de sa poche, l'introduisit dans la serrure et ouvrit la porte. Derrière elle, les trois infirmières hésitèrent.

— Si on entrait pour jeter un coup d'œil ? demanda l'une d'elles.

Lucy ouvrit la porte en grand et entra dans la chambre. Il faisait sombre. Elle alluma le plafonnier. La lumière envahit la petite pièce. C'était un espace étroit et vide, presque une cellule monacale aux murs nus, avec une commode trapue, un lit d'une personne, un petit bureau de bois brun et une chaise à dossier. Son sac, ouvert, était posé au milieu du lit, sur le couvre-lit de velours rouge, qui était la seule surface de couleur vive de la pièce. Tout le reste était couleur bois, ou blanc comme les murs. Sous le regard des trois infirmières,

Lucy ouvrit le petit placard fixé à une des parois et regarda à l'intérieur, s'assurant qu'il était vide. Puis elle se rendit dans la petite salle de bains et inspecta la douche. Elle s'agenouilla pour regarder sous le lit, mais elles savaient parfaitement que personne ne s'y cachait. Lucy se releva, s'épousseta et se tourna vers les trois infirmières.

— Je suis confuse. Je suis tout à fait certaine que la porte était ouverte, et j'avais l'impression que quelqu'un m'attendait dans la chambre. Je vous ai dérangées, et…

Les trois infirmières secouèrent la tête.

— Vous n'avez aucune raison de vous excuser, dit la Noire.

— Je ne m'excuse pas, fit Lucy d'un air résolu. La porte était ouverte.

Elle n'était pas très sûre que ce soit vrai.

Les infirmières gardèrent le silence. Puis la Noire haussa les épaules.

— Comme je le disais tout à l'heure, fit-elle lentement, nous sommes tous un peu à cran, et deux précautions valent mieux qu'une.

Les deux autres eurent un murmure d'approbation.

— Ça va mieux, maintenant ? demanda l'infirmière.

— Oui. Parfait. Merci, dit Lucy d'un ton un peu raide.

— Eh bien, si vous avez besoin d'aide, demandez à n'importe qui. N'hésitez pas. Mieux vaut se fier à son instinct, dans des moments comme ça.

L'infirmière n'expliqua pas ce qu'elle entendait par « des moments comme ça ».

Lucy s'enferma à clé dès que les infirmières furent reparties dans le couloir. Un peu embarrassée, elle s'appuya contre la porte. Elle jeta un regard autour d'elle. Tu ne t'es pas trompée, se dit-elle. Il y avait quelqu'un ici. Quelqu'un attendait.

Elle jeta un coup d'œil sur son sac. Ou quelqu'un était en train de l'examiner. Elle inspecta le modeste assortiment de vêtements et de produits de toilette qu'elle avait apporté avec elle. Elle sut immédiatement que quelque chose avait disparu. Elle ne savait pas ce que c'était, mais elle savait qu'on avait pris quelque chose dans sa chambre.

C'était toi, hein ?

Ce jour-là, tu as essayé de dire à Lucy quelque chose d'important à propos de toi, et elle n'a pas compris. C'était crucial et effrayant, beaucoup plus effrayant que tout ce qu'elle ressentait lorsque sa porte s'est refermée avec un bruit rassurant. Elle pensait encore comme une personne saine d'esprit, à son grand désavantage.

Peter le Pompier inspecta le dortoir, en s'efforçant de séparer sa tâche immédiate de la douleur que lui valaient des souvenirs lointains. Ses pensées était hantées par l'incertitude, et il commençait à ressentir l'amertume due à l'indécision. Il se considérait comme un homme résolu et déterminé, et le doute le mettait mal à l'aise. Il savait que c'était un coup de tête qui l'avait incité à proposer à Lucy Jones ses services et ceux de C-Bird, et il était certain d'avoir bien fait. Mais son enthousiasme l'avait empêché d'envisager l'échec. Il devait trouver une manière de réussir. Partout où l'entraînait sa réflexion, il se heurtait à des contraintes et des interdictions, et il ne voyait pas comment surmonter toutes ces restrictions.

Il se considérait comme le seul être pragmatique dans tout l'hôpital psychiatrique.

Il soupira. C'était le milieu de la nuit. Il s'appuyait au mur, les pieds tendus hors du lit, écoutant le tapage que faisaient les dormeurs autour de lui. Même la nuit, se dit-il, la souffrance ne connaît pas de répit. Les patients sont incapables d'échapper à leurs problèmes, quelle que soit la quantité de sédatifs que leur prescrit Gulp-Pilule. Il se dit que c'était cela qui était si sournois dans la maladie mentale. Il fallait une telle force de volonté et un traitement si approfondi pour être capable de guérir que la tâche semblait herculéenne à la plupart des patients, et impossible à certains. Il entendit un long gémissement et faillit se tourner dans sa direction. Mais il n'en fit rien, car il savait qui en était l'auteur. Cela l'attristait de voir Francis s'agiter dans son sommeil. Il savait que le jeune homme ne méritait pas les souffrances qui surgissaient dans le noir.

Peter essaya de se détendre, mais en pure perte. Il se demanda un instant si lui-même était agité lorsqu'il s'abandonnait au sommeil. La différence entre lui et les autres, y compris son jeune ami, c'est qu'il était coupable et qu'eux ne l'étaient sans doute pas.

Ses narines perçurent soudain l'odeur douceâtre d'un combustible. Il pensa d'abord à de l'essence, puis à un mélange pour briquet.

Il était tellement surpris qu'il faillit se redresser et sauter de son lit, tant l'illusion était forte. Son premier réflexe fut de donner l'alerte, d'organiser les hommes et de les faire sortir avant que l'incendie inévitable n'éclate. Dans son esprit, il vit des langues de feu rouge et jaune lécher la literie, les murs, le sol sous ses pieds. Il sentit la suffocation brutale, désespérée, qui suivrait tandis que d'épais rideaux de fumée retomberaient sur le sol de la pièce. La porte était fermée à clé, comme toutes les nuits, et il entendait les hommes paniqués hurler, appeler à l'aide, tambouriner sur les murs. Tous les muscles de son corps se durcirent puis, tout aussi rapidement, se détendirent. Il inspira à fond et réalisa que l'odeur qu'il croyait avoir détectée n'était qu'une hallucination, semblable à celles qui tourmentaient Francis ou Nappy, et à celles, désastreuses, dont souffrait l'Efflanqué.

Il se disait parfois que toute son existence avait été définie par les odeurs. Les odeurs de bière et de whisky qu'il associait à son père, mêlées aux odeurs de sueur séchée et de crasse après le travail sur les chantiers de construction. Son père rapportait parfois aussi des odeurs grasses de mazout, quand il avait réparé des machines. Et à chaque fois qu'il enfonçait la tête dans la large poitrine paternelle, ses narines étaient pleines de l'odeur froide du tabac des dizaines de cigarettes qui finiraient par le tuer. Sa mère, par contraste, sentait toujours la camomille, parce qu'elle s'efforçait de lutter contre l'âpreté des lessives qu'elle utilisait dans son travail de blanchisseuse à domicile. Parfois, sous l'odeur lourde des savons qu'elle aimait, Peter parvenait à déceler vaguement celle, plus âcre, de l'eau de Javel. Elle sentait bien meilleur le dimanche, quand elle s'était nettoyée à fond. Mais elle avait passé le début de la matinée dans la cuisine à cuire le pain, de sorte que, lorsqu'elle se mettait sur son trente et un pour aller à la messe, il émanait d'elle une odeur de pain mélangée à celle d'une propreté ostentatoire, comme si c'était le souhait du bon Dieu. L'église, c'était les vêtements raides sous l'aube blanc et or de l'enfant de chœur, et l'encens qui le faisait parfois éternuer. Il se rappelait toutes ces odeurs, comme si elles trouvaient autour de lui, à l'hôpital.

La guerre lui avait fourni tout un nouveau catalogue d'odeurs à se rappeler. Les parfums lourds de la jungle, la végétation et la chaleur, la cordite et le phosphore blanc des escarmouches. Les odeurs grasses de la fumée et du napalm, au loin, qui se mêlaient aux effluves de la forêt environnante. Il s'était habitué aux odeurs de sang, de vomi et d'excréments si souvent associées à celle de la mort. Il y avait les odeurs de cuisine exotique, dans les villages qu'ils traversaient, et les odeurs dangereuses des marais et des champs inondés où ils devaient passer. Il y avait l'odeur âcre, familière, du haschich, dans les cantonnements, et l'odeur acide, qui piquait les yeux, des produits liquides dont ils se servaient pour nettoyer leurs armes. C'était le royaume des odeurs nouvelles et dangereuses.

À son retour, il avait appris que le feu pouvait avoir des dizaines d'odeurs différentes, à ses différentes étapes et dans ses différentes formes. Les feux de bois ne sont pas comme les feux chimiques. Le premier jaillissement, timide et caressant, est différent du moment où le feu s'élève, fleurit, différent aussi d'un brasier qui satisfait sa propre voracité. Et tout cela est différent des odeurs épaisses des poutres noircies et des barres de métal tordues qui apparaissent lorsque le feu a été circonscrit et défait. Peter avait appris à reconnaître l'odeur de l'épuisement, pour autant que la fatigue ait une odeur caractéristique. Une des premières choses qu'on lui avait enseignées, à l'école de police anti-incendie, c'était à se servir de son nez, parce que l'essence qu'on utilisait pour mettre le feu ne sentait pas comme le kérosène, et avait une odeur différente de tous les autres moyens de destruction dont disposait l'humanité. Certaines étaient subtiles, au bouquet vague et insaisissable. D'autres étaient évidentes, révélaient l'amateurisme, attiraient l'attention dès l'instant où l'on posait le pied sur les décombres.

Quand il avait allumé son propre incendie, il s'était servi d'essence ordinaire, qu'il avait achetée à une station-service à moins de deux kilomètres de l'église. Payée avec une carte de crédit à son nom. Il tenait à ce qu'on n'ait pas le moindre doute quant à l'origine du brasier.

Dans la semi-obscurité du dortoir, Peter le Pompier secoua la tête, sans savoir exactement pourquoi. Cette nuit-là, il avait contrôlé sa rage meurtrière, il avait simplement réfléchi à tout ce qu'il avait appris sur la manière de dissimuler l'origine d'un incendie, tout ce qu'il fallait savoir sur la prudence et la discrétion... et il l'avait délibérément ignoré. Il avait laissé une piste si évidente que l'enquêteur le moins expérimenté n'aurait eu aucun mal à la trouver. Après avoir mis le feu, il avait traversé la nef en direction de la sacristie, hurlant pour attirer l'attention mais persuadé qu'il était seul. Il s'était arrêté en entendant le feu progresser derrière lui, impatient, et avait levé les yeux vers un vitrail qui avait semblé tout à coup s'embraser et prendre vie, comme si le feu se reflétait en lui. Il s'était signé, comme il l'avait fait mille fois, était sorti de l'église et avait attendu, sur la pelouse, de la voir exploser. Puis il était rentré chez lui. Assis sur les marches chez sa mère, dans le noir, il avait attendu l'arrivée de la police. Il savait qu'il avait fait du bon travail, que la brigade la plus efficace ne parviendrait pas à éteindre l'incendie avant qu'il soit trop tard.

Ce qu'il ignorait, c'était que le prêtre qu'il haïssait tant se trouvait à l'intérieur. Sur un lit de camp, dans son bureau – et non chez lui, dans son lit, là où il aurait dû se trouver en toute logique. Il dormait profondément, grâce au puissant somnifère que lui avait sans doute prescrit un médecin de la paroisse, inquiet de le voir si pâle, les traits tirés, et d'entendre ses sermons angoissés. Il était normal qu'il soit angoissé, car il savait que Peter le Pompier savait ce qu'il avait fait à son neveu, et il savait également que, de tous les paroissiens, seul Peter était capable de réagir. Cela avait toujours troublé Peter. Il y avait tant de gens sur lesquels le prêtre aurait pu jeter son dévolu, et qui n'étaient pas liés à quelqu'un qui était capable de réagir. Il se demandait également si le médicament qui maintenait le prêtre dans un profond sommeil pendant que la mort crépitait autour de lui était le même que celui que Gulp-Pilule donnait à ses patients à l'hôpital. Si c'était le cas, il trouvait cette symétrie agréablement ironique, presque drôle.

— Ce qui est fait est fait, murmura Peter à voix haute.

Il regarda autour de lui, pour voir s'il n'avait pas réveillé quelqu'un.

Il essaya de fermer les yeux. Il savait qu'il avait besoin de sommeil, mais dormir ne lui apporterait pas le repos.

Énervé, il bondit soudain et balança ses pieds par-dessus le bord du lit. Il devait aller au cabinet de toilette et boire un peu d'eau. Il se frotta le visage, comme si c'était suffisant pour effacer les souvenirs.

Ce faisant, il eut tout à coup l'impression qu'on l'observait.

Il se redressa brusquement, immédiatement en alerte, et lança des regards nerveux dans le dortoir. La plupart des hommes étaient noyés dans l'ombre. Une faible lueur se glissait par un coin de fenêtre. Son regard fouilla l'obscurité, longea les rangées de dormeurs agités, mais il n'en vit pas un seul qui fût réveillé, et certainement pas un seul qui regardât dans sa direction. Il essaya en vain de repousser cette sensation. Il eut une crispation nerveuse au fond de l'estomac, comme si ses cinq sens lui hurlaient un avertissement. Il tenta de retrouver son calme, car il commençait à se dire qu'il risquait de devenir aussi paranoïaque que les hommes qui l'entouraient. Mais tandis qu'il s'efforçait de se rassurer, il décela un léger mouvement, à la limite de son champ de vision.

Il se tourna dans cette direction et, pendant une seconde, il aperçut un visage derrière le petit hublot de la porte du dortoir. Leurs regards se croisèrent puis, tout aussi brusquement, le visage disparut de son champ de vision.

Peter bondit. Il se précipita dans le noir, courut vers la porte en slalomant entre les patients endormis. Il colla son visage sur la vitre épaisse et regarda dans le couloir. Incapable de voir au-delà d'un ou deux mètres de part et d'autre, il ne discernait qu'un bout de couloir désert et obscur.

Il tira sur la poignée de la porte. Elle était verrouillée.

Une vague de colère et de frustration l'envahit soudain. Il serra les dents et quelque chose, au fond de lui-même, lui dit que ce qu'il cherchait serait toujours hors d'atteinte, derrière une porte verrouillée.

Le faible éclairage, la pénombre, l'épaisseur de la vitre, tout avait conspiré à l'empêcher de remarquer le moindre détail du visage. Tout ce que sa mémoire avait gardé, c'était la férocité du regard qui s'était posé sur lui. Un regard dur, mauvais. Pour la première fois, il se dit que l'Efflanqué avait peut-être raison, avec toutes ses protestations et ses supplications. Quelque chose de mauvais rôdait dans l'hôpital, et Peter savait que ce mal savait tout de lui. Il tenta de se convaincre que le fait de le savoir le rendait plus fort. Mais c'était peut-être un mensonge.

15

Quand midi arriva, j'étais épuisé. Trop peu de sommeil. Trop de pensées électriques se croisant sans répit dans mon crâne. Je m'accordai une petite pause, assis par terre les jambes croisées, et je fumai une cigarette. Je me dis que les rayons du soleil qui coulaient à flots par les fenêtres, apportant avec eux la chaleur lourde et oppressante de la vallée, avaient chassé l'Ange. Telle une créature issue de l'imagination d'un romancier gothique, l'Ange était un pilier de la nuit. Tous les bruits de l'activité diurne – le grondement du diesel d'un camion ou d'un autobus, le cri lointain d'une sirène de police, le bruit sourd des paquets de journaux qu'un livreur jette sur le trottoir, des écoliers discutant d'une voix sonore – se liguaient pour l'éloigner. Lui et moi savions que j'étais beaucoup plus vulnérable durant les heures silencieuses de la nuit. La nuit apporte le doute. L'obscurité sème la peur. Je m'attendais qu'il revienne dès le coucher du soleil. On n'a pas encore inventé de remède capable de calmer les symptômes de la solitude qu'apporte la fin du jour. Mais, entre-temps, j'étais à l'abri. Autant que je pouvais raisonnablement le souhaiter. Quel que soit leur nombre, les serrures et les verrous fixés à ma porte ne pouvaient repousser mes pires terreurs. Cette pensée me fit rire haut et fort.

Je relus le texte qui avait jailli de mon crayon, en me disant : J'ai pris beaucoup trop de libertés.

Le lendemain matin, un peu après le petit déjeuner, Peter le Pompier m'avait pris à l'écart.

— J'ai vu quelqu'un, murmura-t-il. Par le hublot de la porte d'entrée. Il regardait à l'intérieur, comme s'il cherchait quelqu'un. Je ne trouvais pas le sommeil. Allongé sur mon lit, j'ai eu l'impression que quelqu'un m'observait. Quand j'ai levé les yeux, je l'ai vu.

— Tu l'as reconnu ? lui demandai-je.

— Aucune chance, fit Peter en secouant la tête. Pendant une seconde, il était là, et le temps que je saute du lit, il était parti. Je suis allé au hublot, j'ai regardé à l'extérieur, mais je n'ai vu personne.

— Et l'infirmière de garde ?

— Je ne l'ai pas vue non plus.

— Où était-elle ?

— Je ne sais pas. Aux toilettes ? Partie faire un tour ? Peut-être à l'étage au-dessus, en train de bavarder avec sa collègue ? En train de dormir dans son fauteuil ?

— Qu'en penses-tu ? demandai-je d'une voix où la nervosité commençait à percer.

— J'aimerais être sûr que c'était une hallucination. On en a beaucoup, ici.

— C'était le cas ?

Peter sourit, puis il secoua la tête.

— Je n'ai pas eu cette chance.

— C'était qui, d'après toi ?

Il eut un rire sans joie.

— C-Bird, tu sais très bien qui je soupçonne.

Je me figeai, inspirai à fond, en essayant de repousser les bruits qui se propageaient dans ma tête.

— Pourquoi crois-tu qu'il est venu à la porte ?

— Il veut nous voir.

Voici ce que je me rappelais clairement. Je me rappelais où nous étions, comment nous étions habillés. Peter avait sa casquette des Red Sox, légèrement relevée en arrière. Je me rappelais ce que nous avions mangé ce matin-là : des crêpes au goût de carton trempées dans un sirop épais qui évoquait plus l'industrie agro-alimentaire qu'un érable de Nouvelle-Angleterre.

J'écrasai ma cigarette sur le sol nu de l'appartement et me mis à remâcher mes souvenirs – au lieu des aliments dont j'avais indiscutablement besoin. C'était ce qu'il m'avait dit. Pour le reste, j'essayai de deviner. Je n'étais pas certain que la nuit précédente il avait été incapable de trouver le sommeil à cause de ce qu'il avait fait des mois plus tôt. Il ne m'avait pas dit franchement que c'était cela qui le tenait éveillé. Je ne sais même pas si j'y avais pensé, à l'époque. Mais aujourd'hui, des années plus tard, je me dis qu'il ne pouvait en être autrement. C'était logique, bien sûr, parce que Peter était pris au piège du buisson d'épines de la mémoire. Et, très vite, tous ces souvenirs se sont amalgamés. C'est pour cela que si je veux raconter son histoire, mais aussi celle de Lucy et la mienne, je dois prendre certaines libertés. La vérité est un terrain glissant, qui ne me met pas vraiment à l'aise. C'est le cas de tous les dingues. Alors, si j'écris des choses, elles sont peut-être fausses. Ou peut-être exagérées. Ça ne s'est peut-être pas passé tout à fait comme je me le rappelle ou bien ma mémoire est si tiraillée, torturée par tant d'années de médicaments, que la vérité m'échappera à jamais.

Seuls les poètes peuvent s'imaginer que la folie est libératrice. C'est le contraire qui est vrai. Chaque voix intérieure, chaque peur, chaque compulsion, chaque petit détail qui s'ajoute aux autres pour créer le triste « moi » qui a été chassé de la maison où il a grandi, et expédié à l'hôpital Western State… tout cela n'a pas le moindre rapport avec la liberté ou avec une quelconque libération, ni avec le fait d'être unique, au sens positif du terme. Non, toutes ces forces ne sont que des règles et des conventions, des exigences et des restrictions tracées sur un panneau qu'on a placé en évidence au fond de ma tête. Être fou, c'est un peu comme être en prison. L'hôpital Western State n'est que l'endroit où l'on nous garde pendant que nous nous chargeons d'édifier notre propre enfermement intérieur.

Cela n'était pas tout à vrai pour Peter, qui n'a jamais été aussi fou que nous autres.

Ce n'était pas vrai non plus pour l'Ange.

Lucy, curieusement, était la passerelle qui les reliait.

Nous nous trouvions toujours à l'extérieur du réfectoire, attendant que Lucy arrive. Peter semblait préoccupé, ressassant ce qu'il avait vu et ce qui s'était passé durant la nuit. Je le regardais. Il avait l'air de prendre l'un après l'autre les fragments de ces moments-là, de les lever à la lumière et de les retourner lentement, comme un archéologue le ferait d'une relique, soufflant doucement la poussière du temps qui s'y était déposée. Peter faisait de même avec le fruit de ses observations. Comme s'il pensait qu'il lui suffisait de présenter les choses sous le bon angle, de les lever sous le bon rayon de lumière, pour les voir dans toute leur vérité. À l'instant dont je parle, il était engagé dans ce processus. Le visage de marbre, il regardait devant lui, mais il voyait autre chose que ce qu'il avait sous les yeux. Je suppose que chez l'un de nous, les fous, cela aurait été le regard qui précède l'arrivée d'une hallucination ou d'une vision. Dans le cas de Peter, cela voulait simplement dire qu'il examinait un détail.

Alors que je l'observais, il se tourna vers moi.

— Maintenant, nous savons au moins ceci : l'Ange ne vit pas dans le même dortoir que nous. Peut-être est-il dans l'autre dortoir, à l'étage au-dessus. Peut-être vient-il d'un autre pavillon, même si je n'ai pas encore compris comment. En tout cas, nous pouvons éliminer nos camarades de chambrée. Et nous savons autre chose. Il a appris que nous sommes impliqués dans cette affaire, mais il ne nous connaît pas. Pas assez. Alors il cherche.

Je me tournai vers le couloir. Appuyé contre un mur, un cata fixait le plafond. Il pouvait être en train d'écouter Peter. Il pouvait aussi bien écouter une voix intérieure. Impossible de savoir. Un vieil homme sénile, dont le pyjama était tombé sur ses chevilles, passa près de nous d'une démarche hésitante, bavant sur son menton mal rasé, grommelant et chancelant, comme s'il ne comprenait pas que son pantalon l'empêchait de marcher normalement. L'attardé mental costaud qui s'était montré menaçant quelques jours plus tôt passa en titubant dans son sillage. Quand il se tourna brièvement vers nous, je vis qu'il avait le regard apeuré, sans la colère et l'agressivité de l'autre fois. Je me dis qu'on avait dû modifier sa posologie.

— Comment savoir qui nous observe ? demandai-je.

Je tournai la tête à droite et à gauche. Un courant glacé me traversa quand je réalisai qu'un homme, parmi des centaines de patients plongés dans leurs rêveries, pouvait être en train de me surveiller.

Peter haussa les épaules.

— Quelle blague, hein ! C'est nous qui menons l'enquête, mais c'est l'Ange qui nous a à l'œil. Il faut rester sur nos gardes. Quelque chose va se présenter.

Levant les yeux, je vis Lucy Jones qui franchissait la porte d'entrée de l'Amherst. Elle s'arrêta un instant pour parler à une infirmière, et Big Black les rejoignit d'un pas tranquille. Elle lui tendit quelques chemises brunes de la pile qui débordait du carton qu'elle venait de poser sur le sol luisant. Peter et moi, nous nous dirigeâmes vers elle. Mais nous fûmes interceptés par le Journaliste, qui nous avait vus et bondit pour nous couper la route. Ses lunettes étaient de travers, sa tignasse se dressait sur son crâne. Son sourire était autant de guingois que le reste de son attitude.

— Mauvaises nouvelles, Peter, dit-il en souriant comme si cela pouvait dédramatiser ce qui allait suivre. Ce sont toujours de mauvaises nouvelles.

Peter ne répondit pas. Le Journaliste, tête penchée, avait l'air un peu déçu.

— D'accord, fit-il.

Il regarda Lucy Jones, et il eut l'air de se concentrer. On eût dit qu'il devait consentir un effort énorme pour solliciter sa mémoire. Au bout de quelques secondes, il sourit.

— *Boston Globe*, 20 septembre 1977. Nouvelles locales, page 2B. « Elle refuse d'être une victime : une diplômée en droit de Harvard nommée à la tête de l'Unité des crimes sexuels. »

Peter se figea. Il se tourna tranquillement vers le Journaliste.

— Tu te rappelles la suite ?

Le Journaliste hésita encore, se concentra de nouveau pour activer sa mémoire. Puis il récita :

— « Lucy Jones, vingt-huit ans, après trois ans de carrière dans les affaires de chiens écrasés et de crimes mineurs, vient d'être nommée à la tête de la toute nouvelle Unité des crimes sexuels au bureau du procureur du comté de Suffolk, a annoncé aujourd'hui un porte-parole. Mlle Jones, diplômée en droit à Harvard (1974), sera responsable des affaires d'agressions sexuelles et travaillera en étroite collaboration avec la police criminelle, sur les meurtres précédés de viols, dit encore le porte-parole. »

Le Journaliste reprit son souffle.

— « Mlle Jones a déclaré à la presse qu'elle possédait une qualification particulière pour ce poste. Il se fait qu'elle a été victime d'une agression durant sa première année d'études à Harvard. En dépit de nombreuses propositions de cabinets privés, a-t-elle déclaré, elle a préféré entrer au bureau du procureur parce que l'homme qui l'avait agressée n'avait jamais été arrêté. Son point de vue sur les crimes sexuels, ajoute-t-elle, vient d'une connaissance intime des dégâts qu'une agression peut provoquer sur le plan affectif, et de la frustration devant un système judiciaire mal équipé pour lutter contre ce genre de violences. Elle exprime son espoir d'établir un modus operandi dont d'autres accusateurs publics, dans l'État et ailleurs dans le pays, pourraient s'inspirer… »

Le Journaliste hésita :

— Il y avait aussi une photo. Et autre chose. J'essaie de me rappeler…

Le Journaliste fouilla dans sa mémoire.

— Non… dit-il lentement.

Le petit homme eut un sourire, puis, comme toujours, il disparut sans demander son reste, en quête d'un exemplaire du journal du jour. Peter le suivit des yeux puis se tourna vers moi.

— Eh bien, cela explique une chose et commence à en expliquer d'autres, n'est-ce pas, C-Bird ?

J'étais d'accord, mais je préférai lui demander :

— Quoi ?

— Eh bien, pour commencer, cette cicatrice qu'elle a sur la joue.

La cicatrice, bien sûr. J'aurais dû faire plus attention à la cicatrice.

Assis dans mon appartement, en m'imaginant la balafre blanche qui coupait en deux le visage de Lucy Jones, je répétais l'erreur que j'avais déjà commise tant d'années auparavant. Je voyais le défaut sur sa peau parfaite, et je me demandais comment cela avait changé sa vie. Je me disais que j'aurais aimé la toucher, à l'époque.

J'allumai une autre cigarette. Une fumée âcre monta en tourbillonnant dans l'air immobile. Je serais resté là, perdu dans mes souvenirs, si quelqu'un n'avait donné tout à coup une série de coups violents à ma porte.

Non sans mal, je me mis sur pied, les sens en alerte. J'étais trop nerveux pour réfléchir. Je me dirigeai vers la porte d'entrée, et j'entendis qu'on m'appelait par mon prénom, « Francis ! », puis une autre série de coups portés sur le panneau de bois.

— Francis ! Ouvre ! Tu es là ?

Je m'immobilisai et je réfléchis un instant à la curieuse juxtaposition des deux injonctions, « Ouvre ! » puis « Tu es là ? ». Au mieux, elles étaient dans le désordre.

J'avais reconnu cette voix, bien sûr. J'attendis une seconde, car je m'attendais à en entendre une autre, tout aussi familière.

— Francis, s'il te plaît. Ouvre la porte, pour qu'on te voie…

Sœur numéro un et Sœur numéro deux. Megan, aussi exigeante qu'un enfant, avec la taille et le caractère d'un rugbyman professionnel. Colleen, qui fait la moitié de son poids, et dont la timidité n'a d'égale que son incompétence vertigineuse quant aux choses les plus simples de la vie (du genre « tu-peux-faire-ça-pour-moi-je-ne-saurais-pas-par-où-commencer »). Je n'avais aucune patience, ni avec l'une ni avec l'autre.

— Francis, nous savons que tu es là, et je veux que tu ouvres cette porte immédiatement !

Requête suivie d'une nouvelle volée de coups sur la porte.

Je posai mon front sur le panneau, puis je pivotai, le dos collé contre la porte, comme pour les empêcher d'entrer. Au bout d'une minute ou deux, je me retournai de nouveau et demandai à voix haute :

— Qu'est-ce que vous voulez ?

Sœur numéro un : « Que tu ouvres la porte ! »

Sœur numéro deux : « Être sûres que tu vas bien. »

Prévisible.

— Je vais bien, mentis-je sans me forcer. Je suis occupé. Revenez un autre jour.

— Francis, est-ce que tu prends tes médicaments ? Ouvre immédiatement !

La voix de Megan était aussi autoritaire et à peu près aussi patiente que celle d'un sergent instructeur des marines par une journée de canicule sur Parris Island.

— Francis, nous sommes inquiètes à ton sujet !

Colleen se serait inquiétée pour la terre entière. Elle s'inquiétait en permanence pour moi, pour sa famille, pour nos parents et pour sa sœur, pour les gens dont parlaient les quotidiens du matin et le journal télévisé du soir, pour le maire et le gouverneur, et sans doute pour le président des États-Unis, pour ses voisins et pour la famille en bas de sa rue, qui avaient l'air de traverser une période difficile. S'inquiéter, c'était son style. De mes deux sœurs, elle était la plus proche de mes vieux parents indifférents. C'était ainsi depuis que nous étions enfants : elle cherchait toujours leur approbation pour tout ce qu'elle faisait et probablement pour tout ce à quoi elle pensait.

— Je vous l'ai dit, je vais bien, fis-je prudemment, sans élever la voix ni ouvrir la porte. Je suis occupé, c'est tout.

— Occupé à quoi ? demanda Megan.

— Occupé à un projet personnel, voilà tout.

Je me mordis la lèvre. Ça ne marchera pas, me dis-je. Pas une seule seconde. Elle va être encore plus insistante, parce que j'ai piqué sa curiosité.

— Un projet ? Quel genre de projet ? Est-ce que ton assistant social t'a dit que tu pouvais avoir un projet ? Francis, ouvre la porte tout de suite ! Nous avons fait toute la route en voiture parce que nous étions inquiètes, et si tu n'ouvres pas…

Elle n'avait pas besoin d'aller jusqu'au bout de sa menace. Je n'étais pas sûr de ce qu'elle pourrait faire, mais je me doutais que ce serait pire que ce qui se passerait si j'ouvrais. J'entrebâillai la porte d'une quinzaine de centimètres et me plaçai devant l'ouverture pour les empêcher d'entrer. J'avais la main sur la porte, prêt à la claquer si nécessaire.

— Vous voyez ? Me voici, en chair et en os. Pas tout à fait décati. Exactement comme hier, et le même que demain.

Elles m'inspectèrent avec soin. Je regrettai de ne pas m'être lavé pour me rendre un peu plus présentable, avant d'aller répondre à la porte. Mes joues hâves, mes cheveux crasseux et hirsutes et mes doigts jaunis par la nicotine ne donnaient sans doute pas la meilleure impression. J'essayai de fourrer ma chemise dans mon pantalon, mais je réalisai que ça ne faisait qu'attirer l'attention sur mon apparence négligée. Colleen eut un léger hoquet en me voyant. Mauvais signe, ça. Pendant ce temps, Megan essayait de regarder derrière moi, et je devinai qu'elle avait vu le texte écrit sur les murs du salon. Elle ouvrit la bouche puis s'immobilisa, réfléchit à ce qu'elle voulait dire, puis :

— Tu prends tes médicaments ?

— Bien sûr.

— Tu prends bien *tous* tes médicaments ?

Elle insistait, comme si elle s'adressait à un enfant particulièrement lent.

— Oui.

C'était le genre de femme à qui il est facile de mentir. Je ne me sentais même pas coupable.

— Je ne te crois pas, Francis.

— Crois ce que tu veux.

Mauvaise réponse. Mentalement, je me donnai un coup de pied.

— Tu entends encore des voix ?

— Non. Absolument pas. Qu'est-ce qui a pu te donner une idée pareille ?

— Tu te fais à manger ? Tu dors ?

C'était Colleen, cette fois. Un peu moins tendue, mais plus inquisitrice.

— Trois repas par jour, et huit bonnes heures de sommeil chaque nuit. Mme Santiago m'a préparé une grande assiette de poulet au riz, l'autre jour.

J'avais parlé très vite.

— Qu'est-ce que tu fais, là-dedans ? demanda Megan.

— Je dresse simplement l'inventaire de ma vie. Rien de spécial.

Elle secoua la tête. Elle ne me croyait pas et tendait le cou en avant.

— Pourquoi ne veux-tu pas nous laisser entrer ? demanda Colleen.

— J'ai besoin d'être seul.

— Tu entends encore des voix, décida Megan. J'en suis sûre.

Après une hésitation, je lui lançai :

— Comment ça ? Tu les entends aussi ?

Ce qui, évidemment, la mit un peu plus en colère.

— Tu dois nous laisser entrer immédiatement !

Je secouai la tête.

— Je veux qu'on me fiche la paix, répondis-je.

Colleen était au bord des larmes.

— Je veux simplement que vous me fichiez la paix. Pourquoi êtes-vous venues, d'abord ?

— On te l'a dit, fit Colleen. Nous étions inquiètes pour toi.

— Pourquoi ? Est-ce que quelqu'un vous a demandé de vous inquiéter pour moi ?

Mes deux sœurs échangèrent un regard puis se tournèrent vers moi.

— Non, fit Megan en essayant de refréner son impatience. Cela faisait si longtemps que nous n'avions pas de nouvelles…

Je leur souris. C'était agréable, maintenant tout le monde mentait.

— J'ai été occupé. Si vous voulez un rendez-vous, que quelqu'un de chez vous appelle ma secrétaire.

J'essaierai de vous glisser dans mon agenda avant la fête du Travail.

Ma plaisanterie ne les fit même pas rire. Je commençai à repousser la porte, mais Megan avança d'un pas et mit la main dessus. Ça m'empêcha d'aller plus loin.

— Qu'est-ce que c'est que ce texte que je vois là-bas ? demanda-t-elle, le doigt tendu. Qu'est-ce que tu écris ?

— Ce sont mes affaires, pas les vôtres.

— Est-ce que tu écris des choses sur maman et papa ? Sur nous ? Ce ne serait pas juste !

J'étais un peu étonné. Mon diagnostic, c'était qu'elle était plus paranoïaque que moi.

— Qu'est-ce qui te fait croire que vous êtes assez intéressants pour qu'on ait envie d'écrire sur vous ? fis-je lentement.

Je fermai la porte, sans doute un peu trop fort, car son claquement résonna dans le petit immeuble comme un coup de feu.

Elles se remirent à frapper, mais je n'en tins pas compte. Lorsque je m'écartai de la porte, j'entendis dans ma tête un murmure général de voix familières qui me félicitaient pour ce que je venais de faire. Elles aimaient toujours mes petites manifestations de révolte et d'indépendance. Mais elles furent vite remplacées par un rire moqueur strident qui étouffa les bruits connus. Cela ressemblait un peu au cri du corbeau porté par un vent violent, et cela passait, invisible, au-dessus de ma tête. Je frissonnai et me recroquevillai un peu, comme s'il suffisait de se baisser pour esquiver un son.

Je savais qui c'était.

— Tu peux rire ! criai-je à l'Ange. Mais qui d'autre sait ce qui s'est passé ?

Francis prit un siège en face du bureau de Lucy, tandis que Peter faisait les cent pas au fond de la pièce.

— Eh bien, dit le Pompier d'un ton légèrement impatient, madame l'accusateur public, où en sommes-nous ?

Lucy lui montra quelques dossiers.

— Je crois qu'il est temps de convoquer certains patients pour les interroger. Ceux dont les dossiers font état de violences.

Peter hocha la tête. Il semblait consterné.

— Il suffit de parcourir les dossiers pour se rendre compte que ça englobe pratiquement tous les patients de cet hôpital, sauf les séniles et les attardés mentaux… qui peuvent aussi avoir des antécédents violents. Je crois, mademoiselle Jones, qu'il faut trouver des facteurs de sélection plus restrictifs…

Elle le coupa d'un geste.

— Peter, à partir de maintenant, je veux que vous m'appeliez simplement Lucy. Ainsi je ne serai pas obligée de vous appeler par votre nom de famille. J'ai lu dans votre dossier que votre identité est censée être sinon totalement dissimulée, en tout cas, eh bien… disons qu'on ne doit pas la mettre en avant, c'est cela ? À cause de votre notoriété dans une partie non négligeable du grand État du Massachusetts. Je sais aussi qu'à votre arrivée ici, vous avez déclaré à Gulptilil que vous n'aviez plus de nom – un acte de dissociation qu'il a interprété comme le désir de ne pas ajouter à la honte injustifiée qui accable votre grande famille.

Peter cessa d'aller et venir. Francis crut un instant qu'il allait se fâcher. Une de ses voix cria : *Fais attention !* Il s'efforça de ne pas ouvrir la bouche et observa ses deux compagnons. Lucy souriait, comme si elle savait qu'elle avait dérouté Peter. Celui-ci avait l'air de chercher la meilleure riposte. Après quelques secondes, il s'appuya au mur et lui rendit son sourire, avec une expression qui ressemblait à celle de Lucy.

— D'accord, Lucy. Les prénoms, c'est parfait. Mais dites-moi une chose… Vous ne croyez pas qu'il sera inutile, au bout du compte, d'interroger tous les patients ayant un passé violent, ou ceux qui auraient commis un ou deux actes violents depuis leur arrivée ici ? Plus important : de combien de temps disposez-vous ? Combien de temps pensez-vous que cela vous prendra, de trouver la réponse ?

Le sourire de Lucy s'effaça brusquement.

— Pourquoi me demandez-vous cela ?

— Parce que je me demande si votre patron, à Boston, est conscient de ce que vous faites ici.

Le silence s'installa dans la petite pièce. Francis était attentif au moindre mouvement de ses compagnons. Il observait leurs regards, mais aussi la position des bras et des épaules qui pourrait indiquer un décalage subtil avec leurs paroles.

— Qu'est-ce qui vous fait croire que je pourrais ne pas disposer du soutien total de mon bureau ?

— C'est le cas ? demanda simplement Peter.

Francis vit que Lucy envisagea une réponse, puis une autre, et une troisième, avant de se décider.

— Oui et non, dit-elle enfin.

— Ce qui m'a l'air d'être deux avis contradictoires.

Elle acquiesça.

— Ma présence ici n'est justifiée officiellement par aucune affaire précise. Je crois qu'on devrait ouvrir un dossier. Les autres sont indécis. Plus précisément, ils ne sont pas sûrs que cela dépende de notre juridiction. Quand j'ai demandé à venir ici, après avoir appris le meurtre de Blondinette, cela a provoqué au bureau un débat assez houleux. Le résultat, c'est que j'ai pu venir, mais pas officiellement.

— J'imagine que vous ne l'avez pas dit à Gulptilil.

— Vous avez raison, Peter.

Il se dirigea vers le fond du bureau, comme si le mouvement pouvait donner un coup de fouet à sa pensée.

— Combien de temps vous reste-t-il avant que l'administration de l'hôpital en ait assez… ou que votre bureau ait besoin de vous ?

— Pas beaucoup.

De nouveau, Peter sembla hésiter, comme s'il mettait de l'ordre dans ses idées. Francis se dit qu'il voyait les faits un peu comme un guide de montagne. Il voyait les obstacles comme des occasions, et mesurait la réussite selon le nombre d'étapes à franchir.

— Ainsi, reprit-il comme s'il était seul dans la pièce, Lucy est ici, persuadée qu'un criminel se trouve dans les lieux, et elle est résolue à le débusquer. Parce qu'elle a un… un intérêt personnel à cela. Exact ?

— Exact, fit Lucy, dont toute trace de plaisir avait déserté le visage. Le temps passé à Western State n'a manifestement pas affecté vos dons d'enquêteur.

— Oh, pourtant si, dit-il en secouant la tête sans préciser si c'était pour le meilleur ou pour le pire. Et que pourrait bien être cet « intérêt personnel » ?

Après un long silence, Lucy baissa la tête.

— Peter, je crois que nous ne nous connaissons pas encore assez bien. Mais je vais vous dire ceci. L'individu qui a commis les trois autres crimes a nargué le bureau du procureur pour attirer mon attention.

— Nargué le bureau du procureur ?

— Oui. Dans le genre « vous ne m'attraperez pas ».

— Vous ne voulez pas être plus précise ?

— Pas pour le moment. Il y a des détails que nous voulons utiliser en cas de procès. Par conséquent…

— Vous ne voulez pas partager ces détails avec deux dingues, la coupa Peter.

Elle respira à fond.

— Pas plus que vous, vous n'aimeriez me donner des détails si je vous demandais comment vous avez répandu de l'essence dans cette église. Et pourquoi.

Une fois de plus, ils restèrent silencieux. Peter se tourna vers Francis.

— C-Bird ? Qu'est-ce qui relie ces crimes entre eux ? Pourquoi ces meurtres ?

Comprenant qu'on le soumettait à un test, Francis répondit le plus vite possible :

— La description des victimes, pour commencer. L'âge, l'isolement. Elles avaient toutes l'habitude de se déplacer seules. Elles étaient jeunes, elles avaient les cheveux courts, elles étaient plutôt minces. On les a retrouvées dans des lieux exposés aux éléments, mais différents de ceux où elles avaient été tuées, ce qui complique la tâche de la police. C'est vous qui m'avez dit cela. Et dans des juridictions différentes, aussi, ce qui entraîne d'autres problèmes. C'est vous qui me l'avez dit, aussi. Et elles étaient toutes mutilées, de la même façon, mais selon une progression. Les doigts sectionnés, exactement comme Blondinette.

Francis reprit son souffle.

— Je ne me suis pas trompé ?

Lucy Jones hocha la tête, et Peter le Pompier sourit.

— Bravo, dit-il. Nous avons intérêt à rester sur nos gardes, Lucy, parce que le jeune C-Bird ici présent a une mémoire du détail et un sens de l'observation bien plus développés qu'on ne pourrait le croire.

Il s'interrompit, réfléchit un peu.

— Parfait, Lucy. Vous devez garder pour vous, pour le moment en tout cas, des informations qui pourraient nous être utiles. Quelle est la marche à suivre, alors ?

— Nous devons trouver un moyen de repérer ce type, dit-elle, un peu raide mais soulagée, comme si elle venait de comprendre que Peter avait envie de poser une ou deux questions pour faire dévier la conversation.

Francis n'était pas sûr qu'il y eût de la gratitude dans sa réponse, mais il voyait l'intensité de leurs regards. Ils parlaient sans utiliser les mots, comme s'ils comprenaient tous les deux quelque chose qui lui échappait. C'était peut-être vrai, mais Francis remarqua autre chose : Peter et Lucy avaient établi un rapport de confiance qui les plaçait sur le même plan. Peter était un peu moins le malade mental, et Lucy était un peu moins l'assistante du procureur. Tout à coup, ils avaient l'air de partenaires.

— Le problème, fit Peter en pesant ses mots, c'est que je crois que lui, il nous a déjà trouvés.

16

Si la remarque de Peter avait surpris Lucy, elle n'en laissa rien paraître.

— Que voulez-vous dire ? demanda-t-elle.

— Je crois que l'Ange sait que vous êtes ici et qu'il connaît la raison de votre présence. Il me semble qu'il y a ici beaucoup moins de secrets qu'on ne le souhaiterait. Plus précisément, l'idée qu'on se fait du secret est différente. Je soupçonne donc qu'il est parfaitement au courant de la chasse que vous menez contre lui, en dépit des promesses de Gulptilil et d'Evans de ne rien dire. Combien de temps croyez-vous que ces promesses ont été tenues ? Un jour ? Deux, peut-être ? Je parierais que tous les gens qui peuvent le savoir le savent déjà. Et je me demande si notre ami l'Ange n'est pas également au courant du fait que C-Bird et moi, nous vous aidons d'une manière ou d'une autre.

— Comment êtes-vous parvenu à ces conclusions ? demanda Lucy.

Elle parlait d'un ton soupçonneux et soucieux, ce que Peter sembla ne pas remarquer, mais qui n'échappa pas à Francis.

— Ce sont surtout des hypothèses, bien sûr. Mais une chose en amène une autre...

— Dans ce cas, quel est le point de départ ?

Peter la mit rapidement au courant de l'apparition derrière le hublot la nuit précédente. En lui racontant l'incident, et sa course vers la porte pour essayer d'en savoir plus, il observa Lucy avec attention, comme pour mesurer sa réaction.

— Voilà... conclut-il. S'il est au courant pour nous, s'il en sait suffisamment pour avoir envie de nous voir, alors il sait pour vous. C'est difficile à dire, mais, eh bien, vous voilà prévenue.

Il haussa les épaules, mais son regard exprimait une conviction qui contredisait ses gestes.

— Ça s'est passé à quelle heure ? demanda Lucy.

— Tard. Bien après minuit.

Peter vit son hésitation.

— Y a-t-il des informations dont vous aimeriez nous faire part ?

Lucy hésitait toujours. Puis :

— Je crois que j'ai eu de la visite, moi aussi, cette nuit.

Peter se laissa aller en arrière, l'air inquiet.

— Comment cela ?

Lucy leur raconta comment elle était rentrée au pavillon des élèves infirmières, comment elle avait trouvé sa porte ouverte, puis de nouveau fermée. Mais elle était incapable de dire qui avait fait cela, et pourquoi. Elle était convaincue qu'on lui avait pris quelque chose, mais elle ignorait quoi. Tout semblait intact et à sa place. Elle avait pris le temps de faire l'inventaire de ses quelques possessions, et elle n'avait rien vu qui manquât.

— Pour autant que je sache, dit-elle vivement, tout est là. Mais je ne peux me débarrasser de l'idée que quelque chose a disparu.

Peter hocha la tête.

— Vous devriez peut-être vérifier une nouvelle fois. Un vêtement, ça ne vous aurait pas échappé. Quelque chose d'un peu plus subtil... Ce pourrait être des cheveux sur votre brosse. Peut-être vous a-t-il piqué du rouge à lèvres pour s'en mettre sur la poitrine. Peut-être s'est-il aspergé le dos de la main avec votre parfum. Quelque chose dans ce genre-là.

Lucy semblait interloquée par cette suggestion. Elle s'agita sur son siège. Mais, avant qu'elle ait le temps de répondre, Francis secoua vigoureusement la tête.

— Oui, C-Bird, qu'y a-t-il ? fit Peter en se tournant vers lui.

— Je ne sais pas si tu as raison, Peter, dit-il doucement en bégayant un peu. Il n'a pas besoin de prendre quelque chose. Ni vêtements, ni brosse à dents, ni cheveux, ni sous-vêtements ni parfum, ni rien de ce que Lucy a apporté avec elle. Parce qu'il lui a déjà volé quelque chose de beaucoup plus important. Elle ne s'en est pas encore rendu compte. Peut-être parce qu'elle ne veut pas le voir.

Peter eut un sourire.

— Et de quoi s'agit-il, Francis ? demanda-t-il d'une voix presque basse, empreinte d'un plaisir étrange.

La voix de Francis tremblait un peu.

— Il lui a volé son intimité.

Tous trois restèrent silencieux, comme s'ils laissaient les mots de Francis les pénétrer.

— Et autre chose aussi, ajouta-t-il avec précaution.

— Quoi, Francis ? demanda Lucy.

Elle avait rougi et elle tapotait le bureau avec le bout de son crayon.

— Votre sécurité, aussi, peut-être, dit Francis.

Le silence formait comme une chape de plomb dans la petite pièce. Francis se dit qu'il avait peut-être dépassé une limite. Peter et Lucy étaient tous deux des professionnels en matière d'enquête. Ce n'était pas son cas, et il était surpris d'avoir l'audace de s'exprimer, surtout pour dire des choses aussi provocantes. Une de ses voix les plus autoritaires s'exclama : *Tais-toi ! Ferme-la ! Ne te mets pas en avant ! Reste caché ! Reste en sécurité !* Il se demanda s'il devait l'écouter ou pas. Au bout d'un moment, il reprit :

— Je me trompe peut-être. Cela m'est simplement passé par la tête, et je n'y ai pas vraiment réfléchi.

Lucy leva la main.

— Je crois que c'est une remarque absolument pertinente, C-Bird, dit-elle de ce ton professoral qu'elle employait parfois. Je m'en souviendrai. Et sa seconde visite de la nuit, quand il est venu pour vous regarder, vous et Peter, par le hublot ? Que faites-vous de cet incident ?

Francis jeta un regard oblique à Peter, qui lui fit un petit signe d'encouragement.

— Il peut nous voir n'importe quand, Francis. À la salle commune, au réfectoire, même en allant et venant aux séances de groupe. Bon Dieu, nous passons notre temps à traîner dans les couloirs. Il peut nous repérer et nous examiner à loisir. En fait, il l'a probablement déjà fait. Nous ne le savons pas, voilà tout. Pourquoi risquer de se déplacer en pleine nuit ?

— Il nous a probablement surveillés dans la journée, Peter, tu as raison. Mais pour lui ce n'est pas la même chose.

— Comment cela ?

— Pendant la journée, ce n'est qu'un patient comme les autres.

— Oui ? Bien sûr. Mais...

— Mais la nuit, il redevient lui-même.

Peter parla le premier, d'un ton admiratif :

— Je m'en doutais, dit-il avec un petit rire. C-Bird voit des choses.

Francis haussa les épaules en souriant. Il prit cela pour un compliment. Dans un recoin insoupçonné de son cerveau, il reconnut que, durant les vingt et un ans qu'il avait passés en ce bas monde il n'avait eu que très rarement l'occasion de recevoir des compliments. Les critiques, les plaintes et la démonstration de son inadaptation permanente avaient été son quotidien. Peter se pencha et lui donna un petit coup sur le bras.

— Tu ferais un flic génial, Francis. Un peu bizarre, peut-être, mais un flic épatant, c'est sûr. Il va falloir travailler ton accent irlandais, te faire un peu de brioche et de bonnes joues bien rouges, plus une matraque que tu pourras balancer en marchant, et un goût marqué pour les beignets. Non. Une *dépendance* aux beignets. Mais nous y arriverons, tôt ou tard.

Il se tourna vers Lucy.

— Cela me donne une idée.

Elle souriait, elle aussi. Francis se dit qu'il n'était pas difficile de s'amuser du portrait grotesque que Peter faisait de lui, maigre comme un clou, en flic de quartier bâti comme une armoire à glace.

— Une idée, ce serait bien, Peter, lui répondit-elle. Une idée, ce serait excellent.

Peter restait silencieux. Pendant un moment, il agita la main devant lui, comme un chef d'orchestre dirigeant une symphonie, ou un mathématicien écrivant une formule dans le vide parce qu'il lui manque un tableau noir pour tracer les chiffres de ses équations. Puis il tira une chaise vers lui et la retourna, de sorte qu'il avait le dossier devant lui. Francis se dit que cela lui donnait une certaine importance.

— Nous n'avons aucune preuve matérielle, d'accord ? Alors nous n'avons pas de piste. Personne ne nous aidera, à commencer par les flics, qui ont analysé le lieu du crime, mené l'enquête et arrêté l'Efflanqué. D'accord ?

— D'accord, dit Lucy. Trois fois d'accord.

— Et nous ne croyons pas vraiment que Gulp-Pilule et M. Débile, en dépit de leurs promesses, nous aideront beaucoup, d'accord ?

— Toujours d'accord. Je crois qu'il est évident qu'ils choisiront l'approche qui crée le moins de problèmes.

— Exact. Pas difficile de les imaginer tous les deux dans le bureau de Gulptilil – avec Miss Bien-Roulée en train de prendre des notes –, cherchant la manière la plus simple de protéger leurs fesses quoi qu'il arrive. Alors, en fait, nous n'avons pas grand-chose de concret pour le moment. En particulier, il nous manque un point de départ évident et fécond.

Peter bouillonnait d'idées. Francis voyait qu'il était sous tension.

— En quoi consiste une enquête ? poursuivit Peter de manière purement rhétorique, en regardant Lucy dans les yeux. J'en ai mené, vous en avez mené. Adopter une méthode solide, impassible, énergique, déterminée. Ramasser chaque petit bout de preuve et l'ajouter au reste. Construire un tableau du crime, pierre par pierre. Le moindre détail, du début à la conclusion, trouve sa place dans un cadre rationnel. Est-ce que ce n'est pas cela qu'on vous a appris au bureau du procureur ? De sorte que l'accumulation régulière des éléments probants finisse par éliminer tout le monde sauf le coupable ? Voilà les règles, d'accord ?

— Nous savons tous cela. Où voulez-vous en venir ?

— Qu'est-ce qui vous faire croire que l'Ange ne le sait pas, lui aussi ?

— Oui. Sans doute. Et ?

— Alors ce que nous devons faire, c'est tout mettre sens dessus dessous.

Lucy avait l'air perplexe. Mais Francis voyait où Peter voulait en venir.

— Ce qu'il veut dire, dit-il prudemment, c'est que nous devrions nous moquer des règles.

Peter acquiesça.

— Dans cette maison de fous, vous savez ce qui est impossible, Lucy ?

Elle ne répondit pas.

— Ce qui est impossible, c'est d'imposer ici le caractère raisonnable et rationnel du monde extérieur. Cet endroit est dingue. Ce qu'il nous faut, c'est une enquête qui reflète cet univers. Une enquête qui s'accorde à cela. Adaptons ce que nous faisons à l'endroit où nous nous trouvons.

— Vous voulez dire que nous devons nous servir de cet environnement d'une manière à laquelle je n'avais pas pensé ?

— Oui, dit Peter. Nous ne devrions pas agir de la façon à laquelle tout le monde s'attend. Ni en tournant le dos au monde où nous vivons. Dans un endroit de fous, notre enquête doit être folle. Nous devons nous conduire avec la démence que cet endroit exige. Hurler avec les loups, comme on dit.

— Et quelle serait la première étape ? demanda Lucy.

Il était évident qu'elle voulait bien écouter, mais pas s'engager tout de suite.

— Exactement ce que vous avez prévu, dit Peter. Nous les interrogeons. Vous les questionnez ici. On commence doucement, réglo, comme dans les manuels. Puis on fait monter la pression. On accuse des gens en dépit du bon sens. On déforme leurs propos. On leur renvoie leur paranoïa au visage. On se montre aussi injustes, irresponsables et agressifs que possible. On perturbe tout le monde. Tout le monde doit être exaspéré. Et plus nous perturbons le fonctionnement normal de cet hôpital, moins l'Ange se sent en sécurité.

— C'est un plan, fit Lucy en hochant la tête. Peut-être pas le meilleur, mais c'est un plan. Sauf que Gulptilil ne l'acceptera jamais.

— Qu'il aille se faire foutre ! dit Peter. Bien sûr qu'il n'acceptera pas. Pas plus que M. Débile, d'ailleurs. Mais il ne faut pas que ça vous empêche d'avancer.

Elle eut l'air d'y réfléchir pendant un moment, puis elle se mit à rire.

— Pourquoi pas ? Ils ne vous laisseront pas assister aux interrogatoires, Peter. Vous traînez trop de choses derrière vous. Mais vous, c'est différent, Francis. Je pense que c'est vous qui devriez y assister. Vous, et Evans ou le médecin, parce qu'il exige que quelqu'un soit là, et ce sont les règles qu'il a lui-même définies. Nous allons faire beaucoup de fumée, et peut-être verrons-nous un peu de feu.

Personne évidemment ne vit ce que Francis voyait : les dangers d'une telle stratégie. Mais il ne dit rien, fit taire toutes ses voix, nerveuses et soupçonneuses, et se contenta d'adhérer au scénario qui se mettait en place.

Au printemps, parfois – depuis que je me suis installé dans ma petite ville, après avoir quitté Western State –, quand je montais à la passe à poissons où je comptais les saumons pour aider l'Environnement, je repérais les reflets argentés des poissons et je me demandais s'ils savaient que le retour à l'endroit où ils avaient été engendrés, afin de relancer le cycle vital, allait leur coûter la vie. Mon carnet à la main, je les comptais, et je luttais contre le désir de les prévenir. Je me demandais s'ils recevaient un message génétique les informant que le retour les tuerait, ou s'il s'agissait simplement d'une illusion qu'ils acceptaient volontiers, mus par un désir de s'accoupler si puissant qu'il occultait le caractère inévitable de leur mort prochaine. Ou étaient-ils comme des soldats qui, recevant un ordre impossible à exécuter et de toute évidence mortel, décident que le sacrifice est plus important que la vie ?

Ma main tremblait en traçant les marques sur ma feuille de comptage. Toute cette mort qui défilait devant moi. Parfois, on se trompe du tout au tout. Ce qui semble plein de périls, comme le grand large de l'océan, représente la sécurité. Ce qui nous est familier, connu, comme notre foyer, est en réalité beaucoup plus menaçant.

Autour de moi, la lumière semblait décliner. Je m'écartai du mur et m'approchai de la fenêtre du salon. Je sentais la pièce derrière moi se peupler de souvenirs. Il y avait un petit vent du soir, rien de plus qu'une brise tiède. Nous sommes tous conditionnés par le noir, me disais-je. Tout le monde peut passer pour n'importe quoi, à la lumière du jour. Mais ce n'est qu'à la nuit, une fois que le monde a sombré dans l'obscurité, que notre véritable moi surgit.

J'étais incapable de dire si j'étais épuisé ou pas. Je levai les yeux et passai la pièce en revue. Je trouvais intéressant de me voir tout seul et de savoir que cela ne durerait pas. Tôt ou tard, elles reviendraient toutes dans mon crâne. Et l'Ange serait de retour. Je secouai la tête.

Je me rappelai soudain que Lucy avait dressé une liste de près de soixante-quinze noms. Ceux des hommes qu'elle voulait voir.

Lucy dressa une liste de quelque soixante-quinze patients de l'hôpital Western State qui semblaient posséder une potentiel meurtrier. C'étaient tous des hommes qui avaient manifesté une hostilité ouverte à l'égard des femmes, que ce fût par des scènes de ménage, des menaces verbales ou une conduite obsessionnelle à l'égard d'une voisine ou d'une parente à qui ils avaient fait porter le chapeau de leur propre folie. Elle s'accrochait toujours secrètement à l'idée que les meurtres étaient fondamentalement des crimes sexuels. Selon la théorie dominante dans les milieux de la justice criminelle, tous les crimes sexuels étaient d'abord des violences stricto sensu, l'aspect sexuel ne venant qu'en second lieu. Elle ne trouvait pas logique de rejeter tout ce qu'elle avait appris, du moment où elle était devenue elle-même une victime jusqu'aux dizaines de salles d'audience où elle avait contemplé tant d'hommes à la barre, chacun d'eux étant le portrait de celui qui l'avait agressée. Elle avait obtenu un taux de condamnations exemplaire, et elle espérait qu'en dépit des obstacles que l'hôpital psychiatrique élevait devant elle, elle réussirait une fois de plus. La confiance en soi était sa carte de visite.

Tout en traversant les jardins de l'hôpital en direction du bâtiment administratif, elle commença à dresser mentalement le portrait de l'homme qu'elle pourchassait. Il avait la force physique suffisante pour venir à bout de Blondinette. Il était assez jeune pour être mû par une ferveur homicide, mais assez mûr pour ne pas risquer de commettre des actes irréfléchis. Elle était persuadée que l'homme avait à la fois une connaissance empirique et le genre d'intelligence innée qui fait que certains criminels sont si difficiles à coincer. Elle tenta de se convaincre que, lorsqu'elle se trouverait face à face avec cet homme, elle le reconnaîtrait immédiatement.

Son optimisme venait surtout de sa certitude que l'Ange avait envie d'être découvert. Il était vaniteux, se disait-elle, et arrogant, et il ne voulait rien d'autre que remporter la victoire sur elle, dans ce défi intellectuel qui se déroulait à l'intérieur de l'hôpital psychiatrique.

Elle le savait, bien mieux que Peter ou Francis, ou que n'importe qui à Western State. Quelques semaines après le second meurtre, les deux phalanges sectionnées avaient été envoyées à son bureau, de la façon la plus banale qui soit : avec le courrier du jour. L'assassin les avait glissées dans un petit sachet de plastique ordinaire, lui-même scellé dans une enveloppe brune matelassée d'un modèle que l'on trouve dans toutes les papeteries de Nouvelle-Angleterre. L'adresse du destinataire était dactylographiée sur une étiquette qui disait simplement : « Pour le chef de l'Unité des crimes sexuels ».

Une seule feuille de papier accompagnait les restes macabres. Une question y était dactylographiée : « Vous cherchez ça ? » C'était tout.

Au début, quand ces reliques sanglantes avaient été expédiées chez le médecin légiste, Lucy était optimiste. Il n'avait pas fallu longtemps pour être sûr qu'elles appartenaient à la seconde victime, et qu'elles avaient été sectionnés post mortem. La note et l'étiquette avec l'adresse avaient été tapées à l'aide d'une machine à écrire Sears de 1975, modèle 1132. Le cachet de la poste leur avait donné un peu plus d'espoir, car il rétrécissait le champ des recherches au bureau principal de South Boston. Obstinés et efficaces, Lucy et deux inspecteurs attachés à son bureau avaient retrouvé la trace de toutes les machines à écrire Sears 1132 vendues dans le Massachusetts, le New Hampshire, le Vermont et Rhode Island dans les six mois précédant le crime. Ils avaient interrogé tous les employés du bureau de poste, pour le cas où l'un d'eux se souviendrait d'avoir manipulé le colis. Aucune de ces pistes n'avait fourni le moindre indice valable.

Pour les machines payées par chèque ou carte de crédit, Sears avait une fiche. Mais il s'agissait d'un modèle bon marché, et plus du quart des machines achetées durant le laps de temps considéré avaient été payées en liquide. Les enquêteurs découvrirent en outre que pratiquement tous les détaillants de Nouvelle-Angleterre (plus de cinquante en tout) avaient un modèle 1132 en démonstration, que leurs clients pouvaient essayer. Il aurait donc été infiniment simple de s'approcher d'une machine à écrire par un samedi après-midi de grande activité, de glisser une feuille de papier sous le rouleau et d'écrire ce qu'on avait à écrire sans attirer l'attention.

Lucy avait espéré que l'homme qui leur avait envoyé les phalanges recommencerait, soit avec celles de la première victime, soit avec celles de la troisième. Mais il n'en fit rien.

Elle s'était dit que c'était une ironie de la pire espèce. Le message n'était pas dans les mots, ni même dans les fragments de doigts, mais dans l'expédition elle-même, car il était impossible de remonter la piste.

Cela avait eu pour effet secondaire d'inciter Lucy à lire des textes consacrés à Jack l'Éventreur. En 1888, celui-ci avait découpé un morceau de rein d'une prostituée, Catherine Eddowes, alias Kate Kelly, et l'avait envoyé à la police métropolitaine, avec un message ironique signé d'un paraphe. Savoir que sa proie connaissait bien cette affaire célèbre la rendait nerveuse. C'était un indice intéressant, mais cela faisait travailler son imagination. Elle n'aimait pas l'idée que l'homme qu'elle pourchassait puisse faire des allusions à des affaires anciennes, parce que cela signifiait qu'il était intelligent. La plupart des criminels qu'elle avait envoyés en prison étaient d'une remarquable stupidité. À l'Unité des crimes sexuels, on considérait comme un fait acquis que les forces qui poussaient un homme à commettre de tels forfaits le rendaient aussi négligent et peu rigoureux. Ceux qui frappaient au hasard, organisés et prévoyants, étaient nettement plus difficiles à débusquer.

Ces homicides défiaient bizarrement l'analyse. Francis avait vu juste quand Peter lui avait demandé ce qui les reliait. Mais elle ne pouvait repousser l'idée que les cheveux et la corpulence des victimes, ainsi que la sauvagerie de l'agresseur, n'étaient pas les seuls critères.

Elle marchait en traînant les pieds dans une des allées reliant les bâtiments de l'hôpital, perdue dans ses pensées concernant l'homme que Peter et Francis appelaient l'Ange. Elle ignorait cette journée magnifique, les rayons de lumière vive qui caressaient les branches des arbres et réchauffaient le monde avec leur promesse de beau temps. Lucy Jones aimait trier et compartimenter, elle aimait traquer un détail avec toute la rigueur requise – et à ce moment-là, son esprit excluait la température, le soleil et le renouveau de la nature. Négligeant ces simples observations, elle préférait broyer du noir en pensant aux obstacles qui se dressaient devant elle. La logique et une application méthodique des règles l'avaient soutenue tout au long de sa vie adulte. Ce que Peter avait suggéré lui faisait peur, même si elle s'était efforcée de ne pas le montrer. Et c'était normal, admit-elle, parce qu'elle avait du mal à trouver une autre stratégie. C'était un plan, se disait-elle, qui reflétait le caractère passionné de Peter, qui n'était pas conçu dans un esprit rationnel.

Mais Lucy se voyait comme une joueuse d'échecs, et il s'agissait là du meilleur gambit qu'elle eût jamais imaginé. Elle s'exhorta à rester indépendante, ce qui était selon elle la meilleure manière de contrôler les événements.

Tandis qu'elle marchait, tête baissée, plongée dans ses pensées, elle eut soudain l'impression d'entendre quelqu'un prononcer son nom.

Un seul appel, prolongé, « Luuuuuucyyyy… », presque un sifflement, porté par la légère brise de printemps, et s'attardant dans les arbres de l'hôpital.

Elle s'arrêta et fit volte-face. Il n'y avait personne dans l'allée, derrière elle. Elle regarda à droite, puis à gauche, tendit l'oreille, mais le son s'était évanoui.

Elle se dit qu'elle s'était trompée. Ce pouvait être n'importe quoi dans un éventail d'une demi-douzaine de sons différents. Sa propre tension la mettait à cran, et elle avait sans doute mal interprété le cri banal d'un patient, provoqué par la douleur ou l'angoisse, un cri semblable aux centaines d'autres que le vent charriait chaque jour dans l'univers de l'hôpital.

Puis elle se dit qu'elle se mentait. Elle avait bien entendu son nom.

Elle se tourna vers le bâtiment le plus proche et regarda les fenêtres. Elle vit les visages de patients posant sur elle leur regard vide. Elle se tourna lentement vers les autres pavillons. Amherst était éloigné. Elle était plus proche de Williams, Princeton et Yale. Elle tourna sur elle-même, balayant du regard les bâtiments de brique impassibles, en quête d'une indication. Mais tous les pavillons restaient silencieux, comme si sa curiosité avait fermé le robinet de l'angoisse et des hallucinations qui étaient à l'origine de tant de bruits.

Lucy restait clouée sur place. Au bout d'un moment, elle entendit un torrent d'obscénités sortir d'un des pavillons. Il y eut ensuite quelques éclats de voix furieux, et un ou deux hurlements aigus. C'était ce qu'elle s'attendait à entendre. Chaque nouveau bruit la persuadait qu'elle avait eu, un instant plus tôt, une hallucination – ce qui, se dit-elle avec ironie, faisait d'elle un résident comme les autres. C'est avec cette pensée en tête qu'elle reprit son chemin, tournant le dos à toutes les fenêtres, à tous ceux qui la suivaient des yeux, sombrement, un pas après l'autre, et à ceux dont le regard sans expression restait fixé sur le magnifique azur du ciel.

17

Peter le Pompier se tenait au centre du réfectoire. Un plateau à la main, il surveillait l'activité volcanique qui bouillonnait autour de lui. À l'hôpital, les repas donnaient lieu à une série infinie de petits accrochages reflétant les grands conflits intérieurs auxquels les patients faisaient face. Il ne se passait pas le moindre petit déjeuner, déjeuner ou dîner sans qu'éclatent un ou plusieurs incidents mineurs. La détresse était aussi fréquente au menu que les œufs brouillés baveux ou la salade de thon insipide.

À sa droite, Peter vit un homme âgé, sénile, un sourire maniaque aux lèvres. Le lait lui coulait sur le menton et la poitrine, malgré les efforts répétés d'une élève infirmière pour l'empêcher de s'y noyer. À sa gauche, deux femmes se disputaient autour d'un bol de gelée verte. Pourquoi il n'y avait qu'un bol pour deux, tel était le problème que Little Black tentait de résoudre tandis que les deux femmes, qui avaient l'air presque jumelles (boucles de cheveux gris et peignoirs rose pâle et bleu), semblaient prêtes à en venir aux mains. Ni l'une ni l'autre n'avait l'intention de faire les dix ou vingt pas qui les séparaient de la cuisine pour réclamer un second bol de gelée. Leurs voix suraiguës se mêlaient aux claquements des assiettes et des couverts et au nuage de vapeur brûlante qui venait de la cuisine. Soudain l'une d'elles tendit le bras et jeta le bol de gelée sur le sol, où il se fracassa avec un bruit qui évoqua un coup de feu.

Peter rejoignit sa table habituelle, dans le coin, où il pouvait s'appuyer au mur. Napoléon s'y trouvait déjà. Peter s'attendait que Francis arrive d'un instant à l'autre, mais il ignorait où se trouvait le jeune homme. Il s'assit et contempla d'un air dubitatif l'assiette de ragoût de nouilles posée devant lui. Il avait des doutes sur son origine.

— Dis-moi une chose, Nappy, demanda Peter en jouant avec sa nourriture. Qu'est-ce qu'un soldat de la Grande Armée mangerait par une belle journée comme celle-ci ?

Napoléon avait attaqué son ragoût avec empressement. Il engouffrait la pâte visqueuse à pleines fourchetées, comme une machine animée par un piston. La question de Peter ralentit son mouvement. Il finit par s'arrêter tout à fait pour y réfléchir.

— Du corned-beef, dit-il au bout d'un instant. Ce qui, étant donné les conditions sanitaires de l'époque, était assez dangereux. Ou du porc salé. Du pain, certainement. C'était un aliment de base, comme le fromage cuit, qu'on pouvait porter dans un sac à dos. Du vin rouge, je crois, ou de l'eau prise dans un puits ou une source. S'ils se livraient au pillage – ce qui arrivait souvent –, les soldats pouvaient trouver dans une ferme un poulet ou une oie qu'ils faisaient cuire à la broche ou bouillir.

— Et avant de partir au combat ? Un repas spécial, peut-être ?

— Non. Sans doute pas. En général, ils ne mangeaient pas assez. Souvent, ils crevaient de faim, comme en Russie. Alimenter l'armée a toujours été un problème.

Peter tenait un morceau non identifiable de ce qui était censé être du poulet. Il se demandait s'il aurait pu partir au combat avec ce ragoût-là pour toute motivation.

— Dis-moi, Nappy, est-ce que tu penses que tu es fou ? demanda-t-il brusquement.

L'homme rondouillard marqua un temps d'arrêt, une grosse portion de nouilles dégoulinantes suspendue à quinze centimètres de sa bouche. Il réfléchit quelques instants, puis posa sa fourchette. Il soupira.

— Je suppose, Peter, dit-il un peu tristement. Certains jours un peu plus que d'autres.

— Parle-moi un peu de ça.

Napoléon secoua la tête. Le peu d'enthousiasme qui lui restait avait disparu.

— Les médicaments agissent plutôt bien sur les hallucinations. Comme aujourd'hui, par exemple. Je sais que je ne suis pas l'empereur. Je sais simplement beaucoup de choses sur l'homme qui était l'empereur. Et comment mener une armée. Et sur ce qui s'est passé en 1812. Aujourd'hui, je ne suis qu'un historien de catégorie médiocre. Mais demain… je ne sais pas. Je ferai peut-être semblant, ce soir, quand ils me donneront mes médicaments. Tu sais, on glisse le cachet sous la langue pour pouvoir le recracher. On apprend pas mal de trucs, ici. Ou bien la dose ne sera pas tout à fait juste. Ça arrive, ça aussi, parce que les infirmières ont tellement de cachets à distribuer qu'il leur arrive de ne pas faire attention aux quantités. Alors c'est fichu : une vision vraiment puissante n'a pas besoin de beaucoup de terreau pour prendre racine et s'épanouir.

Peter réfléchit un instant.

— Elles te manquent ?

— Quoi ?

— Les visions. Quand elles ont disparu. Est-ce qu'elles te donnent l'impression que tu es spécial, au point que tu redeviens banal quand elles ne sont plus là ?

Napoléon eut un sourire.

— Oui. Parfois. Mais parfois aussi elles font mal, et pas seulement parce que tu découvres combien elles font peur à ceux qui t'entourent. La fixation est si forte qu'elle te submerge. C'est un peu comme un élastique qu'on serre de plus en plus fort, à l'intérieur de toi. Tu sais qu'il va finir par casser, mais à chaque fois que tu te dis qu'il va lâcher et que tout ce qui est en toi va tomber en morceaux, il s'étire encore un peu. Tu devrais demander à C-Bird, je crois qu'il comprend bien…

— Je lui demanderai.

De nouveau, Peter hésita. Il aperçut Francis qui traversait la salle avec précaution pour les rejoindre. Sa démarche lui rappelait celle des hommes en patrouille, au Vietnam, qui ne savaient jamais si le sol où ils posaient le pied n'était pas miné. Naviguant entre les disputes et les crises de fureur, ballotté à droite et à gauche par la rage des uns et les hallucinations des autres, évitant les écueils de la sénilité ou de l'arriération mentale, Francis finit par arriver à leur table. Il se laissa tomber sur une chaise avec un petit grognement satisfait. La traversée du réfectoire est un vrai parcours du combattant, se dit Peter.

Francis montra la pâtée qui se figeait dans son assiette.

— On dirait qu'ils veulent nous engraisser, dit-il.

— On m'a dit qu'ils y mettaient de la Thorazine, chuchota Napoléon d'un ton de conspirateur. Ainsi ils sont sûrs qu'on restera calmes et faciles à contrôler.

Francis regarda les deux femmes privées de gelée. Elles continuaient à se hurler dessus.

— Ça m'étonnerait, dit-il. En tout cas, ça n'a pas l'air très efficace.

— Pourquoi se disputent-elles, à ton avis, C-Bird ? fit Peter avec un geste discret vers les deux femmes.

Francis leva les yeux, hésita, puis haussa les épaules.

— La gelée ?

— Non, ça je le vois bien. Un bol de gelée verte. Je ne savais pas qu'on pouvait se taper dessus pour si peu. Mais pourquoi la gelée ? Pourquoi maintenant ?

Francis comprit ce qu'il lui demandait vraiment. Peter avait une manière bien à lui de dissimuler des interrogations importantes dans de petites questions. Une qualité que Francis admirait beaucoup, parce qu'elle montrait sa capacité à penser au-delà des murs du pavillon Amherst.

— Il s'agit de posséder quelque chose, Peter. Quelque chose de tangible, alors qu'il existe si peu de choses ici qu'on puisse réellement posséder. Il ne s'agit pas de la gelée. Il s'agit d'avoir la gelée. Un bol de gelée ne vaut pas qu'on se batte pour lui. Mais quelque chose qui nous rappelle qui nous sommes, et ce que nous pourrions être, et le monde qui nous tendrait les bras si nous pouvions saisir assez de ces petites choses qui referont de nous des êtres humains… eh bien, ça vaut la peine de se battre pour ça, non ?

Alors que Peter prenait un moment pour réfléchir, ils virent les deux femmes éclater brusquement en sanglots.

Le regard de Peter s'attarda sur elles. Francis se dit que chaque incident de ce genre devait blesser le Pompier au plus profond de lui-même, parce qu'il n'était pas du même monde qu'elles. Il jeta un coup d'œil vers Napoléon, qui haussa les épaules, sourit et retourna, l'air réjoui, à son amas de nourriture. Lui, il appartient au même monde, se dit Francis. Moi aussi. Nous sommes tous chez nous, ici, sauf Peter. Il doit avoir très peur, au fond de lui, car plus il restera longtemps, plus il risque de devenir comme nous. Il y eut dans sa tête un murmure d'assentiment.

Gulptilil jeta un regard désapprobateur sur la liste de noms que Lucy poussait vers lui, sur son bureau.

— On dirait un échantillon important de la population générale de cet hôpital, mademoiselle Jones. Puis-je vous demander selon quels critères vous avez sélectionné ces patients ?

Il avait posé la question d'un ton raide, peu amène. Sa voix chantante, proche du gazouillis, rendait sa prétention un peu ridicule.

— Bien sûr, répondit Lucy. Comme je n'ai pas trouvé de critère de nature psychologique – certaines maladies, par exemple –, je me suis basée sur les manifestations de violence avérées à l'égard des femmes. Chacun de ces soixante-quinze hommes a commis des actes qui peuvent être considérés comme hostiles vis-à-vis du sexe féminin. Les uns plus que les autres, sûrement, mais ils ont tous un critère commun.

Lucy parlait aussi pompeusement que le médecin-chef. Un talent de comédienne qu'elle avait affiné au bureau du procureur, et qui l'avait souvent aidée dans des situations officielles. Les bureaucrates sont intimidés quand on parle leur propre langue, mieux qu'eux-mêmes de surcroît.

Gulptilil se pencha de nouveau sur la liste et passa les noms en revue. Lucy se demanda s'il était capable de relier un visage et un dossier à chacun d'eux. Il faisait comme si c'était le cas, mais elle doutait qu'il s'intéressât assez aux détails de la vie réelle de ses pensionnaires. Quelques instants plus tard, elle l'entendit soupirer.

— Bien sûr, votre description s'applique également à l'homme qu'on a déjà arrêté pour le meurtre, dit-il. Je ferai selon vos vœux, mademoiselle Jones. Mais je dois dire que vous me donnez l'impression de tourner en rond.

— Il faut bien commencer quelque part, docteur.

— Il faut aussi savoir s'arrêter, répliqua-t-il. C'est ce qui arrivera à votre enquête, je le crains, quand vous chercherez à soutirer des informations à ces hommes. Je suis sûr que ces entretiens seront assez frustrants.

Avec un sourire peu amène, il ajouta :

— Eh bien, mademoiselle Jones, je crois que vous découvrirez tout cela par vous-même. J'imagine que vous aimeriez mettre ces interrogatoires en route le plus vite possible ? J'en toucherai un mot à M. Evans, ainsi qu'aux frères Moïse, qui escorteront les patients jusqu'à votre bureau. De cette manière, vous pourrez commencer à progresser et, sans doute, à découvrir les obstacles qui se dressent devant vous.

Elle savait que le docteur Gulptilil parlait des vicissitudes de la maladie mentale, mais de telle sorte qu'on pouvait interpréter ses paroles de différentes façons. Elle le regarda en souriant et hocha la tête pour montrer son accord.

Quand elle arriva à l'Amherst, Big Black et Little Black l'attendaient dans le couloir, près du poste de soins du premier étage. Peter et Francis se trouvaient avec eux. Ils s'appuyaient au mur comme deux jeunes oisifs qui traînent au coin de la rue en cherchant des histoires, mais la manière dont le regard de Peter balayait le couloir, surveillant le moindre mouvement des pensionnaires, contredisait son calme apparent. Elle ne vit pas tout de suite M. Evans. Son absence pouvait être une bonne chose, étant donné ce qu'elle voulait leur demander. Elle posa la question aux aides-soignants :

— Où est Evans ?

Big Black grogna.

— Il arrive, il était dans un autre pavillon. Réunion des cadres. Devrait être là d'une minute à l'autre. Le doc en chef nous a appelés. Nous sommes censés commencer à escorter les gens que vous voulez voir. Vous avez la liste.

— C'est exact.

— Je suppose qu'il n'auront pas toujours envie de vous voir, dit Little Black. Qu'est-ce qu'on fait, dans ce cas-là ?

— Ne leur laissez pas le choix. Mais s'ils s'énervent, ou s'ils commencent à perdre les pédales, c'est moi qui irai les voir.

— Et s'ils ne veulent toujours pas vous parler ?

— Inutile de crier avant d'avoir mal, d'accord ?

Big Black roula un peu des yeux mais il s'abstint de répondre. Francis savait pourtant que l'essentiel de son travail à l'hôpital consistait justement à cela : anticiper les problèmes avant qu'ils se présentent. Son frère soupira.

— On va essayer. Je ne peux pas vous promettre qu'ils réagiront bien. Je n'ai jamais fait ce genre de choses, ici. Peut-être qu'ils ne feront pas d'histoires.

— S'ils refusent, nous trouverons autre chose, dit Lucy.

Elle se pencha légèrement vers lui et reprit, d'une voix un peu plus basse :

— J'ai eu une idée. Je me demande si vous pourriez m'aider et garder pour vous ce que je vous demanderai.

Elle attendit. Les deux frères échangèrent un regard. Little Black parla pour eux deux :

— J'ai l'impression que vous allez nous demander un service qui risque de nous attirer des ennuis.

— Non, pas vraiment des ennuis, j'espère, répondit-elle en hochant la tête.

Little Black sourit, comme si c'était une bonne blague.

— Quand on a besoin de quelqu'un, on dit toujours qu'il n'y a pas de quoi fouetter un chat. On vous écoute, mademoiselle Jones. On ne dit pas oui. On ne dit pas non. On écoute, c'est tout.

— Au lieu d'aller tous les deux chercher ces gens pour les amener ici, je voudrais que l'un de vous y aille tout seul.

— La sécurité pense qu'il faut être deux pour ce genre de transfert. On encadre le patient. Ce sont les règles de l'hôpital.

— Eh bien, je vais vous expliquer mon idée.

Elle s'approcha d'eux, suffisamment pour que personne ne l'entende. Ce n'était sans doute pas nécessaire dans cet hôpital, mais plus conforme à la petite conspiration que Lucy avait en tête.

— Je ne suis que moyennement optimiste quant au résultat des entretiens, et je vais me reposer sur Francis, sans doute beaucoup plus qu'il ne s'imagine, dit-elle lentement.

Tout le monde regarda le jeune homme, qui rougit, comme un écolier à qui la maîtresse pour laquelle il a le béguin fait une remarque en public.

— Mais, comme Peter nous le disait l'autre jour, nous manquons surtout de preuves matérielles. J'aimerais essayer d'y remédier.

Big Black et Little Black étaient tout ouïe, maintenant. Peter se rapprocha, ce qui resserra encore le petit groupe.

— Ce que j'aimerais, disait Lucy, c'est que pendant que je parle à ces patients, leurs quartiers soient passés au peigne fin. Est-ce que vous avez déjà fouillé un lit ou un espace de rangement ?

— Bien sûr, mademoiselle Jones, fit Little Black en hochant la tête. À l'occasion, cela fait partie de notre boulot.

Lucy jeta un bref coup d'œil à Peter, qui avait du mal à refréner son envie d'intervenir.

— Et ce que j'aimerais beaucoup, c'est que Peter participe à ces fouilles. Qu'il s'en occupe, pour ainsi dire.

Les deux aides-soignants se regardèrent. C'est Little Black qui répondit :

— Peter porte l'étiquette NO EXIT sur sa veste, mademoiselle Jones. Ce qui signifie qu'il n'a pas le droit de sortir de l'Amherst, sauf circonstances particulières. Seuls le docteur Gulptilil et Evans peuvent dire ce que sont ces « circonstances particulières ». Et Evans ne l'a pas laissé franchir ces portes une seule fois.

— Est-ce qu'il risque de prendre la fuite ? demanda-t-elle, comme elle l'aurait fait devant un juge, lors d'une audience de mise en liberté sous caution.

Little Black secoua la tête.

— C'est Evans qui a inscrit ça dans son dossier. C'est surtout une sanction, d'ailleurs. Peter fait l'objet d'accusations très sérieuses, là-bas, dans votre partie de notre bel État. Il est ici sur ordre du tribunal pour qu'on évalue son état, et l'étiquette NO EXIT fait partie du processus.

— Est-ce qu'il existe un moyen de contourner cela ?

— On peut toujours contourner les choses, mademoiselle Jones, si c'est assez important.

Peter s'était calmé. Francis voyait bien qu'il avait toujours envie d'intervenir, mais il avait le bon sens de se taire. Il remarqua que ni Big Black ni son frère n'avaient dit non à la requête de Lucy.

— Pourquoi avez-vous besoin de Peter pour cela, mademoiselle Jones ? Pourquoi pas simplement mon frère ou moi ?

— Plusieurs raisons à cela, répondit Lucy, peut-être un peu trop vite. Primo, comme vous le savez, Peter était un excellent enquêteur. Il sait comment et où il faut regarder, il sait ce qu'il faut chercher, et comment traiter un indice s'il en trouve un. Et comme il a été formé pour chercher des preuves médico-légales, j'espère qu'il trouvera quelque chose qui pourrait vous échapper, à vous et à votre frère...

Little Black fit la moue, ce qui voulait dire que Lucy avait raison. Prenant cela pour un encouragement, elle poursuivit :

— Secundo... je ne veux pas vous compromettre, vous et votre frère. Supposons que vous trouviez quelque chose. Vous seriez obligés d'en parler à Gulptilil, qui voudra examiner la preuve en question. Laquelle finira très probablement égarée ou détruite. Si c'est Peter qui trouve quelque chose, eh bien... ce n'est qu'un malade parmi les autres, un pensionnaire de l'hôpital. Il peut le laisser sur place et m'en parler, et je demande un mandat en bonne et due forme. Rappelez-vous, j'attends le moment où nous devrons faire venir la police pour procéder à une arrestation. Je dois préserver une sorte de légitimité à mon enquête. Vous voyez ce que je veux dire, messieurs ?

Big Black rit, haut et fort. Il n'y avait pas de raison à cela, sauf peut-être l'idée de « légitimité » d'une enquête à l'intérieur d'un hôpital psychiatrique. Son frère se mit la main au front.

— Dites, mademoiselle Jones, j'ai l'impression que vous allez nous faire avoir des ennuis dans notre travail, avant que tout ça soit fini.

Lucy les regarda en souriant. Un grand sourire qui montrait ses dents, accompagné d'un regard brillant de complicité, à la fois demandeur et plein d'élégance. Francis réalisa qu'il était difficile de refuser quelque chose à une jolie femme – ce qui était sans doute injuste, mais parfaitement exact.

Les deux aides-soignants se regardèrent. Au bout d'un instant, Little Black haussa les épaules et se tourna vers Lucy Jones.

— Je vais vous dire, mademoiselle Jones. Mon frère et moi, on fera ce qu'on pourra. Ne dites rien de tout cela à Evans ni à Gulp-Pilule. Peter, venez nous voir, on pourra peut-être mettre quelque chose sur pied. J'ai une idée…

Peter le Pompier hocha la tête.

— Qu'est-ce qu'on est censé chercher ? demanda Big Black.

C'est Peter qui lui répondit :

— Des vêtements ou des chaussures tachés de sang. Ce pourrait être le plus facile. Et puis il y a quelque part un couteau, ou une arme de fabrication artisanale. Dans tous les cas, elle doit être bien aiguisée, parce qu'on s'en est servi pour couper de la chair et de l'os. Il y a aussi le trousseau de clés manquant, parce que notre Ange dispose d'un moyen d'entrer dans des zones fermées quand il en a envie, et les portes semblent ne lui poser aucun problème. Tout ce qui peut nous aider à en savoir plus sur le crime pour lequel on a mis le pauvre Efflanqué en prison. Tout ce qui peut faire le lien avec les autres crimes qui ont attiré l'attention de Lucy, à l'autre bout de l'État. Des coupures de presse, par exemple. Ou bien de la lingerie féminine. Je ne sais pas. En tout cas, il y a une chose qui se promène dans la nature, et qui nous serait très utile. Plus précisément : plusieurs choses.

— Quoi ? demanda Big Black.

— Quatre phalanges, répondit froidement Peter.

Francis s'agitait, mal à l'aise, dans le petit bureau de Lucy, en essayant d'éviter le regard furieux de M. Evans. Un silence pesant régnait dans la pièce, comme si on avait laissé le chauffage allumé au moment où la température montait en flèche. La chaleur était poisseuse, écœurante. Francis jeta un coup d'œil vers Lucy. Elle était plongée dans un dossier, parcourant les pages couvertes de remarques griffonnées, prenant de temps en temps une note sur le bloc placé à sa droite.

— Il ne devrait pas être ici, mademoiselle Jones. Quelle que soit l'aide qu'il peut vous apporter, et même si le docteur Gulptilil vous a donné la permission, il est déplacé d'impliquer un patient dans votre entreprise. Il est évident que toutes les idées qu'il peut avoir sont nettement moins éclairées que ce que moi-même ou n'importe quel membre du personnel de cet hôpital pourrions apporter.

Evans était indiscutablement pompeux, ce qui, aux yeux de Francis, n'était pas le cas d'habitude. M. Débile usait généralement d'un ton sarcastique qui soulignait les différences entre lui et son interlocuteur. Francis devinait que l'usage d'un vocabulaire technique prétentieux était réservé à ses réunions avec le personnel de l'hôpital. Se donner l'air important, se dit-il, ce n'est pas la même chose qu'être important. L'habituel chœur d'assentiment se fit entendre dans sa tête.

Lucy leva les yeux vers Evans.

— Voyons comment ça se passe, dit-elle simplement. Si des problèmes apparaissent, nous pourrons toujours changer les choses.

Et elle replongea dans son dossier.

Mais Evans insistait :

— Si celui-ci est ici, avec nous, où est l'autre ?

— Peter ? demanda Francis.

— Je lui ai confié quelques tâches subalternes en relation avec cette enquête, fit Lucy en levant de nouveau la tête. Même si notre travail est plus ou moins informel, il y a toujours un peu de boulot ennuyeux, mais indispensable. Connaissant son expérience, je me suis dit que Peter conviendrait parfaitement.

La réponse sembla calmer Evans, et Francis la trouva assez futée. Quand il serait plus vieux, il apprendrait peut-être à dire des choses pas exactement vraies, mais sans mentir vraiment.

Un silence inconfortable se prolongea encore pendant quelques secondes. Puis on frappa à la porte, qui s'ouvrit immédiatement. C'était Big Black, écrasant de sa haute stature un homme que Francis reconnut comme un des pensionnaires de l'étage supérieur.

— Voici M. Griggs, fit-il en souriant. Le haut de la liste.

D'un coup léger de son énorme main, il poussa l'homme dans la pièce, puis recula jusqu'au mur. Les bras croisés, il prit position à un endroit d'où il pouvait tout voir et entendre.

Griggs fit un pas vers le milieu de la pièce, puis il hésita. Lucy lui désigna une chaise, placée de sorte que Francis et M. Débile puissent l'observer quand il répondrait aux questions. C'était un homme mince et musclé, la cinquantaine, le crâne dégarni, avec de longs doigts, la poitrine creuse, et une respiration d'asthmatique dont le sifflement accompagnait chacune de ses phrases. Il lançait des regards nerveux, furtifs, autour de lui, ce qui lui donnait l'air d'un écureuil qui lève la tête à l'approche d'un danger. Un écureuil avec des dents jaunes irrégulières et une propension à l'inquiétude. Il jeta un regard pénétrant à Lucy, puis se détendit enfin et déplia ses jambes, l'air irrité.

— Pourquoi vous m'avez fait venir ?

— Comme vous le savez peut-être, répondit très vite Lucy, toutes les questions sur le meurtre de l'élève infirmière, qui a été commis il y a quelque temps dans ce pavillon, n'ont pas encore trouvé de réponse. J'espérais que vous pourriez nous éclairer un peu sur cet incident.

Elle parlait d'un ton normal, sans dramatiser. Francis voyait bien à sa posture, à la manière dont elle fixait le patient, qu'elle avait eu de bonnes raisons de le convoquer le premier. Quelque chose, dans son dossier, lui avait donné de l'espoir.

— Je ne sais rien, dit Griggs en remuant sur son siège et en agitant la main. Je peux m'en aller, maintenant ?

Dans le dossier posé devant elle, Lucy lisait des mots comme « bipolaire » et « dépression » associés à « tendances antisociales » et « problèmes de gestion de la colère ». Griggs résumait à lui seul tout un éventail de problèmes. Dans un bar, il avait tailladé avec une lame de rasoir une femme qui avait repoussé ses avances, après qu'il l'eut fait boire. Il avait résisté violemment à la police, et quelques jours après son arrivée à l'hôpital, il avait menacé Blondinette et plusieurs autres infirmières. Il leur avait promis des châtiments mal définis mais indéniablement terribles si elles essayaient de l'obliger à prendre des médicaments le soir, de changer la chaîne du téléviseur dans la salle commune, ou de l'empêcher de harceler les autres patients – ce qu'il faisait quasiment tous les jours. Chacun de ces incidents avait été dûment répertorié dans son dossier clinique. Il y avait aussi une note : il avait déclaré à son avocat commis d'office que des voix non identifiées avaient exigé qu'il taillade sa victime, raison pour laquelle on l'avait envoyé à Western State plutôt qu'à la prison de la ville. Dans un paragraphe ajouté à la main dans le dossier, Gulptilil s'interrogeait sur la véracité de cette exigence. Bref, Griggs était un homme violent et menteur. Ce qui, aux yeux de Lucy, faisait de lui un candidat de choix.

— Bien sûr, lui répondit-elle en souriant. Ainsi, la nuit du crime…

Griggs l'interrompit :

— Je dormais, là-haut, à l'étage. Bordé pour la nuit. Défoncé par toute cette merde qu'ils nous donnent.

Lucy marqua une pause. Elle regarda le bloc-notes jaune devant elle, puis posa les yeux sur le patient.

— Vous avez refusé vos médicaments, ce soir-là. C'est inscrit dans votre dossier.

Il ouvrit la bouche, commença à lui dire quelque chose, s'interrompit, reprit :

— Vous devriez savoir une chose… c'est pas parce que vous dites que vous n'en voulez pas… ça ne veut pas dire que vous passez votre tour. La seule chose que ça veut dire, c'est qu'un maton comme lui, là, vous force à les prendre.

Il fit un geste vers Big Black, et Francis eut la certitude que Griggs aurait employé un autre mot s'il n'avait pas été terrifié par le grand Noir.

— Alors je les ai pris. Cinq minutes plus tard, j'étais au pays des rêves.

— Vous n'aimiez pas l'élève infirmière, hein ?

— J'en aime aucune, fit Griggs avec une grimace. C'est pas un secret.

— Pourquoi donc ?

— Elles nous prennent toutes de haut. Elles veulent nous faire faire des trucs. Comme si on était des moins que rien.

Griggs utilisait le pluriel, mais Francis savait qu'il parlait pour lui.

— Frapper des femmes, c'est plus facile ? demanda Lucy.

Le patient haussa les épaules.

— Vous croyez que je pourrais le frapper, lui ? répliqua-t-il en montrant Big Black.

Sans répondre à sa question, Lucy se pencha légèrement vers lui.

— Vous n'aimez pas les femmes, n'est-ce pas ?

Griggs fit entendre un léger grognement. Il parlait d'une voix très grave, farouche.

— Je vous aime pas trop…

— Vous aimez leur faire du mal ?

Il eut un rire d'asthmatique, mais ne répondit pas.

Toujours aussi froide, Lucy changea tout à coup de sujet :

— Où étiez-vous en novembre ? Il y a seize mois.

— Hein ?

— Vous avez parfaitement entendu.

— Je dois me rappeler ça ? C'est loin, non ?

— Cela vous pose un problème ? Parce que je suis sûre, moi, de le découvrir très vite.

Griggs remua sur son siège, pour gagner un peu de temps. Francis voyait bien qu'il faisait un effort désespéré pour se concentrer, comme s'il cherchait à repérer un danger dans le brouillard.

— Je travaillais sur un chantier, à Springfield. Ponts et chaussées. On réparait un pont. Sale boulot.

— Déjà allé à Concord ?

— Concord ?

— Vous avez parfaitement entendu.

— Non, je ne suis jamais allé à Concord. C'est à l'autre bout de l'État.

— Si j'appelle le patron du chantier, il ne me dira pas que vous pouviez vous servir d'un camion de la compagnie, n'est-ce pas ? Et il ne me dira pas qu'il vous faisait faire des allers et retours dans la zone de Boston ?

Griggs eut l'air un peu effrayé, confus, vaguement envahi par le doute.

— Non. C'est d'autres types qui avaient ces boulots faciles. Moi, je travaillais dans les fosses.

Soudain, Lucy eut en main une des photos des scènes de crime. Francis vit que c'était la victime du second meurtre. Elle se leva, se pencha au-dessus de la table et mit la photo sous le nez de Griggs.

— Ça vous dit quelque chose ? Est-ce que vous vous rappelez avoir fait ça ?

— Non, fit-il d'un ton un peu moins bravache. C'est qui ?

— À vous de me le dire.

— Jamais vu cette femme.

— Je crois que si.

— Non.

— Vous savez que dans l'entreprise des ponts et chaussées où vous avez travaillé, on tenait des fiches indiquant où se trouvait chacun d'entre vous, jour après jour. Je n'aurai pas de mal à prouver que vous êtes allé à Concord. Juste comme cette note dans le dossier qui dit que vous n'avez pas pris de médicaments le soir où l'infirmière a été assassinée. Ce n'est qu'une question de paperasse, il suffit de remplir les blancs. Maintenant, essayons encore : c'est vous qui avez fait ça ?

Griggs secoua la tête.

— Si vous aviez pu, vous l'auriez fait, non ?

Il secoua à nouveau la tête.

— Vous mentez.

Griggs inspira lentement, l'air sifflant entre ses dents. Il gonfla ses poumons. Il reprit d'une voix aiguë, maîtrisant à peine sa colère :

— De ma vie, je n'ai jamais fait ça à une fille, et si vous pensez ça, c'est vous qui mentez.

— Que faites-vous aux femmes que vous n'aimez pas ?

Il eut un sourire malade.

— Je les taillade.

Lucy se rassit et hocha la tête.

— Comme l'élève infirmière ?

Griggs secoua encore la tête. Puis il regarda de l'autre côté de la pièce, fixa d'abord Evans, puis Francis.

— Je ne réponds plus à vos questions, dit-il. Vous voulez me mettre quelque chose sur le dos, alors allez-y, faites-le.

— Parfait, dit Lucy. Nous en avons fini pour le moment. Nous aurons peut-être l'occasion de nous revoir.

Griggs n'ajouta pas un mot. Il se contenta de se lever. Il gonfla les joues, et Francis crut qu'il allait cracher sur Lucy Jones. Big Black devait avoir eu la même idée : Griggs avait à peine fait un pas que les doigts de l'énorme aide-soignant se serrèrent sur son épaule comme un étau.

— C'est fini, maintenant, fit Big Black d'une voix calme. Ne faites rien qui risquerait de me mettre encore plus en rogne.

D'une secousse, Griggs se débarrassa de l'emprise de l'aide-soignant et pivota. Francis se dit qu'il allait ajouter quelque chose. Mais Griggs sortit de la pièce après avoir repoussé sa chaise en raclant le sol. Un petit geste de défi.

Sans en tenir compte, Lucy prit quelques notes sur le bloc jaune. M. Evans écrivait lui aussi dans un petit carnet.

— Eh bien, il ne s'est pas vraiment exclu de la liste, n'est-ce pas ? fit Lucy. Qu'écrivez-vous ?

Francis ne dit rien. Evans leva les yeux. Il avait l'air légèrement content de lui.

— Ce que j'écris ? Eh bien, pour commencer, une note pour me rappeler de rectifier ses doses de médicaments pour les jours qui viennent. Il semblait significativement énervé par vos questions, et je ne serais pas étonné qu'il se conduise de manière agressive, sans doute à l'égard des patients les plus vulnérables. Une des vieilles femmes, par exemple. Ou un membre du personnel soignant. C'est également possible. Je peux augmenter ses doses à court terme, pour empêcher cette colère de sortir.

Lucy se figea.

— Qu'allez-vous faire ?

— L'aider à décompresser pendant une ou deux semaines. Peut-être plus.

M. Débile hésita, puis poursuivit, sur le même ton paternaliste :

— J'aurais pu vous faire gagner du temps. Vous avez raison, Griggs a refusé son médicament le soir du crime. Cela veut dire qu'on lui a fait une intraveineuse dans la soirée. Vous voyez cette seconde note sur la fiche ? J'étais venu pour cela, et j'ai supervisé l'opération. Alors quand il vous dit qu'il dormait quand le meurtre a été commis, je peux vous assurer qu'il ne ment pas. Il était sous sédatifs.

Il marqua encore un arrêt, avant de reprendre :

— Peut-être y en a-t-il d'autres que vous voulez interroger pour lesquels je pourrais vous éclairer à l'avance ?

Lucy était vexée. Francis vit que, non seulement elle détestait perdre son temps, mais qu'elle détestait la manière dont les choses se présentaient à l'hôpital. Ce doit être difficile pour elle, se dit-il, parce qu'elle n'est jamais venue dans un tel endroit. Il réalisa que très peu de gens soi-disant normaux avaient mis les pieds dans un hôpital psychiatrique.

Il se mordit la lèvre pour se retenir de dire quelque chose. Son esprit bouillonnait des images terribles de l'entretien qui venait d'avoir lieu. Même ses voix se taisaient, parce que, en écoutant le patient, Francis avait commencé à voir des choses. Pas des hallucinations. Pas des visions. Mais des choses sur l'homme qui parlait. Il avait vu les crêtes de la colère et de la haine, il avait vu un plaisir diabolique s'afficher dans les yeux de cet homme contemplant l'image de la mort. Il avait vu un homme capable de commettre les pires ignominies. Mais en même temps, il avait vu un homme avec une grande, une terrible faiblesse intérieure. Un homme qui voulait toujours mais qui agissait rarement. Ce n'était pas l'homme qu'ils cherchaient, parce que la colère de Griggs était trop évidente. Et Francis savait, en cette seconde précise, assis dans cette petite pièce, que, chez l'Ange, rien n'était évident.

Au moment où Francis était ainsi accablé parce qu'il avait vu des choses qui allaient bien au-delà du petit bureau où Lucy menait ses interrogatoires, Peter le Pompier et Little Black achevaient la fouille du modeste espace vital de Griggs. Peter avait abandonné son costume habituel et rangé sa casquette froissée des Boston Red Sox, pour enfiler la veste et le pantalon blancs de l'uniforme des aides-soignants, sur une idée de Little Black. À l'intérieur de l'hôpital, c'était le camouflage parfait. Il aurait fallu y regarder à deux fois pour découvrir que Peter n'était pas vraiment un aide-soignant. Il espérait que cela durerait assez longtemps pour lui permettre de faire le travail que Lucy lui avait assigné. Mais il savait que s'il était repéré par Gulp-Pilule, M. Débile ou n'importe qui le connaissant, on l'enfermerait sans préavis dans une cellule d'isolement, et Little Black serait sévèrement réprimandé. Le petit aide-soignant ne s'en était pas trop inquiété, affirmant : « Aux grands maux, les grands remèdes », une remarque sophistiquée dont Peter l'aurait cru incapable. Little Black lui fit aussi remarquer qu'il était délégué syndical et que son costaud de frère n'était autre que le secrétaire du syndicat, ce qui leur garantissait une certaine protection s'ils se faisaient prendre.

La fouille en elle-même avait été totalement inutile.

Il lui avait fallu peu de temps pour passer en revue les affaires personnelles du patient, rangées dans la valise non fermée à clé qui se trouvait sous le lit. Il n'avait pas eu beaucoup de mal non plus à glisser les mains dans la literie, tâtant les draps et le matelas pour chercher un indice qui aurait pu lier Griggs au meurtre. Il avait rapidement exploré l'emplacement voisin, en quête d'un endroit où l'on aurait pu dissimuler un couteau. C'était facile. Il y avait peu de cachettes possibles.

Il se redressa et secoua la tête. Little Black, silencieux, lui fit signe : ils devaient se rendre là où ils avaient prévu de retrouver son frère.

Peter acquiesça et s'écarta d'un pas. Il s'immobilisa soudain et regarda autour de lui. Comme toujours, quelques patients étaient couchés sur leur lit, les yeux fixés au plafond, perdus dans une rêverie qu'il ne pouvait qu'imaginer. Un vieillard se balançait d'avant en arrière en pleurant. Un autre, les bras enserrant son torse, gloussait de manière incontrôlable. Sans doute avait-il entendu une plaisanterie. Un troisième – l'attardé mental que Peter avait vu un peu plus tôt dans le couloir – se trouvait dans le coin le plus éloigné du dortoir, penché en avant sur le bord de son lit, le regard obstinément fixé au sol. Pendant un instant, il leva les yeux d'un air absent, enregistra quelque chose puis détourna le regard. Peter n'aurait pu dire si l'homme avait compris qu'ils fouillaient un emplacement. Il n'avait aucun moyen de savoir ce qu'il comprenait. Il était possible, bien entendu, qu'ils soient invisibles à ses yeux, et que leurs gestes le soient tout autant, noyés dans le brouillard d'impassibilité dans lequel cet homme était enfermé. Il était également possible que son crâne engourdi par les circonstances et les doses quotidiennes de psychotropes ait établi un rapport entre le patient qu'on avait emmené pour l'interroger et la fouille du lit. Dans ce cas, Peter ignorait si son observation franchirait les portes du dortoir. Mais il craignait, si l'homme qu'ils poursuivaient parvenait à la même conclusion, que sa tâche ne s'en trouve compliquée. Si on savait, dans l'hôpital, que l'on fouillait certains emplacements dans les dortoirs, cela ne manquerait pas d'avoir un impact. Jusqu'à quel point ? Il n'en savait rien. Peter n'osait pas poursuivre son raisonnement. Il aurait pu en déduire que, si l'Ange apprenait ce qu'il faisait, il pourrait avoir envie de réagir.

Il jeta un dernier regard sur l'assemblée disparate des patients présents dans le dortoir, en se demandant à quelle vitesse l'information se répandrait dans l'hôpital.

Il entendit Little Black murmurer, à côté de lui :

— Allons-y, Peter. Fichons le camp.

Il hocha la tête et sortit du dortoir sur les talons de l'aide-soignant.

18

Un peu plus tard, ce jour-là, ou peut-être un des jours suivants, mais en tout cas pendant que les patients se succédaient dans le bureau de Lucy Jones, je me suis rendu compte qu'avant cela je n'avais jamais été vraiment impliqué dans quoi que ce soit.

En y repensant, je me disais qu'il était curieux de découvrir de manière périphérique, presque souterraine, en grandissant, que toutes sortes de liens s'établissaient autour de moi et que j'allais en être exclu à jamais. Ne pas pouvoir participer, pour un enfant, c'est une chose terrible. Peut-être la pire.

Je vivais autrefois dans une rue de banlieue typique : un lotissement de maisons bourgeoises d'un ou deux étages, peintes en blanc, des petits jardins verdoyants parfaitement entretenus avec peut-être un ou deux rangs de plantes vivaces aux couleurs vives sous les fenêtres, et une piscine extérieure à l'arrière. Le car scolaire s'arrêtait deux fois, pour emmener tous les enfants. L'après-midi, c'était un flot continu dans les deux sens, un raz-de-marée bruyant de jeunesse. Des garçons et des filles en blue-jeans effilochés aux genoux, sauf le dimanche. Ce jour-là, les garçons sortaient de chez eux en blazer bleu, chemise blanche fraîchement amidonnée et cravate en polyester, tandis que les filles avaient des robes à jabots et volants. Puis tout le monde s'en allait, avec les parents, s'entasser sur les bancs d'une des églises du quartier. C'était le cocktail typique de l'ouest du Massachusetts, surtout des catholiques, qui prenaient le temps de discuter pour savoir si c'était un péché de consommer de la viande le vendredi, mélangés à quelques épiscopaliens et quelques baptistes. Il y avait même quelques familles juives, mais elles devaient traverser la ville en voiture pour aller à la synagogue.

Tout cela était incroyablement ordinaire – de manière accablante. Un pâté de maisons ordinaire dans une rue ordinaire habitée par des familles ordinaires qui votaient démocrate, se pâmaient devant les Kennedy et assistaient aux matches régionaux par de chaudes soirées de printemps, moins pour le jeu que pour bavarder. Des drames ordinaires. Des ambitions ordinaires. Ordinaires à tous points de vue, de l'aube au crépuscule. Des peurs ordinaires, des inquiétudes ordinaires. Des conversations qui semblaient indissociablement liées à la normalité. Et même des secrets ordinaires dissimulés sous des apparences ordinaires. Un alcoolique. Un mari brutal. Une homosexualité qu'on ne peut assumer. Rien que de très ordinaire, tout le temps.

Sauf moi, bien entendu.

On parlait de moi à voix basse – ces chuchotements réservés d'habitude aux nouvelles choquantes : une famille noire venait d'emménager deux rues plus loin, ou quelqu'un avait vu le maire sortir d'un motel avec une autre femme que la sienne.

Durant toutes ces années, je n'ai jamais été invité à un anniversaire. Aucun copain de classe ne m'a jamais proposé de dormir chez lui. Pas une seule fois on ne m'a fait monter à l'arrière d'une camionnette pour m'emmener manger des glaces au pied levé chez Friendly's. Personne ne m'a jamais téléphoné en pleine nuit pour bavarder sur les cours, ou la gym, ou pour me dire qui avait embrassé qui après le bal des terminales. Je n'ai jamais joué dans une équipe, jamais chanté dans un chœur, jamais marché au sein d'une fanfare. Je n'ai jamais poussé des vivats à un match de football du vendredi soir, à l'automne, et je n'ai jamais enfilé un smoking mal ajusté pour me rendre à un bal de fin d'année. Ma vie était unique, à cause de l'absence de toutes ces petites choses qui constituaient la normalité.

Je n'ai jamais su ce que je détestais le plus : le monde fuyant d'où je venais (mais où je n'ai jamais trouvé ma place) ou le monde solitaire où l'on me forçait à vivre : un habitant, plus ses voix.

Pendant toutes ces années, je les ai entendues crier mon nom : *Francis ! Francis ! Francis ! Allez, sors !* C'était sans doute ce que j'aurais voulu que les enfants du quartier viennent crier devant chez moi, par les belles soirées de juillet, à l'heure où la lumière se dissout lentement, quand la chaleur du jour se maintient bien après l'heure du dîner. Mais ils n'en firent rien. Je suppose que d'une certaine manière il m'est difficile de le leur reprocher. Je ne sais même pas si j'aurais eu envie de sortir jouer avec eux. Et quand j'ai grandi, les voix ont grandi aussi, leur ton a changé, comme si elles s'adaptaient à chaque année qui passait.

Toutes ces pensées me venaient sans doute du monde vaporeux qui se trouve entre le sommeil et la veille. Tout à coup, j'ouvris les yeux. J'étais dans mon appartement.

Je devais m'être assoupi, le dos appuyé contre un pan de mur vierge. C'était le genre de pensées que mes médicaments étaient censés supprimer. J'avais un torticolis. Je me levai avec des gestes mal assurés. Une fois de plus, le jour avait décliné autour de moi, et j'étais de nouveau seul, à l'exception des souvenirs, des fantômes et des murmures familiers de ces voix depuis si longtemps étouffées. Elles semblaient assez enthousiastes d'avoir trouvé une nouvelle façon de s'imposer dans mon imagination. J'avais l'impression qu'elles s'éveillaient à mes côtés comme aurait pu le faire une maîtresse. Si j'avais eu une maîtresse. Elles criaient pour attirer l'attention, un peu comme une foule excitée lors d'une vente aux enchères, qui ferait simultanément des offres sur des tas d'objets différents.

Je m'étirai nerveusement et m'approchai de la fenêtre. Je regardai, à l'extérieur, les filaments rampants de la nuit s'étendre sur la ville, comme je l'avais déjà fait des dizaines de fois. Sauf que, cette fois, je me concentrai sur une ombre, derrière un magasin de pièces pour automobiles, au coin de la rue. Je vis le bord de l'ombre s'étirer. Je me dis que c'était un phénomène bizarre, que chaque ombre ne ressemblait que très vaguement au bâtiment, à l'arbre, ou au marcheur pressé qui lui donnait naissance. Elle adoptait une forme propre évoquant son origine, tout en restant indépendante. La même, mais différente. Les ombres, pensai-je, pouvaient m'en dire beaucoup sur mon monde. Peut-être étais-je plus près de leur royaume que vraiment vivant. Soudain, à la limite de mon champ de vision, je remarquai une voiture de police qui longeait lentement le pâté de maisons.

La pensée me vint qu'ils étaient là pour moi. Je sentis deux paires d'yeux, à l'intérieur du véhicule, qui se levèrent vers moi, balayèrent la façade de l'immeuble comme des projecteurs, et finirent par se poser sur ma fenêtre. Je me jetai de côté pour qu'ils ne me voient pas.

Je me recroquevillai, blotti contre le mur.

Ils venaient me chercher. Je le savais, aussi sûrement que je savais que le jour succède à la nuit et que la nuit succède au jour. Je fouillai l'appartement du regard, en quête d'une cachette. Je retenais mon souffle. J'avais l'impression que chacun de mes battements de cœur faisait autant de bruit qu'une corne de brume. J'essayai de me coller le plus possible contre le mur, comme s'il pouvait me camoufler. Je sentais la présence des flics devant la porte.

Puis plus rien.

Il n'y eut pas de coups insistants à la porte.

Pas de voix criant ce simple mot, « Police ! », qui se suffisait à lui-même. Le silence m'enveloppait. Une seconde plus tard, je me penchai légèrement, tendis le cou devant la fenêtre. Je ne voyais que la rue déserte.

Pas de voiture. Pas de policiers. Rien que des ombres.

Je m'immobilisai. Est-ce qu'elle avait jamais été là ?

J'expirai lentement. Quand je me retournai vers le mur, je me répétai qu'il n'y avait rien d'anormal, qu'il n'y avait aucune raison de s'inquiéter. Cela me rappela que c'était précisément ce que j'avais essayé de me dire, tant d'années auparavant, à l'hôpital.

Les visages restaient dans ma mémoire, même si j'avais parfois oublié les noms. Petit à petit, tout au long de cette journée-là et du lendemain, Lucy avait fait entrer, l'un après l'autre, les hommes qui présentaient, selon elle, certains éléments du profil qu'elle avait défini. Des hommes coléreux. C'était en quelque sorte un cours intensif sur une tranche de l'humanité qui constituait la clientèle de l'hôpital, un fragment pris à la lisière. Toutes sortes de maladies mentales se succédèrent dans cette pièce et vinrent s'asseoir sur la chaise en face d'elle, parfois grâce à un petit coup de coude de Big Black, parfois seulement après un geste de Lucy et un hochement de tête de M. Evans.

Quant à moi, j'écoutais en silence.

C'était le défilé de l'inimaginable. Certains de ces hommes étaient sournois, lançaient en tous sens des regards nerveux et répondaient aux questions de manière évasive. Certains semblaient terrifiés, recroquevillés sur la chaise, le front couvert de sueur, ils parlaient d'une voix tremblante, donnaient l'impression d'être assommés par la moindre question de Lucy, même de pure routine, bénigne ou sans importance. D'autres se montraient agressifs, élevaient tout de suite la voix, hurlaient dans une rage renouvelée, cognant plus d'une fois sur le bureau, forts de leur vertueuse indignation et de leurs dénégations. Quelques autres restaient silencieux, fixant la pièce d'un regard inexpressif, comme si chaque remarque de Lucy, chaque question qui s'élevait dans l'air n'existait que dans une dimension différente de la leur et n'avait aucun sens dans la langue qu'ils connaissaient, rendant par conséquent toute réponse impossible. Certains répondaient dans un charabia incompréhensible, d'autres de manière fantaisiste, d'autres d'un ton coléreux, d'autres encore sous l'effet de la peur. Deux ou trois fixèrent le plafond, deux ou trois autres firent mine, par gestes, d'étrangler quelqu'un. Certains étaient terrifiés par les photos des scènes de crime, d'autres les regardaient avec une fascination troublante. Un homme passa aux aveux sur-le-champ, il pleurnichait sans arrêt et répétait inlassablement « C'est moi, c'est moi qui ai fait ça ! », sans laisser le temps à Lucy de poser les questions qui auraient pu indiquer qu'il était bien le coupable. Sans un mot, sans cesser de sourire, un autre glissa une main dans son pantalon et commença à se masturber. Il fallut, pour qu'il s'arrête, la pression dissuasive de la grosse main de Big Black sur son épaule. Tout au long des interrogatoires, M. Débile se tenait à côté de Lucy. Il était toujours prompt à expliquer, dès qu'un patient s'en allait, escorté par Big Black, pourquoi il devait être éliminé de la liste des suspects. Son approche était toujours très précise, ce qui était irritant. Alors qu'elle était censée être utile et instructive, ce n'était que tracasserie et faux-fuyants. M. Débile était loin d'être aussi intelligent qu'il le croyait, mais il n'était pas aussi stupide que certains de nous le pensaient. Ce qui était, lorsque j'y songe avec le recul, la plus dangereuse des combinaisons.

Tout au long de ces interrogatoires, une chose curieuse s'imposa à moi : je commençais à voir. C'était comme si j'étais capable de visualiser l'origine de chacun de ces maux. Comment toutes ces douleurs accumulées avaient, au long des années, évolué vers la folie.

Je sentais que les ténèbres étaient en train d'envelopper mon cœur.

Chaque fibre de mon corps me criait de me lever et de courir, de sortir de cette pièce, que tout ce que je voyais, entendais et apprenais était odieux... Des informations, un savoir que je n'avais pas le droit de posséder, dont je n'avais pas besoin, que je n'avais pas du tout envie de recueillir. Mais je restais paralysé, incapable de bouger – j'avais aussi peur de moi-même que si j'étais un de ces durs qui passaient la porte, et qui avaient commis des choses horribles.

Je n'étais pas comme eux. Et pourtant, si.

La première fois qu'il sortit de l'Amherst, Peter le Pompier en fut presque muet de saisissement, et il dut agripper la rampe pour ne pas vaciller. La vive lumière du soleil semblait se déverser à flots autour de lui, une chaude brise de fin de printemps agitait ses cheveux, ses narines étaient pleines de l'odeur des hibiscus qui fleurissaient le long des allées. Il hésita, manquant d'assurance, en haut des marches menant à la porte latérale, un peu comme un ivrogne, étourdi, comme si on l'avait fait tourner sur lui-même pendant des semaines, à l'intérieur, et qu'il venait juste de s'arrêter. Il entendait le bruit de la circulation sur la route, au-delà des murs de l'hôpital, et, un peu à l'écart, des enfants qui jouaient dans la cour d'un des bâtiments où logeait le personnel. Il écouta attentivement : par-delà les cris joyeux des enfants, il saisit l'écho d'un poste de radio. Motown, se dit-il. Un air de rhythm'n blues, avec une basse entraînante et un refrain aux harmonies envoûtantes.

Peter était flanqué de Little Black et de son costaud de frère. C'est le plus petit qui lui murmura d'un ton pressant :

— Peter, il faut baisser la tête. Il faut éviter que quelqu'un vous reconnaisse.

Le Pompier était vêtu d'un pantalon de coutil blanc et d'une courte veste de labo, comme les deux aides-soignants. Mais ils portaient leurs gros brodequins noirs réglementaires, tandis qu'il avait une paire de baskets en toile, et quiconque doué du sens de l'observation l'aurait remarqué. Il acquiesça et rentra un peu la tête dans les épaules, mais il eut du mal à garder les yeux fixés sur le sol. Il y avait trop longtemps qu'il n'avait pas été autorisé à sortir, et encore plus longtemps qu'il ne s'était déplacé librement, sans être entravé par les menottes et les liens qui l'obligeaient à marcher en sautillant.

Il aperçut sur sa droite un petit groupe disparate de patients qui jardinaient. Plus loin, sur le goudron défraîchi d'un ancien terrain de basket, une demi-douzaine de pensionnaires allaient et venaient autour de ce qui restait du filet. Deux aides-soignants fumaient en surveillant vaguement le groupe amorphe. Presque tous levaient la tête vers la chaleur du soleil de l'après-midi. Une femme maigre entre deux âges se livrait à une parodie de ballet, décrivant de grands cercles avec les bras, faisant une enjambée à droite, puis à gauche, une valse sans rime ni raison, mais aussi distinguée que dans une cour de la Renaissance.

Ils avaient mis au point un modus operandi pour les fouilles. Little Black avait prévenu les autres pavillons par le téléphone intérieur. Ils entreraient par la porte latérale, et pendant que Big Black irait chercher, pour le conduire à l'Amherst, le patient qui figurait sur la liste de Lucy, Peter et Little Black fouilleraient son espace vital. Concrètement, Little Black surveillerait l'arrivée éventuelle d'infirmières ou d'aides-soignants potentiellement curieux, pendant que Peter visiterait la misérable collection d'effets personnels que le patient gardait par-devers lui. Il était très efficace, capable de glisser la main dans les vêtements, les papiers et la literie sans trop déranger, et d'opérer très vite. Il était impossible, comme il l'avait constaté à l'occasion des premières recherches dans son propre pavillon, d'être absolument discret : il y avait toujours un patient tapi dans un coin, assis sur son lit ou simplement collé au mur du fond, d'où il pouvait regarder par la fenêtre et dans la pièce, sans risquer que quelqu'un se glisse derrière lui. La paranoïa n'a pas de limites, à l'hôpital, se répétait-il. Le problème était que les soupçons n'ont pas la même signification à l'intérieur que dans le monde extérieur. À l'intérieur de Western State, la paranoïa était la norme, elle était acceptée comme faisant partie de la routine quotidienne de l'hôpital, aussi normale et aussi prévisible que les repas, les disputes et les larmes.

Big Black sourit en voyant Peter lever les yeux vers la lumière du soleil.

— Ça vous fait oublier tout le reste, hein ? fit-il doucement. Une si belle journée.

Peter hocha la tête.

— Par une journée pareille, poursuivait le géant, il n'est pas juste d'être malade.

Little Black intervint, de façon inattendue :

— Vous savez, Peter, par une journée comme celle-ci, ici, les choses sont encore pires. Cela donne à chacun un arrière-goût de ce dont il est privé. On sent le monde qui va, juste là, au-delà des murs. Un jour de froid. Un jour de pluie. Du vent, de la neige. Ces jours-là, chacun se contente de se lever et de faire ce qu'il a à faire. Personne ne dit rien. Mais une belle journée comme celle-ci, c'est vraiment dur pour tout le monde.

Peter ne répondit pas. Big Black ajouta :

— Vraiment dur pour votre jeune ami. C-Bird nourrit encore beaucoup d'espoirs et de rêves. Ces belles journées sont insupportables parce qu'elles vous font sentir combien vous en êtes loin.

— Il s'en sortira, dit Peter. Bientôt. Il n'y a aucune raison de le garder longtemps ici.

Big Black soupira.

— Je voudrais bien que ce soit vrai. C-Bird, il a un paquet de problèmes.

— Francis ? fit Peter, incrédule. Mais il est inoffensif. N'importe quel imbécile peut s'en rendre compte. Il ne devrait même pas être ici.

Little Black secoua la tête, comme pour signifier d'une part que Peter se trompait, d'autre part qu'il ne pouvait pas voir ce qu'ils voyaient. Mais il ne dit rien. Peter jeta un coup d'œil vers l'entrée principale de l'hôpital, avec l'énorme grille en fer forgé et les murs de brique massifs. En prison, se dit-il, l'enfermement est toujours une question de temps. Votre peine dépend de ce que vous avez fait. Elle peut être d'un ou deux ans, ou de vingt ou trente, mais c'est toujours un laps de temps défini, même pour les condamnés à perpétuité, parce qu'on compte en jours, en semaines et en mois. Inévitablement, il y aura une audition de libération sur parole, ou bien le détenu attendra la mort. Ce n'est pas vrai dans un hôpital psychiatrique, parce que la durée de votre séjour y est définie par quelque chose de fuyant, de beaucoup plus difficile à cerner.

Big Black avait dû lire dans ses pensées, parce qu'il reprit, d'une voix teintée de tristesse :

— Même s'il obtient une audition de libération, il restera un long chemin à parcourir avant qu'ils le laissent sortir.

— Ce n'est pas logique, dit Peter. Francis est intelligent, et il ne ferait pas de mal à une mouche…

— Ouais… intervint Little Black, mais il entend toujours des voix, même avec les médicaments. Le patron n'arrive pas à lui faire comprendre pourquoi il est ici, et M. Débile ne l'aime pas, sans qu'on sache pourquoi. Tout ça veut dire, Peter, qu'aucune audition n'est prévue pour lui. Contrairement à quelques autres résidents. Et contrairement à vous, bien sûr.

Peter allait répondre, mais il serra les lèvres. Ils marchèrent un moment en silence, peut-être pour laisser la chaleur du jour dissiper les pensées glacées que les deux aides-soignants avaient éveillées en lui.

— Vous vous trompez, dit-il enfin. Vous vous trompez tous les deux. Il sortira. Il retournera chez lui. Je le sais.

— Mais personne ne veut de lui, là-bas, dit Big Black.

— Pas comme vous, dit Little Black. Tout le monde veut un morceau du Pompier. Je ne sais pas où vous finirez, mais ce ne sera pas ici.

— Ouais, fit Peter d'un ton amer. En prison. Ce que je mérite. De vingt ans à perpète.

Little Black haussa les épaules, comme pour dire que Peter, une fois de plus, était parvenu à une conclusion sinon tout à fait fausse, en tout cas très exagérée.

— Baissez la tête, lui dit-il tandis qu'ils approchaient à grands pas de l'entrée latérale de Williams.

Peter baissa de nouveau la tête, les yeux rivés sur la poussière noire de l'allée. C'était difficile, parce que chaque rayon de soleil qui lui frappait le dos lui rappelait un endroit différent, et le moindre souffle de vent chaud ramenait à sa mémoire des temps plus heureux. Il continua donc d'avancer, en essayant de se convaincre qu'il était inutile de se rappeler ce qu'il avait été, ce qu'il était maintenant, et ce qu'il deviendrait. C'était difficile, parce qu'à chaque fois qu'il regardait Lucy, il imaginait ce qu'aurait pu être sa vie. Une existence qui lui avait échappé. Il se disait, et ce n'était pas la première fois, que chaque pas qu'il accomplissait ne faisait que l'approcher un peu plus de quelque effroyable précipice, au bord duquel il vacillait, ne devant son équilibre qu'à une prise ténue sur des rochers glacés, et que seules le retenaient des cordes fines qui s'effilochaient rapidement.

L'homme qui se trouvait en face d'elle lui adressa un sourire pâle, sans un mot.

Pour la seconde fois, Lucy demanda :

— Est-ce que vous vous souvenez de l'élève infirmière qu'on surnommait Blondinette ?

L'homme se balança sur son siège et gémit légèrement. Ce n'était pas un gémissement affirmatif, ni un gémissement négatif, mais une simple reconnaissance. Francis aurait appelé cela un « gémissement », mais c'était faute d'un mot plus approprié, car l'homme ne semblait pas le moins du monde décontenancé, ni par la question, ni par la chaise à dossier dur, ni par l'assistante du procureur qui lui faisait face. Il était costaud, large d'épaules, il avait les cheveux ras et les yeux écarquillés en permanence. Il avait un peu de salive au coin des lèvres et il se balançait sur un rythme qu'il était le seul à entendre.

— Vous pouvez répondre à mes questions ? demanda Lucy Jones d'un ton un peu impatient.

L'homme resta de nouveau silencieux, à part le léger craquement de sa chaise lorsqu'il se balançait. Francis regardait ses mains, grandes et noueuses, presque aussi usées que celles d'un vieillard. Ce n'était pas du tout normal : Francis avait l'impression que l'homme était à peine plus âgé que lui. Il se disait parfois qu'à l'hôpital psychiatrique les règles normales du vieillissement étaient modifiées. Des jeunes gens semblaient vieux. Des gens d'un certain âge semblaient décrépits.

Des hommes et des femmes dont les battements de cœur auraient dû exprimer de la vitalité se traînaient comme si le poids des ans marquait chacun de leurs pas, et d'autres dont la vie touchait à sa fin exprimaient une simplicité et des besoins enfantins. Pendant une seconde, Francis regarda ses propres mains, comme pour s'assurer qu'elles correspondaient à son âge. Puis, de nouveau, celles du costaud. Elles étaient reliées à des avant-bras massifs et à des bras noueux, musclés. Toutes les veines visibles évoquaient une puissance à peine réprimée.

— Quelque chose ne va pas ? demanda Lucy.

L'homme lâcha un grognement, un son rauque qui n'avait pas grand-chose à voir avec les langues que Francis avait eu l'occasion d'entendre avant d'entrer à l'hôpital, mais qui était assez fréquent dans la salle commune. C'était un bruit animal, un signal simple et naturel, et rien n'indiquait qu'il était provoqué par la colère.

Evans tendit le bras et prit le dossier des mains de Lucy Jones. Il parcourut rapidement les feuilles rassemblées dans la chemise.

— Je ne crois pas qu'il soit utile d'interroger ce sujet, dit-il sans dissimuler sa condescendance.

— Et pourquoi donc ? fit Lucy, légèrement irritée.

Evans désigna un coin du dossier.

— Diagnostic d'arriération mentale profonde. Vous ne l'aviez pas vu ?

— Ce que j'ai vu dans ce dossier, fit Lucy d'un ton glacé, c'est un passé de violences à l'égard de femmes. Y compris le jour où il a été pris sur le fait alors qu'il perpétrait une agression sexuelle sur une fillette, et un autre où il a frappé une femme au point de l'envoyer à l'hôpital.

Evans regarda le dossier. Il hocha la tête.

— Oui, oui, dit-il rapidement. Je vois cela. Mais des dossiers donnent rarement une version fidèle de ce qui s'est vraiment passé. Dans le cas présent… la fillette était la fille de son voisin, qui avait l'habitude de jouer avec lui et de l'asticoter. Elle avait sans aucun doute des problèmes, car sa famille a décidé de ne pas porter plainte. Dans l'autre affaire, il s'agit de la mère de notre patient. Durant une dispute à cause de je ne sais quelle corvée domestique banale, il l'a poussée : elle s'est cogné le crâne contre le coin d'une table, et il a fallu l'emmener à l'hôpital. Pendant très longtemps, cet homme n'avait pas conscience de sa force. Je crois aussi qu'il ne possède pas l'intelligence criminelle de l'homme que vous cherchez. Corrigez-moi si je me trompe, mais il me semble que votre théorie repose sur le fait que le tueur est un homme d'une grande complexité intellectuelle.

Lucy reprit le dossier des mains d'Evans et s'adressa à Big Black :

— Je crois que vous pouvez le ramener à son dortoir, fit-elle. M. Evans a raison.

Big Black prit l'homme par le coude pour le faire se lever. Le patient souriait.

— Merci de m'avoir accordé du temps, fit Lucy.

L'homme n'en comprit pas un mot, mais l'intention devait être évidente, car il souriait et fit un petit signe de la main, avant de suivre docilement Big Black vers la porte. Son sourire aimable ne vacilla pas une seule fois.

Lucy se renversa en arrière sur son siège.

— Nous n'avançons pas, dit-elle avec un soupir.

— J'ai toujours eu des doutes, répliqua M. Evans.

Francis vit que Lucy allait dire quelque chose. Au même instant, il entendit deux, peut-être trois voix qui se mirent à hurler d'un seul coup : *Dis-lui ! Vas-y, dis-lui !* Alors il se pencha en avant et ouvrit la bouche pour la première fois depuis plusieurs heures :

— Tout va bien, Lucy. L'important n'est pas là.

M. Evans avait l'air fâché que Francis ait pris la parole. Comme s'il avait été interrompu, ce qui n'était pas le cas.

— Que voulez-vous dire, Francis ? demanda Lucy.

— Le problème, ce n'est pas ce qu'ils disent. Je veux dire, ça n'a pas de sens, vraiment, toutes les questions que vous pourriez poser, sur la nuit du meurtre, l'endroit où ils se trouvaient, s'ils connaissaient Blondinette, ou s'ils ont déjà été violents dans le passé. Peu importe les questions que vous leur posez sur cette nuit-là, ou même sur ce qu'ils sont. Quoi qu'ils disent, quoi qu'ils comprennent, quelles que soient leurs réponses, rien de ce qu'ils vous diront ne sera ce que vous croyez entendre.

Comme Francis aurait pu s'y attendre, M. Evans fit un geste dédaigneux de la main.

— Vous pensez que rien de ce qu'ils disent ne peut avoir d'importance, C-Bird ? Dans ce cas, quel est l'objet de ce petit exercice ?

Francis se recroquevilla sur son siège, un peu effrayé à l'idée de contredire M. Débile. Il y a des hommes, il le savait, qui gardent en eux les affronts et les injures, et les font payer tôt ou tard. Evans était un de ces hommes.

— Des mots, dit lentement Francis. Les mots ne veulent rien dire. Il va falloir parler un tout autre langage pour trouver l'Ange. Un moyen de communication totalement différent, et un des hommes qui passent cette porte le connaîtra. Il faut simplement qu'on le reconnaisse quand il arrivera. Nous pouvons le trouver ici, poursuivit-il prudemment, mais ce ne sera pas exactement ce à quoi nous nous attendons.

Evans grogna légèrement. Il sortit son carnet de notes et inscrivit quelques mots sur une page quadrillée. Lucy Jones allait répondre à Francis, mais elle remarqua le manège du psychologue et préféra s'adresser à lui :

— Qu'est-ce que c'est ? demanda-t-elle en montrant le carnet.

— Oh, pas grand-chose.

— Ce doit bien être quelque chose, insista-t-elle. Un pense-bête, pour ne pas oublier d'acheter un litre de lait en rentrant chez vous. La décision de postuler pour un nouvel emploi. Une maxime, un jeu de mots, des vers de mirliton ou un extrait de poème. Mais c'était quelque chose. Quoi ?

— Une remarque à propos de notre jeune ami que voici, répliqua Evans d'une voix neutre. Une note pour me rappeler que Francis a toujours des visions, comme le prouve son discours sur la création d'un nouveau langage.

Furieuse, Lucy s'apprêta à lui répondre qu'elle avait parfaitement compris ce que Francis avait dit, mais elle n'en fit rien. En jetant un bref regard dans sa direction, elle avait vu que l'intervention de M. Evans l'avait terrorisé. Tais-toi, se dit-elle brusquement. Tu ne feras qu'empirer les choses.

Sauf qu'elle avait du mal à imaginer comment les choses auraient pu être pires pour Francis.

— Qui est le patient suivant ? demanda-t-elle.

— Hé, le Pompier ! fit Little Black un peu plus bas, mais d'un ton pressant. Il faut se dépêcher.

Il regarda sa montre, puis Peter, en tapotant le verre d'un index impatient.

— Il faut qu'on y aille, maintenant !

Peter, qui était en train d'inspecter la literie d'un des suspects de Lucy, leva les yeux, l'air surpris.

— Qu'est-ce qui presse tant ?

— Gulp-Pilule, répondit vivement Little Black. L'heure de sa ronde de midi approche à la vitesse grand V. Il faut que je vous ramène à l'Amherst et que vous vous changiez avant qu'il commence à se balader dans l'hôpital. Je ne veux pas qu'il vous tombe dessus à un endroit où vous n'êtes pas censé vous trouver, dans des vêtements que vous n'êtes pas censé porter.

Peter acquiesça. Il glissa les mains sous les bords du lit, tâta le matelas. Il craignait que l'Ange ne soit parvenu à découper un fragment d'un matelas pour y cacher son arme et ses « souvenirs ». C'était ce que lui-même aurait fait s'il avait voulu dissimuler des objets aux aides-soignants, aux infirmières ou à un patient indiscret.

Il ne trouva rien. Il secoua la tête.

— Vous avez fini ? demanda Little Black.

Peter continua à vérifier le matelas, explorant le moindre renfoncement, la moindre bosse. L'échantillon habituel de pensionnaires l'observait, à l'autre bout du dortoir. Certains, intimidés par la présence de Little Black, se rencognaient ou se serraient contre le mur. Quelques autres étaient assis sur le bord de leur lit, l'air absent, le regard dans le vide, comme s'ils vivaient dans un autre monde.

— Ouais, presque fini, marmonna Peter à l'aide-soignant qui s'était remis à tapoter son verre de montre.

Ce lit est nickel, se dit Peter. Rien de suspect. Il ne lui restait qu'à passer rapidement en revue les effets personnels de l'homme, dans la cantine qui se trouvait sous le sommier métallique. Peter la tira vers lui. Il fouilla rapidement et ne trouva que des chaussettes qui avaient besoin d'être lavées. Il allait renoncer quand quelque chose attira son regard.

C'était un tee-shirt blanc ordinaire. Il était plié, presque au fond du coffre. Le genre de modèle bon marché que l'on trouve dans tous les magasins de vente au rabais de la Nouvelle-Angleterre. De nombreux patients en portaient un semblable sous leur chemise, en hiver. Mais ce n'est pas ça qui intéressait Peter.

Une grande tache rouge sombre s'étalait au milieu du tee-shirt, à hauteur de la poitrine. Peter avait déjà vu ce genre de tache. Durant sa formation d'enquêteur, chez les pompiers. Et quand il était soldat, dans la jungle vietnamienne.

Il le tint pendant quelques secondes devant lui, frottant le tissu entre ses doigts, comme si le contact pouvait lui apprendre quelque chose. Little Black, à deux mètres de lui, reprit d'une voix insistante :

— Peter, il faut y aller maintenant. Je n'ai pas envie d'expliquer certaines choses, et encore moins au médecin-chef !

— Regardez ça, monsieur Moïse, fit lentement Peter.

Little Black s'approcha et se pencha par-dessus son épaule. Peter ne dit rien, mais il entendait la respiration, un peu sifflante, de l'aide-soignant.

— Ce pourrait être du sang, Peter. Il est sûr que ça y ressemble.

— C'est ce que je me disais.

— Est-ce que ce n'est pas une des choses que nous cherchons ? demanda Little Black.

— Si, en effet, répondit Peter d'une voix calme.

Il replia soigneusement le tee-shirt tel qu'il était quand il l'avait découvert, et le remit exactement à sa place. Il poussa la cantine sous le lit en espérant qu'elle était dans la bonne position, puis se releva.

— Allons-y, dit-il.

Il jeta un coup d'œil au groupe de patients, à l'autre bout du dortoir. Impossible de savoir, en voyant les regards vides fixés sur lui, s'ils avaient remarqué quoi que ce soit.

19

Peter se débarrassa de l'uniforme blanc d'aide-soignant dans l'espace qui se trouvait derrière la porte du pavillon Amherst. Little Black plia le pantalon flottant et la veste trop large et les glissa sous son bras, pendant que Peter enfilait un jean froissé.

— Je vais les planquer, dit-il, jusqu'à ce que nous soyons sûrs que Gulp-Pilule a fini sa ronde et que nous pouvons nous remettre au boulot.

Le petit aide-soignant regarda Peter en plissant les yeux.

— Vous allez parler à Mlle Jones de ce qu'on a découvert ?

— Dès que M. Débile ne sera plus dans les parages, fit Peter en hochant la tête.

Little Black grimaça.

— Il le saura. D'une manière ou d'une autre. Comme toujours. Tôt ou tard, ce type sait tout ce qui se passe ici.

Peter se dit que c'était une information fascinante, mais il ne fit aucun commentaire.

Pendant un instant, Little Black eut l'air indécis.

— Alors, qu'est-ce qu'on va faire, avec un gars qui planque une chemise tachée de sang, dont on ne sait pas si c'est le sien ?

— Je pense qu'il faut rester tranquille, et garder tout ça pour nous. Au moins jusqu'à ce que Mlle Jones décide comment elle veut procéder. Je crois que nous devons être très prudents. Après tout, elle parle en ce moment même à l'occupant de ce lit.

— Vous pensez qu'elle va découvrir quelque chose, en l'interrogeant ?

— Je ne sais pas. Il faut simplement être prudent.

Little Black acquiesça. Un simple tee-shirt taché de sang pouvait entraîner toutes sortes de problèmes. Peter se passa la main dans les cheveux en réfléchissant à la situation. Il savait qu'il devait être à la fois prudent et offensif. Sa première réflexion était d'ordre technique : comment isoler l'homme qui occupait le lit où il avait fait sa découverte, et comment agir contre lui ? Il y avait beaucoup à faire, maintenant qu'il avait un véritable suspect. Toute son expérience lui suggérait une approche prudente, même si cela allait contre sa nature. Il sourit, parce qu'il reconnaissait le bon vieux dilemme auquel il avait dû faire face toute sa vie : le choix d'un équilibre entre les petits pas et le plongeon tête baissée. Il savait parfaitement que s'il était là où il était, c'était en partie parce qu'un jour il n'avait peut-être pas assez hésité.

Le plus grand des frères Moïse attendait dans le couloir, devant le bureau où Lucy menait ses interrogatoires. Il surveillait un patient qui l'égalait en taille, voire en force, mais Big Black ne semblait pas s'en inquiéter. L'homme se balançait d'avant en arrière, un peu comme un camion dont les roues patinent dans la boue et dont le chauffeur change de vitesse pour s'en sortir. Quand il vit arriver Peter et son frère, il poussa légèrement l'homme en avant.

— Il faut ramener ce monsieur au pavillon Williams, dit-il quand ils furent assez près.

Croisant le regard de son frère, il ajouta :

— Gulp-Pilule est en haut, il fait sa ronde au deuxième.

Peter n'attendit pas que les aides-soignants lui disent quoi faire.

— J'attends Mlle Jones ici.

Il se colla contre le mur, en essayant de se faire une idée précise de l'homme que Big Black escortait. Il tenta de le regarder dans les yeux, de mesurer son attitude, son aspect, comme s'il pouvait ainsi voir dans son cœur. Un homme qui était peut-être un assassin.

Tandis que Peter se laissait aller, nonchalant, et que les deux aides-soignants passaient devant lui avec leur patient, il ne put résister à la tentation de lui lancer, dans un chuchotement destiné à lui seul :

— Salut, l'Ange. Je sais qui tu es.

Aucun des frères Moïse ne l'entendit, apparemment.

Le patient ne montra aucun signe d'hésitation. Il suivait les frères Moïse d'un pas traînant, sans remarquer qu'on lui avait adressé la parole. Il se déplaçait un peu comme un homme qui a des chaînes aux mains et aux pieds, à petits pas sautillants, alors que rien n'entravait ses mouvements.

Peter regarda le large dos de l'homme disparaître par la porte d'entrée, puis il se décolla du mur et se dirigea vers le bureau où Lucy Jones attendait. Il ne savait pas exactement comment utiliser sa découverte.

Lucy Jones sortit du bureau juste avant qu'il n'y soit, suivie de près par M. Débile, qui lui parlait visiblement avec énergie, puis de Francis, qui semblait rester à distance du psychologue. Peter vit que C-Bird avait l'air plus petit que d'habitude, comme si une pensée ou une idée l'avait fait se recroqueviller. Il semblait plus léger. Tout à coup, Francis leva les yeux. Quand il aperçut Peter qui se dirigeait vers eux, il se ressaisit d'un seul coup et s'écarta de M. Débile pour aller vers lui. En même temps, Peter vit Gulptilil entrer dans le couloir, venant de l'escalier le plus éloigné d'eux. Il précédait un petit groupe de collaborateurs. Tous avaient des blocs et des crayons, gribouillaient des remarques ou prenaient des notes. Peter vit Cléo, la cigarette au bec, se lever précipitamment d'un vieux fauteuil et foncer droit sur la trajectoire du médecin-chef. Elle se dressa devant le groupe comme une Amazone antique défendant les portes de la cité.

— Ah, docteur ! Que comptez-vous faire pour les portions minuscules que vous nous servez aux repas ? Je ne crois pas que les autorités de l'État avaient dans l'idée de nous affamer quand elles ont créé cet établissement. J'ai des amis qui connaissent des gens haut placés, et il se pourrait qu'ils aient l'oreille du gouverneur, pour les questions de santé mentale…

Gulp-Pilule hésita un instant avant de la regarder. Le groupe d'internes et d'étudiants qui l'accompagnait s'arrêta. Ils pivotèrent à l'unisson, comme un chœur sur une scène de Broadway.

— Ah, Cléo ! répondit le docteur d'une voix mielleuse, en singeant sa façon de parler. J'ignorais qu'il y eût un problème, comme j'ignorais que vous vous étiez plainte. Mais je ne crois pas qu'il soit nécessaire d'impliquer dans cette affaire tout le gouvernement de l'État. Je parlerai au personnel de cuisine, et je veillerai à ce que chacun reçoive la quantité de nourriture dont il a besoin.

Mais Cléo était loin d'en avoir terminé.

— Les raquettes de ping-pong sont esquintées, poursuivit-elle, son débit s'accélérant à chaque mot. Elles ont besoin d'être remplacées. La plupart des balles sont fêlées et, par conséquent, inutilisables. Les filets sont tout effilochés et tiennent avec des bouts de ficelle. La table est déformée et branlante. Dites-moi, docteur, comment peut-on espérer s'améliorer, avec un équipement aussi médiocre qui ne satisfait même pas aux critères de l'Association américaine de tennis de table ?

— De nouveau, j'ignorais qu'il y eût un problème. J'examinerai le budget loisirs, et nous verrons si nous disposons de fonds pour acheter du matériel.

Tout cela en aurait calmé plus d'un. Mais Cléo était lancée.

— Il y a trop de bruit dans les dortoirs, la nuit, et ça nous empêche de dormir. Beaucoup trop de bruit. Le sommeil est essentiel pour le bien-être de l'individu et sa progression générale vers la guérison. Le ministre de la Santé recommande au moins huit heures de sommeil ininterrompu par jour. En outre, il nous faut plus d'espace. Beaucoup plus d'espace. Il y a des condamnés à mort qui disposent de plus d'espace vital que nous. La surpopulation dépasse les bornes. Il faut mettre aussi plus de papier hygiénique dans les toilettes. Beaucoup plus. Et…

Elle déroulait sa litanie de doléances.

— … et pourquoi n'y a-t-il pas plus d'aides-soignants pour nous venir en aide, la nuit, quand nous faisons des cauchemars ? Toutes les nuits, quelqu'un crie pour demander de l'aide. Cauchemars, cauchemars, cauchemars. On appelle, on appelle, on crie, et personne ne vient jamais. Ce n'est pas bien, bande de fainéants de fils de putes de bordel de merde, c'est injuste…

— Comme nombre d'établissements publics, nous avons des problèmes récurrents d'effectifs, Cléo, fit le docteur avec condescendance. Je prends note de vos plaintes et de vos suggestions, bien entendu, et je verrai si nous pouvons faire quelque chose. Mais si l'équipe réduite qui assure le service de nuit devait répondre à tous les cris qu'ils entendent, ils seraient morts de fatigue après une nuit ou deux, Cléo. Je crains que nous ne devions apprendre à vivre un peu avec nos cauchemars.

— Ce n'est pas juste. Vu tous les médicaments dont vous nous gavez, bande de salauds, vous devriez être capables de trouver quelque chose pour que les malheureux puissent dormir sans être trop dérangés.

Plus elle parlait, plus Cléo semblait se dilater, emportée par sa souveraine arrogance. La Marie-Antoinette du pavillon Amherst.

— Je chercherai dans mon manuel médical si on peut modifier la médication, mentit le docteur. Y a-t-il d'autres problèmes que vous aimeriez soulever ?

Cléo semblait troublée, frustrée. Mais, très vite, elle prit un air rusé.

— Oui, fit-elle d'un ton vif. Je veux savoir ce qui est arrivé au pauvre Efflanqué.

Elle fit un grand geste pour montrer Lucy, qui attendait patiemment.

— Et je veux savoir si elle pourra découvrir le véritable assassin !

Ces mots se répercutèrent dans le couloir.

Gulptilil lui répondit doucement, avec un faible sourire :

— L'Efflanqué est toujours détenu, en isolement. Il est accusé de meurtre au premier degré. Je pense vous l'avoir déjà expliqué. Il y a eu une audience préliminaire mais, comme on pouvait s'y attendre, la libération sous caution a été refusée. On lui a assigné un avocat d'office et il continue de prendre les médicaments prescrits par l'hôpital. Il se trouve toujours à la prison du comté, en attendant les prochaines audiences. Je me suis laissé dire qu'il va bien…

— C'est un mensonge ! dit Cléo, furieuse. L'Efflanqué est sans doute malheureux d'être loin d'ici. C'est chez lui, ici. Et nous, nous sommes ses amis. Il doit rentrer sur-le-champ !

Elle reprit son souffle et singea le docteur, sarcastique :

— Je vous l'ai déjà dit. Pourquoi vous ne m'écoutez pas ?

— Quant à votre autre question… poursuivait Gulptilil sans tenir compte de ses accusations, il vaut mieux la poser directement à Mlle Jones. Mais il lui est interdit d'informer qui que ce soit des progrès qu'elle pense avoir faits. Ou pas faits.

Gulptilil avait souligné ces derniers mots de sa voix aigre.

Cléo recula en marmonnant. Gulptilil s'écarta d'elle, et, tel un chef scout en randonnée dans les bois, il fit un grand signe du bras pour inviter le groupe d'internes à le suivre dans le couloir. Mais il avait à peine fait quelques pas que Cléo explosa, d'une voix forte, accusatrice :

— Je vous ai à l'œil, Gulptilil ! Je vois bien ce qui se passe ! Vous pouvez abuser certaines personnes, ici, mais pas moi !

Elle ajouta, à voix basse mais assez fort pour les médecins l'entendent :

— Vous êtes tous des salopards.

Le médecin-chef se figea, fit mine de se retourner vers elle et décida qu'il avait mieux à faire. Francis vit qu'il avait le visage de marbre et qu'il s'efforçait de dissimuler le malaise que lui inspirait la scène.

— Nous sommes tous en danger, et vous, fils de putes, vous ne faites rien contre ça ! brailla Cléo.

Avec un petit gloussement, elle tira une longue bouffée de sa cigarette, ricana et se laissa retomber lourdement sur son siège. Elle suivit le directeur des yeux, un sourire satisfait aux lèvres. Elle agita sa cigarette, qu'elle tenait comme une baguette de chef d'orchestre.

Francis se sentait bizarrement encouragé par l'attitude de Cléo. Il avait l'impression que l'éclat avait attiré l'attention de tous les patients qui erraient à l'étage. Il ignorait si cela signifiait quelque chose pour eux, mais il sourit intérieurement devant cette petite manifestation de révolte, en se disant qu'il aurait bien voulu avoir la même confiance en lui. Cléo devait avoir deviné ses pensées, car elle souffla un grand rond de fumée très élaboré dans l'air immobile du couloir, le regarda se dissiper et lui fit un clin d'œil.

Peter, qui se trouvait juste à côté de lui, avait eu la même pensée.

— Quand la révolution éclatera, murmura-t-il, elle sera sur les barricades. Bon Dieu, c'est sans doute elle qui mènera la révolte, et elle est assez grosse pour être elle-même une barricade.

— Quelle révolution ? demanda Francis.

— Ne prends pas tout au premier degré, dit Peter avec un petit rire. Pense en termes de symboles.

— C'est facile pour la reine d'Égypte, répliqua Francis. Pour moi, je ne sais pas.

Ils échangèrent un sourire.

Gulptilil, pas du tout enclin à l'humour, s'approcha d'eux.

— Ah, Peter, Francis, dit-il d'une voix qui avait retrouvé son accent chantant (mais pas du tout la bonne humeur qu'on y associait en général). Mes deux détectives. Comment avance cette enquête ?

— Lentement mais sûrement, répondit Peter. C'est ainsi que je la décrirais. Mais c'est plutôt à Mlle Jones d'en juger.

— Bien sûr. Elle est juge d'une certaine sorte de progrès. Mais moi, et les autres responsables de l'hôpital, nous nous inquiétons un peu plus d'un genre de progrès assez différent, non ?

Peter hésita, puis hocha la tête.

— Bien sûr, dit Gulptilil. À ce propos, vous tombez à pic. L'un et l'autre, vous devrez passer à mon bureau cet après-midi. Francis, il est temps que nous ayons une petite conversation sur la poursuite de votre traitement. Quant à vous, Peter, des visiteurs importants viendront vous voir cet après-midi. Dès qu'ils seront informés de leur arrivée, les frères Moïse vous escorteront au bâtiment administratif.

Le médecin-chef rondouillard leva un sourcil, comme s'il était curieux de leurs réactions. Il les contempla pendant une demi-minute très gênante, puis il fit quelques pas et se tourna vers Lucy.

— Mademoiselle Jones, je vous souhaite le bonjour. Êtes-vous parvenue à résoudre votre dilemme ?

— Je suis parvenue à éliminer un certain nombre de suspects.

— Ce qui est très important pour vous, je suppose ?

Elle ne répondit pas.

— Eh bien, continuez, je vous en prie, reprit Gulptilil. Plus vite nous parviendrons à des conclusions, mieux ce sera pour toutes les personnes concernées. M. Evans a pu vous être utile dans vos recherches ?

— Bien sûr, dit très vite Lucy.

Gulptilil se tourna vers M. Débile.

— Vous me tiendrez au courant, aussi, de la manière dont les choses évoluent ?

— Bien sûr, dit Evans.

Francis se dit que tout cela était du baratin de bureaucrate. Il était persuadé qu'Evans informait avec précision Gulp-Pilule de tout ce qui se passait, à chaque étape. Il supposait que Lucy Jones le savait, elle aussi.

Le médecin-chef soupira. Il poursuivit son chemin dans le couloir et sortit par la grande porte. Un instant plus tard, Evans se tourna vers Lucy Jones.

— Eh bien, je suppose que nous faisons une pause ? J'ai de la paperasse en retard.

Puis il sortit à son tour, très vite.

Francis entendit quelqu'un éclater d'un rire bruyant, dans la salle commune. La voix haut perchée tournoya dans le pavillon Amherst. Quand il se tourna pour voir d'où cela venait, le rire s'interrompit, comme dissous dans les rayons du soleil de midi qui filtraient entre les barreaux des fenêtres.

Peter se décolla du mur, chuchota « Allons-y » à Francis et s'approcha de Lucy. Le Pompier venait de changer brusquement d'attitude, passant à tout autre chose que les doléances de Cléo et son plaisir de voir Gulptilil déconfit. Francis vit qu'il avait le visage dur. Peter prit Lucy Jones par le coude et la fit pivoter vers lui.

— J'ai trouvé quelque chose, il faut que je vous en parle.

Elle hocha la tête sans un mot, après avoir sondé, se dit Francis, l'attitude de Peter. Ils regagnèrent tous trois son petit bureau.

— Le dernier homme que vous avez interrogé… fit Peter tandis qu'ils prenaient des chaises et s'installaient autour du bureau. Quelle impression vous a-t-il faite ?

Lucy leva un sourcil.

— En un mot : aucune, dit-elle. N'est-ce pas, Francis ?

Celui-ci acquiesça.

— Même s'il possède la force physique et la jeunesse nécessaires pour commettre certains des faits que nous examinons, reprit Lucy, cet homme souffre d'un profond handicap mental. Il est incapable de nous communiquer la moindre information. Il reste assis là, absolument imperméable à mes questions, et Evans estime qu'on doit l'exclure de la liste. Le type que nous cherchons a de la cervelle. Assez en tout cas pour préméditer ses crimes et éviter de se faire prendre.

Peter eut l'air un peu surpris.

— Evans pense que cet homme devrait être éliminé de la liste des suspects ?

— C'est ce qu'il m'a dit, répondit Lucy.

— Eh bien, c'est bizarre, parce que j'ai découvert un tee-shirt taché de sang tout au fond de sa cantine.

Lucy se renversa en arrière sur son siège. Tout d'abord, elle resta silencieuse. Francis vit qu'elle assimilait l'information, en restant sur ses gardes. Il sentit que son imagination était de nouveau stimulée. Il se pencha en avant.

— Tu peux décrire ce que tu as trouvé, Peter ? Comment être sûr que c'est bien ce que tu dis ?

Il ne fallut à Peter que quelques secondes pour les mettre au courant.

— Vous êtes absolument sûr que c'était du sang ? demanda Lucy.

— Aussi sûr qu'on peut l'être sans faire une analyse en labo.

— Il y avait des spaghettis au dîner, l'autre soir. Je me demande si ce type n'a pas des problèmes pour maîtriser certains ustensiles. Il aura peut-être renversé de la sauce sur son tee-shirt…

— Ce n'était pas ce genre de tache. C'était épais, brun, tirant sur le bordeaux, très étendu. Pas comme une tache qu'on aurait tamponnée pour essayer de la faire disparaître. Non, quelqu'un voulait la garder telle quelle.

— Comme un souvenir ? fit Lucy. Nous cherchons quelqu'un qui aime garder des souvenirs.

— Ça doit avoir le même effet qu'une photo d'amateur, répondit Peter. Pour le tueur, je veux dire. Vous savez, une famille va en vacances. Au retour, ils font développer les photos et ils s'assoient au salon pour regarder les clichés et revivre leurs souvenirs. À mon avis, ce tee-shirt devrait procurer à notre Ange le même genre de frisson. Il peut le lever devant lui, le toucher, et se rappeler. J'imagine que le souvenir du crime est presque aussi puissant que le moment du crime lui-même.

Un vacarme de voix éclata dans la tête de Francis. Des opinions contradictoires, des conseils, de la peur, et des sentiments instables. Au bout d'un instant, il hocha la tête, pour montrer qu'il était d'accord avec ce que disait Peter. Mais il s'adressa à Lucy :

— Est-ce qu'on a trouvé un indice, dans un des autres meurtres, montrant qu'on avait pris quelque chose aux victimes, à part les phalanges ?

Lucy, qui s'apprêtait à répondre à Peter, se tourna vers lui.

— Pas que nous sachions. Aucun vêtement n'avait disparu. En tout cas, pas des inventaires que nous avons pu établir. Mais l'hypothèse n'est pas totalement exclue.

Quelque chose troublait Francis, mais il ne savait pas quoi. Aucune de ses voix n'était assez claire pour l'aider. Elles continuaient à émettre des opinions contradictoires, et il devait faire un effort pour les repousser et réussir à se concentrer.

Lucy tapotait nerveusement le dessus de la table avec un crayon. Elle se tourna vers Peter.

— Avez-vous trouvé autre chose qui puisse servir de pièce à conviction ?

— Non.

— Pas de phalanges ?

— Non. Et pas de couteau non plus. Ni les clés du bâtiment.

Francis reprit la parole :

— Je crois que je ne me suis pas trompé tout à l'heure, dit-il, un peu surpris de se montrer aussi offensif. Avant ton retour, Peter. Quand Evans était ici.

Il avait l'impression d'entendre sa propre voix, comme si elle venait d'un autre Francis. Pas celui qu'il connaissait, mais un Francis différent, un Francis qu'il aimerait être un jour.

— Quand je disais que nous devrions découvrir le langage de l'Ange.

Peter lui jeta un regard intrigué, et Lucy se pencha pour mieux entendre. Francis hésita un instant, ignora le doute qui s'emparait de lui et reprit :

— Je me demande si ce n'est pas la première leçon de communication. Il nous faut simplement découvrir ce qu'il dit, et pourquoi.

Pendant quelques instants, Lucy se demanda si la traque de l'assassin dans cet hôpital pouvait la rendre folle, elle aussi. Mais elle considérait la folie comme un produit dérivé de la frustration, non comme une maladie organique. Voilà une pensée dangereuse, se dit-elle, et elle fit appel à toute son énergie mentale pour la repousser. Elle avait envoyé Peter et Francis déjeuner, tandis qu'elle essayait de définir un plan d'action. Seule dans son petit bureau, elle étala le dossier clinique de l'homme qu'elle avait interrogé un peu plus tôt. Certaines choses devraient être logiques, se dit-elle. Certains liens devraient être évidents. Certains actes devraient être clairs.

Elle secoua la tête, comme pour repousser l'idée que tout cela ne tenait pas debout. Elle avait un nom. Une preuve. Elle avait lancé des procès avec beaucoup moins, et ils avaient abouti. Pourtant, elle était mal à l'aise. Le dossier étalé devant elle aurait dû lui fournir des informations convaincantes. Or, c'était le contraire. Un attardé mental profond, incapable de répondre aux questions les plus simples, qui la regardait avec l'air de ne pas comprendre un mot de ce qu'elle disait, avait en sa possession un objet que le tueur, et lui seul, aurait dû avoir. Cela ne rimait à rien.

Sa première réaction fut de renvoyer Peter chercher la chemise dans la cantine, sous le lit du patient. N'importe quel labo pouvait comparer les taches de sang à celui de Blondinette. Il était possible aussi de trouver des cheveux, ou des fibres, sur la chemise, et un examen au microscope pourrait faire apparaître d'autres liens entre la victime et son agresseur. Le problème, c'était qu'elle ne pouvait pas se contenter de prendre la chemise : ce serait considéré comme une saisie illégale, et n'importe quel magistrat la récuserait dès la première audience. Il y avait aussi le problème curieux de l'absence d'autres indices. Cela non plus ne semblait pas très logique.

Lucy avait un pouvoir de concentration extraordinaire. Dans sa brève carrière au bureau du procureur, elle s'était distinguée par son talent à voir les crimes sur lesquels elle enquêtait, comme d'autres voient un film. Elle visualisait les détails sur l'écran de son imagination et finissait tôt ou tard par voir l'ensemble de l'action. C'était ce qui avait fait son succès professionnel. Quand Lucy plaidait au tribunal, elle comprenait sans doute mieux que l'homme qu'elle accusait pourquoi et comment il avait fait ce qu'on lui reprochait. C'était cette qualité qui faisait d'elle un accusateur public si redoutable. Mais dans cet hôpital, elle avait l'impression d'aller à la dérive. C'était totalement différent du monde criminel auquel elle était habituée.

Elle gémit, frustrée. Elle regarda le dossier pour la centième fois, et s'apprêtait à le fermer d'un geste rageur, lorsqu'elle entendit un coup timide à la porte. Elle leva les yeux. La porte s'ouvrit.

Francis se pencha dans la pièce, la tête dans l'entrebâillement.

— Hello, Lucy. Je peux vous déranger une minute ?

— Entrez, C-Bird, répondit-elle. Je croyais que vous étiez allé déjeuner.

— J'y étais. J'y suis allé. Mais une idée m'est venue en chemin, et Peter m'a conseillé de vous en parler tout de suite.

— De quoi s'agit-il ? demanda Lucy en lui faisant signe de s'asseoir.

Francis obtempéra, avec des gestes qui suggéraient qu'il était à la fois impatient et réticent.

— L'attardé mental… dit-il lentement. Ce n'est pas du tout le genre de personne que nous cherchons. Je veux dire, certains des types qui sont venus ici, qui ont été écartés, ils avaient l'air… extérieurement en tout cas, de bien meilleurs candidats. Du moins, ils ressemblaient beaucoup plus à l'idée qu'on se fait de notre suspect.

Lucy acquiesça.

— C'est ce que je me suis dit, moi aussi. Mais cet homme… comment a-t-il eu la chemise ?

Elle eut l'impression que Francis frissonnait.

— Parce que quelqu'un voulait que nous la trouvions. Quelqu'un voulait que nous trouvions cet homme. Quelqu'un sait que nous interrogeons des gens et que nous faisons des fouilles, et il a fait le lien entre les deux, alors il a anticipé nos mouvements, et il a planqué la chemise.

Lucy inspira brusquement. Oui, c'était logique.

— Pourquoi quelqu'un voudrait-il nous entraîner vers cette personne ?

— Je ne sais pas encore, dit Francis. Je ne sais pas.

— Si vous vouliez piéger quelqu'un pour un crime que vous avez commis, il serait bien plus logique de dissimuler des indices sur quelqu'un dont la conduite est suspecte. Comment la conduite de cet homme pourrait-elle susciter notre intérêt ?

— Oui, je sais, répondit Francis. Mais cet homme est différent. Il est le candidat le moins crédible. Un mur de brique. Il existe donc une autre raison de l'avoir choisi, lui.

Il se redressa soudain, l'air épouvanté, comme si une explosion s'était produite près de lui.

— Lucy, dit-il lentement, il y a quelque chose, à propos de cet homme, qui devrait nous mettre sur une piste. Il suffit de découvrir ce que c'est.

— Vous pensez que quelque chose, là-dedans, peut nous aider ? fit-elle en soulevant le dossier médical.

Francis acquiesça.

— Peut-être. Peut-être. Je ne sais pas ce qu'on met dans un dossier.

Elle le poussa vers lui, sur le bureau.

— Regardez si vous trouvez quelque chose. Moi, je renonce.

Francis attrapa le dossier. Il n'avait jamais lu un dossier de l'hôpital. L'espace d'un instant, il eut l'impression de commettre un acte illégal, en regardant dans la vie d'un autre patient. Les pensionnaires ne connaissaient de leurs compagnons que ce qui était défini par la routine de l'hôpital, au point qu'au bout d'un moment, on finissait par oublier que les patients avaient eu une autre existence, à l'extérieur des murs. À l'intérieur de l'hôpital psychiatrique, tous les éléments relatifs à leur passé, leur famille, leur avenir, leur étaient confisqués. Francis réalisa qu'il y avait quelque part un dossier portant son nom – comme il y en avait un au nom de Peter –, un dossier qui contenait toutes sortes d'informations qui lui semblaient terriblement lointaines, comme si elles appartenaient à une autre vie, une autre époque, un autre Francis.

Il se plongea dans le dossier de l'attardé mental.

Il était rédigé dans un jargon d'hôpital sec et banal, et se composait de quatre sections. La première reprenait les informations sur son passé et sa famille. La deuxième contenait son histoire médicale et des données comme la taille, le poids et la tension. La troisième décrivait le traitement auquel le patient était soumis, y compris les divers médicaments prescrits. La dernière, c'était le pronostic. Cela tenait en cinq mots : « Surveiller. Traitement long terme probable. »

Il y avait également un tableau révélant que le patient, à plusieurs reprises, avait été autorisé à quitter l'hôpital pour des permissions d'un week-end dans sa famille.

Francis apprit ainsi que l'homme avait grandi dans une petite ville proche de Boston. Lorsqu'il était entré au Western State, il ne se trouvait dans l'ouest du Massachusetts que depuis un an. Il avait un peu plus de trente ans, une sœur et deux frères qui semblaient normaux et qui menaient une existence banale et parfaitement routinière. On avait diagnostiqué un retard mental lorsqu'il était à l'école primaire, et durant toute son existence, il était passé d'un programme éducatif à un autre. Aucune traitement n'avait jamais été efficace.

Francis se renversa dans son siège. Il n'eut aucun mal à voir la situation : une mère et un père âgés. Un fils immature, chaque année un peu plus costaud et un peu moins facile à contrôler. Un fils incapable de comprendre et de maîtriser ses coups de tête ou sa colère. Sa curiosité sexuelle. Sa force. Des frères et sœur qui n'ont qu'une envie : prendre le large, le plus vite possible, sans offrir leur aide.

Dans chaque mot de ce dossier, il reconnaissait un peu de lui-même. Différent, et pourtant le même.

Il lut le dossier de bout en bout. Une fois, puis deux fois, conscient que Lucy l'observait avec attention, jaugeant ses réactions aux mots qui défilaient sous ses yeux.

Au bout d'un moment, il se mordit la lèvre. Il sentait que ses mains tremblaient un peu. Il avait l'impression que la pièce tournoyait, comme si les mots imprimés se mêlaient à ses pensées et lui faisaient tourner la tête. Il sentit approcher une vague de danger. Il inspira brusquement, s'écarta du dossier qu'il repoussa vers Lucy.

— Vous avez une idée, Francis ?

— Non. Rien, vraiment, dit-il.

— Rien ne vous saute au yeux ?

Il secoua la tête. Elle sut qu'il mentait. Elle comprit que Francis avait bel et bien des idées. Seulement, il ne voulait pas lui en faire part.

J'ai essayé de me souvenir : qu'est-ce qui me faisait le plus peur ?

Ce fut un des moments les plus terribles, cette fois-là, dans le bureau de Lucy. Je commençais à voir des choses. Pas des hallucinations, comme celles qui résonnaient dans mes oreilles et rebondissaient dans ma tête. Celles-là, j'en avais l'habitude, et même si elles étaient parfois ennuyeuses, insupportables, et qu'elles contribuaient à définir ma folie, je m'étais habitué à elles, à leurs exigences, à leurs frayeurs, à tout ce qu'elles pouvaient me demander de faire ou de ne pas faire. Après tout, elles m'accompagnaient depuis l'enfance. Ce qui me terrorisait, c'était de voir des choses sur l'Ange. Qui il pourrait être. Ce qu'il pourrait penser. Pour Peter et Lucy, ce n'était pas la même chose. Ils comprenaient que l'Ange était un adversaire. Un criminel. Une cible. Quelqu'un qui se cachait d'eux et qu'ils étaient chargés de découvrir. Ils avaient déjà pourchassé des gens, qu'ils avaient traqués pour les livrer à la justice. Leur quête était donc d'une tout autre nature que ce qui m'avait brusquement envahi. Dans ces moments-là, je commençais à considérer l'Ange comme quelqu'un qui me ressemblait. Sauf qu'il était bien pis. Il avait laissé des traces, et pour la première fois, je me disais que j'étais capable de remonter sa piste. Toutes les fibres de mon corps criaient que marcher sur ses traces était mal. Mais c'était possible.

J'avais envie de fuir. Dans ma tête, un chœur tout entier chantait haut et fort qu'il n'arriverait rien de bon. Mes voix composaient un opéra de l'instinct de conservation, elles m'incitaient à partir, à fuir, à courir me cacher et me mettre à l'abri.

Comment aurais-je pu ? L'hôpital était fermé. Les murs étaient trop hauts. Les portes étaient solides. Et ma propre maladie m'interdisait la fuite.

Comment aurais-je pu tourner le dos aux deux seules personnes qui avaient jamais cru en moi ?

— C'est exact, Francis. Tu ne pouvais pas faire cela.

J'avais rampé jusqu'au mur et m'étais blotti dans un coin du salon, les yeux fixés sur les phrases que j'avais écrites, quand je l'entendis. C'était Peter. Quel soulagement ! Je pivotai, fouillai la pièce du regard.

— Peter ? Tu es de retour ?

— Je ne suis jamais vraiment parti. J'ai toujours été là.

— L'Ange était ici. Je l'ai senti.

— Il reviendra. Il n'est pas loin, Francis. Il reviendra, encore plus près.

— Il recommence ce qu'il a déjà fait.

— Je sais, C-Bird. Mais tu es prêt pour le recevoir, cette fois. Je le sais.

— Aide-moi, Peter, murmurai-je.

Je sentais les sanglots monter dans ma gorge.

— Cette fois, c'est ton combat, C-Bird.

— J'ai peur, Peter.

— Bien sûr, que tu as peur, dit-il sur ce ton neutre qu'il employait souvent et qui donnait l'impression qu'il ne portait pas de jugement. Mais ça ne veut pas dire que c'est sans espoir. Ça veut simplement dire que tu dois faire attention. Comme autrefois. Cela n'a pas changé. C'était ta prudence, la première fois, qui était cruciale, n'est-ce pas ?

Je restai dans mon coin, en jetant des regards nerveux autour de moi. Il devait m'avoir vu, car quand je le découvris, appuyé au mur en face de moi, il me fit un petit signe de la main et un sourire que je connaissais bien. Il portait une combinaison orange vif, mais décolorée par l'usage, déchirée et crasseuse. Il tenait à la main un casque métallique luisant, et il avait le visage marbré de suie, de cendres et de traces de transpiration. Il avait dû voir que je l'observais, car il eut un petit rire, me refit un signe et secoua la tête.

— Excuse-moi si j'ai l'air un peu négligé, C-Bird.

Je me dis qu'il paraissait un peu plus âgé que dans mon souvenir. Derrière son sourire, je devinais la marque profonde de la douleur et des ennuis.

— Ça va, Peter ?

— Bien sûr, Francis. C'est juste que j'ai eu de sales moments. Comme toi. On porte toujours l'habit que le destin nous a confectionné. Hein, C-Bird ? Rien de nouveau sous le soleil.

Il se tourna vers le mur. Son regard parcourut les colonnes de mots. Il hocha la tête, satisfait.

— Tu fais des progrès, dit-il.

— Je ne sais pas. Chaque mot que j'écris semble obscurcir la pièce.

Peter soupira, comme pour suggérer qu'il s'en doutait.

— Nous avons passé beaucoup de temps dans l'obscurité, n'est-ce pas, Francis ? Et pas mal ensemble. C'est là-dessus que tu écris. Rappelle-toi seulement que nous étions là-bas avec toi, et que nous sommes ici avec toi, maintenant. Tu pourras garder ça en tête, C-Bird ?

— J'essaierai.

— Les choses étaient un peu compliquées, à l'époque, hein ?

— Oui. Pour toi et moi. Et pour Lucy, aussi, bien sûr.

— Raconte tout cela, Francis.

Je jetai un coup d'œil au mur, à l'endroit où je m'étais arrêté. Quand je me retournai vers Peter, il avait disparu.

20

C'est Peter qui suggéra que Lucy opère dans deux directions différentes. La première, insistait-il, était la poursuite de l'interrogatoire des patients. Il était essentiel, selon lui, qu'aucun pensionnaire ou membre du personnel ne sache qu'ils avaient découvert une preuve, précisément parce qu'ils ne savaient pas ce qu'elle signifiait, ni où elle les mènerait. Si la nouvelle filtrait, ils perdraient le contrôle de la situation. C'était un effet secondaire de l'instabilité de l'univers psychiatrique, expliqua-t-il. Il n'y avait aucun moyen de prévoir quel désordre (quelle panique, peut-être) cela pourrait causer dans les personnalités fragiles des patients. La chemise ensanglantée devait donc rester là où elle était. Aucun service extérieur à l'hôpital ne devait intervenir, surtout pas les flics locaux qui avaient arrêté l'Efflanqué. Même s'ils prenaient le risque de perdre une preuve matérielle. Enfin, ajouta Peter, les résidents de l'Amherst commençaient à s'habituer au flot régulier de patients qu'on voyait sortir des autres pavillons, escortés par Big Black, pour être interrogés par Lucy, et il y avait peut-être un moyen d'utiliser cette routine à leur avantage. La seconde suggestion de Peter était un peu plus difficile à formuler.

— Nous devons transférer ce grand type à l'Amherst avec toutes ses affaires, dit-il à Lucy. Et faire en sorte que ça n'attire pas trop l'attention.

Elle acquiesça. Ils se tenaient dans le couloir, immobiles au milieu du flot de patients qui allaient et venaient en ce milieu d'après-midi. C'était l'heure des séances de thérapie de groupe et des ateliers d'artisanat. L'habituel nuage de fumée de cigarette flottait dans l'air stagnant, et les bruits de pas se mêlaient au bourdonnement des voix. Peter, Lucy et Francis semblaient les seuls à ne pas bouger, comme des rochers au milieu d'un torrent. Une activité frénétique bouillonnait autour d'eux.

— D'accord, fit Lucy. Je crois que c'est logique. On peut le surveiller, ça ne le dérangera pas. Mais à part cela ?

— Je ne sais pas. Pas exactement, répondit Peter. C'est notre seul suspect. C-Bird ici présent ne croit pas que c'est un bon suspect, et je suis plutôt d'accord avec lui. Mais nous devons découvrir quelle place il occupe dans le tableau général. Et la seule manière de le savoir…

— … est de l'avoir à l'œil. Oui. Ce n'est pas plus bête qu'autre chose. Je crois que je sais comment faire. Laissez-moi prendre quelques arrangements.

— Discrètement, dit Peter. Il faut que personne ne sache…

— Peter, fit-elle en souriant, je peux y arriver. Le travail de procureur consiste surtout à faire que les choses se passent comme vous voulez qu'elles se passent. Enfin, plus ou moins.

Levant les yeux, elle vit les frères Moïse. Elle leur fit un signe de tête.

— Messieurs, je crois que nous allons nous remettre en piste. J'aimerais vous parler tranquillement avant le retour de M. Evans.

— Il discute avec le médecin-chef, dit Little Black d'un ton prudent.

Il se tourna vers Peter et lui fit un signe interrogatif de la main. Peter acquiesça.

— Je lui ai raconté, dit-il. Est-ce que quelqu'un d'autre…

— Je l'ai dit à mon frère, fit Little Black. C'est tout.

Big Black s'avança.

— Je ne crois pas ce type soit celui que nous cherchons, dit-il avec flegme. Écoutez, il est à peine capable de manger tout seul. Il ne pense qu'à s'asseoir dans son coin et à jouer avec des poupées. À la rigueur, regarder la télévision. Je ne le vois pas en train de commettre un crime, à moins de le pousser assez pour qu'il balance un swing à quelqu'un. Le gars est fort. Plus fort qu'il ne le croit.

— Francis nous a dit plus ou moins la même chose, fit Peter.

Big Black se mit à rire.

— C-Bird a des intutions.

— Alors, pour le moment, on ne dit rien à personne, d'accord ? fit Lucy. Essayons de continuer comme ça.

Little Black haussa les épaules et se mit à rouler des yeux, comme pour dire que, dans un endroit où tout le monde est noyé dans les secrets du passé, il est quasiment impossible de garder un secret sur le présent.

— On va essayer, dit-il. Autre chose, C-Bird. Gulp-Pilule veut vous voir. Tout de suite.

Puis le grand aide-soignant se tourna vers Peter.

— Vous, je dois vous y emmener un peu plus tard.

Peter était intrigué.

— Qu'est-ce que vous pensez... commença-t-il.

Mais les frères Moïse secouèrent la tête.

— Pas de conjectures, dit Little Black. Pas encore.

Alors que son frère franchissait la porte de l'Amherst avec Francis qu'il escortait jusqu'au bureau du docteur Gulptilil, Little Black conduisait Peter et Lucy à la salle des entretiens. L'assistante du procureur se pencha sur la boîte de dossiers qu'elle avait rassemblés et ôta du sommet de la pile celui de l'attardé mental. Elle passa rapidement en revue sa liste manuscrite des suspects, jusqu'à ce qu'elle trouve celui qui devrait faire l'affaire.

Elle poussa le dossier vers Little Black.

— Voilà le prochain patient que je veux interroger.

Il jeta un coup d'œil au dossier et hocha la tête.

— Je le connais. Un fils de pute et un gueulard, fit-il avant de se corriger en bafouillant : Excusez-moi, mademoiselle Jones. C'est juste que j'ai eu une ou deux prises de bec avec lui. C'est un des pires emmerdeurs de la maison.

— Eh bien c'est parfait pour ce que j'ai en tête, répondit-elle.

Little Black lui jeta un regard interrogateur, tandis que Peter se laissait tomber sur son siège en souriant.

— On dirait que Mlle Jones a une idée !

Lucy fit tourner son crayon entre ses doigts, tout en examinant le dossier du patient. L'homme en question était un pilier de l'institution. Il avait passé la plus grande partie de sa vie en prison (pour un assortiment très classique d'agressions, vols avec voies de faits et cambriolages) et dans diverses institutions psychiatriques (car il se plaignait d'hallucinations auditives et souffrait de crises de rage maniaque). En partie inventées, se dit Lucy. En partie réelles. Ce qui était vrai, bien sûr, c'est qu'il présentait des symptômes psychotiques, un caractère manipulateur – l'idéal pour ce que Lucy avait en tête. Et une propension aux colères subites et violentes.

— En quoi cet homme vous a-t-il créé des problèmes ? demanda-t-elle à Little Black.

— C'est un de ces types qui cherchent toujours à repousser les limites, vous voyez ce que je veux dire ? Vous lui demandez d'aller dans un sens, il part dans l'autre. Dites-lui d'être ici, il se montre là-bas. Vous le poussez un peu, il se met à gueuler que vous le battez, et il dépose une plainte en bonne et due forme auprès du médecin-chef. Il aime s'en prendre aux autres patients, aussi. Toujours en train d'emmerder l'un ou l'autre. Je crois qu'il vole des trucs à ses copains derrière leur dos. De bien mauvaises manières, si vous voulez mon avis.

— Eh bien, amenez-le-moi, dit Lucy, et voyons si nous pouvons lui faire faire ce que je veux.

Elle ne donna aucune explication supplémentaire, même si Peter semblait pendu à ses lèvres. Puis il se détendit, comme s'il avait compris quelque chose avec un temps de retard. Lucy se dit que c'était une qualité qu'elle finirait sans doute par admirer. En réfléchissant un peu plus, elle réalisa qu'elle avait remarqué chez Peter plusieurs qualités qu'elle commençait déjà à admirer, ce qui excitait sa curiosité quant aux raisons de sa présence à Western State et aux raisons pour lesquelles il avait fait ce qu'il avait fait.

Miss Bien-Roulée prit Francis en charge dès que Big Black l'eut fait entrer dans le bureau du médecin-chef. La secrétaire affichait son air renfrogné habituel, suggérant qu'elle considérait comme une offense personnelle toute intrusion dans la routine qu'elle avait définie d'une poigne de fer. Elle tendit à Big Black une note l'invitant à retrouver son frère au pavillon Williams, puis elle poussa Francis vers la porte du bureau :

— Vous êtes en retard. Dépêchez-vous.

Gulp-Pilule se tenait devant sa fenêtre, et il regardait fixement dehors. Il s'attarda un moment, contemplant ce qu'il avait sous les yeux. Francis prit un siège devant le bureau et regarda par la fenêtre pour essayer de savoir ce que Gulptilil trouvait si fascinant. Il réalisa que le bureau du médecin-chef était le seul endroit où il pouvait regarder par une fenêtre sans barreaux ni grillage. Grâce à cela, le monde semblait beaucoup plus bienveillant qu'il ne l'était en réalité.

Le docteur se tourna brusquement vers lui.

— Une belle journée, Francis, vous ne trouvez pas ? Le printemps semble s'installer pour de bon.

— Il est parfois difficile, de l'intérieur, de se rendre compte du changement des saisons. Les fenêtres sont crasseuses. Si elles étaient nettoyées, je suis sûr que cela aurait un effet positif sur l'humeur des patients.

Gulptilil hocha la tête.

— Voilà une excellente remarque, Francis, qui montre votre perspicacité. Je demanderai aux gens de l'entretien d'ajouter le nettoyage des fenêtres à leur besogne. Mais je crois savoir qu'ils sont déjà débordés.

Il s'assit derrière son bureau, rassembla ses pensées et se pencha en avant, les coudes sur le bureau, les bras formant un V inversé. Il posa le menton sur ses mains.

— Alors, Francis, savez-vous quel jour nous sommes ?

— Vendredi, répondit rapidement Francis.

— Comment en êtes-vous si sûr ?

— Thon et macaroni pour le déjeuner. Menu classique du vendredi.

— D'accord, mais savez-vous pourquoi ?

— Sans doute par respect pour les patients catholiques. Certains continuent à penser qu'il faut manger du poisson le vendredi. Comme dans ma famille. La messe le dimanche. Le poisson le vendredi. C'est l'ordre naturel des choses.

— Et vous ?

— Je ne suis pas assez religieux pour ça.

Gulptilil se dit que c'était intéressant, mais il ne releva pas.

— Vous savez quelle est la date d'aujourd'hui ?

Francis secoua la tête.

— Je dirais que nous sommes le 5 ou 6 mai. Excusez-moi. À l'hôpital, j'ai l'impression que les jours se mélangent. D'habitude, je compte sur le Journaliste pour me tenir au courant des événements, mais je ne l'ai pas vu aujourd'hui.

— Nous sommes le 5. Vous pouvez vous le rappeler, pour moi, s'il vous plaît ?

— Oui.

— Et vous rappelez-vous qui est le président des États-Unis ?

— Carter.

Gulptilil sourit, mais son menton, posé sur ses doigts, bougea à peine.

— Bon, fit le médecin-chef comme s'il poursuivait la conversation sur le même sujet. J'ai vu M. Evans. Il affirme que vous avez fait des progrès dans le domaine de la socialisation et de la prise de conscience de votre maladie et de l'impact qu'elle a sur vous-même et sur vos proches. Mais il croit aussi qu'en dépit de votre traitement, vous continuez à entendre des voix appartenant à des gens qui ne sont pas là, des voix qui vous pressent d'agir de telle ou telle façon, et que vous avez toujours des visions.

Francis ne répondit pas, car il n'entendit pas la question. Dans sa tête, les murmures se télescopaient, mais ils restaient discrets, à peine audibles, comme si les voix craignaient que le médecin-chef ne les entende si elles parlaient trop fort.

— Dites-moi, Francis, poursuivit Gulptilil, croyez-vous que le jugement de M. Evans est fondé ?

— Difficile de répondre.

Francis remua sur son siège, mal à l'aise, conscient que n'importe quel geste de sa part, n'importe quel mot, n'importe quelle inflexion, n'importe quel tic pouvait influencer l'opinion du médecin.

— Je pense qu'à chaque fois qu'un patient affirme une chose avec laquelle M. Evans n'est pas d'accord, il considère cela comme une vision. Il m'est donc difficile de répondre à votre question.

Le médecin-chef sourit et s'appuya sur son dossier.

— Voilà une remarque pertinente, et très structurée. Très bien.

L'espace d'un instant, Francis commença à se détendre. Puis il se rappela qu'il ne devait pas se fier au médecin. Surtout ne pas se fier à un compliment. Dans sa tête, il y eut un murmure d'assentiment. Quand ses voix étaient d'accord avec lui, cela lui donnait confiance.

— Mais M. Evans est aussi un professionnel, Francis, alors nous ne devons pas trop sous-estimer son avis. Dites-moi, comment est la vie à l'Amherst, pour vous ? Vous vous entendez bien avec les autres résidents ? Avec le personnel ? Vous attendez avec impatience les séances de thérapie de M. Evans ? Et dites-moi, Francis, pensez-vous que vous pourrez bientôt rentrer chez vous ? Est-ce que votre séjour, jusqu'ici, a été… disons, profitable ?

Gulptilil se pencha vers lui, avec un mouvement de prédateur que Francis connaissait bien. Les questions qui planaient dans l'air composaient un vrai champ de mines, et il fallait être prudent dans ses réponses.

— Le dortoir est parfait, docteur, même s'il est surpeuplé, et je crois que je peux m'entendre quasiment avec tout le monde. Il est parfois difficile de comprendre l'intérêt des séances de thérapie de groupe de M. Evans. Mais je trouve les discussions très utiles quand elles se tournent vers les événements de l'actualité. Je crains parfois que nous ne soyons trop isolés, à l'hôpital, et que les affaires du monde se poursuivent sans que nous puissions y tenir un rôle. J'aimerais beaucoup rentrer chez moi, docteur, mais je ne sais pas trop ce que je dois prouver, à vous et à ma famille, pour qu'on m'y autorise.

— Aucun de vos parents n'a jugé nécessaire – ni même qu'il valait la peine – de vous rendre visite, je crois ? fit le docteur d'un ton raide.

Francis s'efforça de contrôler les émotions qui menaçaient de l'emporter.

— Pas encore, docteur.

— Un coup de fil, peut-être ? Une ou deux lettres ?

— Non.

— Cela doit vous faire de la peine, n'est-ce pas, Francis ?

— Oui, répondit-il en inspirant à fond.

— Mais vous ne vous sentez pas abandonné ?

— Je vais bien.

Gulptilil sourit. Ce n'était pas un sourire amusé, plutôt sa version reptilienne.

— Et vous allez bien, je suppose, parce que vous entendez toujours les voix qui vous accompagnent depuis tant d'années.

— Non, mentit Francis. Elles ont disparu, grâce aux médicaments.

— Mais vous admettez qu'elles ont été là, dans le passé ?

Dans sa tête, il entendait les échos : *Non, non, non, ne dis rien, cache-nous, Francis !*

— Je ne suis pas certain de comprendre ce que vous voulez dire, docteur.

Il n'imaginait pas une seconde que cela suffirait pour arrêter Gulptilil.

Celui-ci attendit quelques instants, laissant le silence envelopper la pièce, comme s'il attendait que Francis ajoute quelque chose – ce qui n'arriva pas.

— Dites-moi une chose, Francis. Est-ce que vous croyez qu'il y a un tueur en liberté dans l'hôpital ?

Francis respira bruyamment. Il ne s'attendait pas à cette question. Peut-être d'ailleurs serait-il plus juste de dire qu'il ne s'attendait à aucune question. Pendant un instant, il parcourut la pièce du regard, comme s'il cherchait une échappatoire. Son cœur battait la chamade. Ses voix étaient silencieuses, parce qu'elles savaient que toutes sortes de questions importantes se dissimulaient sous celle que le docteur venait de poser, et Francis n'avait aucune idée de ce que pouvait être la réponse attendue. Il vit le médecin lever un sourcil interrogateur. Il comprit que son silence était aussi dangereux que n'importe quelle réponse.

— Oui, dit-il.

— Vous ne pensez pas qu'il s'agit d'une illusion, due à la paranoïa ?

— Non, dit-il en s'efforçant de parler d'une voix ferme.

Le docteur hocha la tête.

— Qu'est-ce qui vous fait croire cela ?

— Mlle Jones en a l'air persuadée. Peter aussi. Et je ne crois pas que l'Efflanqué…

Gulptilil leva une main.

— Nous avons déjà discuté de ces détails. Dites-moi ce qui a changé dans la… dans l'enquête, et qui vous fait penser que vous êtes sur la bonne voie.

Francis avait envie de se tortiller sur sa chaise, mais il n'osa pas.

— Mlle Jones continue à interroger des suspects, dit-il. Je ne crois pas qu'elle soit parvenue à une conclusion sur un de ces suspects, sauf que plusieurs d'entre eux ont été blanchis. M. Evans l'a aidée en cela.

Gulptilil médita un instant la réponse de Francis. Puis :

— Vous me le diriez, n'est-ce pas, Francis ?

— Vous dire quoi, docteur ?

— Si elle avait découvert quelque chose.

— Je ne suis pas sûr…

— Ce serait la preuve, à mes yeux en tout cas, que vous maîtrisez nettement mieux la réalité. Si vous étiez capable de vous exprimer là-dessus, cela montrerait, je pense, les progrès que vous avez faits. Qui sait où cela pourrait nous mener, Francis ? Tenir compte de la réalité, c'est une étape importante sur la voie de la guérison. Une étape très importante sur une voie très importante. Et cette voie pourrait mener à toutes sortes de changements. Une visite de votre famille, peut-être. Une permission de sortie d'un week-end. Et puis, peut-être, d'autres libertés, plus grandes encore. Un chemin qui offre de belles possibilités, Francis.

Il se pencha vers Francis, qui gardait le silence.

— Est-ce que je me fais bien comprendre ?

Francis acquiesça.

— Bien. Alors nous trouverons un moment pour reparler de tout cela dans les prochains jours. Bien entendu, Francis, si vous ressentez le besoin de me parler, à n'importe quel moment, d'un détail ou de quelque chose que vous auriez pu remarquer, eh bien, ma porte vous est ouverte, tout le temps qu'il faudra. À n'importe quel moment, vous comprenez ?

— Oui. Je crois.

— Je suis heureux de constater vos progrès, Francis. Et je suis très heureux d'avoir eu cette conversation avec vous.

Francis resta de nouveau silencieux. Le médecin fit un geste vers la porte.

— Je crois que nous en avons terminé pour le moment. Je dois me préparer à recevoir un visiteur important. Vous pouvez sortir. Ma secrétaire fera en sorte qu'on vous raccompagne à l'Amherst.

Francis repoussa sa chaise et se leva. Il se dirigeait d'un pas hésitant vers la porte, quand la voix du docteur Gulptilil l'arrêta :

— Ah, Francis, j'allais oublier. Avant de partir, pouvez-vous me dire quel jour nous sommes ?

— Vendredi.

— Quelle date ?

— Le 5 mai.

— Excellent. Et le nom de notre distingué président ?

— Carter.

— Très bien, Francis. J'espère que nous aurons bientôt l'occasion de parler, tous les deux.

Là-dessus, Francis s'en alla. Il n'osa pas regarder par-dessus son épaule pour voir si le médecin le suivait des yeux. Mais il sentait le regard de Gulptilil posé sur son dos, à l'endroit précis où son cou faisait la jonction avec sa nuque. *Fiche le camp, maintenant !* entendit-il au fond de son crâne. Il ne se le fit pas dire deux fois.

L'homme qui était assis en face de Lucy était petit et sec, taillé comme un jockey. Son sourire en biais semblait pencher dans le même sens que ses épaules voûtées, ce qui lui donnait l'air d'être de guingois. Une masse de cheveux noirs emmêlés encerclait son visage, et ses yeux bleus brillaient avec une intensité presque inquiétante. Une fois sur trois, il reprenait son souffle en sifflant comme un asthmatique. Cela ne l'empêchait pas d'allumer ses cigarettes à la file, de sorte qu'il avait le visage noyé en permanence dans un nuage de fumée. Evans toussa une ou deux fois et Big Black recula dans un coin du bureau. Assez loin, mais pas trop. Lucy savait que l'aide-soignant était capable d'estimer les distances avec un instinct sûr, et qu'il se plaçait machinalement à la bonne distance de chaque patient. Elle jeta un coup d'œil au dossier posé devant elle.

— Monsieur Harris... Reconnaissez-vous certaines de ces personnes ?

Elle poussa les photos des scènes de crime vers lui.

Il les prit une par une, soigneusement, les examina peut-être quelques secondes de trop. Il secoua la tête.

— Des gens assassinés, fit-il en insistant sur le dernier mot. Morts, abandonnés dans les bois, apparemment. Pas mon truc.

— Ce n'est pas une réponse.

— Non. Je ne les connais pas. (Son sourire en biais s'élargit un peu.) Et si je les connaissais, vous croyez que je vous le dirais ?

Lucy ignora la question.

— Vous avez des antécédents violents.

— Une bagarre dans un bar, ce n'est pas un meurtre.

Elle le regarda attentivement.

— Pas plus que de conduire en état d'ivresse. Ou de rosser un type qui m'a traité de tous les noms.

— Regardez attentivement cette troisième photo, dit-elle lentement. Vous voyez la date inscrite en bas, là ?

— Oui.

— Pouvez-vous me dire où vous étiez à cette époque-là ?

— J'étais ici.

— Non, ce n'est pas vrai. Ne me mentez pas.

Le dénommé Harris se tortilla sur sa chaise.

— Alors j'étais à Walpole, pour je ne sais quelles accusations mensongères qu'ils m'ont foutues sur le dos.

— Non plus. Je vous le répète : ne me mentez pas.

Harris changea de position.

— J'étais au Cap. J'avais un boulot. Je travaillais pour un couvreur.

Lucy regarda le dossier.

— C'est bizarre, non ? Vous êtes perché sur un toit, quelque part, vous prétendez que vous entendez des voix, et à la même époque, après les heures de travail, plusieurs maisons du quartier où vous travaillez sont cambriolées…

— Je n'ai pas été inculpé.

— Parce que vous les avez convaincus de vous envoyer ici.

Un autre sourire, qui montra une rangée de dents irrégulières. Ce type est gluant, horrible, se dit Lucy. Mais ce n'était pas l'homme qu'elle cherchait. Elle sentait que Francis, à côté d'elle, était de plus en plus mal à l'aise.

— Alors vous n'avez rien à voir avec tout cela ? demanda-t-elle lentement.

— Exact. Je peux m'en aller maintenant ?

— Oui, répondit Lucy, qui ajouta, alors que Harris commençait à se lever : Mais avant, expliquez-moi pourquoi un patient nous a dit que vous vous êtes vanté d'avoir commis ces crimes.

— Quoi ? fit Harris, dont la voix monta immédiatement d'une octave. Quelqu'un a dit que j'ai fait quoi ?

— Vous m'avez parfaitement entendue. Expliquez-moi pourquoi vous vous être vanté, au dortoir… c'est au pavillon Williams, n'est-ce pas ? Expliquez-moi pourquoi vous avez dit ce que vous avez dit.

— Je n'ai rien dit de pareil ! Vous êtes dingue !

— C'est cet endroit qui est dingue, fit Lucy. Allez, expliquez-moi.

— C'est faux. Qui vous a dit cela ?

— Je ne suis pas autorisée à révéler la source de mes informations.

— Qui ?

— Vous avez dit certaines choses, dans votre dortoir, et des gens vous ont entendu. Vous avez été indiscret, pour le moins. J'aimerais que vous vous expliquiez.

— Mais quand… ?

— Il n'y a pas longtemps, fit Lucy en souriant. Nous l'avons appris récemment. Alors vous niez avoir dit quoi que ce soit ?

— Oui. C'est dingue ! Pourquoi irais-je me vanter d'un truc comme ça ? Je ne sais pas où vous voulez en venir, ma petite dame, mais je n'ai encore tué personne. Ça n'a aucun sens…

— Vous croyez que tout devrait avoir du sens, dans cet hôpital ?

— Quelqu'un vous raconte des bobards, ma petite dame. Et quelqu'un veut m'attirer des ennuis.

Lucy hocha la tête, lentement.

— J'en tiendrai compte, dit-elle. Parfait. Vous pouvez partir, maintenant. Mais il se peut que nous devions nous revoir.

Harris sauta littéralement de sa chaise et fit un pas en avant. Big Black se tendit, ce qui n'échappa pas au petit homme. Il s'immobilisa.

— Fils de pute, dit-il.

Puis il tourna les talons et sortit, non sans avoir écrasé son mégot sous son pied.

Evans était cramoisi.

— Avez-vous la moindre idée des troubles que vos questions peuvent entraîner chez cet homme ? demanda-t-il.

Il désigna le dossier, montra du doigt le diagnostic.

— Vous ne voyez pas ce qui est écrit là ? « Explosif. Problème de gestion de la colère. » Et vous le provoquez avec des questions bizarres dont vous savez bien qu'elles ne peuvent susciter d'autre réaction que la rage… Je vous parie que Harris va se retrouver à l'isolement avant la fin de la journée, et c'est moi qui serai chargé de le mettre sous sédatifs. Bon Dieu ! C'est tout simplement irresponsable, mademoiselle Jones. Si vous avez l'intention de continuer à poser des questions qui ont pour seul effet de perturber la vie dans nos services, je serai contraint d'en référer au docteur Gulptilil !

Lucy se tourna vers lui.

— Pardonnez-moi. C'était très maladroit de ma part. J'essaierai d'être plus prudente lors des prochains interrogatoires.

— J'ai besoin d'une pause, dit Evans, de plus en plus furieux, avant de sortir de la pièce en trombe.

Lucy ressentit une certaine satisfaction.

Elle se leva à son tour et sortit du bureau. Peter l'attendait dans le couloir, un vague sourire aux lèvres, comme s'il devinait ce qui s'était passé. Il inclina légèrement la tête dans sa direction pour lui faire comprendre qu'il en avait vu et entendu assez, et qu'il admirait le stratagème qu'elle avait élaboré. Mais il n'eut pas le temps de lui dire quoi que ce soit, car Big Black ressortait au même instant du poste de soins, muni d'un jeu complet de menottes et d'entraves. Le bruit métallique des chaînes résonna dans le couloir. Plusieurs patients qui traînaient à proximité virent l'aide-soignant et ce qu'il avait dans les mains. Tels des oiseaux effarouchés prenant leur envol, ils s'écartèrent de son chemin le plus vite possible.

Peter attendait, immobile.

À quelques mètres de là, Cléo se leva en balançant son énorme carcasse, comme si elle était ballottée par une rafale de vent.

Lucy regarda Big Black s'approcher de Peter et murmurer des excuses. Il fit claquer les menottes sur ses poignets et fixa les entraves à ses chevilles. Lucy n'ouvrit pas la bouche.

Mais quand le dernier fer se referma dans un claquement, Cléo se mit à hurler, cramoisie :

— Les salauds ! Les salauds ! Ne les laisse pas t'emmener, Peter ! On a besoin de toi !

Le silence frappait le couloir.

— Bordel de Dieu ! brailla Cléo. On a besoin de toi !

Lucy vit que Peter, le visage de marbre, n'avait plus son sourire insouciant. Il leva les mains comme pour mesurer les limites imposées par ses chaînes. Elle crut voir une immense détresse passer sur son visage, puis il fit demi-tour. Il laissa Big Black le conduire le long du couloir, enchaîné comme un animal sauvage à qui on ne pouvait pas faire confiance.

21

Peter avançait prudemment sur l'allée de l'hôpital, à côté de Big Black, avec cette démarche sautillante reconnaissable qu'imposaient les entraves aux jambes et aux mains. Le grand aide-soignant restait silencieux, comme s'il était embarrassé de devoir l'escorter. Il s'était excusé auprès de Peter quand ils étaient sortis de l'Amherst. Depuis, il se taisait. Mais il marchait vite, ce qui obligeait presque Peter à courir pour rester à sa hauteur et le forçait à avancer tête baissée, les yeux fixés sur le sol goudronné de l'allée, pour ne pas trébucher.

Peter sentait la chaleur de la fin d'après-midi sur sa nuque, et il parvint à lever la tête deux ou trois fois pour voir que les rayons lumineux se glissaient par-dessus les toits des pavillons, car le crépuscule s'emparait de la fin du jour. Le fond de l'air était frais – rappel familier du printemps de la Nouvelle-Angleterre, avertissant de ne pas se fier à la venue de l'été. Çà et là, la lumière faisait luire la peinture blanche des encadrements de fenêtre, et les vitres occultées par les barreaux avaient l'air d'yeux aux paupières lourdes en train de suivre leur progression dans la cour. Les menottes lui déchiraient cruellement les chairs. Peter réalisa que l'exaltation qu'il avait ressentie tout d'abord en se glissant hors du pavillon Amherst avec les deux frères pour partir à la recherche de l'Ange, l'excitation qui l'avait submergé quand il avait retrouvé les odeurs et les sensations dont il se souvenait s'étaient envolées, pour laisser la place à un accès de nostalgie de sa liberté. Il ne savait pas qui il allait rencontrer, mais il se doutait que la réunion serait importante.

Cette idée se trouva renforcée quand il vit les deux Cadillac garées devant le bâtiment administratif. Leurs carrosseries luisaient comme deux miroirs.

— Que se passe-t-il ? murmura Peter à Big Black.

L'aide-soignant secoua la tête.

— On m'a simplement demandé de vous attacher et de vous amener ici au plus vite. Vous en savez autant que moi.

— Autant dire rien du tout, dit Peter.

Il monta les marches en trébuchant derrière Big Black et enfila le couloir menant au bureau de Gulptilil. Miss Bien-Roulée les attendait à son poste. Peter remarqua que son air renfrogné avait cédé la place à un certain malaise, et qu'elle portait un gilet trop grand par-dessus son corsage moulant habituel.

— Dépêchez-vous, fit-elle. Ils attendent.

Elle ne précisa pas de qui elle parlait.

Peter s'avança rapidement, tandis que Big Black lui tenait la porte ouverte. Ses chaînes firent entendre leur bruit de métal. Il entra dans la pièce d'un pas lourd.

Il vit d'abord Gulp-Pilule, assis derrière son bureau. Le médecin-chef se leva à son entrée. Comme toujours, il y avait un siège vacant devant le bureau. Trois autres hommes se trouvaient dans la pièce. Tous portaient le costume noir et le col blanc des ecclésiastiques. Peter ne reconnut pas les deux premiers, mais le visage du troisième était familier à tous les catholiques de Boston. Le cardinal était assis de côté, au centre d'un canapé placé le long du mur. Il avait les jambes croisées, dans une attitude détendue. Un des deux prêtres était assis à côté de lui. Il tenait un dossier relié de cuir brun, un bloc-notes de format classique jaune, et un gros stylo noir qu'il tripotait nerveusement. Le troisième homme était assis derrière le bureau de Gulptilil, juste à côté de ce dernier. Une liasse de documents était posée devant lui.

— Je vous remercie, monsieur Moïse. Si vous vouliez avoir l'amabilité de libérer les poignets et les chevilles de Peter…

Il ne fallut que quelques instants à Big Black pour s'exécuter. Après quoi il s'écarta et regarda le médecin-chef, qui lui adressa un petit geste dédaigneux.

— Attendez dehors jusqu'à ce que je vous appelle, voulez-vous, monsieur Moïse ? Je suis sûr que nous n'avons pas besoin de mesures de sécurité particulières pour cette réunion. Nous sommes entre gens de bonne compagnie, n'est-ce pas, messieurs ? ajouta-t-il en regardant Peter.

Celui-ci ne répondit pas. Il avait du mal, en cet instant précis, à se sentir en bonne compagnie.

Sans un mot, Big Black fit demi-tour et laissa Peter debout au milieu de la pièce. Gulptilil lui montra la chaise.

— Asseyez-vous, Peter. Ces messieurs aimeraient vous poser quelques questions.

Peter acquiesça. Il s'assit lourdement et s'avança en équilibre sur le bord de la chaise. Il s'efforça d'avoir l'air à l'aise, tout en sachant qu'il aurait du mal à le leur faire croire. Il était envahi par un flot d'émotions, un éventail qui allait de la haine à la curiosité, et il se mit en garde mentalement contre tout ce qu'il pourrait dire de manière irréfléchie.

— Je reconnais le cardinal, dit-il en regardant le médecin-chef. J'ai eu souvent l'occasion de voir sa photo. Mais je crains de ne pas connaître les deux autres messieurs. Ils ont des noms ?

Gulptilil hocha la tête.

— Le père Callahan est l'assistant personnel du cardinal, fit-il en montrant l'homme assis à côté de ce dernier.

C'était un homme d'une cinquantaine d'années, au crâne dégarni, avec des lunettes aux verres épais collés au plus près de son visage. Ses doigts boudinés serraient nerveusement le stylo et tambourinaient sur le bloc-notes. Il adressa un signe de tête à Peter, mais ne se leva pas pour lui serrer la main.

— Et l'autre monsieur est le père Grozdik. C'est lui qui va vous interroger.

Peter hocha la tête. Le prêtre au nom polonais était beaucoup plus jeune. Sans doute avait-il à peu près le même âge que lui. Mince et athlétique, il mesurait nettement plus d'un mètre quatre-vingts. Son costume noir semblait coupé une taille trop court, et il avait un air languide, félin. Il avait des cheveux noirs assez longs, ramenés en arrière, et des yeux bleus pénétrants qui n'avaient pas quitté Peter depuis qu'on l'avait fait entrer dans la pièce. Lui non plus ne se leva pas, ne lui tendit pas la main, ne dit pas un mot de bienvenue, mais il se pencha en avant, à la manière inquiétante d'un prédateur. Peter croisa son regard.

— J'imagine que le père Grozdik a un titre, lui aussi. Peut-être voudrait-il m'en informer.

— Je suis attaché au service juridique de l'archevêché.

Grozdik parlait d'une voix neutre qui ne trahissait pas ses sentiments.

— Si le père a l'intention de me poser des questions d'ordre juridique, fit Peter, peut-être devrais-je demander qu'on fasse venir mon avocat ?

Il avait délibérément formulé cela comme une question, dans l'espoir que la réponse lui apprendrait quelque chose.

— Nous souhaitons tous que vous acceptiez d'avoir avec nous une conversation informelle, reprit Grozdik.

— Cela dépend bien entendu de ce que vous voulez savoir. D'autant que je remarque que le père Callahan a déjà commencé à prendre des notes.

Callahan leva son stylo au milieu d'un mot. Il regarda son jeune collègue, qui fit un signe de tête. Le cardinal restait immobile sur le canapé. Il observait Peter avec attention.

— Vous avez une objection ? demanda le père Grozdik. Il sera peut-être important, plus tard, de disposer d'un compte rendu de cette réunion. Pour votre protection comme pour la nôtre. Et si rien n'en sortait, eh bien, nous pourrons toujours décider ensemble de détruire nos notes. Mais si cela vous dérange…

— Pas pour le moment, dit Peter. Plus tard, peut-être.

— Parfait. Alors nous pouvons commencer.

— Je vous en prie, fit Peter d'un ton raide.

Le père Grozdik examina ses papiers. Il prenait son temps. Peter comprit tout de suite que l'homme avait été formé aux techniques d'interrogatoire. Il voyait cela à ses manières patientes, posées, à sa façon de mettre ses idées en ordre avant de poser la moindre question. Derrière le curé, Peter devina le soldat. Il vit une chronologie simple : Saint-Ignace pour les humanités, l'université de Boston pour les prépas. Corps de formation des officiers de réserve. Quelques missions à l'étranger avec la police militaire, retour à Boston pour les études de droit, formation complémentaire chez les Jésuites, et premier poste à l'archevêché. Pendant sa jeunesse, il en avait connu quelques-uns, comme ce père Grozdik, à qui leur intelligence et leur ambition avaient valu de se retrouver sur les listes de sélection de l'Église. La seule chose qui ne collait pas, c'était le nom polonais. Peter trouvait intéressant que l'homme ne fût pas irlandais. Lui-même était catholique d'origine irlandaise, comme le cardinal et son assistant. Peut-être fallait-il voir là une intention délibérée de le faire interroger par quelqu'un venu d'ailleurs. Il ignorait quel avantage pouvaient en tirer les trois prêtres. Il se dit qu'il n'allait pas tarder à le savoir.

— Eh bien, Peter… commença le prêtre. Cela ne vous dérange pas que je vous appelle Peter ? J'aimerais que cette conversation soit vraiment informelle.

— Bien sûr, mon père, répondit Peter.

Il hocha la tête. Très astucieux. Tout le monde ici avait une autorité d'adulte, une fonction officielle. Lui, il n'avait qu'un prénom. Un stratagème dont il avait usé maintes fois quand il interrogeait des incendiaires.

— Ainsi, Peter, reprit le prêtre, vous vous trouvez dans cet hôpital pour une évaluation de votre santé mentale, sur ordre du tribunal, dans le cadre des faits qui vous sont reprochés, c'est bien cela ?

— Oui. On essaie de savoir si je suis cinglé. Trop cinglé pour être traduit en justice.

— La raison à cela, c'est que beaucoup de gens qui vous connaissent pensent que vos actes sont… comment dire ? Ils ne vous ressemblent pas ? Est-ce que le mot est correct ?

— Un pompier qui met le feu. Un bon petit catholique qui incendie une église. Sûr. Ça ne me ressemble pas. D'accord.

— Êtes-vous cinglé, Peter ?

— Non. Mais la plupart des types qui sont ici vous répondraient la même chose. Alors je ne suis pas sûr que mon avis ait beaucoup d'importance.

— À votre avis, quelles sont les conclusions du personnel soignant jusqu'ici ?

— Je dirais qu'ils en sont toujours au stade où ils accumulent des impressions, mais qu'ils aboutissent plus ou moins aux mêmes conclusions que moi. Ils l'exprimeront de manière un peu plus technique, bien sûr. Ils diront que je suis plein de colère non résolue. Névrosé. Compulsif. Peut-être antisocial. Mais que j'étais conscient de mes actes, que je savais que c'était mal, et c'est plus ou moins le critère légal, n'est-ce pas, mon père ? On a dû vous apprendre cela à l'école de droit, à Boston, hein ?

Le père Grozdik eut un sourire et remua légèrement sur son siège.

— Bravo, Peter, bien deviné, répondit-il d'un ton dénué d'humour. À moins que vous n'ayez remarqué que je porte la chevalière de l'école ?

Il leva la main, et sa grosse bague en or saisit le rayon de soleil qui entrait par la fenêtre. Peter vit que Grozdik s'était posté de sorte que le cardinal puisse voir comment il réagissait aux questions, alors que lui ne pouvait se tourner pour juger des réactions de ce dernier.

— C'est un problème curieux, n'est-ce pas, Peter ? demanda le père Grozdik d'un ton froid et neutre.

— Curieux, mon père ?

— Ce n'est peut-être pas le mot qui convient, Peter. « Intellectuellement fascinant » qualifierait peut-être mieux le dilemme dans lequel vous vous trouvez. Presque existentiel. Avez-vous beaucoup étudié la psychologie, Peter ? Ou la philosophie, peut-être ?

— Non. J'ai étudié la mort. Quand j'étais à l'armée. Comment tuer, comment empêcher les gens de se faire tuer. Quand je suis rentré chez moi, j'ai étudié les incendies. Comment les éteindre. Comment les allumer. Étonnamment, je n'ai pas trouvé ces deux formations très différentes l'une de l'autre.

Le père Grozdik acquiesça en souriant.

— Oui. Peter le Pompier, c'est ainsi qu'on vous appelle, si j'ai bien compris. Mais vous savez sûrement que certains aspects de votre situation vont au-delà des interprétations simplistes.

— Oui, fit Peter. Je le sais.

Le prêtre se pencha en avant.

— Est-ce que vous pensez souvent au mal, Peter ?

— Le mal, mon père ?

— Oui. La présence en ce bas monde de forces qui n'ont d'autre explication que l'existence du mal.

Peter hésita un instant, puis hocha la tête.

— J'ai passé beaucoup de temps à y réfléchir. Vous ne pouvez pas être allé dans tous les endroits que je connais sans avoir conscience de la place que le mal occupe dans le monde.

— C'est cela. La guerre et la destruction. Des domaines où le mal a les mains libres, certainement. Ça vous intéresse ? Intellectuellement, je veux dire ?

Peter haussa les épaules, comme pour montrer l'indifférence que lui inspiraient ces questions, tout en mobilisant, dans son for intérieur, son pouvoir de concentration. Il ignorait dans quelle direction le prêtre voulait amener la conversation, et il était prudent. Il n'ouvrit pas la bouche.

— Dites-moi, Peter, fit le père Grozdik après avoir hésité. Ce que vous avez fait… vous pensez que c'est mal ?

Peter réfléchit un instant.

— Vous me demandez de me confesser, mon père ? Je veux dire, le genre de confession qui exige qu'on me lise d'abord mes droits ? Pas des aveux de confessionnal, car je suis raisonnablement certain qu'aucune quantité de « Notre-Père » ou de « Je vous salue Marie », aucun acte de contrition ne pourra jamais racheter ma conduite.

Cette fois, le père Grozdik ne sourit pas. La réponse de Peter ne semblait pas vraiment le perturber. Peter se dit que le prêtre était un homme mesuré, froid et direct, et que ses questions obliques ne lui ressemblaient pas. Un homme dangereux, et un adversaire difficile. Le problème étant qu'il n'était pas vraiment certain que le prêtre fût son adversaire. C'était probable. Mais cela n'expliquait pas pourquoi il était là.

— Non, Peter, reprit Grozdik, catégorique. Aucune confession d'aucune sorte. Je vais vous mettre à l'aise sur un point… (Peter savait qu'il tentait de faire précisément le contraire.) Rien de ce que vous direz ici, aujourd'hui, ne sera retenu contre vous par un tribunal criminel.

— Un autre tribunal, peut-être ? répliqua Peter d'un ton moqueur.

Le prêtre ne tomba pas dans le piège.

— Nous finirons tous par être jugés, n'est-ce pas, Peter ?

— Cela reste à voir, non ?

— Comme toutes les réponses à toutes sortes de mystères. Mais le mal, Peter…

— D'accord, mon père. Alors la réponse à votre première question est oui. Je crois qu'une grande partie de ce que j'ai fait est mal. Quand on l'examine d'un point de vue qui pourrait être celui de l'Église, c'est très clair. C'est pourquoi je suis ici, et c'est pourquoi j'irai bientôt en prison. Sans doute pour le restant de mes jours. Ou quelque chose d'approchant.

Le père Grozdik sembla méditer cette remarque.

— Je crois que vous ne dites pas la vérité, Peter. Qu'au fond de vous-même vous êtes persuadé de n'avoir rien fait de vraiment mal. Ou bien vous vous dites que lorsque vous avez allumé cet incendie, vous aviez l'intention de vous servir d'un mal pour en effacer un autre. Peut-être est-ce un peu plus proche de la vérité.

Peter refusait de répondre à cela. Il laissa le silence envahir la pièce.

Le prêtre se pencha légèrement vers lui.

— Ne serait-il pas juste de dire que vous pensez avoir agi d'un certain point de vue moral ? Mais qu'en réalité vous avez agi d'un autre point de vue ?

Peter sentait la sueur se former sous ses bras et sur sa nuque.

— Je n'ai pas envie de parler de ça, dit-il.

Le prêtre se pencha sur ses documents et les éplucha jusqu'à ce qu'il trouve celui qu'il cherchait. Il l'examina, puis leva de nouveau les yeux vers Peter.

— Est-ce que vous vous rappelez les premiers mots que vous avez dits aux policiers quand ils sont arrivés chez votre mère ? Et qu'ils vous ont trouvé, si je puis dire, assis sur une marche du perron avec votre bidon d'essence, les allumettes à la main…

— En fait, je m'étais servi d'un briquet.

— Bien sûr. Merci de me corriger. Que leur avez-vous dit ?

— Vous avez le rapport de police sous les yeux.

— Vous vous souvenez de leur avoir dit, avant qu'ils vous arrêtent : « Cela rétablit l'équilibre » ?

— Oui, je m'en souviens.

— Peut-être pourriez-vous m'expliquer cela.

— Je crois que vous ne seriez pas ici, père Grozdik, si vous ne connaissiez pas déjà la réponse, dit sèchement Peter.

Il eut l'impression que le prêtre jetait un coup d'œil en biais vers le cardinal. Mais Peter ne pouvait pas voir ce que faisait ce dernier. Un petit geste de la main, sans doute, ou un hochement de tête. Cela ne dura qu'une seconde, mais il se passa quelque chose.

— C'est vrai, Peter. Je crois la connaître, en tout cas. Alors dites-moi… Le prêtre qui est mort dans l'incendie, vous le connaissiez ?

— Le père Connolly ? Non. Je ne l'avais jamais rencontré. En fait, je ne savais pas grand-chose à son sujet. Sauf un détail important, bien sûr. Depuis mon retour du Vietnam, mon assiduité à l'église s'était, comment dire, attiédie. Vous savez, mon père, vous voyez beaucoup de cruauté, de mort, d'absurdité, et vous vous posez des questions sur la présence de Dieu. Difficile alors de ne pas remettre sa foi en question.

— Alors vous avez brûlé une église et le prêtre qui s'y trouvait…

— Je ne savais pas qu'il était là, dit Peter. Et j'ignorais qu'il y avait d'autres personnes à l'intérieur. Je croyais que l'église était vide. J'ai appelé, j'ai cogné à quelques portes. Comme je l'ai dit, je croyais qu'elle était vide.

— Ce n'était pas le cas. Et franchement, Peter, j'ai du mal à vous croire. Est-ce que vous avez frappé vraiment fort ? Vos appels, ils étaient assez forts pour qu'on les entende ? Un homme est mort, trois autres blessés. Défigurés.

— Oui. Et j'irai en prison, dès la fin de mon petit séjour dans cet hôpital.

— Et vous dites que vous ne connaissiez pas le prêtre.

— Mais j'avais entendu parler de lui…

— Que voulez-vous dire ?

— Voulez-vous vraiment le savoir, mon père ? Ce n'est pas à moi qu'il faut vous adresser. Mais à mon neveu. L'enfant de chœur. Peut-être aussi à quelques-uns de ses amis…

Le père Grozdik leva la main, coupant Peter au milieu de sa phrase.

— Nous avons parlé à un grand nombre de paroissiens. Nous avons recueilli beaucoup d'informations, après l'incendie.

— Alors vous savez sans doute que les larmes qu'on a versées sur la mort regrettable du père Connolly ne sont rien au regard de celles qu'ont versées et que verseront encore mon neveu et plusieurs de ses amis.

— Alors vous avez pris sur vous-même de…

Peter fut pris d'un accès de rage. Une rage familière oubliée, semblable à celle qui s'était emparée de lui quand son neveu lui avait décrit d'une voix tremblante ce qu'il avait subi. Il se pencha et regarda durement le père Grozdik.

— Personne n'aurait rien fait. Je le savais, mon père, comme je sais que le printemps succède à l'hiver, et que l'été précède l'automne. Une certitude absolue.

Alors j'ai fait ce que j'avais à faire, parce que je savais que personne ne ferait quoi que ce soit. Sûrement pas vous ni votre cardinal. La police ? Aucune chance. Vous vous interrogez sur le mal, mon père. Eh bien, il y a un tout petit peu moins de mal dans ce monde depuis que j'ai allumé cet incendie. Peut-être que vous trouvez que c'était mal. Peut-être que non. Et tant pis pour vous, mon père, parce que je m'en fiche. Maintenant, je vais m'en aller. Et quand ces toubibs découvriront que je ne suis pas fou, on m'enfermera en prison et on jettera la clé, et l'équilibre sera rétabli, c'est cela ? Un équilibre parfait, mon père. Un homme est mort. L'homme qui l'a tué va en prison. Rideau. Tout le monde peut dormir tranquille.

Le père Grozdik l'écouta jusqu'au bout, puis déclara d'une voix calme :

— Vous n'irez peut-être pas en prison, Peter.

Je me suis souvent demandé ce que Peter avait pensé et ressenti en entendant ces mots. De l'espoir ? Du plaisir ? De la peur, peut-être ? Il ne me le dit pas, quand il me raconta dans le détail, plus tard dans la soirée, la réunion avec les trois prêtres. Je crois qu'il me laissait me faire une idée moi-même, parce que c'était son style. Pour lui, une conclusion à laquelle on ne parvenait pas tout seul ne valait rien du tout. Quand je lui ai posé la question, il a simplement secoué la tête et répondu : « Qu'en penses-tu, C-Bird ? »

Peter était venu à l'hôpital pour une évaluation, et il savait que la seule évaluation qui eût de la valeur, c'était celle qu'il faisait lui-même. Le meurtre de Blondinette et l'arrivée de Lucy Jones l'avaient aiguillonné, en lui donnant le sentiment qu'il pourrait être utile pour faire pencher la balance dans le bon sens. À cause de ce qu'il avait entendu et de ce qu'il avait fait, ses combats intérieurs et ses émotions le faisaient vivre en permanence sur des montagnes russes, et toute son existence était définie par la manière dont il pourrait solder ses comptes. Équilibrer un mal par un bien. C'était la seule façon pour lui de s'endormir le soir et de se réveiller le lendemain matin, rongé par le besoin de faire ce qu'il fallait. Il fallait toujours qu'il aille de l'avant, qu'il essaie inlassablement de trouver la sérénité qui lui échappait depuis toujours. Mais plus tard, quand j'y ai réfléchi, je me suis dit que ni son sommeil, ni ses moments de veille ne devaient être exempts de cauchemars.

Pour moi, c'était beaucoup plus simple. Je voulais simplement rentrer chez moi. Le problème auquel je faisais face était moins défini par les voix que j'entendais que par ce que je voyais. L'Ange n'était pas une hallucination. Il était de chair, de sang et de rage, et je commençais à le voir. C'était un peu comme une côte qui émerge du brouillard, et je fonçais droit dessus, toutes voiles dehors. J'aurais voulu l'expliquer à Peter, mais je ne pouvais pas. Je ne sais pas pourquoi. Comme si cela pouvait révéler quelque chose sur moi, quelque chose dont je ne voulais rien dire. Alors je le gardais pour moi. Pour le moment en tout cas.

— Je ne suis pas sûr de vous suivre, mon père, dit Peter en s'efforçant de maîtriser son émotion.

— L'archevêché nourrit quelque inquiétude à propos de cet incident, Peter.

Il ne répondit pas tout de suite, même si une remarque ironique lui brûlait les lèvres. Le père Grozdik lui jeta un regard interrogateur, essayant de deviner sa réponse selon la manière dont il était en équilibre sur la chaise, l'inclinaison de son corps et son regard. Peter se dit qu'il venait de s'engager dans la partie de poker la plus rude de sa vie.

— De l'inquiétude, mon père ?

— Oui, précisément. Nous voulons faire ce qui est juste, dans cette affaire, Peter.

Le prêtre continuait de jauger ses réactions.

— Ce qui est juste… fit lentement Peter.

— Il s'agit d'une situation complexe, avec de nombreux aspects contradictoires.

— Je ne suis pas d'accord avec vous, mon père. Un homme commettait des actes de… disons qu'il faisait preuve d'une certaine dépravation. Il ne courait aucun risque d'être appelé un jour à rendre des comptes. C'est pourquoi, moi, la tête brûlée, mû par une ferveur et une colère légitimes, j'ai pris la décision d'agir. Tout seul. Une expédition punitive à moi tout seul, si l'on peut dire. Des crimes ont été commis, mon père. Quelqu'un a payé le prix pour cela. Et maintenant, je veux assumer mon châtiment.

— Je crois que c'est beaucoup plus subtil que cela, Peter.

— Vous croyez ce que vous voulez.

— Laissez-moi vous poser une question : est-ce que quelqu'un vous a demandé de faire ce que vous avez fait ?

— Non. Je l'ai décidé seul. Ce n'est même pas mon neveu qui me l'a suggéré, même si c'est lui qui en gardera les cicatrices.

— Pensez-vous que vos actes contribueront à refermer ses plaies ?

— Non, fit Peter en secouant la tête. C'est ce qui m'attriste.

— Bien sûr, fit le père Grozdik, très vite. Maintenant, avez-vous dit à quelqu'un, après coup, pourquoi vous avez agi comme vous l'avez fait ?

— Vous voulez dire, par exemple, aux policiers venus m'arrêter ?

— Exactement.

— Non.

— Et ici, dans cet hôpital, avez-vous fait part à quiconque des raisons de vos actes ?

Peter réfléchit un instant.

— Non, fit-il. Mais il semble qu'un certain nombre de gens connaissent la réponse. Peut-être pas totalement, mais ils savent. Les malades mentaux, parfois, peuvent voir les choses avec précision, mon père. Une perspicacité que n'ont pas les gens normaux.

Le père Grozdik se pencha légèrement en avant. Peter pensa à un oiseau de proie tournant en cercle au-dessus d'une charogne abandonnée sur la route.

— Vous avez assisté à beaucoup de combats, au Vietnam, n'est-ce pas ?

— J'en ai vu, oui.

— Votre dossier militaire indique que vous avez passé la quasi-totalité de votre engagement dans les zones de combat. Vous avez été décoré à plusieurs reprises pour vos faits d'armes. Vos blessures vous ont valu également le Purple Heart.

— C'est exact.

— Et vous avez vu des hommes mourir ?

— J'étais toubib. Bien sûr.

— Comment mouraient-ils ? Plus d'un homme est mort dans vos bras, je parie.

— Gagné, mon père.

— Vous êtes rentré, en croyant que cela n'aurait aucun impact sur vous ?

— Je n'ai pas dit cela.

— Connaissez-vous cette maladie qu'on appelle l'état de stress post-traumatique, Peter ?

— Non.

— Le docteur Gulptilil pourrait vous l'expliquer. Autrefois, on appelait ça simplement le syndrome de la psychose traumatique du soldat. On lui donne maintenant un nom plus clinique.

— Où voulez-vous en venir ?

— Il peut pousser les gens à agir… disons, comme tout à l'heure, à faire des choses qui ne leur ressemblent pas. Surtout quand ils sont soumis tout à coup à un stress important.

— J'ai fait ce que j'ai fait. Point final.

— Non, Peter, fit le père Grozdik en secouant la tête. C'est là que ça commence, au contraire.

Les deux hommes gardèrent le silence. Peter se dit que le prêtre espérait sans doute qu'il dirait quelque chose pour relancer la conversation, mais il n'en avait aucune envie.

— Peter, est-ce que quelqu'un vous a informé de ce qui s'est passé depuis votre arrestation ?

— Dans quel domaine, mon père ?

— L'église que vous avez incendiée a été rasée. Le site a été nettoyé et remis en état. On a reçu des donations. Beaucoup, beaucoup d'argent. Une générosité extraordinaire. Une véritable mobilisation de la communauté. On prévoit de construire une autre église, plus grande, beaucoup plus belle, sur le même site. Une église qui fera l'éloge de la gloire et de la vertu, Peter. Une bourse d'études a été créée, qui porte le nom du père Connolly. On parle même d'ajouter à l'ensemble un centre de jeunesse. Dédié à sa mémoire, bien entendu.

Peter ouvrit légèrement la bouche. Il était sans voix.

— Nous avons assisté à un épanchement d'amour et d'affection absolument mémorable.

— Je ne sais que dire.

— Les chemins du Seigneur sont impénétrables, n'est-ce pas ?

— Je ne suis pas sûr que Dieu ait beaucoup à voir avec tout cela, mon père. Je serais plus à l'aise si on le tenait à l'écart de cette discussion. Où voulez-vous en venir ?

— Où je veux en venir, Peter, c'est à ceci. Un bien considérable va être fait. À partir des cendres, pour ainsi dire. Les cendres que vous avez produites.

Nous y voilà, se dit Peter. Voilà pourquoi le cardinal était là, derrière lui, sur le canapé, attentif à ses réactions. La vérité sur le père Connolly, sur son penchant pour les enfants de chœur, était une vérité beaucoup plus insignifiante que le flot de réactions dont profitait l'Église. Il se contorsionna sur son siège pour regarder le cardinal.

Celui-ci lui fit un signe de tête et ouvrit la bouche pour la première fois :

— Un bien considérable, Peter. Mais un bien qui pourrait être compromis.

Peter comprit immédiatement. On ne pouvait baptiser un centre pour la jeunesse du nom d'un pédophile. Et la personne qui pouvait compromettre l'opération, c'était lui.

Il se tourna de nouveau vers le père Grozdik.

— Vous allez me demander quelque chose, n'est-ce pas, mon père ?

— Pas exactement, Peter.

— Alors que voulez-vous ?

Le père Grozdik eut un sourire crispé. Peter comprit immédiatement qu'il avait posé la mauvaise question de la mauvaise manière : ce faisant, il avait laissé entendre qu'il ferait ce que le prêtre voulait.

— Ah, Peter, dit lentement le père Grozdik avec une froideur qui surprit même le Pompier. Ce que nous voulons… ce que nous voulons tous, l'hôpital, votre famille, l'Église… c'est que vous alliez mieux.

— Mieux ?

— Et à cette fin, nous voulons vous aider.

— M'aider ?

— Oui. Il existe une clinique… un établissement de pointe dans le domaine de la recherche et du traitement du stress post-traumatique. Nous croyons, l'Église croit, votre famille elle-même croit que vous seriez bien plus à votre place là-bas, plutôt qu'ici, à Western State.

— Ma famille ?

— Oui. Ils semblent très impatients de vous voir accepter cette aide.

Peter se demanda ce qu'on leur avait promis. Ou quelles menaces on leur avait faites. Pris d'une brève colère, il s'agita sur son siège. Et il comprit avec tristesse qu'il n'avait sans doute rien réglé pour personne, surtout pour son neveu violenté. Il eut envie de leur expliquer cela. Mais il n'en fit rien et se contenta de repousser ces pensées au fond de lui-même.

— Où se trouve cet établissement ?

— Dans l'Oregon. Vous pourriez y être dans quelques jours.

— L'Oregon ?

— Oui. Dans une région magnifique, si je suis bien informé.

— Et les charges criminelles portées contre moi ?

— Une thérapie menée à son terme entraînerait l'abandon de toutes les accusations.

Peter réfléchit rapidement.

— Et que dois-je faire en retour ?

Une fois de plus, le père Grozdik se pencha vers lui. Peter comprit que le prêtre avait réfléchi, bien avant d'arriver à Western State, à la manière dont il devait répondre à cette question. Il parla d'une voix basse, claire, très lentement :

— Nous attendrons de vous que vous ne fassiez rien, que vous ne disiez absolument rien, ni aujourd'hui ni à aucun moment dans l'avenir, qui risque d'empêcher de grands et merveilleux progrès d'être accomplis dans un fabuleux enthousiasme.

Ces mots le glacèrent. Sa première réaction fut de s'abandonner à la colère. Un grand mélange de glace et de feu bouillonnait en lui. La rage et le froid. Il fit un énorme effort pour se contrôler.

— Vous dites que vous avez discuté de cela avec ma famille ? fit-il sèchement.

— Ne croyez-vous pas que votre retour ici, dans cet État, leur causerait une angoisse effroyable en leur rappelant des temps si troublés ? Ne croyez-vous pas qu'il serait de très loin préférable que Peter le Pompier reparte de zéro, loin d'ici ? Ne croyez-vous pas que vous devez leur donner le droit de continuer à vivre, eux aussi, sans être plus longtemps poursuivis par le souvenir de ces événements abominables ?

Peter ne répondit pas.

Le père Grozdik fourragea dans les papiers posés sur le bureau.

— Vous pouvez avoir votre vie, Peter. Mais il faut que vous nous donniez votre parole. Et vite, car cette offre ne restera pas valable longtemps. Des tas de gens, en maints endroits, ont dû faire des sacrifices importants et prendre des engagements difficiles pour que cette proposition puisse vous être faite, Peter.

Celui-ci avait la gorge sèche. Les mots semblaient grincer en franchissant ses lèvres.

— Vite, avez-vous dit… Quelques minutes ? Quelques jours ? Une semaine, un mois, un an ?

— Nous aimerions que vous commenciez votre traitement dans les jours qui viennent, répondit le père Grozdik avec un nouveau sourire. Pourquoi maintenir plus longtemps les obstacles à votre bien-être mental ?

La question était purement rhétorique.

Le prêtre se leva.

— Vous ferez part au plus vite de votre décision au docteur Gulptilil. Nous n'exigeons pas, bien entendu, que vous la preniez sur-le-champ. Je suis sûr que vous aurez besoin de temps pour réfléchir. Mais c'est une proposition intéressante, Peter, qui doit permettre de faire sortir beaucoup de bien de cette terrible série d'événements.

Peter se leva à son tour. Il regarda le docteur Gulptilil. Le gros médecin indien n'avait pas ouvert la bouche pendant toute la conversation. Il fit un geste vers la porte et déclara enfin :

— Peter, vous pouvez demander à M. Moïse de vous reconduire à l'Amherst. Peut-être peut-il vous épargner les entraves, cette fois.

Peter recula d'un pas.

— Ah, Peter, ajouta le médecin, quand vous aurez pris la décision qui s'impose dans cette affaire, dites simplement à M. Evans que vous souhaitez me parler, et nous réglerons la question des documents autorisant votre transfert.

Le père Grozdik, qui se trouvait près du médecin, derrière le bureau, sembla se raidir légèrement. Il secoua la tête.

— Peut-être devrions-nous faire en sorte, docteur, dit-il avec précaution, que Peter n'ait affaire qu'à vous. Je crois en particulier que M. Evans, votre associé, ne devrait être, comment dire, impliqué d'aucune manière dans cette affaire.

Gulp-Pilule jeta un regard étonné au prêtre, qui ajouta, en guise d'explication :

— Le frère de M. Evans est un des hommes qui ont été blessés en se précipitant dans l'église pour essayer en vain de secourir le père Connolly. Il est soumis à un traitement très long et extrêmement douloureux contre les brûlures qu'il a contractées par cette nuit tragique. Je crains que votre associé ne nourrisse quelque animosité à l'égard de Peter.

Ce dernier hésita, envisagea une, deux, peut-être dix réponses différentes, mais il ne dit rien. Il fit un signe de tête au cardinal qui le lui rendit, sans sourire, une tension visible sur son visage rubicond. Peter comprit qu'il marchait sur une ligne très fine, désespérément étroite, au bord du précipice.

Le couloir du rez-de-chaussée de l'Amherst était plein de patients. Les voix des gens qui parlaient seuls ou à quelqu'un d'autre formaient un bourdonnement continu. Ce n'est que lorsqu'un événement sortait de la routine que le silence se faisait ou que les patients émettaient des bruits disparates qui auraient pu passer pour des paroles. Tout changement est dangereux, se disait Francis. L'idée qu'il s'habituait à l'existence à Western State lui fit peur. Un être sain d'esprit, se disait-il, s'accommode du changement et apprécie l'originalité. Il se promit de s'intéresser à des choses aussi différentes que possible et de résister à l'attrait de la routine. Même ses voix exprimaient leur accord à ce sujet, comme si elles voyaient elles aussi le danger, qu'il devienne un visage comme les autres.

Au moment précis où il pensait à tout cela, le silence se fit brusquement dans le couloir. Le bruit s'estompa, comme une vague qui reflue sur une plage. Francis leva les yeux et en comprit la raison : Little Black, au milieu du couloir, emmenait trois hommes vers le dortoir du deuxième étage. Francis reconnut l'attardé mental géant qui portait sans effort une cantine à deux mains et serrait sous son bras une grande poupée de chiffon Raggedy Andy. Il avait une ecchymose sur le front et la lèvre légèrement enflée, mais il adressait un sourire de biais à tous ceux dont il croisait le regard. Il grognait, comme pour saluer, tout en trottant derrière Little Black.

Le deuxième homme était petit et nettement plus âgé, il portait des lunettes et de fins cheveux blancs clairsemés. Il avait la démarche aussi légère que celle d'un danseur, et Francis le vit avancer dans le couloir en faisant des pirouettes, comme si le transfert faisait partie d'un ballet. Le troisième homme avait l'air de bouder. Il avait un peu moins de la cinquantaine mais sa jeunesse était loin derrière lui, il était large d'épaules, costaud, les cheveux sombres. Il marchait d'un pas lourd, comme s'il avait un compte à régler au plus vite avec le retardé mental ou le Danseur. Un cata, pensa tout d'abord Francis. En tout cas, ça y ressemble bien. Puis, en le regardant d'un peu plus près, il vit que les yeux noirs de l'homme s'agitaient furtivement en tous sens. Il jaugeait la foule des patients qui s'écartait devant leur groupe. Francis vit ses yeux s'étrécir, comme si le spectacle lui déplaisait, et un côté de sa bouche se releva dans un grognement de chien. Francis corrigea immédiatement son diagnostic. C'était là un homme qu'il fallait éviter à tout prix. Il portait un carton marron contenant ses rares affaires.

Francis vit Lucy sortir du bureau. Elle regarda le groupe qui se dirigeait vers le dortoir. Il remarqua le léger signe de tête que lui adressa Little Black, comme pour lui signaler que le remue-ménage qu'elle avait demandé avait réussi. Une perturbation qui exigeait le déplacement de plusieurs hommes d'un dortoir vers un autre.

Lucy s'approcha de Francis et lui chuchota rapidement quelques mots à l'oreille :

— Suivez-les, C-Bird, et veillez à ce qu'on donne à notre homme un lit d'où vous et Peter pourrez l'avoir à l'œil.

Francis acquiesça. Il avait envie de lui dire que l'attardé mental n'était pas l'homme qu'ils devraient surveiller, mais il n'en fit rien. Au lieu de quoi il s'écarta du mur et prit le couloir, retrouvant le bourdonnement général des voix assourdies.

Il vit Cléo debout près du poste de soins. Elle contempla les trois hommes, l'un après l'autre, quand le groupe la dépassa. Francis comprit que le cerveau de la grosse femme fonctionnait à toute vitesse. Elle avait le front plissé par l'effort, une main levée, tendue, tandis que les hommes se dirigeaient vers l'extrémité du couloir. Il eut l'impression qu'elle les jaugeait. Soudain, Cléo se mit à hurler, presque frénétique :

— Vous n'êtes pas les bienvenus ici ! Aucun de vous !

Aucun des trois hommes ne se retourna, aucun ne ralentit le pas, aucun ne montra un seul instant qu'il avait entendu ou compris ce que Cléo avait dit.

Elle se mit à bougonner haut et fort et fit un geste dédaigneux dans leur direction. Francis la dépassa rapidement, en s'efforçant de ne pas se laisser distancer par Little Black.

Quand il pénétra dans le dortoir, il vit que l'attardé avait récupéré l'ancien lit de l'Efflanqué, et que l'on assignait aux deux autres des espaces proches du mur. Il les observa. Little Black les surveilla pendant qu'ils faisaient les lits et rangeaient leurs affaires. Puis il leur fit visiter les lieux. Cela consistait à leur montrer le cabinet de toilette, l'affiche avec le règlement intérieur de l'hôpital (Francis se dit qu'il y avait sans doute la même dans leur ancien dortoir), et à les informer que le dîner serait servi quelques minutes plus tard. Puis il se dirigea vers la sortie. Il s'arrêta brièvement devant Francis.

— Dites à Mlle Jones qu'il y a eu une sacrée bagarre dans le pavillon Williams. Le type qu'elle a mis hors de lui a cherché des noises au costaud. Il a fallu plusieurs aides-soignants pour les séparer, et les deux autres ont été pris dans la bagarre. Le fils de pute va passer quelques jours à l'isolement pour sa peine. Va sans doute falloir aussi qu'on lui donne une sacrée piqûre pour lui calmer les fesses. Dites-lui que ça s'est passé plus ou moins comme elle s'y attendait, sauf que tout le monde, à Williams, est si tendu, si perturbé qu'il va falloir au moins deux ou trois jours pour que la situation redevienne normale.

Puis Little Black s'en alla, laissant Francis seul avec les trois nouveaux venus.

Assis sur le bord de son lit, le grand attardé mental serrait sa poupée contre lui. Il se mit à se balancer d'avant en arrière, un demi-sourire aux lèvres, comme s'il prenait peu à peu conscience de son nouvel environnement. Le Danseur fit une petite volte-face et se dirigea vers la fenêtre munie de barreaux. Il regarda dehors : l'après-midi touchait à sa fin.

Mais le troisième homme repéra Francis, et se raidit instantanément. Il eut un bref mouvement de recul. Puis il se leva et, pointant sur Francis un doigt accusateur, il se précipita vers lui en slalomant entre les lits et vint se dresser devant lui. Il sifflait, sous l'effet de la rage.

— C'est toi, hein ? cracha-t-il d'une voix à peine plus forte qu'un murmure, mais chargée de toute la fureur du monde. C'est toi ! C'est toi qui me cherches, hein ?

Francis ne répondit pas mais se renfonça contre le mur. L'homme leva un poing, qu'il agita devant la mâchoire de Francis. Ses yeux jetaient des éclairs de colère, ce que démentait sa voix reptilienne, ses paroles semblables à l'avertissement du crotale.

— Parce que moi, je suis celui que tu cherches.

Chaque mot sectionnait l'air en lanières. Avec un sourire nonchalant, il passa devant Francis et sortit dans le couloir.

22

Mais je le savais, n'est-ce pas ?

Peut-être pas à ce moment-là, mais un peu plus tard. Dans un premier temps, j'avais été désarçonné par cet aveu agressif qu'il m'avait lancé au visage. Je frissonnais intérieurement, et toutes mes voix se mirent à me lancer des avertissements, à exprimer leurs doutes, autant d'incitations contradictoires à me cacher, à continuer, mais surtout à creuser l'idée qui m'était venue. En l'occurrence, que tout cela n'était pas logique du tout. Pourquoi l'Ange se précipiterait-il sur moi pour me dévoiler son identité, alors qu'il avait tant fait pour la dissimuler ? Et si ce type trapu, costaud, n'était pas l'Ange, pourquoi l'affirmait-il ?

Torturé par le doute, la tête pleine du désordre des questions et des contradictions, j'inspirai à fond, je tentai de reprendre le contrôle de mes nerfs et courus vers la porte du dortoir pour filer le Costaud, abandonnant derrière moi le Danseur et l'attardé mental. Je le vis qui s'arrêtait pour allumer une cigarette avec un grand geste du bras, puis lever les yeux et passer en revue le nouvel univers qu'on venait de lui assigner. Je compris alors que d'un pavillon à l'autre le paysage était différent. L'architecture était peut-être identique : les couloirs et les bureaux, la salle commune, la cafétéria, les dortoirs, les débarras, les cages d'escalier, les cellules d'isolement du dernier étage étaient conçus plus ou moins sur le même modèle, avec des distinctions très minimes. Mais ce n'était pas cela qui constituait le véritable terrain de chaque pavillon. Les contours et la topographie en étaient définis en réalité par la variété des folies qui y étaient rassemblées. Et c'était cela que le Costaud découvrait, hésitant. Je surpris une nouvelle fois son regard, et je sus que l'homme était continuellement au bord de l'explosion. Un être qui avait du mal à contrôler les crises de rage qui se bousculaient dans un système sanguin en lutte contre le Haldol et la Prolixine qu'on lui administrait quotidiennement. Nos corps étaient des champs de bataille où s'affrontaient pied à pied les armées ennemies de la psychose et des drogues, et le Costaud semblait être embarqué aussi loin dans cette guerre que nous tous.

Je pensais que ce n'était pas le cas de l'Ange.

Je vis le Costaud repousser un vieux type apparemment sénile, un homme maigre à l'air malade qui trébucha, faillit tomber par terre et éclata presque en sanglots. Le Costaud poursuivit son chemin dans le couloir, ne s'arrêtant qu'un instant pour jeter un regard mauvais à deux femmes qui se balançaient dans un coin en chantant des berceuses aux poupées qu'elles serraient dans leurs bras. Un cata ébouriffé, dans un pyjama trop grand et un immense peignoir qui flottait autour de lui, croisa son chemin, inoffensif. Le Costaud hurla sur cet homme inexpressif pour le faire reculer, et poursuivit sa route de plus en plus vite, comme si ses pas pouvaient maintenir le rythme imposé par sa fureur. Et chaque pas l'emmenait un peu plus loin de l'homme que nous pourchassions. Je n'aurais pas pu dire pourquoi, mais je le savais. Je comprenais comment le Costaud s'était impliqué dans l'échauffourée. C'était pour cette raison qu'on le transférait à l'Amherst. Une conséquence de l'incident. Ce n'était pas le genre d'homme à rester assis sans rien faire, à regarder une bagarre se dérouler devant lui, recroquevillé dans un coin ou serré contre le mur. Il réagirait immédiatement et foncerait, quelle qu'en soit la cause, quelle que soit l'identité des adversaires. Il aimait se battre, tout simplement parce que cela lui permettait de tourner le dos aux impulsions qui le tourmentaient et de se perdre dans l'exquise violence des échanges de coups. Et quand il se redressait à la fin, ensanglanté, sa folie lui interdisait de se demander pourquoi il avait agi de la sorte.

Un des symptômes de sa maladie était son besoin permanent d'attirer l'attention sur lui.

Mais pourquoi avait-il été si précis, en approchant son visage du mien ? « Je suis celui que tu cherches… »

Dans mon appartement, je me penchai en avant, j'appuyai ma tête contre le mur, le front sur les mots que j'avais écrits, et je restai là un moment, plongé dans mes souvenirs. La pression contre ma tempe me rappelait un peu les compresses froides qu'on me mettait sur le front pour essayer de réduire mes fièvres enfantines. Je fermai les yeux un instant, en espérant trouver un peu de repos.

Mais un murmure déchira l'air. Il siffla juste derrière moi.

— Tu ne croyais tout de même pas que j'allais te simplifier les choses ?

Je ne me retournai pas. Je savais que l'Ange était là et pas là à la fois.

— Non, dis-je à voix haute. Je n'ai jamais cru que tu me simplifierais les choses. Mais il m'a fallu un certain temps pour découvrir la vérité.

Lucy vit Francis sortir du dortoir. Il filait un homme, mais pas celui qu'elle l'avait chargé de surveiller. Elle voyait bien que Francis était pâle, et il semblait très concentré sur ce qu'il faisait, inconscient du piétinement excité qui régnait dans le couloir encombré à l'heure qui précédait le dîner. Elle s'apprêta à le rejoindre, mais elle y renonça, sachant que C-Bird, au fond, savait sans doute très bien ce qu'il faisait.

Elle perdit les deux hommes de vue quand ils entrèrent dans la salle commune. Elle allait les suivre, quand elle vit M. Evans qui fonçait dans sa direction. Il avait le regard furieux du chien à qui on vient de voler son os.

— Eh bien, j'espère que vous êtes contente, dit-il d'une voix furieuse. J'ai un aide-soignant aux urgences avec un poignet fracturé, j'ai dû transférer trois patients de Williams et en entraver un quatrième à l'isolement pour au moins vingt-quatre heures. J'ai un pavillon proche de l'émeute, et un des patients transférés est en danger parce qu'il a dû changer d'emplacement après avoir passé plusieurs années au même endroit. Il n'a rien fait de mal. Il a simplement été entraîné dans la bagarre par accident, et il s'est senti menacé. Bon Dieu ! J'espère que vous vous rendez compte quelle régression ça implique, et combien c'est dangereux, surtout pour un patient qui s'est habitué à ses conditions d'existence et qui se retrouve brusquement déplacé dans un autre pavillon...

Lucy le regarda froidement.

— Vous croyez que c'est moi qui ai arrangé cela ?

— Exactement, dit Evans.

— Je dois être beaucoup plus intelligente que je ne le croyais, fit-elle, sarcastique.

Cramoisi, M. Débile grogna. Il avait tout à fait l'air d'un homme qui n'aime pas qu'on bouleverse le monde, si soigneusement organisé, placé sous son contrôle. Il lui répondit d'abord d'une voix coléreuse, véhémente, puis il parvint, d'une façon que Lucy trouva très inquiétante, à reprendre le contrôle de lui-même et parla d'un ton beaucoup plus modéré :

— Je croyais que nous avions un accord, dit-il lentement. Que votre travail dans cet établissement reposait sur la promesse que vous ne créeriez aucune perturbation. Je croyais me souvenir que vous aviez promis d'être discrète et de ne pas compromettre les traitements en cours.

Lucy ne répondit pas. Mais elle savait ce qu'il sous-entendait.

— C'est ce que j'avais compris, poursuivit M. Débile. Corrigez-moi si je me trompe.

— Non, vous ne vous trompez pas. Je suis désolée. Cela ne se reproduira plus.

Ce qui était un mensonge.

— Je le croirai quand je le verrai, dit-il. Je suppose que vous avez l'intention de continuer à interroger les patients demain matin.

— En effet.

— Eh bien, nous verrons, dit-il.

Laissant planer cette menace à peine voilée, M. Débile se dirigea vers la porte d'entrée. Il s'immobilisa après quelques pas, car il venait de voir Peter le Pompier escorté par Big Black. Il remarqua immédiatement que Peter n'était pas entravé.

— Hé ! s'écria-t-il en agitant la main vers eux. Attendez !

Le gros aide-soignant s'arrêta et se tourna vers lui. Peter également.

— Pourquoi n'est-il pas attaché ? cria M. Evans d'une voix furieuse. Cet homme n'est pas autorisé à sortir du pavillon sans être pieds et poings liés ! C'est le règlement !

Big Black secoua la tête.

— Le docteur Gulptilil a dit que ça irait.

— Quoi ?

— Le docteur Gulptilil... répéta Big Black.

Evans l'interrompit :

— Je n'en crois pas un mot. Cet homme est sous le coup d'une décision de justice. Il doit répondre de charges criminelles graves. Nous avons une responsabilité.

— C'est ce qu'il a dit.

— Eh bien je vais vérifier cela. Sur-le-champ.

Evans fit demi-tour, laissant les deux hommes au milieu du couloir. Il se précipita vers l'entrée, tâtonna avec ses clés, jura quand il vit qu'il n'introduisait pas la bonne dans la serrure, jura encore plus fort quand la seconde refusa de tourner et finit par renoncer. D'une démarche chaloupée, il descendit le couloir en direction de son bureau, écartant les patients qui avaient le malheur de se trouver sur son chemin.

Francis suivait le Costaud, qui s'ouvrait un chemin à travers l'Amherst. Sa manière de pencher légèrement la tête, la lèvre retroussée, les dents blanches en évidence, de courber les épaules en avant et de balancer ses avant-bras couverts de tatouages avertissait sans équivoque les autres patients qu'ils devaient le laisser passer. Une marche agressive, provocante, dans le pavillon. Le Costaud contempla la salle commune, tel un géomètre scrutant une parcelle de terrain. Les quelques patients qui s'y trouvaient encore se rencognèrent, ou se firent tout petits derrière leurs magazines périmés, évitant à tout prix de croiser son regard. Le Costaud semblait aimer cela, comme s'il était satisfait de constater que personne ne lui contesterait son statut de dur. Il s'avança vers le centre de la pièce. Il semblait ignorer que Francis le suivait, jusqu'au moment où il s'arrêta.

— Eh bien, me voici, fit-il d'une voix forte. Quelqu'un a envie de jouer au con avec moi…

Francis trouva cela un peu ridicule. Peut-être un peu lâche, aussi. Les seules personnes présentes étaient âgées, infirmes ou perdues dans un univers lointain. Personne parmi elles ne risquait de défier le Costaud.

En dépit des mises en garde de ses voix, Francis s'avança de quelques pas. Le Costaud prit conscience de sa présence et se tourna vers lui.

— Toi ! hurla-t-il. Je croyais en avoir déjà fini avec toi.

— Je veux savoir ce que vous vouliez dire, dit Francis d'une voix prudente.

— Ce que je voulais dire ? le singea l'autre d'une voix chantante. Ce que je voulais dire ? Je voulais dire ce que j'ai dit, et j'ai dit ce que je voulais dire, et c'est tout.

— Je ne comprends pas, fit Francis, un tout petit peu trop empressé. « Je suis celui que tu cherches », qu'est-ce que ça veut dire ?

L'homme produisit un hennissement bruyant.

— Ça m'a pourtant l'air vachement évident, non ?

— Non, dit Francis en secouant prudemment la tête. Qui est-ce que je cherche, d'après vous ?

Le Costaud fit la grimace.

— Tu cherches une méchante mère, voilà qui tu cherches. Et tu l'as trouvée. Quoi ? Tu crois que je ne peux pas être assez méchant pour toi ?

Il s'avança vers Francis, les poings serrés, le corps tendu.

— Comment savais-tu que j'étais à ta recherche ? insista Francis, sans reculer d'un pouce en dépit des voix qui l'incitaient à fuir.

— Tout le monde le sait. Toi, et l'autre gars, et la femme du dehors. Tout le monde le sait, dit le Costaud d'un ton énigmatique.

Il n'y a pas de secrets, se dit Francis. Puis il réalisa que ce n'était pas vrai.

— Qui t'a dit ça ? demanda-t-il brusquement.

— Quoi ?

— Qui t'a dit ça ?

— Qu'est-ce que tu racontes ?

— Qui t'a dit que je te cherchais ? répéta Francis d'une voix plus aiguë, plus rapide.

Il était poussé en avant par quelque chose de totalement différent des voix auxquelles il était habitué, quelque chose qui semblait lui arracher les questions l'une après l'autre, alors que chaque mot supplémentaire augmentait le danger auquel il était exposé.

— Qui t'a dit de me chercher ? Qui t'a dit à quoi je ressemblais ? Qui t'a dit qui j'étais, qui t'a donné mon nom ? Qui ?

Le Costaud leva une main, juste sous la mâchoire de Francis. Il le toucha légèrement avec ses articulations, comme s'il lui faisait une promesse.

— C'est mon affaire, dit-il. Pas la tienne. À qui je parle, ce que je fais, c'est mon affaire.

Francis vit que les yeux du Costaud s'élargissaient, comme s'ils s'ouvraient à une idée insaisissable. Il sentit que toutes sortes d'éléments instables se mêlaient dans l'esprit de cet homme, et que quelque part, au fond de ce mélange explosif, se trouvait l'information qu'il cherchait.

Il insista :

— Bien sûr que c'est ton affaire, dit-il d'un ton plus modéré, comme si cela pouvait changer quelque chose. Mais c'est peut-être aussi un peu la mienne. Je veux simplement savoir qui t'a ordonné de me repérer et de me dire ce que tu m'as dit.

— Personne, mentit le Costaud.

— Si, quelqu'un te l'a dit, répliqua Francis.

L'homme éloigna sa main du visage de Francis. Celui-ci vit un éclair de terreur, dissimulé sous la rage, traverser le regard du Costaud. Cela lui rappela fugitivement le regard que l'Efflanqué avait jeté à Blondinette ou, un peu plus tôt, celui que le géant lui avait réservé. Une immersion totale dans une seule idée, un raz-de-marée d'une sensation unique, en liberté au fond d'un gouffre intérieur que les médicaments les plus efficaces étaient impuissants à pénétrer.

— C'est mon affaire, répéta le Costaud.

— L'homme qui t'a dit cela, dit Francis, c'est peut-être celui que je cherche.

Le Costaud secoua la tête.

— Va te faire foutre. Je ne t'aiderai certainement pas.

Pendant un instant, Francis fit front. Il n'avait pas envie de reculer. Il sentait qu'il était proche de quelque chose qu'il devait identifier, car c'était peut-être un élément concret qu'il pourrait donner à Lucy Jones. En même temps, il vit que le cerveau du Costaud tournait à plein régime, de plus en plus vite, la colère, la frustration se mêlant à toutes les terreurs ordinaires engendrées par la folie. En cet instant fulgurant, Francis réalisa qu'il était peut-être allé un peu trop loin. Il recula d'un pas, mais le Costaud le rattrapa.

— Je n'aime pas tes questions, fit-il d'une voix basse, glacée.

— Très bien, j'ai terminé, répondit Francis en essayant de battre en retraite.

— Je n'aime pas tes questions, et je ne t'aime pas. Pourquoi m'as-tu suivi jusqu'ici ? Qu'est-ce que tu veux me faire dire ? Qu'est-ce que tu vas me faire ?

Chaque question le frappait aussi rudement qu'un coup de poing. Francis regarda à droite et à gauche, dans l'espoir de repérer un endroit où il pourrait courir se cacher, mais il n'y en avait pas. Les rares personnes qui se trouvaient dans la salle commune s'étaient recroquevillées, se cachaient dans les coins ou bien contemplaient les murs ou le plafond – tout ce qui pouvait les aider à fuir mentalement en des lieux inaccessibles. Le Costaud enfonça son poing dans la poitrine de Francis et le poussa en arrière, ce qui le déséquilibra.

— Je crois que je n'aime pas que tu te pointes devant moi. Je crois que je n'aime rien de ce qui vient de toi.

Il donna une autre poussée, plus violente.

— Très bien, fit Francis en levant la main. Je vous laisse tranquille.

Le Costaud eut l'air de se raidir. On aurait dit que son corps se tendait, s'allongeait.

— Ouais, c'est juste, grogna-t-il. Et je vais faire ce qu'il faut pour ça.

Francis vit le poing arriver vers lui. Il leva le bras assez vite pour détourner partiellement le coup avant qu'il n'atterrisse sur sa joue. Pendant un instant, il vit des étoiles, et il pivota en arrière pour essayer de garder son équilibre, trébuchant contre une chaise. Cela lui fut d'ailleurs utile, parce que le mouvement détourna le second coup de poing du Costaud : un crochet du gauche qui siffla au-dessus de son nez, si près qu'il sentit le déplacement d'air. Francis se jeta une nouvelle fois en arrière et balança la chaise qui s'écrasa sur le sol. Le Costaud fit un bond, et un nouveau coup furieux toucha Francis au sommet de l'épaule. Son adversaire avait le visage rouge de colère. Il était si enragé qu'il était incapable de frapper avec précision. Francis tomba en arrière, heurta le sol avec une violence à couper le souffle. Le Costaud fonça sur lui et s'assit à califourchon sur sa poitrine. Francis parvint à libérer ses bras, il se couvrit la face et se mit à ruer en tous sens, mais en pure perte car le Costaud lui martelait les avant-bras de coups furieux et répétés.

— Je vais te tuer ! criait-il. Je vais te tuer !

Francis se tortillait, se déplaçant d'un côté et de l'autre pour essayer d'éviter l'avalanche de coups, vaguement conscient que l'autre ne le frappait pas très fort. Il savait que si le Costaud avait pensé à exploiter l'avantage que lui conférait sa position, il aurait été deux fois plus dangereux.

— Lâchez-moi ! criait-il en vain.

Dans l'espace étroit entre ses bras, tout en essayant de résister à l'assaut, Francis vit que le Costaud se redressait et rassemblait ses forces, comme s'il venait de comprendre qu'il devait organiser son attaque. L'homme avait toujours le visage rubicond, mais cette fois il y avait une bonne raison à cela, comme si toute la rage qui l'habitait avait été canalisée en un flot unique. Francis ferma les yeux, cria « Arrête ! » une dernière fois, impuissant, avant de comprendre qu'il était vraiment dans de sales draps. Il se recroquevilla, il n'était même plus conscient des mots qu'il hurlait pour obliger l'homme à s'arrêter. Il savait seulement qu'ils n'avaient aucune signification au regard de la rage qui se déversait sur lui.

— Je vais te tuer ! répétait le Costaud.

Francis savait que ce n'était pas une parole en l'air. Le Costaud émit un cri guttural et Francis essaya de protéger sa tête, mais en une seconde tout bascula. Une force comparable à un ouragan vint frapper les deux hommes qui s'écroulèrent dans un enchevêtrement de membres. Les poings, les muscles, les coups et les cris formaient un tout. Francis eut l'impression de tournoyer sur le côté, conscient tout à coup que sa poitrine était libérée du poids du Costaud. Il était libre. Il fit un tour sur lui-même puis se précipita vers le mur et vit que le Costaud et Peter étaient enlacés, leurs corps noués ensemble en un tas informe. Les jambes de Peter enserraient la taille de l'homme, et il était parvenu à immobiliser un de ses poignets. Les mots n'étaient plus audibles, broyés dans une cacophonie de hurlements. Ils tournoyèrent ensemble sur le sol comme une énorme toupie. Francis vit le visage de Peter figé dans une violente colère, tandis qu'il tordait le bras du Costaud presque au point de le briser. Soudain, au même instant, deux autres missiles traversèrent son champ de vision. Les frères Moïse, dans leurs vestes blanches, venaient de descendre dans l'arène. Pendant un moment, il n'y eut plus qu'une symphonie de fureur et de cris, puis Big Black parvint à saisir l'autre bras du Costaud tout en jetant son énorme avant-bras en travers de sa trachée-artère, tandis que Little Black tirait Peter à l'écart et le plaquait brutalement contre un canapé. Pendant ce temps, Big Black immobilisait le Costaud en le serrant dans ses bras.

Le Costaud hurlait des obscénités et des insultes, suffoquant, la bave aux lèvres.

— Salopards de larbins nègres ! Lâchez-moi ! Lâchez-moi ! Je n'ai rien fait !

Peter se laissa glisser en arrière, le dos contre le canapé, les jambes dépliées devant lui. Little Black le lâcha et d'un bond rejoignit son frère. Les deux hommes retournèrent le Costaud d'un mouvement expert, de sorte qu'il se retrouva sous eux, les mains immobilisées. Il donna quelques coups de pied puis s'immobilisa enfin.

— Tenez-le bien ! prononça soudain une voix connue.

Levant les yeux, Francis découvrit Evans qui hésitait, dans l'encadrement de la porte. Il brandissait une seringue hypodermique.

— Tenez-le ! répéta-t-il.

Un coton imbibé d'alcool dans une main, la seringue dans l'autre, il s'approcha des deux aides-soignants et du Costaud, hystérique, qui avait recommencé à se tortiller et à lutter, sans cesser de hurler, furieux :

— Allez vous faire foutre ! Allez vous faire foutre ! Allez vous faire foutre !

D'un geste expérimenté, M. Débile frotta une surface de peau et enfonça l'aiguille dans le bras de l'homme.

— Allez vous faire foutre ! répéta celui-ci une dernière fois.

Le sédatif agissait rapidement. Francis ignorait combien de temps ils attendirent, car il avait perdu le fil. Il ne sentait que l'adrénaline et la peur. Mais le

Costaud finit par se détendre. Francis vit ses yeux fous rouler en arrière, et il sombra dans l'inconscience. Les frères Moïse se détendirent à leur tour et relâchèrent leur prise sur le patient. Ils s'écartèrent, en le laissant allongé sur le sol.

— Il va nous falloir un brancard pour le transporter à l'isolement, dit M. Débile. Dans une seconde, il sera dans les vapes.

Il fit un geste en direction de Little Black, qui acquiesça.

L'homme gémit, tressaillit, et ses pieds s'agitèrent comme les pattes d'un chien qui rêve qu'il court.

— Quel gâchis ! fit Evans en secouant la tête.

Il regarda Peter le Pompier, qui, toujours par terre, retenait son souffle en se frottant la main, où se dessinait la marque rouge d'une morsure.

— Vous aussi, dit Evans d'un ton raide.

— Quoi, moi aussi ? demanda Peter.

— Isolement. Vingt-quatre heures.

— Quoi ? Je n'ai fait qu'écarter ce fils de pute de C-Bird…

Little Black était de retour avec une infirmière et un brancard pliant. Il s'approcha du Costaud endormi et lui passa une camisole de force. Il regarda Peter en secouant légèrement la tête.

— Qu'est-ce que j'étais censé faire ? Laisser ce type foutre une raclée à C-Bird ?

— Isolement, répéta Evans. Vingt-quatre heures.

— Je ne vais pas… commença Peter.

Les sourcils d'Evans se levèrent.

— Quoi ? Vous me menacez ?

Peter respira à fond.

— Non. Je me défends, c'est tout.

— Vous connaissez la règle à propos des bagarres.

— C'est lui qui se bagarrait. J'essayais de l'arrêter.

Dressé au-dessus de Peter, Evans secouait la tête.

— Voilà une distinction intéressante. Isolement. Vingt-quatre heures. Voulez-vous y aller gentiment, ou ajouter quelques problèmes ?

Il lui montra sa seringue. Francis se dit qu'Evans aurait préféré que Peter choisisse la mauvaise solution.

Peter s'efforçait de repousser la colère qui montait. Francis vit qu'il serrait les dents.

— Parfait, fit-il enfin. Comme vous voudrez. Isolement. Montrez-moi le chemin.

Non sans difficultés, il se mit sur pied et suivit docilement Big Black. Celui-ci, avec l'aide de son frère, avait chargé le Costaud sur le brancard et manœuvrait pour le sortir de la salle commune.

Evans se tourna vers Francis.

— Vous avez un bleu sur la joue, lui dit-il. Vous devriez montrer cela à une infirmière.

Il sortit à son tour de la salle, sans un regard pour Lucy, qui s'était arrêtée près de la porte. Elle observait Francis avec un regard intense, curieux.

Plus tard dans la soirée, Lucy était assise seule dans sa chambre minuscule plongée dans l'obscurité, au pavillon des élèves infirmières. Elle essayait de mesurer les progrès de son enquête. Incapable de trouver le sommeil, elle s'était assise sur le lit, le dos au mur. Elle regardait fixement devant elle, essayant de reconnaître les ombres familières. Ses yeux s'accommodaient lentement à l'obscurité. Au bout d'un moment, elle put discerner les formes reconnaissables du bureau, de la petite table, de la table de nuit et de la lampe. Elle continua à se concentrer. Elle vit les vêtements qu'elle avait jetés en tas sur la chaise en bois avant de se mettre au lit.

Elle se dit qu'elle avait sous les yeux une image fidèle de ce qu'elle traversait elle-même. Il y avait des choses familières, mais elles restaient cachées, déformées, dissimulées par l'obscurité qui régnait dans l'hôpital. Elle devait trouver un moyen d'apporter la lumière sur des preuves, des suspects, des théories. Mais elle ne savait pas comment s'y prendre.

La tête renversée en arrière, elle se dit qu'elle avait créé une fichue pagaille. En même temps, et en dépit de l'absence d'éléments concrets, elle était plus convaincue que jamais d'être à deux doigts de trouver ce qu'elle était venue chercher dans cet hôpital.

Elle essaya de visualiser l'homme qu'elle pourchassait, mais à l'instar des formes dans la chambre, il restait indistinct et fuyant. Le monde de l'hôpital ne se prêtait pas, tout simplement, aux suppositions faciles. Elle se rappelait les dizaines de fois où elle s'était dressée devant un suspect, soit dans une salle d'interrogatoire de la police, soit au tribunal. Elle observait les détails les plus infimes, les plis sur les mains de l'homme, son regard fuyant, la manière dont il penchait la tête. Tous ces éléments finissaient par constituer le portrait d'un être qui entretenait des liens étroits avec le crime et la culpabilité. Quand ils étaient assis devant elle, cela semblait toujours si évident. Les hommes qu'elle avait suivis, de l'arrestation à l'instruction, affichaient la vérité de leurs actes comme des vêtements bon marché. Impossible de s'y tromper.

Le regard toujours fixé sur la pénombre, elle se dit qu'elle devait penser de manière plus créative. Plus oblique. Plus subtile. Dans le monde d'où elle venait, elle n'avait presque jamais eu de doutes en se retrouvant devant sa proie. Dans ce monde-ci, c'était le contraire. Il n'y avait de place que pour le doute. Elle se dit en frissonnant – et ce n'était pas l'effet de la fenêtre ouverte – qu'elle s'était peut-être déjà trouvée face à face avec l'homme qu'elle chassait. Mais ici, c'était lui qui contrôlait la situation.

Elle leva une main vers son visage et toucha sa cicatrice. Son agresseur tenait à rester anonyme, comme dans le pire des clichés. Il avait le visage dissimulé sous un passe-montagne, de sorte qu'elle n'avait vu que ses yeux sombres. Il avait des gants de cuir noirs, un jean, et une parka quelconque d'un modèle disponible dans tous les magasins de sport. Il portait des chaussures de course Nike. Il n'avait prononcé que quelques mots d'une voix rauque destinée à dissimuler un accent éventuel. Il n'avait pas vraiment eu besoin de parler beaucoup, se rappelait-elle. Il avait laissé le couteau de chasse luisant qui lui avait entaillé le visage s'exprimer pour lui.

Elle y avait beaucoup réfléchi. Après coup, au moment de reconstituer les faits, elle s'était concentrée sur ce détail. Elle s'était longuement demandé si le but véritable de l'agression était le viol, ou sa défiguration.

Lucy se renversa en arrière et donna un ou deux légers coups de tête contre le mur, comme si cela pouvait libérer une pensée engluée quelque part dans son esprit. Elle se demandait parfois comment sa vie tout entière avait pu être transformée par cette agression dans la cage d'escalier d'une cité universitaire. Ça avait duré combien de temps ? Trois minutes ? Cinq minutes en tout et pour tout, depuis l'instant terrifiant où elle avait senti qu'on la saisissait, jusqu'au bruit de pas de l'homme qui s'éloignait ?

Certainement pas plus que ça, se dit-elle. Et à partir de ce moment-là, tout avait changé.

Du bout des doigts, elle toucha les bords de la cicatrice. Celle-ci avait régressé, avec les années, au point de prendre presque la même couleur que son teint.

Elle se demanda si elle pourrait jamais aimer de nouveau. Elle en doutait.

Ce n'était pas tant le fait d'en être venue à haïr tous les hommes pour ce que l'un d'eux lui avait fait. Ou d'être incapable de voir les différences entre les hommes qu'elle avait connus et celui qui lui avait fait du mal. C'était plutôt comme si une partie d'elle-même était plongée dans l'obscurité, prise dans la glace. Elle savait que son agresseur l'avait stimulée tout au long de sa vie et qu'à chaque fois qu'elle pointait un doigt accusateur sur un prévenu au teint blême promis à la prison, elle travaillait à sa propre vengeance. Mais elle doutait que le vide qu'il y avait en elle soit jamais comblé.

Son esprit dériva vers Peter le Pompier. Il me ressemble beaucoup trop, se dit-elle. Cela l'attristait, la perturbait et l'empêchait d'apprécier le fait qu'ils portaient le même genre de blessures et que cela aurait dû les rapprocher. Elle essaya de l'imaginer dans la cellule d'isolement. C'était, dans l'hôpital, ce qui ressemblait le plus à une cellule de prison, et à certains égards c'était pis. Ces cellules n'avaient qu'une raison d'être : repousser toute pensée extérieure qui pourrait s'immiscer dans le monde du patient. Les murs étaient recouverts d'un capitonnage gris. Les lits étaient fixés au sol. Un matelas mince et une couverture râpée. Pas d'oreiller. Pas de lacets. Pas de ceinture. Des toilettes conçues pour contenir le moins d'eau possible, pour éviter qu'on essaie de s'y noyer. Lucy ignorait si on lui imposerait la camisole de force. C'était la procédure normale, et elle sentait que M. Débile aurait envie de la suivre. Elle se demanda combien de temps Peter serait capable de conserver sa santé mentale, alors que tout ce qui l'entourait appartenait à la folie. Elle se doutait qu'il lui faudrait une volonté considérable pour ne jamais oublier qu'il n'était pas à sa place à l'hôpital.

Cela devait être douloureux, pensait Lucy.

À cet égard, ils étaient encore plus proches.

Elle inspira à fond, en se disant qu'elle devait absolument dormir. Il fallait qu'elle soit d'attaque le lendemain. Quelque chose avait poussé Francis à affronter le Costaud. Elle ignorait ce que c'était, mais ce devait être important. Elle sourit. Francis s'avérait bien plus utile qu'elle ne l'avait cru.

Elle ferma les yeux, remplaçant une obscurité par une autre. Elle prit soudain conscience d'un bruit bizarre. Familier, mais inquiétant. Elle rouvrit brusquement les yeux et reconnut le bruit. C'était le frottement étouffé de pas sur la moquette du couloir, devant la porte de sa chambre. Elle expira longuement, lentement, en laissant siffler l'air. Son cœur battait à se rompre, et elle se dit qu'il n'y avait aucune raison. Il n'était pas rare d'entendre des bruits de pas dans le pavillon des élèves infirmières. Après tout, elles travaillaient à des heures différentes, ce qui voulait dire qu'elles pouvaient prendre leur période de sommeil à n'importe quelle heure du jour ou de la nuit.

Tendant l'oreille, Lucy eut tout de même l'impression que les pas s'étaient arrêtés devant sa porte. Elle se raidit sur son lit et se concentra sur le bruit, faible mais reconnaissable.

Elle se disait qu'elle se trompait certainement, lorsqu'elle entendit la poignée bouger lentement.

Lucy se tourna vers sa table de nuit et, après avoir tâtonné bruyamment dans le noir, alluma sa lampe de chevet. La lumière envahit la chambre. Lucy cligna des yeux deux ou trois fois, le temps que son regard s'accommode. Presque dans le même mouvement, elle se jeta au bas du lit, courut à travers la chambre… et heurta une corbeille à papier métallique qui tomba en rebondissant bruyamment sur le sol. Lucy vit que le verrou de la porte était toujours dans la position « fermé ». Elle traversa rapidement la chambre, s'adossa au lourd panneau de bois, y colla l'oreille.

Elle n'entendait rien.

Elle tendit l'oreille, en quête d'un son. N'importe quel son susceptible de lui révéler quelque chose. Que quelqu'un se trouvait là, dehors. Que quelqu'un s'enfuyait. Qu'elle était seule, qu'elle n'était pas seule.

Le silence s'accrocha à elle, aussi horrible que le bruit qui l'avait mise en alerte.

Elle attendit.

Elle laissa les secondes défiler, l'oreille toujours tendue. Une minute. Deux, peut-être.

Par la fenêtre ouverte, derrière elle, elle entendit soudain des voix en contrebas. Il y eut un rire, puis un autre. Elle retourna à la porte. Elle défit le verrou et ouvrit la porte toute grande. Le couloir était désert. Elle fit un pas hors de la chambre, jeta un regard à droite, puis à gauche. Elle était seule.

De nouveau, elle inspira à fond. Le passage de l'air dans ses poumons ralentit les battements de son cœur. Elle secoua la tête. Il n'y a personne, se dit-elle. Tu laisses les choses prendre le dessus. L'hôpital est un lieu où règnent des extrêmes inconnus, et cet environnement plein de comportements bizarres et de folie la rendait nerveuse. Mais, si elle devait avoir peur de quelqu'un, celui-ci devait avoir beaucoup plus peur d'elle. Cette vantardise la rassura.

Elle réintégra la chambre de Blondinette. Elle verrouilla la porte et, avant de se recoucher, installa la chaise en équilibre derrière la porte. Pas vraiment pour empêcher quelqu'un d'entrer, car elle doutait que cela soit suffisant. Mais la chaise était placée de telle sorte qu'elle tomberait par terre si quelqu'un ouvrait la porte. Elle posa la corbeille métallique sur la chaise, et sa petite valise au sommet de la tour improvisée. Elle se dit que, si tout cela venait à s'écrouler, le bruit la réveillerait, aussi profond que fût son sommeil.

23

— C'était toi ?

— Ce n'était jamais moi. C'était toujours moi.

— Tu as pris des risques, dis-je d'un ton sec, ergoteur. Tu aurais pu ne pas le faire, mais tu en as décidé autrement, et c'était une erreur. Je ne l'ai pas vu d'emblée, mais j'ai fini par comprendre.

— Il y a beaucoup de choses que tu n'avais pas vues, C-Bird.

Je secouai la tête. J'en avais vu assez.

— Tu n'es pas ici, dis-je lentement, d'un ton qui trahissait mon manque de confiance en moi. Tu n'es qu'un souvenir.

— Non seulement je suis ici, siffla l'Ange, mais cette fois je suis venu pour toi.

Je pivotai, comme si je pouvais faire face à la voix qui me harcelait. Mais il était plus rapide qu'une ombre, voltigeant d'un coin sombre à un autre, toujours insaisissable, toujours hors de portée. Je m'emparai d'un cendrier plein à ras bord de mégots et de filtres, et le jetai de toutes mes forces vers la silhouette de l'Ange. Quand le cendrier se fracassa contre le mur, son rire se mêla à la déflagration du verre brisé. Je me tortillai en tous sens pour essayer de le repérer, mais l'Ange se déplaçait trop vite. Je lui hurlai de ne pas bouger, que je n'avais pas peur de lui, de jouer franc jeu, mais cela rappelait les cris d'un gosse qui affronte le tyran de la classe sur un terrain de jeu. Chaque instant était pis que le précédent ; à chaque seconde qui passait, je me sentais plus petit, plus impuissant. Furieux, je lançai le tabouret de bois à travers la pièce. Il s'écrasa contre la porte, arrachant au passage un gros morceau de bois du chambranle, puis retomba sur le sol avec un bruit sourd.

À chaque seconde qui passait, j'étais un peu plus désespéré. J'ouvris les yeux et fouillai la pièce du regard. Peter aurait pu m'aider, mais il n'était pas là. J'essayai de visualiser Lucy, Big Black, Little Black, ou n'importe quelle autre personne de l'hôpital, en espérant trouver quelqu'un, dans mes souvenirs, qui aurait pu paraître à mes côtés et m'aider à lutter.

J'étais seul, et ma solitude était comme un coup au cœur.

Pendant un moment, je crus que j'étais perdu. Puis, dans le brouillard sonore où se mêlaient la folie passée et celle du futur, j'entendis un bruit inattendu. Un martèlement insistant qui semblait… eh bien, irréel. Pas vraiment inquiétant. Différent, plutôt. Il me fallut plusieurs minutes pour retrouver mes esprits et comprendre ce qui se passait. Il y avait quelqu'un à la porte de l'appartement.

L'Ange me souffla encore un peu d'air glacé dans le cou.

Les coups à la porte continuaient. De plus en plus forts, comme si on avait monté le volume. Je m'approchai avec précaution.

— Qui est-ce ? demandai-je.

Je n'étais plus vraiment certain que les bruits du monde extérieur soient plus réels que la voix reptilienne de l'Ange, ou que la présence rassurante de Peter lors de ses visites épisodiques. Tout se mélangeait, dans une confusion totale.

— Francis Petrel ?

— Qui êtes-vous ? répétai-je.

— M. Klein, du service social.

Ce nom m'était vaguement familier. Distant, comme s'il appartenait au monde éloigné des souvenirs de l'enfance, et en aucun cas au moment présent. J'appuyai ma tête sur la porte en essayant de lui donner un visage. Peu à peu, des traits prirent forme dans ma mémoire. Un homme mince, au crâne dégarni, avec des verres épais et un léger cheveu sur la langue, qui se grattait nerveusement le menton en fin de journée, quand il était fatigué ou quand un de ses patients ne faisait pas de progrès. Je n'étais pas sûr qu'il fût vraiment là. Je n'étais même pas sûr de l'entendre vraiment. Mais je savais qu'un M. Klein existait quelque part, que nous nous étions vus à maintes reprises dans son bureau trop clair et presque vide. Il existait une infime possibilité pour que ce soit bien lui.

— Que voulez-vous ? demandai-je, toujours contre la porte.

— Vous avez manqué les rendez-vous de plusieurs séances thérapeutiques. Nous sommes inquiets à votre sujet.

— Manqué mes rendez-vous ?

— Oui. Et vos médicaments doivent être contrôlés. Vos prescriptions doivent sans doute être renouvelées. Voulez-vous ouvrir la porte, s'il vous plaît ?

— Que me voulez-vous ?

— Je vous l'ai dit, poursuivit M. Klein. Vous avez des séances régulières à la clinique. Vous avez manqué plusieurs rendez-vous. Ce n'était jamais arrivé. Pas depuis votre sortie de Western State. Les gens s'inquiètent pour vous.

Je secouai la tête. J'en savais assez pour ne pas ouvrir la porte.

— Je vais bien, mentis-je. Laissez-moi tranquille, s'il vous plaît.

— Je ne crois pas, Francis. Vous avez l'air stressé. En montant l'escalier, tout à l'heure, j'ai entendu des cris dans votre appartement. Comme s'il y avait une bagarre. Est-ce qu'il y a quelqu'un avec vous ?

— Non.

Ce qui n'était ni tout à fait vrai ni tout à fait faux.

— Pourquoi n'ouvrez-vous pas la porte, pour que nous puissions parler plus facilement ?

— Non.

— Francis, vous n'avez rien à craindre.

J'avais tout à craindre.

— Laissez-moi tranquille. Je n'ai pas besoin de votre aide.

— Si je vous laisse tranquille, est-ce que vous promettez de venir à la clinique ?

— Quand ?

— Aujourd'hui. Demain, au plus tard.

— Peut-être.

— Ce n'est pas vraiment une promesse, Francis.

— J'essaierai.

— Il me faut votre parole que vous viendrez à la clinique, aujourd'hui ou demain, pour un bilan complet.

— Sinon ?

— Est-ce que vous avez besoin de poser cette question, Francis ? fit-il d'un ton patient.

Je posai de nouveau la tête contre la porte. Je cognai avec mon front. Une fois, deux fois, comme si cela pouvait m'aider à chasser de mon crâne les pensées et les peurs.

— Vous allez me renvoyer à l'hôpital, dis-je prudemment.

— Comment ? Je ne vous entends pas.

— Je ne veux pas y retourner, poursuivis-je. Je détestais être là-bas. J'ai failli mourir. Je ne veux pas retourner à l'hôpital.

— L'hôpital est fermé, Francis. Pour de bon. Vous n'avez aucune raison d'y retourner. Personne n'y retournera.

— Je ne veux pas y retourner.

— Pourquoi ne voulez-vous pas ouvrir la porte, Francis ?

— Vous n'êtes pas vraiment là, dis-je. Vous n'êtes qu'un rêve, un de plus.

M. Klein hésita.

— Francis, vos sœurs s'inquiètent à votre sujet. Des tas de gens s'inquiètent à votre sujet. Pourquoi ne voulez-vous pas venir avec moi à la clinique ?

— La clinique n'est pas réelle.

— Mais si. Vous le savez bien. Vous y êtes venu assez souvent.

— Allez-vous-en.

— Alors promettez-moi que vous viendrez de vous-même.

J'inspirai à fond.

— D'accord. Je vous le promets.

— Dites-le, insistait M. Klein.

— Je promets de venir à la clinique.

— Quand cela ?

— Aujourd'hui. Ou demain.

— J'ai votre parole ?

— Oui.

Je savais qu'il hésitait, de nouveau, derrière la porte. Comme s'il se demandait s'il pouvait me croire. Après un long silence, enfin, il reprit :

— D'accord. J'accepte. Mais ne me faites pas faux bond, Francis.

— Ne vous inquiétez pas.

— Si vous me faites faux bond, je reviendrai.

Cela ressemblait à une menace. Je soupirai bruyamment.

— J'y serai.

J'écoutai le bruit de ses pas décroître dans le couloir.

Parfait, me dis-je. Et je regagnai aussi vite le mur d'écriture. J'expulsai M. Klein de ma mémoire, avec la faim, la soif, le sommeil et tout ce qui risquait de faire intrusion dans mon récit.

Il était nettement plus de minuit. Francis se sentait seul au milieu des bruits rauques de respiration et des ronflements irréguliers du dortoir. Il se trouvait dans ce demi-sommeil troublé, quelque part entre la veille et les rêves. Le monde était indistinct, comme si ses attaches à la réalité s'étaient relâchées, et que des marées et des courants invisibles le tiraient d'avant en arrière.

Il s'inquiétait pour Peter, qui était enfermé sur ordre de M. Débile dans une cellule d'isolement capitonnée et devait lutter contre ses terreurs avec la même énergie que contre la camisole de force. Francis se rappelait en frissonnant les heures qu'il avait passées en isolement. Attaché, seul, il s'était laissé envahir par la terreur. Il se disait qu'il en était de même pour Peter, qui n'avait sans doute pas l'avantage, discutable, d'être sous sédatifs. Peter lui avait affirmé plusieurs fois qu'il n'avait pas peur d'aller en prison. Mais Francis était persuadé que la prison la plus dure n'égalerait jamais une cellule d'isolement à l'hôpital Western State. Chaque seconde passée là-haut était vécue avec les spectres d'une indicible douleur.

Heureusement que nous sommes déjà fous, se disait-il. Sans quoi, cet endroit nous rendrait dingues en deux temps trois mouvements.

Quand il comprit que le contrôle que Peter exerçait sur la réalité lui ouvrirait d'une manière ou d'une autre les portes de l'hôpital, Francis se sentit envahi par le désespoir. Mais il savait aussi qu'il lui serait difficile d'avoir assez de prise sur les parois glissantes, argileuses, de son imagination pour convaincre Gulptilil, Evans, ou n'importe qui à Western State, de le laisser sortir. Même s'il acceptait d'informer Gulp-Pilule à propos de Lucy et des progrès de son enquête, il doutait que cela lui vaille autre chose que beaucoup d'autres nuits à écouter des hommes tourmentés gémir en rêvant de choses terrifiantes.

Perturbé par tout ce qui l'avait poursuivi dans son sommeil, luttant contre tout ce qui l'assiégeait quand il était éveillé, Francis ferma les yeux et se ferma aux sons qui l'entouraient, priant pour trouver avant le matin quelques heures de repos sans rêve.

Sur sa droite, à quelques lits du sien, il entendit soudain un claquement sec : sous l'emprise d'un cauchemar, un patient se tortillait et se retournait sur son lit. Francis garda les yeux fermés, comme si cela suffisait pour s'isoler, quelle que soit la détresse qui s'immisçait dans les rêves de ses compagnons.

Au bout d'un moment, le bruit reflua, et il serra les paupières, se murmurant doucement, ou écoutant peut-être une voix qui lui disait *Endors-toi.*

Mais le bruit qu'il entendit ensuite était plus inattendu. Un grattement, suivi d'un sifflement.

Puis il y eut une voix, et la sensation soudaine d'une main qui lui maintenait les yeux fermés.

— N'ouvre pas les yeux, Francis. Écoute bien, mais garde les yeux fermés.

Francis inspira brutalement. Une brève bouffée d'air brûlant. Il eut envie de hurler, mais il se retint. Son corps se contracta. Il essaya de lever la tête, mais une poigne d'une force extraordinaire la lui enfonça dans l'oreiller. Il leva la main pour saisir le poignet de l'Ange, mais la voix l'arrêta :

— Ne bouge pas, Francis. N'ouvre pas les yeux avant que je te le dise. Je sais que tu es réveillé. Je sais que tu entends tout ce que je dis, alors attends mes ordres.

Francis se raidit. Derrière le rideau d'obscurité de ses paupières, il sentait que quelqu'un se dressait au-dessus de lui. Terreur et ténèbres menaçantes.

— Tu sais qui je suis, hein, Francis ?

Il acquiesça, lentement.

— Francis. Si tu bouges, tu es mort. Si tu ouvres les yeux, tu es mort. Si tu essaies d'appeler, tu es mort. Est-ce que tu comprends bien le cadre de cette petite conversation nocturne ?

L'Ange parlait bas, à peine plus fort qu'un murmure, mais les mots qu'il prononçait le matraquaient comme autant de coups de poing. Il n'osait pas bouger, alors que ses voix lui hurlaient de fuir au plus vite. Et tandis qu'il gisait là, immobile, dans le tumulte et la confusion, dans le doute, la main posée sur ses yeux disparut soudain, remplacée par quelque chose de bien pire.

— Tu sens ça, Francis ? lui demanda l'Ange.

C'était froid sur sa joue. La pression d'un objet plat, glacé. Il ne bougea pas.

— Tu sais ce que c'est, Francis ?

— Une lame, murmura-t-il.

Il y eut un bref moment d'hésitation, puis la voix basse, terrible, reprit :

— Tu sais ce qu'est ce couteau, Francis ?

Il acquiesça de nouveau, sans comprendre vraiment la question.

— Que sais-tu, Francis ?

Il déglutit. Il avait la gorge sèche. Il sentait la lame, toujours appuyée sur son visage. Il n'osait pas changer de position, craignant qu'elle ne lui déchire la peau. Il gardait les yeux fermés, tout en essayant de se concentrer sur l'homme qui se trouvait à côté de lui.

— Je sais qu'elle coupe bien, dit-il d'une voix faible.

— Jusqu'à quel point coupe-t-elle bien ?

Francis était incapable de répondre, tant il avait la gorge brûlante. Il fit entendre un petit gémissement.

— Je vais répondre moi-même, dit l'Ange.

C'était à peine plus qu'un murmure, mais dans la tête de Francis, la voix retentit comme un hurlement.

— Elle coupe vraiment bien. Comme un rasoir. Si tu bouges d'un millimètre, elle te rentre dans la couenne. Et elle est solide, Francis, assez solide pour sectionner facilement la peau, les muscles et même les os. Mais tu le sais déjà, hein, Francis, parce que tu sais aussi où mon couteau a déjà frappé jusqu'à maintenant, hein ?

— Oui, coassa Francis.

— Est-ce que tu crois que Blondinette a vraiment compris de quel couteau il s'agissait quand il lui a déchiré la gorge ?

Francis ne savait pas ce que cela signifiait, alors il ne répondit pas. Il y eut un petit rire fuyant.

— Réfléchis à cette question, Francis. Il me faut une réponse.

Francis serrait les paupières. Il se dit que la voix n'était qu'un cauchemar, que rien de tout cela ne lui arrivait vraiment. Mais, au même instant, la lame accrut sa pression sur sa joue. Dans un monde plein d'hallucinations, elle était très réelle, et bien affûtée.

— Je ne sais pas, fit Francis d'une voix étranglée.

— Tu ne te sers pas assez de ton imagination, Francis. C'est pourtant tout ce que nous avons, ici, tu ne crois pas ? L'imagination. Elle peut nous faire prendre des voies uniques, terribles, nous entraîner dans des directions horribles et criminelles, mais c'est la seule chose que nous possédons vraiment, tu ne crois pas ?

Francis se dit que c'était vrai. Il aurait pu acquiescer, mais il craignait que le moindre mouvement ne lui fasse une cicatrice qu'il garderait toute sa vie, comme Lucy. Il resta donc aussi raide et immobile que possible, respirant à peine, luttant contre ses muscles qui voulaient se contracter sous l'effet de la terreur.

— Oui, murmura-t-il en ne bougeant presque pas les lèvres.

— Est-ce que tu peux comprendre, Francis, l'étendue de mon imagination ?

Une fois de plus, une tentative de réponse ne produisit qu'un coassement informe.

— Alors, qu'a-t-elle connu, Blondinette, Francis ? Seulement la douleur ? Ou peut-être quelque chose de plus profond, de beaucoup plus terrifiant ? Est-ce qu'elle a fait la relation entre la sensation de la lame découpant sa chair et le sang qui coulait ? Est-ce qu'elle a pu mesurer ce qui se passait ? Réalisait-elle que sa vie s'en allait, et que son impuissance rendait tout cela pathétique ?

— Je ne sais pas.

— Et toi, Francis ? Es-tu conscient de la proximité de la mort ?

Francis était incapable de répondre. Sous ses paupières closes, il ne voyait qu'un voile de terreur.

— Est-ce que tu sens que ta vie est suspendue à un fil fragile, Francis ?

Il savait qu'il n'avait pas besoin de répondre à cela.

— Comprends-tu que je peux la prendre, ta vie, en une seconde, Francis ?

— Oui, répondit-il sans savoir où il avait trouvé la force de prononcer ce simple mot.

— Est-ce que tu réalises que je peux prendre ta vie en dix secondes ? Ou en trente secondes, ou peut-être que j'attendrai une minute, ça dépendra de mon envie de savourer l'instant. Peut-être finalement que cette nuit, ce n'est pas du tout le bon moment. Peut-être que demain, ça s'accordera mieux à mes plans. Ou la semaine prochaine. Ou l'année prochaine. Quand je voudrai, Francis. Tu es ici, dans ce lit, dans cet hôpital, toutes les nuits, et tu ne peux pas savoir quand je reviendrai, hein ? Peut-être que je devrais le faire tout de suite, finalement, et m'épargner toutes sortes de tracas…

Francis eut l'impression que le couteau pivotait. Pendant un instant, le fil de la lame toucha sa peau. Puis elle revint à plat.

— Ta vie m'appartient, poursuivit l'Ange. Elle est à moi, et je la prendrai quand j'en aurai envie.

— Que voulez-vous ?

Francis sentait les larmes se former sous ses paupières serrées, et sa peur se libéra enfin, des spasmes de terreur secouant ses jambes et ses mains posées à côté de lui.

L'homme se mit à rire, presque silencieusement.

— Ce que je veux ? J'ai ce que je veux pour cette nuit, et je suis bien près d'avoir tout ce que je veux. Très, très près.

Francis sentit que l'Ange approchait son visage du sien. Leurs lèvres, comme celles de deux amants, n'étaient plus séparées que de quelques centimètres.

— Je suis près d'obtenir tout ce qui a de l'importance pour moi, Francis. Si près que je suis comme un ombre accrochée à tes basques. Je suis comme une odeur qui se colle à toi et que seul un chien peut sentir. Je suis la réponse à une énigme qui est juste un peu trop compliquée pour tes pareils.

— Que voulez-vous de moi ?

Francis le suppliait presque. C'était comme s'il voulait se voir confier une tâche, un travail qui le libérerait de la présence de l'Ange.

— Mais rien du tout, Francis. Sauf que tu devras te rappeler notre petite conversation quand tu vaqueras à tes tâches quotidiennes.

Après un bref silence, il reprit :

— Tu peux compter jusqu'à dix et ouvrir les yeux, Francis. Rappelle-toi ce que je t'ai dit. Oh, au fait… J'ai laissé un petit cadeau pour ton ami le Pompier et pour la pute du bureau du procureur.

— Quoi ?

L'Ange approcha son visage de Francis, qui pouvait presque sentir son souffle sur sa peau.

— J'adore laisser des messages. Parfois, le message est dans ce que j'emporte. Mais cette fois, il se trouve dans ce que j'ai laissé.

Francis sentit que la pression sur sa joue se relâchait brusquement. L'homme à son chevet se redressait. Il retenait toujours son souffle. Il commença à compter lentement de un à dix, avant d'ouvrir les yeux.

Il lui fallut encore quelque secondes pour que ses yeux s'habituent à l'obscurité. Alors seulement, il tourna la tête vers la porte du dortoir. L'espace d'un instant, l'Ange se dessina devant lui, forme rayonnante, presque luminescente. Il était tourné vers lui et le regardait, mais Francis ne pouvait discerner ses traits, à l'exception de deux yeux de braise et de l'aura d'un blanc scintillant qui l'entourait comme une lueur venue d'un autre monde. Puis la vision disparut, la porte se referma avec un bruit étouffé. Francis entendit le son caractéristique du verrou qu'on tournait dans la serrure. Il comprit qu'il avait perdu tout espoir. Il frissonna, son corps tout entier fut pris de tremblements, comme si on l'avait plongé dans des eaux glacées et qu'il se trouvait au bord de l'hypothermie. Il resta sur son lit, plongé dans le puits de ténèbres de la terreur et de l'angoisse qui s'enracinaient en lui, et semblaient se répandre comme une infection mortelle. Il se demanda s'il serait capable de bouger quand l'aube éclairerait le dortoir. Même ses voix s'étaient tues, comme si elles craignaient elles aussi que Francis ne vacille soudain sur le bord d'un gigantesque précipice de terreur, qu'il ne glisse, tombe au fond et reste à jamais incapable de remonter.

Francis passa la nuit ainsi, allongé, sans dormir, sans bouger.

Il avait le souffle court. Il sentait que ses doigts se contractaient.

Il était incapable de faire quoi que ce soit, sinon écouter les bruits qui l'entouraient et le martèlement dans sa poitrine. Au matin, il s'aperçut qu'il n'était pas sûr du tout de pouvoir bouger ses membres. Il n'était même pas sûr d'être capable de bouger les yeux. Ils étaient fixés sur le plafond, mais il ne voyait rien d'autre que la peur qui était venue à son chevet. Il sentait les émotions qui sautillaient dans sa tête, heurtant les parois de son crâne au petit bonheur la chance, dérapant, glissant, filant, fuyant. Il avait l'impression de ne plus pouvoir les contenir ni exercer le moindre contrôle sur elles et, pendant un instant, il se dit qu'il était peut-être mort. L'Ange lui avait vraiment tranché la gorge comme il l'avait fait à Blondinette, et tout ce qu'il pensait, entendait et voyait n'était qu'un rêve, une rêverie qui avait pénétré son cerveau dans les derniers instants de sa vie. Le monde qui l'entourait était sombre, la nuit s'était définitivement refermée sur lui, et son sang coulait lentement, au rythme des battements de son cœur.

— Très bien, messieurs, entendit-il du côté de la porte. C'est l'heure de se lever et d'en profiter. Le petit déjeuner vous attend.

C'était Big Black, qui saluait les habitants du dortoir à sa manière rituelle.

Autour de Francis, les patients se réveillaient en grognant, laissant derrière eux les rêves inquiets et les vrais faux cauchemars qui les tourmentaient, ignorant qu'un cauchemar en chair et en os était venu au milieu d'eux.

Francis restait bloqué, comme s'il était collé à son lit. Ses membres refusaient de lui obéir. Quelques patients le regardèrent fixement, en passant devant lui en traînant les pieds. Il entendit Napoléon :

— Allez, Francis, c'est l'heure du petit déjeuner…

Mais la voix du gros homme s'évanouit, sans doute parce qu'il avait vu son visage.

— Francis ? entendit-il sans pouvoir répondre. C-Bird, ça va ?

De nouveau, il fit un effort. Ses voix lui parlaient, maintenant. Elles suppliaient, elles cajolaient, elles insistaient, toujours et encore : *Debout, Francis ! Allez, Francis ! Lève-toi ! Pose tes pieds sur le sol et marche ! S'il te plaît, Francis, lève-toi, je t'en prie !*

Il ne savait pas s'il en avait la force. Il ne savait pas s'il en aurait jamais la force.

— C-Bird ? Ça ne va pas ?

C'était la voix de Napoléon, de plus en plus inquiète, presque plaintive.

Il ne répondit pas. Il continuait à contempler le plafond, persuadé qu'il agonisait. Peut-être était-il déjà mort : les mots qu'il entendait n'étaient que des échos de la vie, qui avaient accompagné ses ultimes battements de cœur.

— Monsieur Moïse ! Ici ! Nous avons besoin d'aide !

Napoléon semblait tout à coup au bord des larmes.

Francis était tiraillé dans deux directions opposées. L'une semblait le précipiter vers le bas, l'autre insistait pour qu'il s'élève. Elles se livraient bataille dans sa tête.

Big Black fit irruption à côté de lui. Francis l'entendait qui exhortait les derniers pensionnaires à sortir du dortoir. Il se pencha au-dessus de Francis, son regard plongea dans les yeux de son jeune patient, et il murmura quelques jurons en rafale.

— Allez, Francis, bon Dieu, debout ! Qu'est-ce qui ne va pas ?

— Aidez-le, suppliait Napoléon.

— J'essaie, répondit Big Black. Francis, répondez-moi, qu'est-ce qui ne va pas ?

Il claqua des mains, très fort, devant le visage de Francis, dans l'espoir de provoquer une réaction. Il le prit par l'épaule et le secoua violemment. Francis restait toujours raide sur le lit.

Francis pensa qu'il avait oublié les mots. Il doutait d'être jamais capable de parler à nouveau. Quelque chose, en lui, devenait vitreux, comme la glace qui se forme à la surface d'un étang.

Ses voix confondues redoublaient d'autorité, le suppliaient, le pressaient de réagir.

Une seule pensée parvenait à traverser la surface de sa peur : s'il ne bougeait pas, il allait certainement mourir. Le cauchemar deviendrait réalité. Comme si les deux s'étaient amalgamés. Il n'y avait plus de différence entre le jour et la nuit, entre le rêve et l'éveil. Francis vacilla de nouveau au bord de l'évanouissement, une partie de lui l'incitant à tout laisser tomber, battre en retraite, chercher la sécurité dans le refus de vivre, tandis qu'une autre partie l'implorait de tourner le dos aux sirènes du vide et de la mort qui, soudain, lui faisaient signe.

Ne meurs pas, Francis !

Il crut d'abord qu'il s'agissait d'une de ses voix familières. Puis, en cet instant critique, il réalisa que c'était lui qui parlait.

Alors il rassembla le peu de forces qui lui restaient. Il prononça d'une voix rauque les mots qu'il craignait tant, quelques secondes plus tôt, d'avoir à jamais oubliés.

— Il était là… fit-il comme un homme qui agonise.

Paradoxalement, le son de sa voix lui redonna de l'énergie.

— Qui cela ? demanda Big Black.

— L'Ange. Il m'a parlé.

L'aide-soignant se laissa aller en arrière, revint vers l'avant.

— Il vous a fait du mal ?

— Non. Oui. Je ne sais pas.

Chaque mot lui redonnait des forces. Il se sentait comme un homme dont la fièvre vient de tomber d'un coup.

— Vous pouvez vous lever ? fit Big Black.

— Je vais essayer.

Big Black le souleva, et Napoléon lui tint les mains comme si cela devait l'empêcher de tomber. Francis se redressa et pivota pour faire glisser ses jambes hors du lit. La tête lui tourna un peu quand le sang se remit à circuler. Puis il se leva.

— C'est bien, murmura Big Black. Vous avez dû avoir une sacrée frousse.

Francis ne répondit pas. C'était évident.

— Ça va aller, C-Bird ?

— J'espère.

— Gardons tout ça pour nous, d'accord ? Parlez-en à Mlle Jones, et à Peter quand il sortira de l'isolement.

Francis hocha la tête. Il tremblait toujours. Il réalisa que le gros aide-soignant noir avait compris qu'il s'en était fallu de peu qu'il ne puisse plus jamais quitter ce lit. Ou qu'il tombe dans un de ces trous vides occupés par les catatoniques, ces gens qui contemplent un monde qui n'existe que pour eux. Il fit un pas hésitant, puis un autre. Il sentit que son sang circulait à nouveau dans son organisme, et il sut que le risque s'éloignait de sombrer dans une folie plus dangereuse encore. Il sentait ses muscles, son cœur ; tout fonctionnait. Ses voix applaudirent, puis elles se turent, comme si elles se réjouissaient de chacun de ses mouvements. Il expira lentement, comme un homme qui a failli être écrasé par un bloc de rocher. Puis il sourit, retrouvant un peu de sa gaieté habituelle.

— Ça va, dit-il à Napoléon sans lâcher l'énorme avant-bras de Big Black, qui l'empêchait de perdre l'équilibre. Je crois que je devrais manger quelque chose.

Les deux hommes acquiescèrent. Ils avancèrent, mais cette fois ce fut Napoléon qui hésita.

— Qui c'est ? demanda-t-il brusquement.

Francis et Big Black pivotèrent et suivirent son regard.

Ils le virent tous au même moment. Un autre homme était resté couché, ce matin-là. Personne ne s'en était rendu compte, parce que Napoléon avait attiré l'attention sur Francis. Il gisait, immobile, monceau informe sur son lit métallique.

— Bon Dieu, mais qu'est-ce que… fit le gros aide-soignant, plus irrité qu'autre chose.

Francis fit quelques pas en avant, pour voir de qui il s'agissait.

— Hé ! s'écria Big Black, qui ne reçut aucune réponse.

Francis inspira à fond et traversa le dortoir en zigzagant entre les lits rapprochés, pour s'approcher de l'homme couché sur le dos.

C'était le Danseur. Le vieil homme qui avait été transféré la veille au pavillon Amherst. Le voisin de chambrée de l'attardé mental.

Francis vit les membres raidis, sans vie. C'en était fini de ces mouvements coulants et gracieux, au rythme d'une musique qu'il était le seul à entendre.

Le Danseur avait le visage durci, presque comme de la porcelaine. Il était pâle, comme si on l'avait maquillé pour entrer en scène. Ses yeux étaient grands ouverts, sa bouche béante. Il avait l'air choqué ou, plus encore, terrifié par la mort qui l'avait surpris pendant la nuit.

24

Peter le Pompier était assis sur sa couchette, dans la cellule d'isolement, les jambes croisées, comme un jeune Bouddha qui attend avec impatience son illumination. Il avait peu dormi la nuit précédente. Les murs et le plafond capitonnés étouffaient pourtant la plupart des bruits du pavillon, à l'exception du hurlement aigu ou du cri de fureur isolé qui émergeaient de temps en temps d'une cellule semblable à la sienne. Ces cris incohérents avaient aussi peu de sens, pour lui, que les bruits des animaux qu'on entend dans la forêt après le crépuscule. Ils n'obéissaient à aucune logique, à aucun motif apparent, sauf pour celui qui les produisait. Vers le milieu de cette nuit interminable, Peter s'était demandé si quelqu'un poussait vraiment ces hurlements, ou s'ils avaient été émis par des patients morts depuis longtemps, et s'ils étaient destinés à se propager dans l'obscurité jusqu'à la fin des temps, comme des balises radio lancées dans l'espace, sans jamais retourner à leur point de départ. Il se sentit hanté.

Quand l'aurore se glissa dans sa cellule par le petit hublot percé dans la porte, Peter réfléchissait au pétrin où il se trouvait. Il était persuadé que le cardinal était sincère, même si ce n'était sans doute pas le mot qui s'imposait, car la sincérité semblait n'avoir pas grand-chose à voir avec la situation. On lui proposait simplement de disparaître. De renoncer à tout ce qui était réel dans son existence et de se fondre dans une autre vie. Son foyer, sa famille, son passé n'existeraient plus que dans sa mémoire. Quand il aurait accepté leur proposition, il n'y aurait plus de retour possible. Ce qu'il était, ce qu'il avait fait et les raisons pour lesquelles il l'avait fait, tout cela s'évanouirait de la conscience collective de l'archevêché de Boston pour être remplacé par quelque chose de nouveau, de brillant, avec des flèches scintillantes qui s'élèveraient vers le ciel. Dans sa propre famille, il serait le frère qui était mort dans des circonstances que personne n'osait évoquer, ou l'oncle qui était parti sans jamais revenir. Les années passant, sa famille finirait par croire au mythe, quel qu'il soit, que l'Église allait forger, et l'homme qu'il avait été tomberait en poussière.

Il envisagea les différentes possibilités. La prison. Pénitencier de Bridgewater. Haute sécurité. Isolement, passages à tabac. Sans doute jusqu'à la fin de ses jours, parce que le poids considérable de l'archevêché, qui faisait pression sur le bureau du procureur pour qu'on lui permette de disparaître grâce à ce programme, dans l'Oregon, ne manquerait pas de s'exercer contre lui s'il rejetait l'offre qui lui était faite. Il savait qu'il n'y en aurait pas d'autre.

Peter eut l'impression d'entendre le claquement caractéristique d'une porte de prison qui se refermait sur lui, et le chuintement des serrures hydrauliques. Cela le fit sourire, car c'était si proche que cela ressemblait à une des hallucinations de son ami C-Bird. Mais celle-là, il était le seul à l'entendre.

Il pensa au pauvre Efflanqué, mû par la peur et par ses visions et contrôlant de plus en plus faiblement la petite existence que l'hôpital lui offrait, se retournant pour implorer Peter et Francis de l'aider. En cet instant précis, il aurait aimé que Lucy entende ces cris. Il avait l'impression que, toute sa vie, des gens l'avaient appelé à l'aide, et qu'à chaque fois qu'il avait essayé de les aider, quelles que soient ses intentions, quelque chose était allé de travers.

Il entendit des bruits dans le couloir, au-delà de la porte verrouillée de sa cellule. Il y eut le bruit sourd d'une porte qu'on ouvrait, puis qu'on claquait. Il ne pouvait pas refuser l'offre du cardinal. Il ne pouvait pas non plus laisser Francis et Lucy seuls pour affronter l'Ange.

Il ignorait comment il allait s'y prendre, mais il comprit qu'il devait faire progresser l'enquête le plus vite possible. Le temps, désormais, travaillait contre lui.

Peter regarda sa porte, comme s'il s'attendait qu'on vienne l'ouvrir sur-le-champ. Mais il n'y avait aucun bruit, pas même dans le couloir de l'autre côté. Il resta donc là, essayant de réprimer son impatience, en se disant que la situation était à l'image de sa vie. Partout où il était allé, il s'était trouvé derrière une porte verrouillée qui l'empêchait de se déplacer librement.

Alors il attendit qu'on vienne le chercher, sombrant de plus en plus profondément dans un gouffre tapissé de contradictions, pas du tout certain d'être capable d'escalader les parois pour en sortir.

— Je ne vois rien de suspect, fit le médecin-chef d'un ton raide, presque officiel.

Le docteur Gulptilil se tenait à côté du Danseur qui gisait sur son lit, pâle comme l'albâtre et déjà rigide. M. Débile était à ses côtés, ainsi que deux psychiatres et un psychologue venus des autres pavillons. Francis savait que l'un d'eux remplaçait le généraliste de l'hôpital. Il était penché sur le Danseur, qu'il examinait avec attention. C'était un homme grand et mince, avec un nez crochu et de grosses lunettes, et l'habitude de se racler nerveusement la gorge à chaque fois qu'il voulait dire quelque chose. Il hochait la tête sans arrêt, de sorte que sa tignasse noire un peu ébouriffée voltigeait en permanence, qu'il acquiesce ou non. Il tenait une tablette où était fixé un imprimé, et il jetait à toute vitesse des notes sur le papier, à mesure que Gulp-Pilule parlait.

— Aucun signe de lutte, fit celui-ci. Aucun signe extérieur de trauma. Aucune blessure, de quelque nature que ce soit.

— Arrêt du cœur subit, énonça le docteur à tête de vautour en agitant la tête. Je vois dans le dossier qu'on le traitait depuis plusieurs mois pour un problème cardiaque.

Lucy Jones se tenait derrière eux.

— Regardez sa main, dit-elle soudain. Elle a des ongles cassés, et il y a du sang. Il s'agit peut-être de blessures défensives.

Tous les médecins se tournèrent vers elle, mais ce fut M. Débile qui répondit :

— Comme vous le savez, il a été entraîné dans une rixe, hier. Il était là, simplement, quand deux hommes qui se battaient lui sont rentrés dedans. Oh, il n'avait aucune envie de s'y laisser entraîner, mais il a dû se bagarrer pour sortir de la mêlée. Je suppose que c'est là qu'il s'est abîmé les ongles.

— Vous expliquez de la même façon les égratignures aux avant-bras ?

— Oui.

— Et la manière dont le drap et la couverture sont entortillés autour de ses pieds ?

— Une attaque cardiaque peut être très violente et très douloureuse. Il est possible qu'il ait gigoté quelques instants avant d'être terrassé.

Tous les médecins présents manifestèrent leur assentiment par un murmure. Gulp-Pilule se tourna vers Lucy.

— Mademoiselle Jones… fit-il lentement, d'une voix patiente, ce qui eut pour effet de montrer au contraire combien il était impatient. La mort, hélas, n'est pas un phénomène inhabituel dans notre hôpital. Ce malheureux patient était âgé, et il était des nôtres depuis de nombreuses années. Il avait eu une crise cardiaque dans le passé, et je ne doute pas une seconde que le stress subséquent à son transfert de Williams à Amherst, ces jours derniers, plus la bagarre dans laquelle il s'est trouvé impliqué contre son gré, sans parler de l'effet des médicaments qu'il absorbe depuis des années en quantités considérables, je ne doute pas que tout cela ait contribué à affaiblir son système cardiovasculaire. Ce décès est absolument normal, assurément, et pas du tout exceptionnel à Western State. Je vous sais gré de votre remarque…

Il fit une légère pause, juste pour faire comprendre qu'il ne lui était reconnaissant de rien du tout, avant de reprendre :

— … mais, dites-moi, est-ce que vous ne cherchez pas un homme qui se sert d'un couteau ? Qui se plaît à abîmer rituellement, si j'ose dire, les mains de ses victimes ? Et qui, pour ce que vous en savez, n'agresse que des jeunes femmes ?

— Si. Vous avez raison.

— Autrement dit, ce décès ne semble pas correspondre au schéma qui vous intéresse ?

— Vous avez encore raison, docteur.

— Alors, je vous prie, permettez-nous de nous en occuper selon notre procédure normale.

— Vous ne faites pas appel aux autorités extérieures ?

Gulptilil soupira, mais une fois de plus cela ne suffit pas à cacher son irritation.

— Quand un patient meurt sur la table d'opération, est-ce que le neurochirurgien appelle la police ? Nous avons ici une situation analogue, mademoiselle Jones. Nous faisons une déclaration à l'État. Nous tenons une conférence avec notre équipe. Nous contactons les proches parents du patient, si nous les connaissons. Dans certains cas, lorsque le doute est permis, nous disposons du corps pour faire procéder à une autopsie. Mais la plupart du temps, c'est inutile. Et comme cet hôpital est le seul foyer et la seule famille de beaucoup de nos malheureux patients, c'est souvent à nous que revient la responsabilité d'enterrer nous-mêmes nos morts.

Il haussa les épaules. Lucy Jones se dit qu'il dissimulait sa colère sous sa fausse indifférence et sa nonchalance.

Une foule de patients s'étaient rassemblés près de la porte. Ils essayaient de voir ce qui se passait dans le dortoir. Gulptilil regarda M. Débile.

— Je crois que tout cela devient morbide, monsieur Evans. Il va falloir évacuer tous ces gens et emmener ce pauvre bougre à la morgue.

— Docteur… fit Lucy.

Mais Gulptilil l'interrompit, s'adressant à M. Débile :

— Dites-moi, monsieur Evans. Est-ce que quelqu'un dans cette unité aurait été réveillé cette nuit et aurait assisté à une rixe ? Y a-t-il eu une bagarre, dont quelqu'un pourrait témoigner ? Est-ce qu'il y a eu des cris, des bruits de coups, des jurons, des imprécations ? Quelque chose que l'on associe normalement aux conflits dont nous avons l'habitude ?

— Non, docteur, répondit Evans. Rien de tout cela.

— Une bagarre mortelle, peut-être ?

— Non.

Gulptilil se tourna vers Lucy.

— Il est certain que si un meurtre avait été commis, mademoiselle Jones, quelqu'un se serait réveillé, dans ce dortoir, et aurait vu ou entendu quelque chose. Dans le cas contraire…

Francis fit un pas en avant, prêt à intervenir. Puis il s'arrêta.

Il regarda Big Black, qui secoua discrètement la tête. Francis savait que l'aide-soignant était de bon conseil. S'il racontait ce qu'il avait entendu, s'il parlait de la présence qui avait rôdé à son chevet, les médecins n'y verraient rien d'autre qu'une hallucination de plus. *J'ai entendu quelque chose, mais je suis le seul. J'ai senti quelque chose, mais personne n'a rien remarqué. Je sais qu'un crime a été commis, mais tout le monde pense le contraire.* Francis comprit que la situation était désespérée. Ses protestations seraient dûment enregistrées dans son dossier. Elles indiqueraient le chemin qui lui restait à parcourir avant d'être guéri.

Il retint son souffle. À l'hôpital, la présence de l'Ange n'était pourtant ni réelle ni illusoire. Il savait que l'Ange le comprenait. Pas étonnant, disait Francis au chœur approbateur qui criait dans sa tête, si le tueur est confiant. Il peut faire ce qu'il veut sans être inquiété.

Mais la question était : Que veut-il faire ?

Il serra les lèvres et contempla le Danseur. De quoi est-il mort ? se demanda Francis. Pas de sang. Pas de marques autour du cou. Juste des traits sculptés en un masque mortuaire. Sans doute étouffé par un oreiller plaqué sur le visage. Panique tranquille. Mort silencieuse. Un bref instant de violence et puis l'oubli. Est-ce cela que j'ai entendu la nuit dernière ? se demanda Francis. Oui, se dit-il douloureusement. Sauf que je n'ai pas ouvert les yeux en entendant le bruit.

Le couteau qui avait tué Blondinette lui avait été réservé, cette fois. Mais le message, sur le lit du Danseur, s'adressait à tout le monde. Francis sentit ses muscles frémir. Il reprenait ses esprits, réalisait à quel point il avait été près cette nuit-là de mourir pour de bon ou de sombrer dans une folie plus profonde encore. Comme si les deux allaient de pair : deux situations aussi désagréables l'une que l'autre.

— Je déteste ce genre de mort, dit Gulptilil à M. Evans d'un ton désinvolte. Tout le monde est perturbé. Veillez à ce qu'on adapte les doses de médicaments pour quiconque serait exagérément troublé par l'événement. (Le médecin-chef regarda Francis.) Je ne veux pas que les patients focalisent sur la mort de cet homme, d'autant que nous avons une audition de mise en liberté en fin de semaine.

— Je sais ce que vous voulez dire, fit Evans.

Francis s'approcha pour saisir les paroles du docteur. Il n'était pas sûr que la mort du Danseur suscite autre chose que de la curiosité chez les occupants du pavillon. Mais la nouvelle qu'une audition de libération se tiendrait dans la semaine aurait un impact majeur sur de nombreux patients. Quelqu'un allait peut-être sortir et, à Western State, l'espoir était le cousin de l'illusion.

Il regarda une dernière fois le Danseur avec une tristesse dubitative. Voilà un homme, se dit-il, qui a reçu son bon de sortie de façon assez inattendue.

Mais, au milieu des flux antagonistes de la peur et de la tristesse, Francis percevait autre chose : une juxtaposition d'événements qu'il avait un peu de mal à identifier, mais qui éveillait ses soupçons et ne manquait pas de l'inquiéter.

On fit venir dans le dortoir un lit à roulettes pour évacuer le corps du Danseur. Gulptilil et M. Débile supervisèrent les opérations. On y allongea le mort, avant de le recouvrir d'un drap blanc miteux. Lucy secoua la tête en voyant qu'ils étaient en train de détruire, sans vergogne, une scène de crime.

Quand il se retourna pour suivre le cadavre, Gulptilil aperçut Francis.

— Ah, monsieur Petrel ! Je pense que nous devrions avoir une nouvelle séance, tous les deux.

Francis savait ce que voulait le docteur. Il hocha la tête, ne voyant pas ce qu'il aurait pu faire d'autre. Puis, dans un changement d'attitude qui laissa le médecin-chef pantois, il leva les bras au-dessus de sa tête et virevolta lentement, bougeant les pieds et les bras avec autant de grâce et d'élégance que possible, dans une imitation délibérée du mort dansant sur une musique que lui seul pouvait entendre.

Gulptilil essaya de l'interrompre :

— Vous allez bien, monsieur Petrel ?

Francis trouva cette question d'une stupidité fantastique. Sans cesser de danser, il s'éloigna du docteur.

Lors de la séance de groupe ordinaire, ce jour-là, la conversation se focalisa sur le programme spatial. Le Journaliste avait déclamé les titres des derniers jours, mais nombre de patients étaient persuadés que personne n'avait jamais marché sur la Lune. Cléo, en particulier, s'était montrée agressive, grondant devant les cachotteries du gouvernement et les dangers inconnus, ricanant puis devenant morose et silencieuse l'instant d'après. Ses changements d'humeur semblaient évidents pour tout le monde sauf pour M. Débile, qui faisait mine d'ignorer la plupart des symptômes de la folie quand ils se montraient. C'était sa technique habituelle. Il écoutait, prenait des notes dans son carnet, et le patient découvrait un peu plus tard, en faisant la queue pour la distribution de cachets, que ses doses avaient été modifiées. Cela avait un effet étouffant sur l'essentiel de la conversation, car tout le monde à l'hôpital savait que les drogues quotidiennes étaient les maillons des chaînes qui les maintenaient à Western State.

Personne ne fit allusion à la mort du Danseur, alors même qu'elle occupait toutes les pensées. Le meurtre de Blondinette les avait fascinés et terrifiés. Mais la mort du Danseur leur rappelait à tous leur propre mortalité, ce qui éveillait des peurs d'un autre genre. À plusieurs reprises, des patients assis en cercle éclatèrent de rire ou laissèrent échapper un sanglot sans rapport avec la conversation, mais qui semblait découler d'une pensée intime.

Francis se dit que M. Débile l'observait avec une attention particulière. Il attribua cela à l'attitude bizarre qu'il avait eue plus tôt dans la matinée.

— Et vous, Francis ? demanda soudain Evans en pointant le doigt vers lui.

— Désolé, fit Francis, que me demandez-vous ?

— Que pensez-vous des astronautes ?

Francis réfléchit un instant puis secoua la tête.

— Difficile à imaginer, répondit-il.

— Qu'est-ce qui est difficile ?

— D'être si loin, relié seulement par les ordinateurs et la radio. Personne n'est jamais allé aussi loin. C'est intéressant. On n'a encore jamais vécu une aventure comme celle-là.

M. Débile hocha la tête.

— Et les explorateurs en Afrique ou au pôle Nord ?

— Ils affrontaient les éléments inconnus. Mais les astronautes affrontent quelque chose de tout à fait différent.

— C'est-à-dire ?

— Des mythes, dit Francis.

Il regarda tout le monde autour de lui.

— Où est Peter ?

M. Débile s'agitait.

— Il est toujours en isolement. Il devrait en sortir bientôt. Revenons à nos astronautes…

— Ils n'existent pas, dit Cléo. Peter, lui, il existe. Peut-être qu'il n'existe pas. Peut-être que tout cela est un rêve, et qu'on va se réveiller d'une seconde à l'autre.

Une dispute éclata au sein du groupe, entre Cléo, Napoléon et quelques autres, sur ce qui existait et ce qui n'existait pas, et sur la question de savoir si un événement auquel vous n'assistez pas arrive vraiment. Emportés par leur discussion, ils grognèrent et agitèrent les mains avec excitation, et Evans laissa les arguments rebondir. Francis écouta la conversation pendant quelques minutes. Bizarrement, il découvrait des points communs entre sa situation à l'hôpital et celle des hommes en route pour l'espace. Ils étaient à la dérive, exactement comme lui.

Il pensait avoir récupéré de sa terreur de la nuit précédente, mais il se demandait s'il serait capable d'affronter celle qui suivrait.

Il fouilla sa mémoire, en quête de tout ce que lui avait dit l'Ange, mais il avait du mal à se rappeler les mots avec la précision nécessaire. La peur, réalisa-t-il, altère la vision qu'on a des choses. Comme si on essayait de voir une image claire dans un miroir déformant. L'image est toujours difforme.

Pendant un moment, il se dit : Cesse d'essayer de voir l'Ange. Essaie de voir ce que l'Ange voit.

Tout au fond de lui, les voix lui crièrent un avertissement soudain : *Arrête ! Ne fais pas ça !*

Francis s'agita sur son siège, mal à l'aise. Les voix ne l'auraient pas mis en garde si elles n'avaient vu quelque chose d'important et de dangereux. Il secoua la tête, comme pour rétablir le lien avec le groupe qui discutait toujours. Napoléon disait :

— ... pourquoi faudrait-il aller dans l'espace, de toute façon ?

Il vit que Cléo, de l'autre côté du cercle, le contemplait avec un air amusé, légèrement curieux, presque impressionné. Ignorant Napoléon, au grand mécontentement de ce dernier, elle se pencha en avant et lança à Francis :

— C-Bird a vu quelque chose, hein ?

Puis elle gloussa, son corps tressautant sous l'effet d'une blague qu'elle était la seule à comprendre. Au même instant, Peter entra dans la pièce.

Il salua le groupe en faisant une révérence très étudiée, le bras balayant l'air comme un courtisan. Puis il s'empara d'une chaise pliante métallique et prit sa place dans le cercle.

— On a connu pis, dit-il comme s'il anticipait la question.

— Peter a l'air d'aimer l'isolement, dit Cléo.

— Personne ne ronfle, répondit-il, ce qui fit sourire ou glousser tout le monde.

— Nous parlions des astronautes, dit M. Evans. J'aimerais que le temps qui nous reste nous permette de conclure cette discussion.

— Bien sûr, dit Peter. Je ne voulais pas vous interrompre.

— Eh bien, parfait. Maintenant, est-ce que quelqu'un veut ajouter quelque chose ?

M. Evans se détourna de Peter pour regarder les autres patients. Seul le silence lui répondit. Il laissa passer quelques secondes.

— Personne ?

Le groupe, si véhément quelques instants plus tôt, était de nouveau silencieux. Francis se dit que cela leur ressemblait bien. Parfois, les mots coulaient de tout un chacun, de manière presque incontrôlée. À d'autres moments, ils disparaissaient, et tout le monde, avec une ferveur presque religieuse, se refermait sur soi. Les changements d'humeur étaient naturels.

— Allons, répéta Evans d'un ton légèrement exaspéré. Nous faisions des progrès, tout à l'heure, avant d'être interrompus. Quelqu'un ? Cléo ?

Elle secoua la tête.

— Le Journaliste ?

Pour une fois, celui-ci n'avait pas de grand titre à déclamer.

— Francis ?

Il ne répondit pas.

— Dites quelque chose, fit Evans d'un ton raide.

Francis était embarrassé. Il voyait qu'Evans s'agitait, de plus en plus en colère. C'est un problème de contrôle, se dit-il. M. Débile voulait exercer un contrôle absolu sur le dortoir, et une fois de plus Peter avait remis ce pouvoir en cause. Aucun autre patient, quelle que soit la gravité de sa folie, n'osait contester le besoin de M. Evans de contrôler dans le moindre détail ce qui se passait de jour comme de nuit dans le pavillon Amherst.

— Dites quelque chose ! répéta Evans d'un ton encore plus froid.

C'était un ordre.

Francis chercha furieusement au fond de lui-même, essayant d'imaginer ce que M. Débile voulait entendre. Tout ce qu'il put dire fut :

— Je n'irai jamais dans l'espace.

Evans haussa les épaules.

— Bien entendu ! grogna-t-il comme si c'était la remarque la plus stupide qu'il ait jamais entendue.

Mais Peter, qui les observait et écoutait la conversation, se pencha soudain en avant.

— Et pourquoi pas ?

Francis se tourna vers lui.

— Pourquoi pas ? répéta Peter en souriant.

Evans avait l'air contrarié.

— Nous ne sommes pas censés encourager les visions, Peter ! aboya-t-il.

Peter, qui venait de quitter les murs capitonnés de la cellule d'isolement, l'ignora.

— Pourquoi pas, Francis ? fit-il pour la troisième fois.

Francis eut un geste vague de la main, comme pour montrer l'hôpital.

— Mais enfin, C-Bird, poursuivit Peter de plus en plus vite, pourquoi ne pourrais-tu pas être astronaute ? Tu es jeune, tu es capable, tu es intelligent. Tu vois des choses qui échappent à l'attention des autres. Tu n'es pas vaniteux, et tu es courageux. Je pense que tu ferais un parfait astronaute.

— Mais, Peter…

— Il n'y a pas de mais qui tienne. Qui peut dire que la Nasa ne va pas décider d'envoyer un dingue dans l'espace ? Qui conviendrait mieux que l'un de nous ? Est-ce que les gens ne croiraient pas plus facilement un astronaute dingo que le genre baderne-salut-au-drapeau ? Qui peut dire qu'ils ne vont pas décider d'envoyer toutes sortes de gens dans l'espace, et dans ce cas, pourquoi pas l'un de nous ? Ils pourraient envoyer des hommes politiques, des savants, peut-être même des touristes, un jour. Ils découvriront peut-être que s'ils envoient un dingue là-haut, ça lui fera du bien de flotter dans l'espace, délivré de la pesanteur ? Un peu comme une expérience scientifique. Peut-être…

Il fit une pause pour reprendre son souffle. Evans allait réagir, mais avant qu'il ait le temps d'ouvrir la bouche, Napoléon intervint, d'une voix hésitante :

— Peter a peut-être raison. C'est peut-être la pesanteur qui nous rend dingues.

— Qui nous maintient en bas, approuva Cléo.

— Tout ce poids qui pèse sur nos épaules…

—… empêche nos pensées d'aller et venir en toute liberté…

Tout autour du cercle, les patients hochèrent la tête l'un après l'autre. Ils semblaient brusquement retrouver leur langue. Il y eut quelques murmures d'assentiment, puis de soudaines acclamations :

— On pourrait voler ! On pourrait flotter !

— Personne ne nous retiendrait.

— Où trouverait-on de meilleurs explorateurs que nous ?

Les membres du groupe, hommes et femmes, souriaient, aux anges. Comme si, en cet instant, ils se voyaient tous en astronautes, fonçant au milieu des cieux, leurs soucis terrestres oubliés, évaporés, glissant sans effort dans le grand vide interstellaire. C'était follement excitant. Pendant quelques minutes, le groupe sembla s'élever vers le ciel, chacun se voyant délivré de la pesanteur, chacun faisant l'expérience d'une liberté imaginaire inédite.

Evans fulminait. Il allait intervenir, puis changea d'avis. Il jeta à Peter un regard furieux et, sans un mot, sortit de la salle d'un pas lourd.

Le groupe retrouva son calme en regardant le dos de M. Débile. En l'espace de quelques secondes, le brouillard de la maladie les enveloppa de nouveau.

Cléo soupira bruyamment et secoua la tête.

— Je crois que ce ne sera possible que pour toi, C-Bird, dit-elle d'un ton vif. Tu vas devoir traverser les cieux pour nous tous.

Consciencieusement, les membres du groupe se levèrent, plièrent leurs sièges et les rangèrent le long du mur, dans un concert de frottements et de claquements métalliques. Chacun sortit de la salle de thérapie, perdu dans ses pensées, pour regagner le grand couloir de l'Amherst et se mêler au flot des patients qui allaient et venaient.

Francis tira Peter par le bras.

— Il était ici, cette nuit.

— Qui cela ?

— L'Ange.

— Il est revenu ?

— Oui. Il a tué le Danseur, mais personne ne veut y croire. Puis il a agité un couteau devant mon visage et m'a dit qu'il pouvait me tuer, ou te tuer, ou tuer n'importe qui, quand il voudrait.

— Bon Dieu ! fit Peter.

Toute l'euphorie qu'il avait ressentie en se moquant de M. Débile avait disparu. Il se pencha pour ne rien manquer de ce que lui disait Francis.

— Quoi d'autre ?

Non sans hésitation, Francis fit de son mieux pour se rappeler tout ce qui s'était passé. Il n'avait pas encore évacué toute la peur qui était tapie en lui. Parler à Peter de la pression de la lame sur son visage était difficile. Il s'était dit que ça l'aiderait à se sentir mieux, mais il s'était trompé. Cela ne fit qu'accroître son angoisse.

— Il te tenait comment ? demanda Peter.

Francis lui montra.

— Bon Dieu, C-Bird ! Tu as dû avoir une trouille de tous les diables !

Francis hocha la tête. Il n'avait pas envie d'expliquer de vive voix à quel point il avait eu peur. Tout à coup, quelque chose le frappa. Il se figea, fronça les sourcils, comme s'il s'efforçait de comprendre une question obscure et embrouillée. Peter vit son air consterné.

— Qu'est-ce qui se passe ?

— Peter… Tu as été enquêteur, non ? Pourquoi l'Ange tenait-il le couteau comme ça, devant mon visage ?

Peter s'immobilisa, pensif.

— Est-ce qu'il n'aurait pas dû… est-ce qu'il n'aurait pas dû l'appuyer sur ma gorge ?

— Si.

— Alors, si j'avais hurlé…

— La gorge, la jugulaire, le larynx… Autant de points vulnérables. C'est comme ça qu'on tue quelqu'un avec un couteau.

— Mais il n'a pas fait ça. Il le tenait devant mon visage.

— C'est très bizarre, fit Peter en secouant la tête. Il ne pensait pas que tu pourrais hurler.

— Les gens hurlent tout le temps, ici.

— D'accord. Mais il voulait te terrifier.

— Il a réussi, dit Francis.

— Est-ce que tu as pu voir…

— Il m'a obligé à fermer les yeux.

— Et sa voix ?

— Si je l'entends, je la reconnaîtrai peut-être. Surtout de près. Une voix sifflante, comme un serpent.

— Est-ce que tu as eu l'impression qu'il essayait de la déguiser ?

— Non. Bizarre. Je ne crois pas. Comme s'il s'en fichait.

— Autre chose ?

Francis secoua la tête.

— Il était… confiant, dit-il avec hésitation.

Ils sortirent de la salle de thérapie. Lucy les attendait un peu plus loin dans le couloir, près du poste de soins. Ils se dirigèrent vers elle. Alors qu'ils manœuvraient entre les groupes de patients, Peter aperçut Little Black. L'aide-soignant se trouvait à deux pas du poste de soins, non loin de Lucy Jones. Peter le vit qui se penchait pour inscrire quelques mots dans le grand carnet noir fixé au grillage par une petite chaîne métallique, comme un antivol de vélo d'enfant. Il lui vint une idée, et il s'avança d'un pas rapide vers Little Black, mais Francis le tira par le bras.

— Quoi ? demanda Peter.

Francis avait pâli.

— Peter, fit-il lentement, d'une voix hésitante. Je viens de comprendre quelque chose.

— Quoi ?

— S'il ne craignait pas de me parler, ça veut dire qu'il n'avait pas peur que j'entende sa voix. Il n'avait pas peur que je la reconnaisse parce qu'il sait que je n'aurai plus l'occasion de l'entendre.

Peter s'immobilisa, hocha la tête et fit un geste en direction de Lucy.

— C'est intéressant, Francis. C'est très intéressant.

Francis se dit que « intéressant » n'était pas le mot que Peter voulait dire. Il se retourna en se disant : Garder le silence.

Il remarqua que sa main tremblait légèrement. Il avait la gorge sèche, et un goût infect dans la bouche. Il essaya en vain de produire un peu de salive. Il vit que Lucy avait l'air contrariée. Il se dit que cela avait moins à voir avec eux qu'avec la manière dont le monde où elle était arrivée avec tant d'assurance s'avérait plus fuyant qu'elle ne l'avait cru.

Alors que l'assistante du procureur approchait, Peter s'avança vers Little Black.

— Qu'est-ce que vous faites, monsieur Moïse ? fit-il d'un ton prudent.

L'aide-soignant leva les yeux vers lui.

— La routine, dit-il.

— Comment cela ?

— La routine, répéta Little Black. Quelques notes dans le journal quotidien.

— Qu'est-ce qu'il y a d'autre dans ce journal ?

— Toutes les modifications demandées par le médecin-chef ou par M. Débile. Tout ce qui sort du train-train, une rixe, des clés perdues ou un décès comme celui du

Danseur. Tous les changements dans la routine. Des tas de bêtises, aussi : l'heure à laquelle on prend notre pause, la nuit, quand on vérifie les portes, quand on inspecte les dortoirs, ou les coups de fil, ou tout ce qui peut être perçu comme sortant de l'ordinaire par ceux qui travaillent ici. Ou bien on remarque qu'un patient fait des progrès. Ça a aussi sa place dans le journal. Quand on prend notre poste, au début de notre service, on est censés vérifier le boulot de la nuit. Et avant de quitter notre poste, on est censés faire un rapport et signer. Ne serait-ce que deux ou trois mots. Et ainsi tous les jours. Le journal quotidien doit faciliter la tâche des gens qui viennent après nous. Grâce à lui, ils savent tout ce qui s'est passé.

— Est-ce qu'il y a un journal…

Little Black le coupa :

— Un par étage, et par poste de soins. Les gens de la sécurité ont le leur, aussi.

— Ce qui veut dire que grâce à ça, on peut savoir plus ou moins quand les choses arrivent. Ce qui relève de la routine, je veux dire ?

— Le journal est important, dit Little Black. Il garde des traces de toutes sortes de choses. Faut garder une trace de tout ce qui se passe à l'hôpital. C'est comme un livre pour la petite histoire.

— Qui garde tous ces journaux, quand ils sont remplis ?

Little Black haussa les épaules.

— Ils sont entreposés quelque part au sous-sol, dans des boîtes en carton.

— Si je parvenais à jeter un coup d'œil dessus, j'apprendrais des tas de trucs, hein ?

— Les patients ne sont pas censés lire les journaux de bord. Ce n'est pas qu'ils soient cachés. Mais c'est réservé au personnel.

— Mais si j'en voyais un... même un qui a été retiré de la circulation, et rangé au sous-sol, j'aurais une assez bonne idée du déroulement des choses dans un temps donné, non ?

Little Black acquiesça, lentement.

— Je pourrais donc par exemple, dit Peter à Lucy Jones, avoir une idée de l'heure où je peux me déplacer dans l'hôpital sans me faire remarquer. Et je pourrais connaître le meilleur moment pour trouver Blondinette toute seule au poste de soins du premier étage au milieu de la nuit, et même un peu endormie parce qu'elle fait un double service une fois par semaine, n'est-ce pas ? Et je saurais aussi que la sécurité ne viendra pas avant un bon moment pour vérifier les portes et qu'il n'y aura personne d'autre dans le coin, hein ?

Little Black n'avait pas besoin de répondre à cette question. Ni aux autres.

— Voilà comment il sait, fit doucement Peter. Oh, il ne sait rien de manière absolument certaine, avec une précision militaire. Mais il en sait assez pour deviner avec un minimum de certitude, et avec un tout petit peu de prévoyance, il peut attendre et saisir le meilleur moment.

Francis se dit que c'était possible. Il sentit son sang se glacer, parce qu'ils venaient tout à coup de se rapprocher de l'Ange. Lui-même avait déjà été trop près de l'inconnu, et il n'était pas sûr d'avoir envie d'approcher de nouveau du couteau et de la voix.

Lucy secoua la tête. Enfin, elle dit à Peter et Francis :

— Je ne parviens pas à mettre le doigt dessus, mais quelque chose ne va pas. Non, ce n'est pas ça. Je dirais plutôt que quelque chose va et ne va pas, en même temps.

— Ah, Lucy, fit Peter en souriant (il imitait presque la façon dont Gulptilil commençait ses phrases avec un long silence, et il avait pris l'accent britannique chantant du médecin indien). Ah, Lucy, voilà une logique qui semble tout à fait à sa place dans cette maison de fous. Mais continuez, je vous prie.

— Cet endroit me tape sur les nerfs, dit-elle doucement. J'ai l'impression d'être suivie, le soir, quand je me rends au dortoir des élèves infirmières. J'entends des bruits à ma porte, et ils cessent dès que je me lève. Je sens qu'on a fouillé dans mes affaires, mais rien ne manque. Je continue à croire que nous progressons, et je suis incapable de dire en quoi. Je me dis que je vais finir par entendre des voix, et que ça ne va pas tarder.

Elle regarda Francis, qui semblait être ailleurs, perdu dans ses pensées. Elle se tourna vers le couloir et vit Cléo qui discourait sur on ne savait quel problème de la première importance, agitant les bras avec énergie, parlant d'une voix forte, sans que ses propos aient un sens particulièrement convaincant.

— Ou bien je finirai par me prendre pour la réincarnation d'une princesse égyptienne, fit Lucy en secouant la tête.

— Ce qui pourrait entraîner un conflit majeur, répliqua Peter en souriant.

— Vous survivrez, poursuivit Lucy, vous n'êtes pas fou, contrairement à tous ces gens. Dès qu'on vous laissera sortir, tout ira bien. Mais C-Bird, que va-t-il lui arriver ?

— De grandes questions se posent pour Francis, dit Peter sombrement. Il doit prouver qu'il n'est pas fou, mais comment serait-ce possible ici ? Cet endroit est conçu pour rendre les gens plus fous qu'ils ne le sont, pas l'inverse. Il rend les maux dont les gens souffrent, comme qui dirait, contagieux…

Il parlait d'un ton de plus en plus amer.

— Comme si vous étiez admise ici avec un rhume. Il se transforme en angine ou en bronchite, puis en pneumonie. Ça finit par provoquer une embolie pulmonaire mortelle, et ils disent : « On a pourtant fait tout ce qu'on pouvait… »

— Il faut que je parte d'ici, dit Lucy. Vous aussi, il faut que vous partiez.

— Exact. Mais celui qui doit sortir, plus que quiconque, c'est C-Bird. Sans quoi il est perdu à jamais. (Peter sourit de nouveau, mais son sourire n'avait d'autre but que de dissimuler sa tristesse.) C'est comme si vous et moi, nous choisissions nos propres maux. Nous les choisissons d'une manière quelque peu perverse, névrotique. Francis, lui, tous ses maux lui ont été imposés. Aucune faute de son côté, ce n'est pas comme vous et moi. Il est innocent, ce que vous auriez foutrement du mal à dire de moi.

Lucy lui toucha légèrement l'avant-bras, comme pour souligner qu'elle était d'accord. Pendant un instant, il resta immobile, tel un chien à l'arrêt, le bras presque incandescent sous les doigts de Lucy. Il recula d'un pas, comme si ce contact était insupportable. Il souriait. Puis il soupira et tourna la tête, comme s'il ne pouvait s'obliger à voir ce qu'il voyait.

— Il faut que nous trouvions l'Ange, dit-il. Le plus vite possible.

— Absolument d'accord avec vous, dit Lucy.

Puis elle lui jeta un regard curieux, car elle comprenait qu'au-delà du simple encouragement, il y avait autre chose.

— Quoi ?

Mais avant qu'il ait le temps de répondre, Francis, qui réfléchissait sans trop leur prêter attention, leva les yeux et s'approcha d'eux.

— J'ai eu une idée, fit-il d'une voix hésitante. Je ne sais pas, mais…

— C-Bird, il faut que je te dise quelque… commença Peter. C'est quoi, ton idée ?

— Qu'est-ce que tu dois me dire ?

— Cela peut attendre, dit Peter. Et ton idée ?

— J'avais tellement peur… Tu n'étais pas là, il faisait noir comme dans un four, et il y avait ce couteau sur ma joue. C'est drôle, la peur, Peter… Elle mobilise tout ton esprit, et tu ne peux penser à rien d'autre. Je suis sûr que Lucy sait déjà cela. Mais je ne le savais pas, et cela m'a donné une idée.

— Francis, essaie d'être un peu plus clair, fit Peter, affectueux mais pressant, comme s'il s'adressait à un élève d'école primaire.

— Quand on a peur à ce point-là, on ne pense qu'à une chose : à sa propre terreur, à ce qui va se passer, on se demande s'il va revenir, on pense aux choses horribles qu'il a faites et qu'il peut encore faire. Je savais qu'il aurait pu me tuer, et j'aurais voulu aller me mettre à l'abri dans un endroit sûr…

Lucy se pencha vers Francis. Elle avait l'intuition de ce qu'il allait leur dire.

— Continuez, fit-elle.

— Mais toute cette peur, elle dissimulait quelque chose que j'aurais dû voir.

— Quoi ? fit Peter en secouant la tête.

— L'Ange savait que tu ne serais pas là ce soir-là.

— Le planning. Ou bien il l'a appris tout seul. Ou bien il a entendu dire que j'étais à l'isolement.

— Ainsi tout jouait en sa faveur, la nuit dernière, parce qu'il n'avait pas envie de nous affronter tous les deux en même temps, je pense. Enfin, je ne fais que des suppositions, mais ça me semble logique. En tout cas, il devait agir, parce que la situation était idéale s'il voulait vraiment me faire peur.

— Oui, dit Lucy. Je comprends.

— Et il fallait qu'il tue le Danseur. Pourquoi ?

— Pour nous montrer qu'il faisait ce qu'il voulait. Pour souligner le message. Nous ne sommes pas à l'abri.

Francis expira par saccades. L'idée qu'on avait assassiné le Danseur simplement pour faire passer un message le mettait mal à l'aise. Il était incapable d'imaginer ce qui poussait l'Ange à agir de manière si spectaculaire, et il réalisait en même temps qu'il pouvait comprendre, au contraire. Cela le terrifiait encore plus. Mais il se réfugia dans le couloir vivement éclairé, en plein midi, et il était entouré par Peter et Lucy. Il se dit qu'ils étaient compétents et forts, et que l'Ange faisait attention, avec eux, parce que, contrairement à lui, ils n'étaient ni faibles ni fous.

— Mais il y a des risques, reprit-il après avoir expiré longuement. Est-ce que tu crois qu'il avait une autre raison de se trouver dans ce dortoir, la nuit dernière ?

— Quel genre de raison ?

Francis bégayait presque. Chacune de ses pensées semblait faire écho dans sa tête, plus profond et plus loin, comme s'il se trouvait au bord d'un grand trou qui ne promettait rien d'autre que l'oubli. Il ferma les yeux une seconde. Un éclair de lumière rouge passa, presque aveuglant, sous ses paupières. Il prit son temps pour former chaque mot. En cet instant précis, il voyait ce que l'Ange était venu chercher dans le dortoir.

— L'attardé mental… commença Francis. Il avait quelque chose qui lui appartenait…

— La chemise ensanglantée.

— Je me demande…

Francis n'eut pas l'occasion de finir sa phrase. Il regarda Peter, qui se tourna vers Lucy Jones. Ils avaient tous pensé la même chose. Quelques secondes plus tard, tous les trois traversaient le couloir pour se précipiter dans le dortoir.

Ils eurent de la chance, car le robuste attardé mental était assis sur le bord de son lit, et fredonnait doucement à l'intention de sa poupée Raggedy Andy. Plusieurs patients se trouvaient au fond du dortoir, la plupart allongés sur leur lit, les yeux fixés sur la fenêtre ou le plafond, déconnectés du monde. L'attardé mental sourit aux trois arrivants. Lucy s'avança la première.

— Bonjour. Vous vous souvenez de moi ?

L'homme acquiesça.

— C'est votre ami ? demanda-t-elle.

De nouveau, il hocha la tête.

— C'est ici que vous dormez, tous les deux ?

Il tapota le matelas et Lucy s'assit sur le lit. Elle était pourtant loin d'être petite, mais elle avait l'air d'une naine à côté de l'homme, qui s'écarta pour lui faire de la place.

— Et c'est ici que vous vivez, tous les deux…

Il lui sourit, une fois de plus. Il eut l'air de se concentrer très fort, avant de répondre d'un ton hésitant :

— J'habite dans le grand hôpital.

Les mots roulaient sur ses lèvres comme des pierres, dures et informes. Lucy comprit que chacun d'eux lui coûtait un effort considérable.

— Et c'est ici que vous rangez vos affaires ?

De nouveau, il acquiesça.

— Quelqu'un a essayé de vous faire du mal ?

— Oui, fit l'attardé mental très lentement, comme s'il devait absolument prononcer ce simple mot afin d'en dire plus qu'un simple signe de tête. Je me suis battu…

Lucy n'eut pas le temps de poser une autre question. Elle vit qu'il avait les larmes aux yeux.

—… je me suis battu. Je n'aime pas me battre. Maman disait : pas de bagarres. Jamais.

— Votre maman a raison, dit Lucy.

Elle savait que l'attardé mental pouvait provoquer de sérieux dégâts si on le laissait faire.

— Je suis trop grand, dit-il. Pas de bagarres.

— Comment s'appelle votre ami ? fit-elle en montrant la poupée.

— Andy.

— Moi, c'est Lucy. Je peux être votre amie, moi aussi ?

Il hocha la tête, souriant.

— Est-ce que vous voulez bien m'aider ?

Il fronça les sourcils. Croyant qu'il avait du mal à comprendre, elle ajouta :

— J'ai perdu quelque chose…

Il grogna, comme pour indiquer qu'il avait lui aussi perdu quelque chose, et qu'il n'aimait pas cela.

— Voulez-vous regarder dans vos affaires, pour moi ?

L'attardé mental hésita, haussa les épaules. Il passa le bras sous le lit. D'une seule main, il en ramena une cantine verte de l'armée.

— Quoi ? demanda-t-il.

— Une chemise.

Il lui tendit précautionneusement la poupée Raggedy Andy et ouvrit le fermoir de la cantine. Lucy remarqua qu'elle n'était pas verrouillée. Il souleva le couvercle, et elle vit ses maigres possessions. Des sous-vêtements et des chaussettes sur le dessus. Une photo de lui avec sa mère, prise quelques années plus tôt. On voyait qu'elle avait été pliée, et elle était déchirée sur les bords à force d'avoir été manipulée. Dessous, il y avait quelques jeans et une paire de chaussures de rechange, deux ou trois chemises de sport et un gros pull de laine vert foncé, légèrement usé.

La chemise ensanglantée n'était plus là. Lucy regarda rapidement Peter, qui secoua la tête.

— Partie, dit-il tranquillement.

Elle se tourna de nouveau vers l'attardé mental.

— Merci, lui dit-elle. Vous pouvez ranger vos affaires, maintenant.

Il ferma la cantine et la repoussa sous le lit. Elle lui rendit la poupée Raggedy Andy.

— Vous avez d'autres amis, ici ? lui demanda-t-elle en balayant la pièce d'un geste.

— Tout seul, fit-il en secouant la tête.

— Moi, je serai votre amie.

Il sourit en entendant ces mots. Lucy savait que c'était un mensonge, et elle se sentit coupable. D'une part, à cause de la situation désespérée de ce patient. Et un peu pour elle-même : elle n'aimait pas tromper un homme qui n'était guère plus qu'un enfant, un être qui vieillirait sans jamais faire le moindre progrès mental.

De retour dans son bureau, Lucy soupira.

— Eh bien, dit-elle, nous aurons peut-être du mal à trouver des preuves, après tout.

Elle semblait découragée, mais Peter était plus optimiste.

— Non, non, nous avons appris quelque chose. Le fait que l'Ange ait dissimulé un objet et qu'il prenne la peine de venir le récupérer nous dit quelque chose sur sa personnalité.

Francis sentait que la tête lui tournait. Ses mains tremblaient légèrement, car une partie de ce qui était plongé dans l'obscurité, au fond de lui, venait de s'éclaircir.

— La proximité.

— Quoi ?

— Il avait une raison de choisir l'attardé mental. Parce qu'il savait que Lucy l'interrogerait. Parce qu'il était assez près pour pouvoir dissimuler une preuve. Parce que c'était quelqu'un qui ne risquait pas de le menacer. Tout ce que fait l'Ange répond à un objectif.

— Je crois que vous avez raison, dit lentement Lucy. Quand on y réfléchit, qu'est-ce que ça nous apprend ?

— Qu'il ne se cache pas vraiment, fit Peter d'une voix froide.

Francis grogna, comme si cette idée lui faisait aussi mal qu'un coup à la poitrine. Il se mit à se balancer d'avant en arrière. Peter et Lucy le regardèrent avec inquiétude. Peter réalisa pour la première fois que ce qui était pour eux un exercice d'intelligence, un défi consistant à se montrer plus malin qu'un meurtrier rusé et appliqué, était peut-être beaucoup plus difficile et dangereux pour Francis.

— Il veut que nous le cherchions, dit ce dernier, les mots lui écorchant les lèvres. Il adore ça.

— Alors nous devons finir la partie, dit Peter.

Francis leva les yeux.

— Il ne faut pas faire ce qu'il attend de nous, parce qu'il sait. J'ignore comment, et pourquoi, mais il sait.

Peter inspira profondément. Pendant quelques minutes, tous trois gardèrent le silence. Ils digéraient ce que Francis venait de dire. Peter pensait que ce n'était pas le bon moment. Mais il ne voyait pas de moment plus approprié, et attendre encore ne ferait que rendre les choses plus difficiles.

— Il ne me reste plus beaucoup de temps, dit-il calmement. Dans les jours qui viennent, on va me débarquer d'ici. Pour toujours.

25

Tout en essayant de réprimer mes sanglots, je roulai sur le plancher, et je sentis le frottement du bois contre ma joue. Toute ma vie, j'étais passé d'une solitude à l'autre. Le souvenir de Peter le Pompier m'apprenant qu'il partait en m'abandonnant à Western State me plongeait dans un désespoir semblable à celui qui m'avait envahi le jour où il me l'avait dit, au pavillon Amherst. Je suppose que je savais, depuis l'instant où nous avions fait connaissance, que j'étais condamné à rester en plan. Mais l'entendre de sa bouche était aussi douloureux qu'un coup dans la poitrine. Certaines détresses ne quittent jamais le cœur d'un homme, quel que soit le temps qui passe, et celle-là en était une. Écrire les mots que Peter avait prononcés cet après-midi-là ravivait le désespoir qu'on avait essayé d'enfouir pendant tant d'années sous les médicaments, les traitements à long terme et les séances de thérapie. Mon cœur était entré en éruption, et cela m'emplissait d'une lourde poussière volcanique grise.

Je gémissais comme un enfant affamé, abandonné dans le noir. Mon corps était pris de convulsions sous la violence du souvenir. Gisant sur le plancher froid comme le naufragé que le flot a rejeté sur un rivage inconnu, je m'abandonnai à l'absurdité de mon histoire et laissai chacun de mes échecs, chacun de mes défauts s'exprimer dans une série de sanglots déchirants, jusqu'au moment où je me calmai enfin, épuisé.

Alors que le terrible silence de la fatigue envahissait l'appartement, j'entendis soudain un rire moqueur fuyant dans la pénombre. L'Ange rôdait toujours non loin de moi, jouissant de la moindre parcelle de ma douleur.

Je levai la tête en grognant. Il était toujours proche. Assez proche pour me toucher, mais trop éloigné pour que je puisse le saisir. Je sentais que la distance diminuait, qu'il se rapprochait de quelques millimètres à chaque seconde. C'était son style. Se cacher. Tromper. Manipuler. Contrôler. Puis, quand le moment était favorable, il bondissait. La différence étant que cette fois la cible, c'était moi.

Je rassemblai mes esprits et me mis péniblement sur pied, passant une manche sur mon visage couvert de larmes. Je me retournai et fouillai la pièce du regard.

— Ici, C-Bird. Là, près du mur.

Mais ce n'était pas la voix sifflante, mortelle, de l'Ange. C'était celle de Peter.

Je me tournai dans sa direction. Il était assis par terre, le dos appuyé contre le mur couvert d'écriture.

Il avait l'air fatigué. Non, ce n'est pas cela. Il avait dépassé le stade de l'épuisement, il se trouvait dans une autre dimension. Sa combinaison était maculée de suie et de terre, et je voyais la crasse sur son visage marqué par la sueur. Ses vêtements étaient déchirés, et ses gros brodequins marron étaient couverts de boue, de feuilles collées et d'aiguilles de pin. Il caressait son casque d'acier argenté, le balançait, le faisait tourner comme une toupie. Au bout de quelques instants, il sembla recouvrer un peu de ses forces et de son sang-froid. Il finit par lever son casque au-dessus de sa tête et en frappa doucement le mur.

— Tu es arrivé là. Je suppose que je n'avais pas compris à quel point l'Ange te terrifiait. Contrairement à toi, je n'ai rien vu venir. C'était une bonne chose que l'un de nous soit dingue. Ou juste assez dingue.

Même couvert de crasse, il était toujours aussi insouciant. Je ne pus m'empêcher de ressentir un certain soulagement. Je me penchai, accroupi devant lui, juste assez près pour le toucher en tendant le bras, mais je n'en fis rien.

— Il est ici, maintenant, murmurai-je, prudent. Il nous écoute.

— Je sais. Qu'il aille se faire foutre.

— Il est venu pour moi, cette fois-ci. Comme il me l'avait promis.

— Je sais, répéta Peter.

— J'ai besoin de ton aide, Peter. Je ne sais pas comment lutter contre lui.

— Tu ne le savais pas, avant, mais tu as trouvé.

Un peu de son grand sourire scintillant apparut, malgré l'épuisement et la crasse.

— C'est différent, maintenant. Avant, c'était...

J'hésitai.

— Réel ? demanda Peter.

Je hochai la tête.

— Et ça ne l'est plus ?

Je ne savais que répondre.

— Est-ce que tu vas m'aider ? lui demandai-je.

— Je ne sais pas si tu en as vraiment besoin. Mais je ferai mon possible.

Peter rassembla ses esprits et se remit lentement debout, l'air las. Je remarquai pour la première fois qu'il avait le dos des mains brûlé et sanguinolent. La peau semblait décollée, elle pendait en lanières attachées aux os et aux tendons. Il devait avoir suivi mon regard, car il baissa les yeux.

— Je ne peux rien y faire, dit-il en haussant les épaules. Ça ne s'arrange pas.

Je ne lui demandai pas de détails, car je croyais comprendre. Durant le bref silence qui suivit, il regarda le mur d'un air interrogateur. Il secoua la tête.

— Je suis désolé, C-Bird, dit-il doucement. Je savais que ça te ferait du mal, mais je n'ai vraiment pas compris à quel point ce serait dur.

— J'étais seul, dis-je. Je me demande parfois s'il existe quelque chose de pire au monde.

Peter eut un sourire.

— Il y a pis que ça, dit-il. Mais je vois ce que tu veux dire. Je n'ai pas eu le choix, hein ?

À mon tour de secouer la tête.

— Non. Tu as dû faire ce qu'ils voulaient. C'était ta seule chance. Je comprends ça.

— Ça n'a pas bien tourné, pour moi.

Il se mit à rire, puis il secoua la tête.

— Je suis désolé, C-Bird. Je ne voulais pas t'abandonner, mais si j'étais resté...

— Tu aurais fini comme moi. Je comprends, Peter.

— Mais j'étais là pour le moment le plus important, dit-il.

Je hochai la tête.

— Lucy aussi.

J'acquiesçai, une fois de plus.

— Alors on a tous payé le prix, hein ? demanda-t-il.

Au même moment, j'entendis un long hurlement, évoquant celui d'un loup. Un bruit surnaturel, plein de colère et de désir de vengeance. L'Ange.

Peter l'entendit, lui aussi. Mais ça ne l'effraya pas autant que moi.

— Il vient pour moi, Peter, murmurai-je. Je ne sais pas si je pourrai m'occuper de lui si je suis seul.

— C'est vrai, me répondit-il. On ne peut jamais être sûr de tout. Mais tu le connais, C-Bird. Tu connais ses points forts. Tu connais ses limites. Tu connaissais tout ça, et ça nous a suffi, la première fois, n'est-ce pas ?

Il regarda le mur couvert de mon écriture.

— Écris tout, C-Bird. Toutes les questions. Et toutes les réponses.

Il s'écarta pour me laisser un passage vers la surface encore vierge. Respirant à fond, je m'avançai. Je ne me rendis pas compte qu'il disparaissait quand je pris le bout de crayon. Mais je remarquai que le souffle glacé de l'Ange gelait la pièce autour de moi. Je frissonnai, et je me mis à écrire :

> À la fin de la journée, Francis avait le sentiment que les événements devaient obéir à une logique, mais il avait du mal à voir la forme de la scène…

À la fin de la journée, Francis avait le sentiment que les événements devaient obéir à une logique, mais il avait du mal à voir la forme de la scène. Son crâne abritait toujours des pensées confuses et incompréhensibles, embrouillées par le retour en force de ses voix, plus discordantes et plus sceptiques que jamais. Elles formaient un nœud embrouillé dans sa tête, hurlant des ordres et des exigences contradictoires, l'enjoignaient de fuir, de se cacher, de riposter, si souvent et d'un ton si féroce qu'il avait du mal à entendre les autres conversations. Il avait pourtant la conviction que tout deviendrait évident s'il regardait simplement dans le bon microscope.

— Gulp-Pilule a dit que la commission de libération devait siéger cette semaine.

Peter avait levé un sourcil.

— Ça va mettre les gens à cran.

— Pourquoi ? demanda Lucy.

— L'espoir, répondit Peter comme si ce mot expliquait tout.

Il regarda de nouveau Francis.

— Qu'est-ce qu'il y a, C-Bird ?

— Je ne sais pas trop comment, mais il me semble que pas de mal de choses tournent autour du dortoir de Williams. Si l'Ange voulait faire accuser l'attardé mental en planquant la chemise, il devait connaître ses habitudes. Et il devait savoir que l'attardé faisait partie de ceux que Lucy allait interroger.

— Proximité, fit Peter. Facilité d'observation. Bravo, Francis.

Lucy acquiesça, elle aussi.

— Je vais essayer de me procurer la liste des patients de ce dortoir.

— Pouvez-vous obtenir aussi la liste des patients qui doivent passer devant la commission de libération ? demanda Francis après un instant de réflexion.

Il avait parlé très bas, pour ne pas être entendu.

— Pourquoi ?

— Je ne sais pas, fit-il en haussant les épaules. Mais il se passe tellement de choses, j'essaie de voir comment elles pourraient être liées.

Lucy hocha la tête. Francis avait l'impression qu'elle ne le croyait pas vraiment.

— Je vais voir si on peut me la donner, dit-elle.

Francis se demanda si elle ne disait pas cela pour lui faire plaisir, sans comprendre quel rapport cela pourrait avoir avec le reste. Elle jeta un coup d'œil à Peter.

— Nous pourrions organiser une fouille complète de ce dortoir, à Williams. Cela ne prendrait pas beaucoup de temps, et cela pourrait s'avérer riche d'enseignements.

Pour Lucy, il était essentiel de suivre les aspects les plus concrets de l'enquête. Les listes et les hypothèses étaient passionnantes, mais elle appréciait beaucoup plus le genre de détails sur lesquels on pouvait s'appuyer au tribunal. La disparition de la chemise pleine de sang l'ennuyait beaucoup plus qu'elle ne l'avait montré, et elle était impatiente de trouver une autre preuve matérielle pour consolider son dossier.

Elle pensa encore : Couteau. Phalanges. Vêtements et souliers ensanglantés.

Il doit y avoir quelque chose, quelque part, se dit-elle.

— Ce serait logique, dit Peter.

Il jeta un coup d'œil à l'assistante du procureur et comprit ce qui était en jeu.

Francis, lui, était moins sûr. Il se disait que l'Ange avait certainement anticipé cette manœuvre. Ils devaient imaginer une stratégie oblique, quelque chose auquel l'Ange n'aurait pas pensé. Quelque chose de transversal, différent, plus conforme à l'endroit où ils se trouvaient, plutôt qu'à l'endroit où ils auraient voulu être. Tous trois se dirigeaient vers le bureau de Lucy lorsque Francis aperçut Big Black près du centre de soins. Il alla vers lui. Ses deux compagnons poursuivirent leur chemin sans s'être vraiment rendu compte qu'il restait en arrière.

Big Black leva les yeux vers lui.

— C'est un peu tôt pour les médicaments, C-Bird, dit-il. Mais je ne crois pas que vous venez pour ça, hein ?

Francis secoua la tête.

— Vous m'avez cru, vous, hein ?

Avant de répondre, l'aide-soignant jeta un regard circulaire autour de lui.

— C'est sûr, C-Bird. Le problème, ici, c'est qu'il n'est jamais bon d'être d'accord avec un patient quand les huiles pensent autrement. Vous comprenez ça, hein ? Il ne s'agit pas de la vérité. Il s'agit de mon boulot.

— Il pourrait revenir. Il pourrait revenir cette nuit.

— Il pourrait. Mais ça m'étonnerait. S'il pensait que la meilleure chose à faire est de vous tuer, C-Bird, il l'aurait déjà fait.

Francis était d'accord, même si cette idée était à la fois rassurante et terrifiante.

— Monsieur Moïse, fit-il d'une voix rauque, savez-vous pourquoi personne ici ne veut aider Mlle Jones à attraper ce type ?

Big Black se raidit immédiatement. Il se tortilla.

— Moi, je vous aide, non ? Mon frère, il vous aide, lui aussi.

— Vous savez ce que je veux dire.

— Je sais bien, fit Big Black en hochant la tête. Je sais bien.

Il jeta encore un regard circulaire, comme pour se convaincre de ce qu'il savait déjà : que personne n'était assez près d'eux et que personne ne faisait assez attention à eux pour entendre sa réponse. Il s'efforça tout de même de parler à voix basse, avec précaution.

— Vous devez comprendre une chose, C-Bird. Mettons qu'on attrape ici le type que cherche Mlle Jones. Avec toute la publicité qui s'ensuivrait, l'attention générale, peut-être une enquête publique, les gros titres des journaux et la télé et tout le battage qui va avec, cela pourrait menacer la carrière de certaines personnes. On poserait beaucoup trop de questions. Des questions vaches, comme : « Pourquoi vous n'avez pas fait ci ? Pourquoi vous n'avez pas fait ça ? » Y aurait peut-être même des auditions publiques au Capitole. Beaucoup d'ennuis. Et aucun fonctionnaire de l'État – surtout pas un médecin ou un psychologue – n'aimerait devoir expliquer comment un meurtrier a pu vivre dans cet hôpital sans que personne remarque quoi que ce soit. Je vous parle d'un vrai scandale, C-Bird. Foutrement plus facile de l'étouffer, de faire disparaître un ou deux cadavres. Facile. Personne ne se fait taper sur les doigts, tout le monde est payé, personne ne perd son boulot, et les choses continuent jour après jour, exactement comme avant. Comme dans n'importe quel hosto. Ou n'importe quelle prison, si on y réfléchit bien. Faire que les choses continuent comme avant, tout est là. Vous n'aviez jamais pensé à ça ?

Bien sûr que si, se disait Francis. Mais l'idée lui avait déplu, tout simplement.

— Il faut vous souvenir d'une chose, ajouta Big Black en secouant la tête. Les dingues, tout le monde s'en fiche plus ou moins.

Miss Bien-Roulée fronça les sourcils quand Lucy se présenta au cabinet du docteur Gulptilil. Elle se fit un devoir de se pencher sur des formulaires et de taper sur sa machine à écrire dès que Lucy s'approcha de son bureau.

— Le docteur est occupé, dit-elle, les doigts voletant au-dessus du clavier, la boule d'acier de la vieille Selectric heurtant à grand bruit la feuille de papier. Je n'ai pas prévu de rendez-vous.

— Cela ne prendra que quelques secondes, dit Lucy.

— Alors je vais voir si je peux vous faire entrer. Asseyez-vous.

La secrétaire ne fit aucun effort pour changer de position, ni même pour décrocher le téléphone. Au bout d'un moment, Lucy se laissa tomber sur un canapé de salle d'attente tout défoncé.

Elle garda les yeux fixés sur Miss Bien-Roulée jusqu'au moment où la secrétaire, excédée par son regard insistant, saisit son téléphone et lui tourna le dos pour parler dans le combiné. Il y eut un échange bref, puis elle se retourna vers Lucy.

— Le docteur peut vous voir maintenant.

Lucy se dit que, vu les circonstances, le cliché était presque comique.

Debout derrière son bureau, le docteur Gulptilil contemplait l'arbre qui se dressait devant sa fenêtre. Il s'éclaircit la gorge quand Lucy entra, mais il ne bougea pas. Elle hésita, attendant qu'il réagisse à sa présence. Au bout d'un moment, il finit par se retourner, lui fit un petit signe de tête et s'assit lourdement sur son siège.

— Mademoiselle Jones, dit-il, circonspect, vous tombez bien, je n'aurai donc pas besoin de vous convoquer.

— Me convoquer ?

— Effectivement. J'étais en contact, tout récemment, avec votre patron, le procureur du comté de Suffolk. Il est, comment dire, très curieux à propos de votre présence ici et de vos progrès.

Il se pencha en arrière avec un sourire reptilien.

— Mais vous aviez quelque chose à me demander ? C'est ce qui vous amenait ici, n'est-ce pas ?

— Oui, répondit-elle. Je voudrais les noms et les dossiers de tous les patients du pavillon Williams, ceux du dortoir du premier étage et, si possible, l'emplacement de leurs lits, pour me permettre de mettre en relation les noms, les diagnostics et les emplacements.

Le docteur Gulptilil hocha la tête, sans cesser de sourire.

— Il s'agit du dortoir auquel vos récentes investigations valent un tel remue-ménage.

— Oui.

— Il faudra quelque temps pour calmer le désordre que vous avez provoqué. Si je vous communique ces informations, me promettez-vous que vous m'informerez préalablement avant d'engager toute action dans cette partie de l'hôpital ?

Lucy serra les dents.

— Oui. En fait, j'aimerais que le dortoir tout entier soit fouillé.

— Fouillé ? Vous voulez dire que vous avez l'intention de passer en revue tous les effets personnels de ces patients ?

— Oui. Je crois qu'il reste des preuves matérielles, et j'ai de bonnes raisons de penser que certaines d'entre elles pourraient se trouver dans ce dortoir. Je voudrais donc que vous me donniez l'autorisation de le fouiller.

— Des preuves ? Puis-je savoir sur quoi repose cette hypothèse ?

Lucy hésita.

— J'ai été informée, de source sûre, qu'un patient qui dort dans ce quartier était en possession d'une chemise tachée de sang. La blessure de Blondinette suggère que celui qui l'a tuée doit avoir du sang sur ses vêtements.

— Oui. C'est logique. Mais la police n'a-t-elle pas découvert des objets ensanglantés sur l'Efflanqué, avant son arrestation ?

— Je crois que cette petite quantité de sang a été mise là par quelqu'un d'autre.

Le docteur Gulptilil sourit.

— Ah. Bien sûr. Par ce Jack l'Éventreur des temps modernes. Un génie du crime. Non, pardon. Ce n'est pas le mot. Un maître du crime. Ici même, dans notre hôpital psychiatrique. Non ? Tiré par les cheveux. Très improbable. Mais cette explication vous permet de poursuivre votre enquête. Quant à cette soi-disant chemise ensanglantée... Je pourrai la voir ?

— Ce n'est pas à moi de décider.

Il hocha la tête.

— Vous savez, mademoiselle Jones, je m'attendais à cette réponse. Supposons que je vous autorise à procéder à cette fouille. Une éventuelle saisie ne poserait-elle pas des problèmes juridiques ?

— Non. Western State est un hôpital d'État, et vous avez le droit de faire fouiller les lieux, en cas de contrebande ou pour retrouver n'importe quelle substance ou objet interdit. Je vous demande simplement d'engager cette procédure de routine en ma présence.

Gulptilil se balançait dans son fauteuil.

— Alors vous pensez que mon personnel et moi, finalement, pouvons vous être utiles ?

— Je ne comprends pas ce que vous voulez dire.

Ce qui était bien entendu un mensonge. Elle savait parfaitement ce qu'il voulait dire. Le docteur Gulptilil en était évidemment conscient, car il soupira.

— Ah, mademoiselle Jones ! Votre manque de confiance envers notre personnel est absolument décourageant. Nonobstant, je vais faire procéder à cette fouille comme vous le demandez, en espérant que cela aidera à vous convaincre de l'absurdité de votre enquête. Je vous communiquerai également les noms et les emplacements des lits du pavillon Williams. Après quoi, peut-être pourrons-nous mettre fin à votre séjour parmi nous.

Elle se rappela ce que Francis lui avait demandé.

— Une dernière chose. Je voudrais la liste des patients qui doivent passer cette semaine devant la commission de libération. Si ce n'est pas trop demander…

Il lui jeta un regard soupçonneux.

— Oui. Je peux vous donner cela. Ce sera ma contribution à votre enquête : je demanderai à ma secrétaire de vous fournir ces documents.

Le médecin était très fort pour donner à un mensonge l'apparence de la vérité, et Lucy Jones trouvait cela inquiétant.

— Cela dit, reprit-il, je ne suis pas sûr de voir le lien entre votre enquête et les auditions de libération que nous organisons régulièrement. Auriez-vous l'amabilité de m'expliquer ce qui lie ces différents points, mademoiselle Jones ?

— Non. Pas encore.

— Votre réponse ne me surprend pas, dit-il d'un ton raide. Mais je vous ferai parvenir cette liste.

Elle hocha la tête.

— Merci, fit-elle.

Alors qu'elle s'apprêtait à s'en aller, Gulptilil leva la main.

— J'ai encore une chose à vous demander, mademoiselle Jones.

— Oui, docteur ?

— Vous devez appeler votre chef. Le monsieur avec qui j'ai eu une conversation si plaisante, tout à l'heure. Je pense que vous avez intérêt à le faire sur-le-champ. Si vous me permettez…

Il tendit le bras et tourna son téléphone vers elle, pour qu'elle puisse composer le numéro. Il ne fit pas mine de sortir.

Les oreilles de Lucy résonnaient encore des remontrances de son patron. Les reproches les moins blessants avaient été : « Une perte de temps » et « Vous piétinez ». Le plus insistant avait été : « Montrez-moi que vous progressez vraiment, ou rentrez ici au plus vite. » Il lui avait infligé la litanie des dossiers qui s'entassaient sur son bureau, des affaires négligées qui exigeaient une attention urgente. Elle avait essayé de lui expliquer que l'hôpital psychiatrique était un endroit peu habituel pour mener une enquête, où l'environnement ne se prêtait pas vraiment aux techniques classiques d'investigation. Mais il s'était montré peu sensible à ses arguments. « Donnez-moi du concret dans les jours qui viennent, ou nous devrons fermer le robinet. » C'était la dernière phrase qu'il avait prononcée. Elle se demanda à quel point son patron avait été conditionné par sa conversation avec Gulptilil, mais la question était déplacée. C'était un Irlandais de Boston têtu, soupe au lait et je-m'en-foutiste. Quand il était convaincu que des poursuites étaient justifiées, rien ne le faisait changer d'avis – ce qui lui valait d'être réélu tous les quatre ans. Mais il était tout aussi prompt à abandonner une affaire dès qu'il ressentait de la frustration, et il en fallait peu pour cela. Lucy Jones avait beau se dire que cette attitude relevait de l'opportunisme politique, cela ne l'avançait pas beaucoup.

Elle devait admettre que le genre de progrès qu'un politicien pouvait réclamer était mal défini. Elle ne pouvait même pas prouver que les différents crimes étaient liés, sinon par leur modus operandi. Cette situation entraînait une folie totale, se disait-elle. Il était évident à ses yeux que l'assassin de Blondinette, l'Ange qui avait terrorisé Francis et l'homme qui avait commis les meurtres dans sa circonscription n'étaient qu'une seule et même personne. Et qu'il était là, sous son nez, la narguant.

Le meurtre du Danseur était son œuvre, c'était certain. Il le savait, elle le savait. C'était logique.

Mais en même temps ça n'avait aucun sens. On ne fonde pas une arrestation ou des poursuites criminelles sur ce qu'on sait, mais sur ce qu'on peut prouver. Et jusque-là, elle ne pouvait rien prouver du tout.

Elle se rendait compte que, pour l'instant, l'Ange était intouchable. Perdue dans ses pensées, elle prit le chemin du pavillon Amherst. L'air s'était un peu rafraîchi, en cette fin d'après-midi, et de vagues cris isolés se répercutaient entre les murs de l'hôpital. Lucy ignorait quelle douleur pouvaient produire ces plaintes qui s'envolaient dans l'air de plus en plus frais. Si elle n'avait pas été aussi absorbée par ses propres contradictions, elle aurait peut-être remarqué que les bruits qui l'avaient tant perturbée à son arrivée à Western State avaient disparu, ce qui signifiait qu'elle les acceptait tacitement. Elle-même faisait peu à peu partie du mobilier de l'hôpital. Un simple ajout à la folie générale.

Peter regarda autour de lui. Il réalisa que quelque chose était déplacé, mais sans mettre le doigt dessus. C'était le problème avec l'hôpital : tout était entortillé, à l'envers, tordu, voire difforme. Il était presque impossible de voir les choses clairement. Pendant un instant, il eut la nostalgie de la simplicité des lieux incendiés. Il y avait une sorte de liberté à marcher au milieu des restes calcinés, détrempés et odorants des incendies, et à deviner la manière dont le feu avait démarré, comment il avait progressé, du sol aux murs, du plafond au toit, selon une progression favorisée par tel ou tel combustible. Il fallait un esprit précis, mathématique, pour analyser un incendie, et cela lui avait procuré beaucoup de satisfaction : tenir entre ses mains un morceau de bois brûlé ou de métal roussi, sentir la chaleur résiduelle traverser ses paumes et savoir qu'il pouvait imaginer tout ce qui avait été détruit, dans son état originel, quelques secondes avant que l'incendie n'en prenne possession. C'était comme la capacité à regarder dans le passé, mais clairement, sans les brumes de l'émotion et du stress. Tout se trouvait inscrit sur la carte de l'événement. Il pensa avec nostalgie à des temps plus faciles où il pouvait suivre des voies menant à des destinations précises. Il s'était toujours considéré comme un de ces artistes dont la vocation est de restaurer les grandes œuvres abîmées par le temps ou les éléments, recréant minutieusement les couleurs et le coup de pinceau des génies d'autrefois, remontant le chemin menant à un Rembrandt ou un Léonard de Vinci… Un artiste mineur, mais essentiel.

Sur sa droite, un homme portant le costume trop grand de l'hôpital, échevelé et négligé, éclata d'un rire rauque. Il venait de découvrir qu'il avait mouillé son pantalon. Les patients commençaient à faire la queue pour leurs médicaments du soir, et Peter vit Big Black et Little Black qui s'efforçaient de maintenir un semblant d'ordre. C'était comme s'ils avaient dû canaliser les lames qui martèlent le rivage un jour de tempête. Tout se retrouve toujours à la même place, mais tout le monde est mû par des forces aussi insaisissables que les vents et les courants.

Peter frissonna. Je dois quitter cet endroit, se dit-il. Il ne se voyait pas encore comme fou, mais il savait que bon nombre de ses actes pouvaient être considérés comme tels. Il savait aussi que plus il resterait dans cet hôpital, plus ces actes domineraient son existence. Cela lui donnait des sueurs froides. Il était conscient qu'il existait des gens – à commencer par M. Débile – qui seraient heureux de le voir se désagréger à l'hôpital. Il avait la chance de pouvoir s'accrocher à toutes sortes de vestiges de sa santé mentale. Les autres patients lui montraient du respect, sachant qu'il n'était pas aussi fou qu'eux. Mais cela ne durerait pas. Il pourrait se mettre à entendre des voix, comme eux. Traîner les pieds, marmonner, mouiller son pantalon et faire la queue pour ses médicaments. Tout cela fonctionnait parfaitement, et il savait que, s'il ne s'échappait pas, il serait englouti.

Il savait qu'il devait accepter ce que l'Église lui offrait, quoi que ce fût.

Il regarda autour de lui, contempla les patients qui se pressaient vers le poste de soins et les médicaments alignés derrière le grillage métallique.

L'un d'eux était un assassin. Il le savait.

Ou bien le tueur était un de ceux qui faisaient la queue au même moment à Williams, Princeton ou Harvard. Mais comment le repérer ?

Il essaya de penser à cette affaire comme il aurait pensé à un incendie criminel. Il s'appuya au mur et essaya de comprendre où le feu avait commencé. Il saurait ainsi comment il avait pris de la vitesse avant de s'épanouir et enfin d'exploser. Il procédait ainsi à chaque fois qu'on l'appelait sur le terrain après un incendie. Il fallait remonter jusqu'à la première étincelle, la première flammèche. Non seulement cela lui apprenait comment le feu avait pris, mais aussi qui était là en train de le surveiller. Il se dit que c'était sans doute un don un peu bizarre. Dans l'ancien temps, les rois et les princes gaspillaient leur temps et leur argent pour s'entourer de types prétendument capables de voir dans l'avenir, alors que comprendre le passé était sans doute un bien meilleur moyen de prévoir ce qui les attendait.

Peter relâcha lentement sa respiration. L'hôpital avait le chic pour vous faire revenir sur toutes les pensées qui s'agitaient en vous. Il s'arrêta au milieu de sa réflexion, réalisant qu'il parlait tout seul, en remuant les lèvres.

Il expira de nouveau. Pas loin. Tu as presque parlé tout seul.

Il regarda ses mains, sans raison précise, sinon pour se rassurer, se prouver qu'il était toujours intact. Sors d'ici, se dit-il. Quoi que ça te coûte, sors d'ici.

Au moment où il parvenait à cette conclusion, Lucy Jones arrivait dans le couloir. Elle baissait la tête. Il vit qu'elle était plongée dans ses pensées, contrariée. À la même seconde, il vit un avenir qui lui fit peur et le laissa avec un sentiment de vide, de désespoir. Il partirait, disparaîtrait vers il ne savait quel programme de réhabilitation dans l'Oregon. Elle partirait elle aussi, retrouverait son bureau et une succession infinie de crimes. Francis resterait à Western State, avec Napoléon, Cléo et les frères Moïse.

L'Efflanqué irait en prison.

Et l'Ange trouverait quelqu'un d'autre à qui couper les doigts.

26

Francis passa une nuit agitée, incapable de bouger, guettant le moindre bruit inhabituel qui lui signalerait que l'Ange était de retour à son chevet. Des dizaines de ces bruits pénétraient son cerveau, derrière ses yeux aux paupières serrées, et résonnaient aussi fort que les battements de son cœur. Cent fois, il crut sentir le souffle de l'Ange sur son front, et la sensation provoquée par la lame glacée du couteau n'était jamais très loin. Aux rares moments où, libéré des peurs nocturnes qui le condamnaient aux sueurs froides et à l'angoisse, il glissait dans un semblant de sommeil, son repos était troublé par des images effrayantes. Il imaginait Lucy, levant une main mutilée comme celle de Blondinette. Puis cette image se fondait en une autre de lui-même. Il avait l'impression qu'on lui avait tranché la gorge et qu'il se trouvait dans son enfer personnel, essayant désespérément de tenir les bords de la plaie béante.

Il accueillit avec soulagement le moment où les premières lueurs de l'aube se glissèrent entre les barreaux des fenêtres. Au moins savait-il que les heures où l'Ange prenait possession de l'hôpital touchaient à leur fin. Il resta un moment allongé sur son lit, accroché à une pensée très bizarre : l'idée à demi formulée qu'il était anormal que les patients de l'hôpital aient la même peur de la mort que les gens normaux. À l'intérieur des murs, la vie semblait beaucoup plus précaire. Comme s'ils ne valaient pas autant, et qu'on n'accordait pas le même prix à leur vie. Il se rappelait avoir lu dans le journal que la somme des éléments du corps humain valait quelque chose comme un ou deux dollars. Il se dit que les pensionnaires de Western State ne valaient sans doute que quelques cents. Et encore.

Francis se rendit à la salle de bains. Il se lava et se prépara pour la journée qui s'annonçait. Il se sentit un peu réconforté par les signes familiers de la vie à l'hôpital. Dans le couloir, Little Black et son énorme frère canalisaient les patients vers le réfectoire pour le petit déjeuner, un peu comme deux mécanos surveillant le démarrage d'un moteur qu'ils venaient de trafiquer. Francis vit M. Débile en maraude, ignorant les doléances des patients à propos de tel ou tel problème. Il eut envie de bénir la routine.

Mais tout à coup, aussi vite que cette pensée le frappa, il en eut peur.

C'était ainsi que les jours filaient. Avec sa propension à ne rien faire d'autre que laisser passer le temps, l'hôpital était une drogue encore plus puissante que toutes celles qu'on leur donnait sous forme de cachets ou de piqûres. Avec la dépendance venait l'oubli.

Francis secoua la tête. Une chose était claire. L'Ange était beaucoup plus proche du monde extérieur, et il se disait que s'il voulait y retourner un jour, c'était là l'obstacle qu'il devrait franchir. Trouver l'assassin de Blondinette était peut-être le seul acte sain qui lui restait à accomplir.

Dans sa tête, les voix faisaient un vrai vacarme. Il était clair qu'elles essayaient de lui dire quelque chose, mais c'était comme si elles n'étaient pas d'accord sur ce qu'elles devaient dire.

Un avertissement lui parvint tout de même. Toutes les voix s'accordaient au moins sur un point. S'il devait affronter l'Ange tout seul, sans Peter et Lucy, il avait peu de chances de survivre. Il ne savait pas comment il mourrait, ni quand. À un moment quelconque du planning de l'Ange. Assassiné dans son lit. Étouffé comme le Danseur, la gorge tranchée comme Blondinette, ou d'une manière à laquelle il n'avait pas encore pensé. Mais cela arriverait.

Il ne pourrait se cacher nulle part, sinon en s'enfonçant encore plus loin dans la folie, obligeant l'hôpital à l'enfermer jour et nuit dans une cellule d'isolement.

Tout en cherchant du regard ses deux compagnons d'enquête, il se dit pour la première fois que le moment était venu de répondre aux questions que l'Ange lui posait.

Francis s'affaissa contre le mur du couloir. *Il est là. Il est là, juste devant toi !* Levant les yeux, il vit Cléo qui se ruait dans le couloir en agitant les bras, comme un grand vaisseau gris progressant au milieu d'une régate de timides petits voiliers. Quel que fût, ce matin-là, le motif de son excitation, il se perdait dans l'avalanche d'obscénités qu'elle proférait au rythme des mouvements hystériques de ses bras, et chaque « Merde ! », « Salauds ! », « Fils de pute » jaillissait, comme issu du coup de baguette d'un chef d'orchestre. Les patients se rencognaient à son passage. À cet instant précis, Francis eut une vision. *Ce n'est pas le fait que l'Ange sait comment être différent. C'est le fait qu'il sait comment être le même.*

Levant les yeux, dans le sillage de Cléo il vit Peter. Le Pompier semblait engagé dans une conversation animée avec M. Débile, qui secouait la tête. Peter s'approcha du psychologue presque au point de le toucher, puis recula. Au bout d'un moment, M. Débile repoussa ce que Peter devait lui dire, tourna les talons et repartit dans le couloir. Peter, resté seul, lui cria :

— Vous devez en parler à Gulptilil ! Aujourd'hui !

Puis il se tut. M. Débile continuait de lui tourner le dos, comme s'il refusait d'entendre ce que Peter venait de lui dire. Francis s'écarta du mur et se dirigea rapidement vers le Pompier.

— Peter ?

— Salut, C-Bird, répondit Peter avec l'air de quelqu'un qui a été interrompu. Qu'est-ce qui se passe ?

— Quand tu nous regardes, nous, les patients, que vois-tu ? murmura Francis.

— Je ne sais pas, Francis, fit Peter après une hésitation. C'est un peu comme Alice au pays des merveilles. Tout est bizarre, de plus en plus bizarre.

— Mais tu as vu toutes les sortes de dingues qui se trouvent ici, hein ?

Peter hésita de nouveau et se pencha soudain en avant. Lucy arrivait dans le couloir. Il lui fit un petit signe.

— C-Bird voit quelque chose, dit-il doucement.

— De quoi s'agit-il ?

— L'homme que nous cherchons n'est pas plus fou que vous, chuchota Francis quand Lucy fut près d'eux. Mais il se cache, en feignant d'être autre chose que ce qu'il est vraiment.

— Continue, lui dit Peter.

— Sa folie… la folie qui le fait assassiner des gens, la folie qui le fait couper les doigts, tout ça ne ressemble pas à la folie ordinaire de ceux qui sont ici. Il dresse des plans. Il réfléchit. C'est l'œuvre de quelqu'un qui est mauvais, comme aurait dit l'Efflanqué. Ce n'est pas le fait d'entendre des voix, ou d'avoir des visions, rien de tout ça. Mais ici, il se cache et personne n'aurait l'idée de chercher non pas un fou, mais quelqu'un qui est mauvais…

Francis secoua la tête, comme si le fait de dire à haute voix les pensées qui résonnaient dans sa tête lui faisait mal.

— Que veux-tu dire, C-Bird ? À quoi penses-tu ?

Peter avait baissé la voix.

— Ce que je veux dire, c'est que nous avons passé en revue tous ces dossiers d'admission à l'hôpital et mené tous ces interrogatoires parce que nous cherchions quelque chose qui ferait le lien entre un patient et le monde extérieur. Qu'est-ce que vous cherchiez, Lucy et toi ? Des hommes avec des antécédents violents. Des psychopathes. Des hommes avec une colère latente. Un casier judiciaire. Peut-être des hommes avec des voix qui leur ordonnent de faire du mal aux femmes. Vous cherchez quelqu'un qui serait à la fois fou et criminel, c'est ça ?

— C'est la seule approche qui semble logique… dit enfin Lucy.

— Mais ici, tout le monde a des tendances à la démence. Et beaucoup de ces patients pourraient être des tueurs, hein ? Tout le monde marche plus ou moins sur le fil du rasoir.

— Oui, mais…

Lucy retournait dans sa tête ce que Francis essayait de leur dire.

Francis la regarda.

— Vous ne croyez pas que l'Ange en est conscient, lui aussi ?

Elle ne lui répondit pas.

Francis respira à fond.

— L'Ange est quelqu'un dont le dossier ne contient rien qui puisse attirer l'attention. À l'extérieur, c'est quelqu'un. Ici, il est quelqu'un d'autre. Comme un caméléon qui change de couleur selon son environnement. C'est aussi quelqu'un à qui nous ne penserions jamais. C'est grâce à cela qu'il ne risque rien. Et c'est grâce à cela qu'il agit comme bon lui semble.

Peter avait l'air sceptique. Lucy semblait avoir besoin, elle aussi, d'arguments plus convaincants. Elle réagit la première :

— Vous pensez que l'Ange simule la folie, Francis ?

Elle laissa sa question en suspens, comme si le mot « simuler » impliquait en soi l'absurdité de cette hypothèse.

Francis secoua la tête. Puis il acquiesça. Les contradictions qui lui semblaient si évidentes ne l'étaient pas aux yeux de ses deux compagnons.

— Il ne peut pas faire semblant d'entendre des voix. Ni d'avoir des visions. Il ne peut pas faire semblant d'être… d'être comme moi. Les médecins le verraient tout de suite. Même M. Débile ne mettrait pas longtemps à s'en rendre compte.

— Et alors ? demanda Peter.

— Regarde autour de nous.

Il montra le couloir. Le grand attardé mental qu'on avait transféré de Williams était appuyé contre le mur. Il serrait sa poupée Raggedy Andy et chantonnait doucement en regardant les morceaux de tissu aux couleurs vives, le chapeau incliné et le sourire de travers. Francis aperçut aussi un cata. L'homme était debout, immobile au milieu du couloir, les yeux levés, comme si son regard pouvait traverser le faux plafond, les poutres, le plancher et les meubles de l'étage supérieur, franchir tous les obstacles jusqu'au toit et au-delà, jusqu'au ciel bleu du matin.

— Est-ce que ce serait difficile d'être stupide ? demanda doucement Francis. Ou silencieux ? Et si tu étais comme eux, est-ce que quelqu'un te prêterait la moindre attention ?

Pleurant, hurlant, braillant comme cent chats sauvages se faisant les griffes sur mes terminaisons nerveuses. Une sueur épaisse me coulait entre les yeux, aveuglante, brûlante. J'étais à bout de souffle, l'air sifflait dans mes poumons comme si j'avais de l'asthme, mes mains tremblaient. Je me dis que ma voix pourrait à peine produire autre chose qu'un gémissement d'impuissance et de désespoir.

L'Ange rôdait près de moi, bavant de rage.

Il n'avait pas besoin de dire pourquoi, tous les mots que j'avais écrits parlaient pour lui.

Je me tordais sur le sol, comme si une décharge me traversait le corps. On ne m'a jamais fait d'électrochocs, à Western State. C'est sans doute la seule cruauté déguisée en traitement qui m'ait été épargnée. Mais je me dis que la douleur que je subissais alors n'était pas très différente.

Je voyais.

C'est cela qui me faisait mal.

Quand j'étais retourné dans ce couloir, à l'hôpital, pour dire tout cela à Peter et Lucy, c'était comme si j'avais ouvert, à l'intérieur de moi-même, une porte que je n'avais jamais voulu ouvrir. La plus grande porte barricadée, clouée et hermétiquement scellée que j'avais en moi. Quand on est fou, on ne peut rien faire. Mais on est aussi capable de tout. Être coincé entre ces deux extrêmes, c'est une torture.

Toute ma vie, je n'ai rien souhaité d'autre qu'être normal. Même torturé, comme l'étaient Peter et Lucy, mais normal. Capable de fonctionner modestement dans le monde extérieur, de profiter des choses les plus simples. Un matin radieux. Le salut d'un ami. Un repas savoureux. Une conversation banale. Le sentiment d'être à ma place. Mais c'était impossible, car je savais, en cet instant précis, que j'étais condamné à rester à tout jamais plus proche, dans mon esprit et mes actes, de l'homme que je haïssais et qui me terrorisait. L'Ange s'abandonnait à toutes les pensées meurtrières et malsaines qui étaient tapies en moi. C'était une copie de moi-même vue dans un miroir déformant. J'avais la même rage. Le même désir. Le même mal. Je l'avais dissimulé, évacué, jeté dans le trou le plus profond que j'avais pu trouver en moi, je l'avais recouvert de toutes mes pensées démentes, comme de rochers et de terre, et il était enfoui là, espérais-je, d'où il ne pourrait jamais ressurgir.

À l'hôpital, l'Ange n'avait commis qu'une seule véritable erreur.

Il aurait dû me tuer quand il en avait eu la possibilité.

— Eh bien, je suis venu pour rectifier cette faute de jugement, me murmura-t-il à l'oreille.

— Nous n'avons plus le temps, dit Lucy.

Elle avait les yeux fixés sur les dossiers étalés en désordre sur la table, dans le bureau qui servait de quartier général à son enquête. Peter faisait les cent pas sur le côté, en proie à toutes sortes de pensées contradictoires. Il la regarda légèrement en biais.

— Comment cela ?

— On va me retirer l'affaire. J'ai parlé à mon patron. Il pense que je piétine. Au début, il n'était pas très chaud pour que je vienne ici. J'ai insisté, et il a fini par céder. Mais il en a marre, maintenant.

Peter hocha la tête.

— Je ne vais pas rester ici très longtemps, moi non plus. C'est ce que j'ai compris, en tout cas.

Il ne donna pas de détails.

— Mais Francis va rester, lui.

— Pas seulement Francis, fit Lucy.

— C'est exact. Pas seulement Francis. Vous pensez qu'il a raison ? À propos de l'Ange, je veux dire. Que nous cherchons dans la mauvaise direction…

Lucy respira à fond. Elle serra les poings très fort, puis les relâcha, au rythme de sa respiration, comme si elle était à deux doigts de s'abandonner à la colère et qu'elle s'efforçait de contrôler ses émotions. C'était un concept étranger à l'hôpital, où tant de gens laissent libre cours en permanence à tant d'émotions. Se maîtriser – autrement qu'avec l'aide des antipsychotiques – était pratiquement impossible. Mais Lucy semblait celer en elle une sorte de châtiment, et quand elle regarda Peter, il lut beaucoup de douleur sous ses mots.

— Cela m'est insupportable, dit-elle très doucement.

Il ne répondit pas, car il savait qu'elle allait s'expliquer.

Lucy s'assit brusquement sur la chaise en bois puis, aussi vivement, elle se redressa. Elle se pencha, agrippa le bord du bureau, comme si cela pouvait la protéger de sa tempête intérieure. Peter se demanda si ce qu'il voyait dans ses yeux était une dureté meurtrière, ou autre chose.

— L'idée de laisser en liberté un violeur et un assassin est presque inconcevable. Que l'Ange et le meurtrier des trois autres femmes soient le même homme ou pas – personnellement, je crois que c'est le cas –, l'idée de le laisser ici impuni me donne la chair de poule.

Peter ne disait toujours rien.

— Je ne ferai pas ça, dit-elle. C'est impossible.

— Et s'ils vous obligent à partir ?

Il aurait pu aussi bien poser la question à propos de lui-même.

Elle lui jeta un regard dur.

— Comment faites-vous ? dit-elle en répondant par une question.

Il y eut un long silence. Tout à coup, Lucy regarda la pile de dossiers posée sur le bureau. D'un mouvement brusque, son bras fit un arc de cercle, projetant violemment les classeurs contre le mur.

— Bon Dieu ! s'exclama-t-elle.

Les chemises cartonnées claquèrent, les documents voltigèrent sur le sol.

Peter ne bougea pas. Lucy prit du recul et donna un coup de pied dans la corbeille métallique qui rebondit à l'autre bout de la pièce.

Elle regarda de nouveau Peter.

— Je ne peux pas faire ça, répéta-t-elle. Dites-moi ce qui est le pis. Être un assassin, ou laisser un assassin continuer à tuer ?

Il y avait une réponse, mais Peter n'avait pas envie de la formuler à voix haute.

Lucy respira à fond plusieurs fois et le regarda droit dans les yeux.

— Il faut que vous compreniez, Peter, murmura-t-elle. Au fond de mon cœur, je sais une chose : si je m'en vais d'ici sans avoir trouvé cet homme, quelqu'un d'autre mourra. Je ne sais pas quand cela arrivera, mais un jour ou l'autre, dans un mois, six mois ou un an, je me retrouverai en train de contempler un cadavre. À sa main droite, il manquera quatre doigts… et le pouce, sans doute. Et la seule chose que j'aurai en tête à ce moment-là, c'est l'occasion que j'aurai perdue, ici et maintenant. Et même si j'attrape ce type, que je le retrouve au tribunal et que je me lève pour lire au juge et aux jurés la liste des accusations portées contre lui, je saurai tout de même que quelqu'un est mort parce que j'aurai échoué ici même.

Peter se laissa tomber sur une chaise et se prit le visage dans les mains, comme s'il se lavait. Puis il la regarda de nouveau. Il ne lui répondit pas vraiment directement.

— Vous savez, Lucy, dit-il doucement, comme si quelqu'un avait pu l'entendre, avant d'être enquêteur sur les incendies criminels, j'ai passé quelque temps à dérouler des tuyaux. J'aimais ça, vous savez. Combattre le feu fait partie des choses qui laissent peu de place à l'ambiguïté. Vous l'éteignez, ou il détruit quelque chose. C'est simple, non ? Parfois, il y a une forte explosion, vous pouvez en sentir la chaleur et entendre le bruit que fait le feu quand il devient incontrôlable. Un son très violent, horrible. Un son venu droit de l'enfer. Puis il y a cet instant où toutes les fibres de votre corps vous disent : *Ne va pas là-dedans !*, mais vous y allez tout de même. Vous avancez parce que le feu est mauvais, et parce que les autres membres de votre brigade sont déjà à l'intérieur, et vous savez que vous devez y aller, voilà tout. C'est la décision la plus facile et la plus difficile à prendre.

Lucy semblait réfléchir à ce qu'elle venait d'entendre.

— Quel rapport avec ce qui se passe ici ?

— Je crois, fit lentement Peter, qu'il va falloir prendre des risques.

— Des risques ?

— Oui.

— Vous savez ce que disait Francis. Vous pensez aussi que tout est sens dessus dessous, ici ? Si nous menions la même enquête à l'extérieur, et qu'un inspecteur venait nous dire qu'il faut chercher du côté des gens qui sont le moins suspects, il est fort probable que j'expulserais ce type de l'affaire. Cela n'a aucun sens, et une enquête doit au moins reposer sur une certaine logique.

— Rien n'est vraiment logique, ici, dit Peter.

— C'est pourquoi Francis a sans doute raison. Il a eu raison sur des tas de choses, d'ailleurs.

— Que faire, alors ? Se remettre à passer en revue tous les dossiers de l'hôpital en quête de… En quête de quoi ?

— Que pouvons-nous faire d'autre ?

Peter hésita de nouveau. Il se concentrait sur ce qui s'était passé. Au bout d'un moment, il haussa légèrement les épaules et secoua la tête.

— Je ne sais pas, dit-il lentement. J'hésite…

— Sur quoi hésitez-vous ?

— Que s'est-il passé quand nous avons fouillé le dortoir du pavillon Williams ?

— Un homme a été assassiné. Sauf qu'ils n'y croient pas…

— Non… au-delà de ça, qu'est-ce qui s'est passé ? L'Ange a émergé. Il est sorti, pour tuer le Danseur…

Peut-être. Nous n'en sommes pas sûrs. Mais ce que nous savons, c'est qu'il s'est amené dans le dortoir, et qu'il a menacé Francis de son couteau.

— Je crois que je vois où vous voulez en venir, fit Lucy.

— Il faut qu'on le fasse sortir de son trou. Encore une fois.

Elle acquiesça.

— Un piège.

— Un piège, dit Peter. Mais qu'est-ce qu'on peut utiliser comme appât ?

Lucy sourit. Mais ce n'était pas un sourire de joie. Plutôt l'air insouciant de quelqu'un qui réalise que, pour accomplir de grandes choses, il faut prendre beaucoup de risques.

Au début de l'après-midi, Big Black rassembla un petit groupe de résidents du pavillon Amherst pour une sortie dans les jardins de l'hôpital. Il y avait un bon moment que Francis n'avait pas vu les plantations qu'ils avaient faites, avant la mort de Blondinette et l'arrestation de l'Efflanqué.

C'était un après-midi magnifique. Chaud, avec des rayons de soleil rebondissant sur la peinture immaculée des pavillons. Une brise légère poussait les rares nuages blancs bulbeux à travers le ciel bleu. Francis montra son visage à la lumière du soleil, laissa la chaleur le pénétrer et entendit un murmure de satisfaction dans sa tête. Cela pouvait être ses voix, mais aussi bien un léger sentiment d'espoir s'introduisant dans son imagination. Pendant quelques minutes, il se dit qu'il pouvait oublier tout ce qui se passait autour de lui et s'abandonner au soleil. C'était le genre d'après-midi qui renvoyait au loin toute l'obscurité de la folie.

Le groupe qui sortait ce jour-là comptait dix patients. Cléo marchait la première. Elle avait pris la tête dès qu'ils avaient franchi la porte de l'Amherst. Elle marmonnait, comme toujours, mais en allant de l'avant avec un air décidé qui semblait contredire la paresse que cette journée encourageait. Napoléon essaya tout d'abord de se maintenir à sa hauteur. Puis il renonça et se plaignit auprès de Big Black que Cléo les obligeait à marcher trop vite. Tout le monde dut s'arrêter sur le sentier, et il s'ensuivit une légère dispute.

— C'est à moi de mener la marche ! s'écria Cléo d'une voix furieuse.

Elle se dressa d'un air majestueux et les regarda de haut, avec une arrogance impériale dictée par l'idée qu'elle se faisait d'elle-même.

— C'est la place due à mon rang. Mon droit et mon devoir !

— Alors marche moins vite ! rétorqua Napoléon d'une voix sifflante, en tremblant de toute sa corpulence.

— Nous marcherons à mon allure !

Big Black avait l'air exaspéré.

— Cléo, s'il vous plaît...

Pivotant vers lui, elle l'interrompit :

— Aucune doléance ne sera prise en compte, fit-elle.

Big Black haussa les épaules. Il se tourna vers Francis.

— Prenez la tête.

Pendant un instant, Cléo se dressa devant Francis. Mais il la regarda avec un tel air de chien battu qu'elle s'écarta presque immédiatement, avec un grognement immensément dédaigneux. Quand il passa devant elle, il vit qu'elle avait les yeux brillants, comme si un incendie incontrôlable brûlait dans son crâne. Il espéra que Big Black l'avait vu lui aussi, mais rien n'était moins sûr car l'aide-soignant essayait de maintenir un semblant d'ordre dans le groupe. Un homme s'était mis à pleurer, une femme s'était écartée de l'allée.

Francis s'avança.

— Allons-y, dit-il en espérant que les autres suivraient.

Au bout d'un moment, le groupe sembla accepter que Francis prenne la tête, sans doute parce que cela désamorçait une possible dispute dont personne n'avait vraiment envie. Cléo le suivit docilement, et après l'avoir pressé plusieurs fois d'accélérer, elle se laissa distraire par les sifflets et les cris incohérents dont l'écho se propageait d'un pavillon à l'autre.

Ils s'arrêtèrent à l'extrémité du jardin, et toute la tension que Cléo entretenait en elle retomba d'un seul coup.

— Des fleurs ! dit-elle, stupéfaite. On a fait pousser des fleurs !

Des bouquets où se mêlaient les rouges et les blancs, les jaunes, les bleus et les verts poussaient dans un parfait désordre, au gré du hasard, sur la partie la plus humide du terrain de l'hôpital. Pivoines, saponaires, violettes et tulipes avaient jailli du sol. Le jardin était aussi chaotique que l'esprit des patients, avec des carrés et des bandes de couleurs vives dans toutes les directions, plantés sans ordre ni organisation, mais qui poussaient furieusement. Francis contempla le spectacle, étonné, et se rappela combien leur existence était terne. Mais même cette pensée déprimante fut repoussée par l'exaltation que provoquait le renouveau qu'il avait sous les yeux.

Quelques instants plus tard, Big Black avait distribué de modestes outils de jardinage. C'étaient des ustensiles d'enfant en plastique, d'une utilité très limitée au regard du travail à accomplir, mais Francis se dit que c'était mieux que rien. Il se laissa tomber à côté de Cléo, qui semblait à peine consciente de sa présence, et entreprit d'organiser les fleurs par rangées, en essayant de mettre un peu d'ordre dans l'explosion de couleurs qui les entourait.

Francis ne sut pas combien de temps ils travaillèrent. Cléo elle-même, qui ne cessait de marmonner des obscénités, paraissait mettre son stress en sourdine. Il l'entendit sangloter, alors qu'elle creusait et grattait le terreau humide. À plusieurs reprises, il la vit tendre la main pour toucher les fragiles pétales d'une fleur, les larmes aux yeux. Presque tous les patients, à un moment ou à un autre, s'arrêtèrent pour laisser couler entre leurs doigts la terre grasse et humide. Il y avait dans l'air comme une odeur de vigueur et de renaissance, et Francis se dit que ce parfum apportait plus d'optimisme que tous les antipsychotiques qu'on leur ferait jamais ingurgiter.

Quand il se releva, une fois que Big Black leur eut annoncé qu'il fallait rentrer, il contempla le jardin et dut admettre qu'il avait meilleure allure. Presque toutes les mauvaises herbes qui menaçaient les parterres avaient été arrachées. On avait mis un peu d'ordre dans les rangées de fleurs. Francis avait l'impression de regarder un tableau à demi achevé. Il y avait des formes, et une promesse.

Il essaya, sans enthousiasme, d'ôter la terre de ses mains et de ses vêtements. L'impression de saleté ne le dérangeait pas. En tout cas, pas cet après-midi-là.

Big Black les fit se mettre en ligne. Il rangea les outils en plastique dans une caisse en bois verte et les compta au moins trois fois avant d'être satisfait. Au moment de donner le signal du retour, il se figea soudain. Francis vit que le gros aide-soignant regardait un petit groupe rassemblé à une cinquantaine de mètres de là, à l'extrême limite du domaine de l'hôpital, au-delà d'une clôture en fil de fer barbelé.

— C'est le cimetière, murmura Napoléon avant de se taire, à l'instar de tous ses compagnons.

Francis vit que le docteur Gulptilil et M. Evans étaient là, ainsi que deux autres cadres de l'établissement. Il y avait aussi un prêtre, avec son col blanc. Plusieurs ouvriers portant l'uniforme gris du service d'entretien de l'hôpital tenaient des pelles ou s'appuyaient sur les manches de leurs outils en attendant les ordres. Alors que le groupe se rassemblait, Francis entendit le bruit saccadé d'un moteur Diesel. Une petite pelleteuse s'approchait, suivie d'un fourgon Cadillac tout simple. Francis, avec un choc, vit que c'était un corbillard.

Celui-ci s'arrêta. La pelleteuse avança en vibrant.

— Il faudrait peut-être y aller, marmonna Big Black tout en restant cloué sur place.

Les patients s'alignèrent pour regarder.

Il ne fallut que quelques minutes à la pelleteuse, avec le vacarme habituel à ce genre de machine, pour creuser un trou et déposer la terre sur le côté. Les agents d'entretien nettoyèrent les bords avec leurs pelles. Gulp-Pilule s'avança, inspecta le travail et leur fit signe d'arrêter. D'un autre geste, il fit avancer le corbillard, qui s'immobilisa à quelques mètres. Deux hommes en costume noir en descendirent, firent le tour du véhicule et ouvrirent l'arrière. Quatre des hommes de l'entretien se joignirent à eux pour former le groupe disparate qui sortit de l'auto un cercueil de métal. Le soleil de cette fin d'après-midi luisait faiblement sur le couvercle.

— C'est le Danseur, murmura Napoléon.

— Bande de salauds, dit doucement Cléo. Meurtriers. Assassins fascistes.

Elle ajouta, d'une voix de stentor et sur un ton hautement dramatique :

— Donnons-lui des funérailles dignes de la Rome antique !

Les six hommes semblaient avoir beaucoup de mal à déplacer le cercueil. Francis trouvait cela bizarre, car le Danseur n'était pas gros. Il les regarda descendre le cercueil dans la tombe, puis attendre sur le côté pendant que le prêtre prononçait quelques mots indifférents. Il vit qu'aucun des hommes présents n'avait pris la peine de baisser la tête, même pour un simulacre de prière.

Le prêtre recula, les médecins tournèrent les talons pour rejoindre l'allée, et les croque-morts firent signer un papier au docteur Gulptilil avant de remonter dans le corbillard, qui s'éloigna lentement. La pelleteuse le suivit dans un vacarme de tous les diables. Deux des agents d'entretien commencèrent à jeter la terre sur le cercueil. Francis entendit le bruit mat des pelletées de terre frappant le métal, mais cela ne dura pas.

— Allons-y, dit Big Black. Francis ?

Il réalisa qu'il était censé prendre la tête du groupe. Il obtempéra, tout en sentant la présence de Cléo qui le pressait d'aller plus vite. Elle respirait par saccades, comme des rafales de mitraillette.

Leur défilé en désordre n'avait parcouru qu'une partie du chemin qui les séparait de l'Amherst lorsque Cléo, poussant un cri bizarre, mi-juron mi-gazouillis, dépassa Francis en courant. Sa grande carcasse oscillait, prise de tremblements, tandis qu'elle fonçait le long de l'allée à la vitesse d'une torpille vers l'arrière du pavillon Williams. Elle s'arrêta brusquement sur le terrain herbeux et leva la tête vers les fenêtres.

La lumière de fin d'après-midi descendait en oblique le long des façades, et son reflet empêchait Francis de voir les visages rassemblés derrière les vitres. Chaque fenêtre était comme un œil gigantesque fixé sur une paroi blanche, opaque. Le pavillon ressemblait aux patients qu'il abritait. Il regardait fixement dehors, dissimulant le désordre et le désespoir intérieurs.

Cléo rassembla toute son énergie et, les mains sur les hanches, s'écria :

— Je vous vois !

C'était impossible. Le reflet du soleil devait l'aveugler, comme il aveuglait Francis.

Elle continua, d'une voix de plus en plus aiguë :

— Je sais qui vous êtes ! C'est vous qui l'avez tué ! Je vous ai vu, et je sais qui vous êtes !

Big Black passa devant Francis.

— Cléo ! cria-t-il. Chut ! Qu'est-ce que vous dites ?

Elle l'ignora. Elle pointa un doigt accusateur vers le premier étage du pavillon Williams.

— Assassins ! gueula-t-elle. Criminels !

— Cléo, nom de Dieu ! (Big Black se précipita vers elle.) Fermez-la, bon Dieu !

— Bêtes sauvages ! Monstres ! Salopards de fascistes assassins !

Big Black attrapa la grosse femme par le bras et la fit pivoter vers lui. Il ouvrit la bouche, s'apprêtant à lui crier dessus. Francis vit tout à coup le gros aide-soignant se figer, reprendre ses esprits et lui dire à voix basse :

— Cléo, s'il vous plaît, qu'est-ce que vous faites ?

Elle se tourna vers Big Black, l'air furieuse.

— Ils l'ont tué, dit-elle d'un ton neutre.

— Qui a tué qui ? demanda Big Black, qui fit en sorte qu'elle tourne le dos au pavillon Williams. De quoi parlez-vous ?

Cléo gloussa, avec un sourire dément.

— Antoine et Cléopâtre, dit-elle. Acte quatre, scène seize.

Sans cesser de rire, elle se laissa conduire par Big Black. Francis leva les yeux vers le pavillon Williams. Il ignorait qui avait pu entendre l'éclat de Cléo. Et comment on avait pu l'interpréter.

Francis ne vit pas Lucy Jones, qui se trouvait non loin de là, sous un arbre, sur le chemin qui reliait le bâtiment administratif au portail d'entrée. Elle avait assisté elle aussi à l'explosion de Cléo. Mais elle n'y avait pas attaché beaucoup d'importance, car elle se concentrait sur les courses qu'elle allait faire et qui lui valaient, pour la première fois depuis longtemps, une petite excursion dans la ville toute proche. Elle suivit des yeux la colonne de patients qui regagnait le pavillon Amherst, puis elle fit demi-tour et s'en alla rapidement, persuadée qu'il ne lui faudrait pas longtemps pour trouver les quelques objets dont elle avait besoin.

27

Assise sur le bord de son lit dans le dortoir des élèves infirmières, Lucy se laissait envelopper par l'obscurité. Elle avait étalé sur le couvre-lit les objets achetés en fin d'après-midi. Mais, au lieu de les examiner, elle regardait dans le vide, autour d'elle. Elle était ainsi depuis plusieurs heures, réfléchissant à ce qu'elle s'apprêtait à faire. Puis elle se leva et se dirigea vers sa petite salle de bains. Elle examina son visage avec soin dans le miroir accroché au-dessus du lavabo.

D'une main, elle releva ses cheveux au-dessus de son front. De l'autre, elle suivit le bord de la cicatrice qui lui barrait le visage. Elle commençait juste sous la naissance des cheveux, sectionnait le sourcil, obliquait légèrement, là où la lame avait manqué l'œil de peu, puis descendait le long de la joue pour s'arrêter au menton. En durcissant, les bords de la plaie étaient devenus un peu plus clairs que sa peau. En deux ou trois endroits, la cicatrice était à peine visible. Ailleurs, elle était cruellement évidente. Lucy se dit qu'elle avait fini, bizarrement, par s'y habituer, et qu'elle l'acceptait pour ce qu'elle était. Quelques années auparavant, alors qu'elle entretenait des relations prometteuses avec un jeune médecin un peu trop sûr de lui, celui-ci lui avait proposé de lui présenter un célèbre chirurgien esthétique qui pouvait réparer son visage de sorte que personne ne saurait qu'elle avait été tailladée. Elle n'avait pas contacté le chirurgien esthétique, et elle n'était plus jamais sortie avec un médecin.

Lucy se considérait comme quelqu'un qui vit au jour le jour. L'homme qui lui avait fait cette cicatrice et lui avait volé son intimité avait cru l'abîmer, alors qu'il n'avait fait que lui donner un but et une raison de vivre. Des tas de types se trouvaient derrière les barreaux à cause de ce qu'un homme lui avait fait, une nuit, quand elle était étudiante en droit. Elle se dit qu'il faudrait encore du temps pour que la dette (l'outrage fait à son cœur et à son corps) soit totalement remboursée. Des moments uniques mais d'une intensité rare, se disait-elle, vous permettent de vous frayer un chemin dans l'existence. Ce qui la mettait mal à l'aise, dans cet hôpital, c'était que les patients n'étaient pas nécessairement enfermés à cause d'une action unique, mais d'une longue accumulation d'incidents minimes qui les avaient précipités dans leurs dépressions, leurs schizophrénies, leurs psychoses, leurs maladies bipolaires et leurs comportements obsessionnels compulsifs. Elle devait reconnaître que Peter était beaucoup plus proche d'elle, d'esprit et de caractère. Lui aussi avait laissé un moment unique façonner son existence. Dans son cas, évidemment, il s'était agi d'un coup de tête irréfléchi. Même s'il était justifié, d'une certaine façon, c'était tout de même le fruit d'une perte de contrôle momentanée. Son combat à elle était plus froid, beaucoup plus calculé et, faute d'un terme plus correct, c'était une vengeance.

Un souvenir amer lui revint soudain. De ceux qui font irruption dans le cerveau sans qu'on les sollicite, et qui coupent le souffle. À l'hôpital où on l'avait conduite après que deux étudiants en physique qui rentraient tard de leur labo l'eurent trouvée, couverte de sang, errant en sanglotant dans une allée, la police l'avait interrogée avec beaucoup de soin, tandis qu'une infirmière et un médecin effectuaient les examens prévus en cas de viol. Les inspecteurs se tenaient à hauteur de sa tête, mais les deux autres opéraient dans un tout autre domaine, au-dessous de la taille. *Avez-vous vu l'homme qui vous a fait ça ?* Non. Pas vraiment. Il portait un passe-montagne, je n'ai vu que ses yeux. *Pourriez-vous le reconnaître ?* Non. *Que faisiez-vous toute seule en pleine nuit, au milieu du campus ?* Je travaillais à la bibliothèque, et j'ai vu qu'il était l'heure de rentrer. *Que pouvez-vous nous dire qui nous aiderait à le coincer ?* Silence.

Elle se disait que de toutes les terreurs qu'elle avait vécues cette nuit-là, celle qui l'avait indiscutablement accompagnée, c'était la cicatrice sur son visage. Le choc l'avait presque envoyée dans le coma, son esprit flottant hors de son corps, imperméable à toute sensation, puis il l'avait tailladée. Il ne l'avait pas tuée, alors qu'il aurait pu le faire très facilement. Il n'avait pas non plus de raison évidente de faire autre chose. Elle était presque inconsciente, perdue, et il avait tout le temps de prendre le large sans être repéré. Au lieu de quoi il s'était penché sur elle et l'avait marquée à jamais. À travers le brouillard de la douleur et de l'humiliation, elle l'avait entendu murmurer une phrase, une seule, à son oreille : « Souviens-toi. »

Le mot lui avait fait plus mal encore que l'entaille qui avait détruit sa beauté.

Elle avait donc agi, sinon pensé, comme l'espérait son agresseur.

Si elle ne pouvait pas jeter en prison l'homme qui l'avait tailladée, elle pouvait y envoyer en revanche des dizaines d'autres comme lui. Si elle regrettait quelque chose, c'était que l'agression l'avait dépossédée de ce qui lui restait d'innocence et de bonne humeur. Elle avait beaucoup de mal à rire, depuis, et l'amour lui semblait inaccessible. De toute façon, comme elle le répétait souvent, elle n'aurait pas tardé à perdre ces qualités. Elle était devenue semblable à un moine dans sa croisade contre les démons.

Elle se regarda dans le miroir et remisa ses souvenirs dans les compartiments où elle les rangeait d'habitude en bon ordre. Ce qui est arrivé, se dit-elle, c'est fini. Elle savait que l'homme qu'elle traquait dans cet hôpital était aussi proche de celui qui hantait chacune de ses pensées que tous ceux qu'elle avait pu contempler au tribunal. Mettre la main sur l'Ange, ce serait beaucoup plus que d'empêcher simplement un tueur en série de frapper à nouveau.

Elle avait l'impression d'être une athlète, concentrée exclusivement sur l'objectif du moment.

— Un piège, dit-elle à voix haute. Qui dit piège dit appât.

Elle passa la main dans la masse de cheveux noirs qui lui encadrait le visage et les laissa couler entre ses doigts comme des gouttes de pluie.

Des cheveux courts.

Des cheveux blonds.

Les quatre victimes avait les cheveux courts. Elles avaient toutes plus ou moins les mêmes caractéristiques physiques. Elle avaient toutes été tuées de la même façon – la même arme utilisée à chaque fois, la gorge tranchée de gauche à droite, exactement de la même manière. Les mutilations post mortem aux mains étaient identiques. Puis les cadavres avaient été abandonnés dans des lieux identiques. Même la dernière victime, dans cet hôpital. En pensant au débarras où l'élève infirmière avait vécu ses derniers instants, Lucy imaginait que le meurtrier avait reproduit les décors ruraux ou forestiers de ses autres forfaits. Elle se rappelait aussi qu'il avait détruit les preuves matérielles avec de l'eau et des détergents, de la même manière que la nature l'avait aidé en ce sens, involontairement, dans les trois premiers cas.

Il était là. Elle le savait. Elle soupçonnait même qu'elle l'avait regardé dans les yeux, à un moment ou à un autre, depuis qu'elle se trouvait à l'hôpital, mais sans le voir pour ce qu'il était. Cette pensée la fit frissonner, mais elle nourrissait aussi la rage qu'elle sentait monter en elle.

Elle regarda les mèches de cheveux noirs qu'elle aimait tant caresser, comme de délicates toiles d'araignée.

Un prix peu élevé à payer, se dit-elle.

Soudain, elle fit demi-tour et retourna vers le lit. Elle commença par sortir une petite valise noire de sous le sommier, là où elle l'avait rangée. Elle débloqua la serrure à combinaison et ouvrit la valise. À l'intérieur, il y avait une seconde poche à fermeture Éclair. Elle en sortit un étui de cuir brun foncé et un revolver à canon court de calibre 38. Elle soupesa son arme. Elle l'avait depuis plusieurs années, mais elle ne s'en était servie que cinq ou six fois. La sensation dans sa paume était inhabituelle mais rassurante. D'un geste décidé, elle ramassa les autres objets disposés sur le lit. Une brosse à cheveux. Une paire de ciseaux de coiffeur. Un flacon de teinture.

Ils finiront bien par repousser, se dit-elle.

La grande cascade noire et luisante qu'elle avait connue toute sa vie reviendrait avant longtemps.

Rien de ce qu'elle faisait n'était définitif, se disait-elle. Mais ne pas faire ce qu'il fallait pour arrêter l'Ange pourrait avoir des conséquences définitives. Elle emporta son matériel dans la salle de bains et le posa devant elle, sur une petite étagère. Elle prit les ciseaux et, s'attendant presque à voir le sang couler, elle entreprit de se couper les cheveux.

Un truc que Francis maîtrisait bien, après toutes ces années – depuis la première fois qu'il avait entendu des voix, pendant son enfance –, c'était la technique pour savoir laquelle, dans la cacophonie d'avis discordants qui résonnait dans sa tête, était la plus logique. Il avait fini par comprendre que sa propre folie dépendait de sa capacité à faire le tri dans tout ce qui se ruait vers lui en même temps, de l'intérieur, et à choisir le meilleur chemin possible. Ce n'était pas vraiment logique, mais ce qu'il avait appris n'était pas dénué d'un certain pragmatisme.

Il se dit que la situation à l'hôpital n'était pas vraiment différente. Un enquêteur dispose de nombreux indices disparates qu'il rassemble pour en faire un tout cohérent. Francis était convaincu que tout ce dont il avait besoin pour dresser le portrait de celui qui deviendrait l'Ange était déjà en place dans le monde fluctuant et erratique de l'hôpital psychiatrique, mais que le contexte était invisible.

Francis jeta un coup d'œil à Peter, qui se passait de l'eau froide sur le visage, au-dessus de la cuvette. Il ne verra jamais ce que je vois, se dit-il. Un chœur d'assentiments se fit entendre dans sa tête.

Mais Francis dut interrompre ses réflexions en voyant Peter s'écarter de la cuvette, se regarder dans la glace en secouant la tête, comme si son reflet ne lui plaisait pas. Au même moment, Peter le vit apparaître derrière lui, et il sourit.

— Ah, C-Bird ! Bonjour ! Une fois de plus, nous avons survécu à la nuit, ce qui, tout bien considéré, est un événement assez important pour que nous allions le célébrer devant un petit déjeuner copieux, faute d'être savoureux. À ton avis, que nous réserve cette belle journée ?

Francis secoua la tête. Il n'en savait trop rien.

— Quelques progrès, peut-être ?

— Peut-être.

— Peut-être quelque chose de bon ?

— C'est peu probable.

Peter se mit à rire.

— Francis, mon pote, il n'existe aucun cachet et certainement aucune piqûre capable de réduire ou de faire disparaître le cynisme.

— Et rien qui puisse nous rendre optimistes, non plus, fit Francis en hochant la tête.

— Touché, dit Peter.

Son sourire s'effaça. Il se pencha vers Francis.

— Nous allons faire des progrès aujourd'hui, je te le promets. *Des progrès*. Elle est bien bonne. Tu la comprendras bien assez tôt.

Francis ne comprenait rien à ce qu'il disait, ce qui ne l'empêcha pas de demander :

— Comment peux-tu promettre une chose pareille ?

— Parce que Lucy pense qu'une nouvelle stratégie pourrait porter ses fruits.

— Une nouvelle stratégie ?

Peter regarda autour de lui, puis murmura :

— Si tu ne peux pas approcher ta proie, fais en sorte qu'elle vienne vers toi.

Francis eut un léger mouvement de recul, comme matraqué par des dizaines de voix intérieures criant au danger.

Peter ne remarqua pas le changement soudain dans son attitude – comme un nuage noir qui approche brusquement au-dessus de l'horizon pour annoncer la tempête –, alors que son ami retournait dans sa tête ce qu'il venait de lui dire. Il lui donna une grande claque dans le dos et ajouta d'un ton sarcastique :

— Allons-y ! Allons manger nos crêpes molles et nos œufs baveux, et on verra ce qui se passe. Aujourd'hui est un grand jour, C-Bird, tu peux me croire. Garde les yeux et les oreilles grands ouverts.

Les deux hommes sortirent de la salle de bains, où les occupants du dortoir commençaient à se rendre d'un pas traînant, pour passer dans le couloir. Le début de la routine quotidienne. Francis était loin de savoir ce qu'il était censé chercher, mais toutes les questions qui se formaient dans sa tête furent brutalement effacées par le hurlement suraigu, désespéré, qui retentit dans le couloir et se propagea autour d'eux, expression d'une détresse absolue qui glaça le sang à tous ceux qui l'entendirent.

Il est facile de se rappeler ce hurlement.

J'y ai souvent pensé, durant toutes ces années. Il y a des hurlements de peur, des hurlements d'horreur, des hurlements qui expriment l'angoisse, la tension, parfois la détresse. Celui-là semblait tout mélanger et former un alliage si désespéré, si terrifiant, qu'il défiait la raison et la tranquillité d'esprit, amplifié par toutes les terreurs de l'hôpital psychiatrique. Le hurlement d'une mère voyant son enfant en danger de mort. Le hurlement de douleur d'un soldat qui sait que sa blessure est mortelle. Une force primale, animale, qui ne se manifeste que très rarement, aux moment les plus effrayants. Comme si un élément, fixé solidement au centre des choses, était soudain brutalement arraché, et que c'était trop difficile à supporter. Je n'ai jamais su qui avait poussé ce cri, mais aucun de ceux qui l'ont entendu ne l'oublièrent. Il est resté gravé en nous.

Je sortis dans le couloir, derrière Peter qui se précipitait vers l'origine du cri. J'étais vaguement conscient de la présence de quelques autres patients, qui se recroquevillaient, se serraient contre les murs. Je vis Napoléon s'enfoncer dans un coin et le Journaliste, renonçant pour une fois à toute manifestation de curiosité, se blottir comme s'il pouvait se protéger de ce cri de panique. Les pas de Peter résonnaient sur le sol du couloir tandis qu'il se pressait vers la source du hurlement. J'aperçus brièvement son visage. On y lisait une dureté soudaine et une résolution rare dans cet hôpital. Comme si le cri avait déclenché en lui une douleur immense et qu'il essayait de distancer les peurs qui l'accompagnaient.

Le hurlement venait de l'extrémité du couloir, après l'entrée du dortoir des femmes. Son souvenir était aussi réel dans mon esprit qu'il l'était ce matin-là dans le pavillon Amherst. Il m'enveloppait, comme la fumée d'un incendie. Alors je saisis mon crayon et me mis à écrire furieusement sur le mur de l'appartement, terrifié à l'idée que le grand rire moqueur de l'Ange vienne le remplacer dans ma mémoire. Je devais le faire taire avant que cela n'arrive. En imagination, je revoyais Peter, courant à toute vitesse, comme s'il pouvait en rattraper l'écho.

Peter courait à toutes jambes dans le couloir du pavillon Amherst. Il savait qu'une seule chose au monde pouvait provoquer l'expression d'un désespoir aussi violent chez un être humain, même s'il est fou : la mort. Il slalomait entre les patients qui s'étaient recroquevillés en entendant le cri, paniqués, inquiets, traversés par des explosions d'angoisse et de terreur, et qui essayaient de fuir un bruit qui les affolait. Même les catas et les attardés mentaux, qui semblaient si souvent imperméables au monde qui les entourait, se serraient contre les murs comme pour se cacher. Un homme accroupi se balançait d'avant en arrière, les mains plaquées sur les oreilles. Peter entendait le roulement plaintif de ses souliers claquant sur le revêtement du sol. Il comprit soudain que quelque chose, en lui, le pousserait toujours à se précipiter vers la mort.

Francis le suivait de près, luttant contre un désir violent de fuir dans l'autre sens, entraîné presque malgré lui par la course précipitée de Peter. Il entendit la grosse voix de Big Black hurlant des ordres.

— Poussez-vous, s'il vous plaît ! Poussez-vous ! Laissez-nous passer ! criait-il, suivi de son frère.

Une infirmière en uniforme blanc sortit du poste de soins protégé par son grillage. C'était Mlle Richards, que tout le monde appelait évidemment Mlle Richarde, sobriquet démenti par son air malheureux et son regard apeuré.

Devant l'entrée du dortoir des femmes, une patiente aux cheveux gris tout ébouriffés se balançait d'avant en arrière en chantonnant pour elle-même. Une autre patiente tournait en rond. Une troisième, le front collé contre le mur, marmonnait dans ce qui pouvait être une langue étrangère ou un charabia de son invention. Impossible à dire. Deux autres gémissaient, sanglotaient. Elles s'étaient jetées à terre : prises de convulsions, elles geignaient comme si elles étaient possédées par le démon. Francis ne savait pas si c'était une de ces femmes qui avait crié. Ce pouvait être n'importe laquelle d'entre elles, ou quelqu'un d'autre qu'il n'avait pas vu. Mais il avait l'impression que le cri de désespoir flottait encore dans l'air autour d'eux – tel le chant d'une sirène les attirant implacablement. Dans sa tête, les voix lui criaient de faire attention, elles voulaient qu'il s'arrête, qu'il batte en retraite, qu'il fuie le danger. Il dut faire un effort extraordinaire pour les ignorer et s'efforça de marcher au rythme de Peter, comme si le bon sens et la compréhension du Pompier pouvaient le soutenir.

À la porte, Peter n'hésita qu'un instant. Très vite, il se tourna vers la femme échevelée.

— Où ? lui demanda-t-il d'un ton véhément, d'une voix qui respirait l'autorité.

Elle fit un geste vers le bout du couloir, vers l'escalier derrière les portes censées être fermées, et produisit un bruit à mi-chemin du rire et du gloussement, qui se transforma presque aussi vite en une série de sanglots déchirants.

Francis sur ses talons, Peter saisit la poignée de la grande porte métallique. Il l'ouvrit d'un geste dénué de crainte, et s'arrêta.

— Sainte Marie, mère de Dieu ! s'exclama-t-il.

Il respira à fond, puis murmura la suite de la prière :

— Priez pour nous, pauvres pécheurs, maintenant et à l'heure de notre mort…

Il leva la main pour faire un signe de croix, toute son éducation catholique remontant à la surface en un instant, puis s'immobilisa à mi-geste.

Francis tendit le cou, pour voir devant Peter. Il sentit l'air fuir de ses poumons, et il eut un vif mouvement de recul. Il fit un pas de côté, comme pour garder son équilibre, car la tête lui tournait tout à coup. Il crut que le sang avait déserté son cœur, et il s'attendait à s'évanouir.

— Reste derrière, C-Bird, murmura Peter.

Ce n'était sans doute pas ce qu'il voulait dire, mais les mots tombèrent comme des plumes dans une rafale de vent.

Big Black et Little Black, qui s'étaient précipités, s'arrêtèrent juste derrière les deux patients et découvrirent la scène, brusquement réduits au silence. Une seconde plus tard, Little Black dit doucement :

— Bon Dieu de nom de Dieu…

Big Black se détourna vers le mur.

Francis s'obligea à regarder.

C'était Cléo. Elle était pendue à un nœud coulant confectionné avec un drap gris torsadé, fixé à la rampe métallique de l'escalier menant au second étage.

Son visage joufflu était informe, bouffi, tordu dans la mort comme celui d'une gargouille. Le nœud coulant avait creusé de véritables sillons dans la peau, qui était plissée comme le nœud qui ferme un ballon d'enfant. Ses cheveux tombaient en mèches noueuses sur ses épaules, et elle avait les yeux ouverts, le regard fixé devant elle. Sa bouche aux lèvres crevassées était légèrement de travers, ce qui lui donnait l'air d'être sous le choc. Elle portait une simple chemise de nuit grise qui pendait comme un sac de ses épaules tombantes ; une sandale d'un rose criard avec glissé de son pied et gisait par terre. Francis vit qu'elle avait les ongles des orteils peints en rouge.

Il avait du mal à respirer. Il avait envie de détourner le regard, mais l'image de mort qui se trouvait devant lui avait un magnétisme délétère qui l'en empêchait. Figé, les yeux fixés sur la silhouette suspendue au-dessus de la cage d'escalier, il essayait de concilier l'image de Cléo – son torrent permanent d'obscénités, sa formidable et saine démolition de tous ses adversaires à la table de ping-pong – avec la forme avachie et grotesque qu'il voyait. La cage d'escalier baignait dans une semi-obscurité, comme si les ampoules nues éclairant les paliers étaient incapables de repousser les vrilles des ténèbres qui s'immisçaient dans cet endroit. L'air semblait moisi, chaud, stagnant, comme dans un grenier où personne n'entre jamais.

Francis balaya de nouveau la silhouette du regard, puis il vit quelque chose.

— Peter, murmura-t-il, regarde sa main.

Les yeux de Peter passèrent du visage à la main de Cléo.

— Que je sois damné… fit-il après un instant de silence.

Le pouce droit de Cléo avait été sectionné. Une traînée cramoisie coulait sur sa chemise de nuit et le long de sa jambe nue, pour former une flaque noire sur le sol, sous elle. Francis contempla le cercle de sang, puis eut un haut-le-cœur.

— Bon Dieu, fit Peter.

Le pouce sectionné était à trente, peut-être cinquante centimètres du centre de la flaque brune et poisseuse, abandonné là comme si quelqu'un l'y avait jeté.

Une pensée traversa l'esprit de Francis, qui embrassa rapidement la scène du regard, en quête d'un objet précis. Ses yeux coururent de droite à gauche, le plus vite possible, mais il ne trouva pas ce qu'il cherchait. Il eut envie de dire quelque chose, puis décida de se taire. Peter restait silencieux, lui aussi.

Ce fut Little Black qui brisa le silence :

— Ça va être la croix et la bannière pour faire la lumière là-dessus, dit-il d'un air sombre.

Francis attendait près du mur, assis par terre, et des tas de choses se déroulaient devant lui. Il avait une sensation bizarre : il aurait aimé que tout cela ne soit qu'une simple hallucination, un rêve, être sur le point de se réveiller et que la journée normale de l'hôpital Western State recommence au début, tout simplement.

Big Black avait laissé Peter, Francis et son frère dans l'escalier pour veiller sur Cléo. Il était retourné au poste de soins, d'où il avait appelé la sécurité et le bureau du docteur Gulptilil et, enfin, l'appartement de M. Débile. Il y avait eu une brève accalmie après ces coups de fil, que Peter avait mise à profit pour faire le tour, lentement, du cadavre de Cléo, analysant, mémorisant ce qu'il voyait, essayant de tout fixer une fois pour toutes dans sa tête. Francis admira la diligence et le professionnalisme du Pompier, tout en se demandant s'il oublierait jamais le moindre détail de la scène macabre qu'il avait sous les yeux. Mais Francis et Peter firent ce qu'ils avaient fait jadis, quand on avait découvert le corps de Blondinette : ils examinèrent toute la scène en détail, ils mesurèrent, photographièrent, un peu comme le fait la police scientifique, sauf qu'eux n'avaient ni magnétophone ni appareil photo, de sorte qu'ils étaient libres de définir leurs propres critères.

Dans le couloir, Big Black et Little Black essayaient de rétablir le calme dans un contexte qui s'y opposait totalement. Les patients étaient égarés, ils pleuraient, riaient, certains gloussaient sottement, d'autres sanglotaient, d'autres encore essayaient de se comporter comme s'il ne s'était rien passé, d'autres se rencognaient. Quelque part, un poste de radio diffusait un hit-parade des années soixante. Francis reconnut les accords de *In the Midnight Hour*, puis *Don't Walk Away, Renee*. La musique rendait la situation encore plus démente, la guitare et les voix se mêlant au chaos. Puis il entendit un patient exiger d'un ton ferme que le petit déjeuner soit servi sur-le-champ, tandis qu'un autre demandait s'ils pouvaient sortir afin de cueillir quelques fleurs pour la tombe.

La sécurité ne tarda pas à arriver, bientôt suivie par Gulp-Pilule et M. Débile. Les deux hommes arrivèrent, mi-courant, mi-marchant, ce qui donnait l'impression qu'ils hésitaient. M. Débile repoussa quelques patients qui se trouvaient sur son chemin, Gulptilil enfilant le couloir sans tenir compte des prières et autres doléances de la foule nerveuse des résidents.

— Montrez-moi ça ! fit-il à Big Black.

Trois agents de sécurité en uniforme gris se tenaient devant la porte, attendant des instructions, et lui bloquaient la vue. Aucun de ces flics de pacotille n'avait fait quoi que ce soit depuis leur arrivée, sauf contempler le corps de Cléo. Ils s'écartèrent pour permettre à Gulptilil et Evans d'entrer dans la cage d'escalier obscure.

Le directeur de l'hôpital s'avança. Il hoqueta.

— Bonté divine ! fit-il, stupéfait. Mon Dieu, quelle horreur !

Il secoua la tête énergiquement d'avant en arrière.

Evans tendit le cou pour voir devant lui et découvrit la scène à son tour. Sa première réaction fut des plus brèves :

— Nom de Dieu !

Les deux hommes continuèrent à examiner les lieux. Francis vit qu'ils s'intéressaient au pouce coupé et au nœud coulant attaché à la rampe de l'escalier. Il avait le sentiment très bizarre qu'ils ne voyaient pas la même chose que lui. Ils voyaient, bien entendu, le cadavre pendu de Cléo. Mais ils réagissaient différemment. C'était un peu comme lorsqu'on se trouve devant une œuvre d'art célèbre, au musée, et que la personne à côté de vous a une réaction différente de la vôtre, riant au lieu de soupirer, ou gémissant quand vous souriez.

— Quelle malchance, dit doucement Gulptilil en se tournant vers M. Evans. N'y a-t-il pas eu de signe avant-coureur de...

Il n'eut pas besoin d'aller au bout de sa question. Déjà, Evans hochait la tête.

— J'ai noté dans le journal, hier, que sa détresse semblait empirer. Il y a eu d'autres symptômes, depuis une semaine, montrant qu'elle décompensait. Je vous ai envoyé un mémo, la semaine dernière, sur quelques patients qui avaient besoin d'une nouvelle évaluation clinique, et elle était en tête de liste. J'aurais peut-être dû agir plus énergiquement, mais elle ne semblait pas traverser une crise assez urgente pour le justifier. Visiblement, j'ai eu tort.

— Je me rappelle ce mémo, fit Gulptilil en hochant la tête. Hélas, il arrive que les meilleures intentions...

Enfin, bon, il est difficile d'anticiper ces choses-là, hein ?

Il ne semblait pas attendre de réponse. Comme personne ne disait rien, il haussa les épaules.

— Vous prendrez des notes détaillées, n'est-ce pas ?

— Bien sûr, dit Evans.

Gulp-Pilule se tourna vers les trois agents de sécurité.

— Parfait, messieurs. M. Moïse va vous montrer comment descendre Cléo. Allez chercher un sac mortuaire et un lit à roulettes. Qu'on l'emmène à la morgue au plus vite…

— Attendez une seconde !

La voix venait de derrière eux. Ils se retournèrent pour voir qui avait parlé. C'était Lucy Jones. À deux mètres d'eux, elle s'efforçait de voir, au-delà du groupe, le corps de Cléo.

— Bonté divine ! fit Gulptilil, le souffle presque coupé. Mademoiselle Jones ? Mon Dieu, qu'avez-vous fait ?

La réponse est évidente, se dit Francis. Ses longs cheveux noirs avaient disparu, remplacés par un bloc de mèches blondes, coupées très court, presque au petit bonheur la chance. Il la contempla, étourdi. Il avait l'impression de regarder une œuvre d'art victime d'un vandale.

Je m'écartai précipitamment des mots écrits sur le mur, glissant sur le sol de l'appartement, telle une araignée effrayée qui essaie d'éviter une lourde botte. Je m'adossai au mur opposé, et je pris le temps d'allumer une cigarette. J'attendis un moment, le menton posé sur les genoux. La cigarette à la main, je laissai le filet de fumée remonter vers mes narines. Je tendais l'oreille pour entendre la voix de l'Ange, m'attendant à sentir son souffle sur les poils de ma nuque. S'il n'était pas là, je savais qu'il n'était pas loin. Il n'y avait aucun signe de la présence de Peter ni de quelqu'un d'autre. L'espace d'un instant, je me demandai tout de même si Cléo n'allait pas me rendre visite.

Tous mes fantômes étaient proches.

Je crus un instant que j'étais devenu un nécromancien du Moyen Âge, debout derrière mon chaudron où bouillonnait un philtre à base d'yeux de chauve-souris et de racines de mandragore, capable d'invoquer n'importe quelle créature maléfique.

Quand j'ouvris les yeux sur le petit monde qui m'entourait, ce fut pour lui demander :

— Cléo ? Qu'est-ce qui s'est passé ? Tu n'avais aucune raison de mourir.

Je secouai la tête, fermai les yeux, mais dans le noir, je l'entendis parler de ce ton bourru mais exalté que je connaissais bien.

— Oh, mais je suis morte quand même, C-Bird. Bon Dieu de foutus salopards. Il fallait que je meure. Les fils de pute m'ont tuée, évidemment. Je savais qu'ils le feraient, depuis le début.

Je regardai autour de moi pour essayer de la voir, mais au début elle n'était qu'une voix. Puis, très lentement, comme un voilier qui émerge de la brume, Cléo prit forme devant moi. Adossée au mur couvert d'écriture, elle allumait une cigarette. Elle portait un peignoir pastel orné de dentelle, et les sandales roses que je n'ai jamais oubliées depuis sa mort. D'une main, elle agitait sa cigarette. De l'autre – j'aurais dû m'en douter –, elle tenait une raquette de ping-pong. Ses yeux brillaient d'une sorte de plaisir maniaque, comme si elle avait été libérée d'une existence difficile, pleine de problèmes.

— Qui t'a tuée, Cléo ?

— Les salopards.

— Qui en particulier, Cléo ?

— Mais, C-Bird, tu le sais bien. Tu l'as su dès que tu es arrivé dans la cage d'escalier où j'attendais. Tu as vu, non ?

— Non, fis-je en secouant la tête. C'était si déroutant. Impossible d'être sûr.

— Mais c'était bien ça, C-Bird. C'était ça. C'était un sac de nœuds, mais toi tu voyais la vérité, hein ?

J'avais envie de lui dire oui, mais je n'étais pas encore certain. J'étais jeune, alors, et peu sûr de moi, ce qui n'avait pas changé.

— Il était là, n'est-ce pas ?

— Bien sûr. Il était toujours là. Ou peut-être qu'il n'était pas là. Ça dépendait de la façon dont on regardait, C-Bird. Mais tu as vu, hein ?

J'étais encore indécis.

— Qu'est-ce qui s'est passé, Cléo ? Qu'est-ce qui s'est vraiment passé ?

— Eh bien, C-Bird, je suis morte. Tu le sais.

— Oui, mais comment ?

— Un aspic aurait dû me mordre le sein.

— Ce n'était pas cela.

— Non, hélas, tu as raison. Ce n'était pas cela. Mais à ma manière, C-Bird, je n'en étais pas loin. J'ai même prononcé les mots : « Je me meurs, Égypte. Je me meurs… » Et ça suffisait.

— Qui était là pour t'entendre ?

— Tu le sais bien.

J'essayai une autre tactique :

— Tu t'es battue, Cléo ?

— Je me suis toujours battue, C-Bird. Toute ma foutue garce de vie n'a été qu'une longue bagarre.

— Est-ce que tu t'es battue contre l'Ange, Cléo ?

Elle sourit en agitant la raquette de ping-pong, ce qui fit bouger la fumée de sa cigarette.

— Bien sûr, C-Bird. Tu me connais. Je n'allais pas me laisser faire.

— C'est lui qui t'a tuée ?

— Non. Pas exactement. Mais si l'on veut, oui. C'était comme tout le reste à l'hôpital, C-Bird. La vérité est dingue et compliquée, aussi dingue que nous tous.

— C'est bien ce qui me semblait, répondis-je.

Elle eut un petit rire.

— Je savais que tu le verrais. Dis-leur, maintenant, comme tu as essayé de leur dire à l'époque. Ça aurait été plus facile s'ils t'avaient écouté. Mais qui a envie d'écouter les fous ?

Cette remarque nous fit sourire tous les deux : nous aurions été incapables, à ce moment-là, d'affirmer une chose plus proche de la vérité.

Je respirai à fond. J'avais le sentiment d'une immense perte, comme un grand vide en moi.

— Tu me manques, Cléo.

— Tu me manques aussi, C-Bird. La vie me manque. Si on faisait une partie de ping-pong ? Je pourrais même te laisser deux ou trois points.

Elle sourit, puis disparut.

Avec un soupir, je me retournai vers le mur. J'avais eu l'impression d'y voir glisser une ombre. J'entendis alors la voix que je voulais oublier.

— Le petit C-Bird veut des réponses avant de mourir, hein ?

Chaque mot était déroutant, un peu comme une violente migraine, comme si quelqu'un martelait la porte de mon imagination. Je me rejetai en arrière, en me demandant si quelqu'un essayait effectivement d'en forcer l'entrée, et je me recroquevillai, pour fuir l'obscurité qui envahissait la pièce. Je cherchai dans mon cœur les mots les plus courageux pour répondre, mais ils m'échappaient. Je sentais que ma main tremblait. J'étais au bord d'une immense douleur, mais dans un recoin de mon cerveau, je trouvai une riposte :

— J'ai toutes les réponses, fis-je. Je les ai toujours eues.

Mais c'était une révélation aussi amère que toutes celles qui m'étaient venues spontanément. Cela me fit presque aussi peur que la voix de l'Ange. Je reculai, et j'entendis alors le téléphone sonner dans la pièce voisine. Le son strident ne fit qu'ajouter à ma nervosité. Au bout d'un moment, elle s'interrompit, et le répondeur que mes sœurs m'avaient acheté se déclencha.

— Monsieur Petrel ? Êtes-vous là ? fit ensuite une voix lointaine mais familière. C'est M. Klein, du service social. Vous n'êtes pas venu au rendez-vous, alors que vous aviez promis. S'il vous plaît, décrochez le téléphone. Monsieur Petrel ? Veuillez contacter mon bureau dès que vous entendrez ce message, sans quoi je serai contraint de prendre des mesures...

Je restai cloué sur place.

— Ils vont venir te chercher, fit la voix de l'Ange. Tu ne vois pas, C-Bird ? Tu es enfermé dans une boîte, tu ne peux pas sortir.

Je fermai les yeux, mais cela ne me fit aucun bien. Comme si on avait monté le volume.

— Ils viendront te chercher, Francis, et cette fois ils vont t'emmener pour toujours. Plus de petit appartement. Plus de boulot à compter les poissons pour l'Environnement. Plus de longues marches dans les rues.

Francis ne vaquera plus à ses occupations quotidiennes. Tu ne seras plus un fardeau pour tes sœurs et pour tes vieux parents, qui ne t'ont jamais beaucoup aimé de toute façon, quand ils ont vu ce que tu devenais. Non, ils vont enfermer Francis jusqu'à la fin de ses jours. Enfermé dans une camisole de force, tu vas en baver. Voilà ce qui t'attend, Francis. Je suis sûr que tu peux voir ça…

L'Ange eut un petit rire, avant d'ajouter :

—… sauf si je te tue d'abord, bien sûr.

Ces mots étaient aussi tranchants qu'une lame de couteau.

J'avais envie de lui dire : « Qu'est-ce que tu attends ? » Mais je me contentai de me tortiller. En rampant sur le sol comme un nouveau-né, le visage noyé de larmes, je traversai la pièce en direction du mur d'écriture. L'Ange m'accompagnait à chaque pas, et je ne comprenais pas pourquoi il ne m'avait pas encore attrapé. J'essayai de repousser sa présence, comme si la mémoire était mon seul salut, et je me remémorai la phrase sans réplique de Lucy, qui semblait avoir franchi les années.

Lucy s'avança brusquement.

— Personne ne touche à rien ! lança-t-elle. Ceci est une scène de crime !

Embarrassé par son apparition, M. Evans bredouilla quelques mots dénués de sens. Le docteur Gulptilil, décontenancé lui aussi par son aspect, secoua la tête et fit un pas vers elle, comme s'il pouvait ralentir sa progression en se dressant devant elle, comme un obstacle. Les agents de sécurité, ainsi que les frères Moïse, s'agitaient, mal à l'aise.

— Elle a raison, dit Peter avec force. Il faut appeler la police.

Evans sembla stupéfait d'entendre la voix du Pompier.

— Qu'est-ce que vous en savez, bordel ? fit-il en le regardant.

Gulptilil leva la main. Il ne fit aucun signe pour montrer qu'il était d'accord, mais n'eut aucune réaction négative non plus. Au lieu de quoi, il s'agita sur place, comme pour changer de position son corps en forme de poire.

— Je ne suis pas sûr du tout que ce soit nécessaire, dit-il d'un ton calme. Est-ce que nous n'avons pas déjà eu cette discussion, la dernière fois que quelqu'un est mort dans ce service ?

— Si, je crois bien, grogna Lucy Jones.

— Bien sûr. Un vieil homme qui a succombé à une soudaine attaque cardiaque. Dont vous pensiez également que c'était un homicide, si je me rappelle bien.

Lucy montra le corps difforme de Cléo, toujours pendu, grotesque, dans la cage d'escalier.

— Je doute qu'on puisse attribuer ceci à une « soudaine attaque cardiaque »…

— On ne voit pas non plus les caractéristiques des affaires précédentes, répliqua Gulp-Pilule.

— Si, dit vivement Peter. Le pouce coupé.

Le docteur se retourna. Il fixa pendant quelques secondes la main de Cléo, puis le spectacle macabre sur le sol. Il secoua la tête, comme il le faisait si souvent.

— Peut-être… Mais alors, mademoiselle Jones, avant d'appeler la police locale, avec tous les ennuis que cela va entraîner, nous devrions examiner la morte nous-mêmes et voir si nous pouvons parvenir à un accord. Car rien dans mon examen préliminaire ne suggère un homicide.

Lucy Jones lui jeta un regard désapprobateur. Elle ouvrit la bouche pour répondre, s'interrompit, reprit :

— Comme vous voudrez, docteur. Jetons un coup d'œil. Comme vous voudrez.

Elle suivit le médecin vers la cage d'escalier. Peter et Francis s'écartèrent et les regardèrent se déplacer dans l'espace étroit. M. Débile les suivit, après avoir jeté à Peter un regard hargneux, mais les autres hésitaient près de la porte, comme si le fait de s'approcher encore augmentait la violence du spectacle. Francis voyait la peur et la nervosité s'afficher dans leurs yeux. Il se dit que la mort de Cléo transcendait les frontières habituelles de la folie et de la santé mentale. Elle était aussi perturbante pour les gens normaux que pour les fous, sans aucune différence.

Pendant près de dix minutes, Lucy et le docteur Gulptilil arpentèrent cet espace étroit et en explorèrent le moindre recoin. Francis vit que Peter les observait attentivement. Lui-même essaya de suivre leurs regards, comme s'il pouvait greffer leurs pensées sur son propre cerveau. Ce faisant, il commença à voir. Au début, tout était flou et indistinct, mais son regard se fit peu à peu plus aigu, et il put imaginer les derniers instants de Cléo.

Enfin, le docteur Gulptilil se tourna vers Lucy.

— Eh bien, madame le procureur, dites-moi pourquoi il pourrait s'agir d'un homicide ?

Elle montra le pouce.

— L'assassin a toujours coupé des doigts à ses victimes. Elle est censée être la cinquième. D'où le pouce.

Il secoua la tête.

— Regardez bien, fit-il. Il n'y a aucun signe de lutte. Personne n'est venu nous dire qu'il y avait eu du tapage la nuit dernière par ici. J'ai du mal à imaginer que votre tueur – ou n'importe quel autre tueur, en l'occurrence – serait capable de passer la corde au cou à une femme aussi lourde, aussi forte, sans attirer l'attention sur ses efforts. Et la victime, eh bien, que voyez-vous dans sa mort qui vous rappelle les autres ?

— Rien, pour l'instant, fit Lucy.

— Est-ce que vous croyez, mademoiselle Jones, dit le docteur Gulptilil en pesant ses mots, que le suicide est une donnée inconnue, dans cet hôpital ?

Là, on y est, se dit Francis.

— Bien sûr que non, répondit Lucy.

— Cette femme ne faisait-elle pas une fixation maladive sur le meurtre de l'élève infirmière ?

— Je n'en ai pas la preuve.

— Peut-être M. Evans pourrait-il nous éclairer à ce sujet ?

Evans, qui se trouvait près de la porte, s'avança.

— Elle semblait manifester plus d'intérêt pour cette affaire que tout autre patient. Elle avait eu plusieurs crises significatives, pendant lesquelles elle prétendait savoir des choses, avoir des informations sur le meurtre. On peut me reprocher de ne pas m'être rendu compte à quel point cette obsession était devenue critique.

Il prononça ce mea-culpa d'un ton qui suggérait exactement le contraire. En d'autres termes, se dit Francis, il est persuadé qu'il est le dernier à mériter des reproches. Il contempla le visage gonflé de Cléo et se dit que toute la scène était surréaliste. Tous ces gens qui discutaient comme des chiffonniers, littéralement aux pieds de la victime, pour savoir ce qui s'était passé. Il essaya de se rappeler Cléo vivante, mais c'était difficile. Il essaya de ressentir de la tristesse, mais il était surtout épuisé, comme si la découverte du corps était comparable à l'ascension d'une montagne. Il regarda encore une fois autour de lui, très calmement, et réalisa qu'il se demandait : Qu'est-ce qui s'est passé ?

— Mademoiselle Jones, disait le docteur Gulptilil, la mort n'est pas un événement exceptionnel à l'hôpital. Elle a sa place dans un schéma malheureusement dramatique qui ne nous est pas étranger. Dieu merci, ce n'est pas aussi fréquent qu'on pourrait l'imaginer, et pourtant, c'est ce qui arrive lorsque nous ne reconnaissons pas assez vite les tensions auxquelles sont soumis certains patients. Votre soi-disant assassin est un prédateur sexuel. Nous n'avons pas ici le moindre signe d'une telle activité. Nous avons une femme qui s'est très probablement mutilé elle-même la main quand les visions qui la liaient au meurtre précédent sont devenues incontrôlables. Je suppose que nous trouverons des ciseaux ou un rasoir au milieu de ses effets personnels. En outre, je parie que le drap avec lequel elle a confectionné ce nœud coulant vient de son propre lit. Telle est l'ingéniosité dont peut faire preuve un psychotique qui a décidé d'en finir avec la vie, hélas. Je suis désolé...

Il fit un geste vers les agents de sécurité qui attendaient.

— Il faut que ce pavillon résidentiel retrouve son aspect normal.

Francis s'attendait que Peter dise quelque chose, mais le Pompier n'ouvrit pas la bouche.

— Oh, mademoiselle Jones, ajouta Gulp-Pilule, j'aimerais aussi vous entretenir de l'impact de votre, comment dire, de votre coupe de cheveux.

Là-dessus, le directeur de l'hôpital se tourna vers M. Débile.

— Que l'on serve le petit déjeuner. Que l'on commence les activités du matin.

Evans acquiesça. Il regarda Francis et Peter, et leur fit un petit signe.

— Vous deux, retournez au réfectoire, je vous prie.

La phrase était polie, mais le ton était celui d'un ordre donné par un gardien de prison. Peter sembla se hérisser en entendant Evans lui donner ainsi ses instructions. Mais il se tourna vers Gulptilil.

— Il faut que je vous parle, dit-il.

Evans grogna. Gulp-Pilule hocha la tête.

— Bien sûr, Peter. Je m'attendais à ce que nous ayons cette conversation.

Avec un soupir, Lucy jeta un dernier coup d'œil au cadavre de Cléo. Francis ne pouvait pas dire si son regard exprimait le découragement ou la résignation. Il lisait presque dans ses pensées. Il avait l'impression qu'elle se disait que tout finissait misérablement, quoi qu'elle entreprît. Elle avait l'air de croire que quelque chose se trouvait juste hors de sa portée.

Francis se retourna et contempla lui aussi le corps de Cléo. Il laissa son regard errer sur les lieux une dernière fois, tandis que les hommes de la sécurité s'apprêtaient à la descendre au sol.

Meurtre ou suicide ? Pour Lucy, la réponse était évidente. Pour le directeur de l'hôpital, l'autre hypothèse était la bonne. Chacun avait ses raisons de vouloir que ce soit l'un ou l'autre.

Francis, quant à lui, sentait une vague glacée envahir son cœur, parce qu'il voyait autre chose.

Meurtre ou suicide ? se demanda-t-il. Il tourna le dos à la porte menant à l'escalier et jeta un coup d'œil rapide dans le dortoir des femmes. Il savait que le lit de Cléo se trouvait juste derrière la porte. Il remarqua que les draps étaient intacts. Si c'était là qu'elle s'était coupé le pouce, il n'y avait en tout cas aucune trace ni d'un couteau, ni de sang. Des échos de sa propre voix hurlaient leurs visions contradictoires, mais il les fit taire, comme s'il pouvait rabattre un couvercle sur leurs plaintes. Meurtre ou suicide ? Et si c'était les deux ? murmura-t-il pour lui-même. Puis il fit demi-tour et rattrapa Peter dans le couloir.

28

Les agents de sécurité évacuèrent le cadavre de Cléo du pavillon Amherst, tandis que Big Black et son frère conduisaient les patients désemparés vers le réfectoire pour y prendre le petit déjeuner. La dernière image que vit Francis de l'ex-reine d'Égypte fut un tas informe qu'on serrait dans un sac mortuaire en caoutchouc noir luisant. Elle disparut par la porte d'entrée, tandis qu'il partait faire la queue devant le comptoir de la cuisine. Quelques instants plus tard, il contemplait une assiette peu engageante de pain grillé trempé dans un sirop épais et insipide. Il essayait de comprendre ce qui s'était passé pendant les heures où la plupart d'entre eux dormaient. Peter le rejoignit. Il avait l'air d'une humeur exécrable et se mit à jouer avec sa nourriture sur son assiette. Le Journaliste passa près d'eux, jeta un coup d'œil sur Peter et s'apprêta à dire quelque chose, mais il n'en fit rien car Peter le prit de court :

— Je connais le titre du jour. « Une patiente à l'hôpital meurt de mort violente. Tout le monde s'en fout. »

Le Journaliste, qui semblait au bord des larmes, s'empressa de rejoindre une table inoccupée. Francis se dit que Peter avait tort, car des tas de patients étaient bouleversés par la mort de Cléo. Il regarda autour de lui, comme pour les montrer au Pompier. Mais ses yeux se posèrent d'abord sur le grand attardé mental, qui s'efforçait de couper ses toasts pour pouvoir les avaler. Son regard tomba ensuite sur une table où se tenaient trois femmes. Chacune d'elles soliloquait, indifférente à ce qu'elle avait dans son assiette, indifférente à ses voisines.

Un autre attardé mental lui jeta un regard agressif, comme si quelque chose dans son attitude le dérangeait. Francis détourna les yeux.

— Peter ? Qu'est-ce qui est arrivé à Cléo, d'après toi ?

Le Pompier secoua la tête.

— Tout ce qui pouvait aller de travers est allé de travers. Elle était habitée par quelque chose de maléfique, tu sais, qui a fini par réussir à désintégrer peu à peu tout ce qui est censé nous permettre de garder notre identité et de tenir debout, et personne n'a rien vu, et voilà le résultat. Elle est partie. Pffuit ! Comme un tour de magie sur une scène. Evans aurait dû voir quelque chose. Big Black, ou Little Black, ou Mlle Lagaffe, ou Mlle Richarde, ou même moi, peut-être… quelqu'un aurait dû voir qu'il se passait quelque chose. Exactement comme l'Efflanqué, avant le meurtre de Blondinette. Des tas de choses se passaient dans sa tête. Des coups de marteau, des bulldozers, des pelleteuses, comme un chantier de construction sur le bord d'un route nationale, sauf que personne n'a rien remarqué. Et quand ils s'en sont rendu compte, c'était trop tard.

— Tu crois qu'elle s'est suicidée ?

— Bien sûr, dit Peter.

— Mais Lucy disait…

— Lucy s'est trompée. Gulp-Pilule a raison. Aucun signe de lutte. Et le pouce coupé… c'était sans doute sa folie qui remontait à la surface. Une hallucination vraiment angoissante. De manière aberrante, elle a dû trouver logique de se sectionner le pouce, au dernier instant. On ne saura jamais à quelle logique elle obéissait.

Francis sentit que sa gorge se serrait.

— Tu as vraiment examiné ce pouce, Peter ? demanda-t-il.

Le Pompier secoua la tête.

— J'aimais beaucoup Cléo, dit-il. Elle avait de la personnalité. Un vrai personnage. Elle n'était pas idiote, comme tant de gens ici. J'aurais bien aimé me trouver dans son crâne, rien qu'une seconde, pour voir comment les choses se sont décidées. Il devait y avoir une logique tordue à la Cléo. Quelque chose qui devait avoir un rapport avec Shakespeare, avec l'Égypte et tout ça. Elle était son propre théâtre, non ? Elle croyait être sur une scène, quelque part. Ou peut-être qu'elle transformait tout ce qui l'entourait en une scène de théâtre. C'est sans doute la meilleure épitaphe qu'on puisse imaginer pour elle.

Francis voyait bien que Peter était en proie à une tempête intérieure, ses pensées s'agitant en tous sens comme des flots soulevés par des vents violents. Il ne voyait nulle part Peter l'enquêteur spécialisé dans les incendies criminels. Francis continuait à s'interroger, presque à voix basse :

— Elle ne paraissait pas être du genre à se suicider, surtout après s'être mutilée.

— C'est vrai, répondit Peter en soupirant. Mais il me semble que personne n'est vraiment du genre à se suicider, jusqu'au jour où ça arrive et où tout le monde hoche la tête en disant : « Ouais, bien sûr… C'était tellement évident ! »

Il secoua la tête.

— C-Bird, reprit-il, il faut que je parte d'ici.

Il inspira à fond encore une fois, et se reprit :

— Il faut que nous partions d'ici.

Il dut voir quelque chose dans le regard de Francis, car il se tut brusquement et contempla son jeune ami.

— Qu'y a-t-il ? fit-il après un long silence.

— Il était là, murmura Francis.

Peter fronça les sourcils et se pencha vers lui.

— Qui cela ?

— L'Ange.

— Je ne crois pas… fit Peter en secouant la tête.

— Il était là, répéta Francis, toujours murmurant. Il était près de mon lit, l'autre nuit, pour me dire qu'il pourrait me tuer facilement, et cette nuit il était avec Cléo. Il est partout, sauf que nous ne pouvons pas le voir. Il est derrière tout ce qui s'est passé ici, à l'Amherst, et il sera derrière tout ce qui va arriver. Cléo s'est suicidée ? Sans doute. Mais qui lui a ouvert les portes ?

— Ouvert les portes… ?

— Quelqu'un a ouvert la porte du dortoir des femmes. Quelqu'un a fait en sorte que la porte donnant sur l'escalier ne soit pas verrouillée. Et quelqu'un l'a aidée à passer devant le poste de soins sans se faire remarquer.

— Eh bien, c'est une bonne question, fit Peter. Plusieurs bonnes questions, en fait… Tu as raison sur un point, C-Bird. Quelqu'un a ouvert des portes. Mais comment peux-tu être certain que c'est l'Ange ?

— Je le vois, répondit doucement Francis.

Peter avait l'air légèrement perplexe, et assez indécis.

— D'accord, dit-il. Qu'est-ce que tu vois ?

— Comment ça s'est passé. Plus ou moins.

— Continue, C-Bird, fit Peter en baissant la voix.

— Le drap. Celui qui a servi à faire le nœud coulant.

— Oui ?

— Le lit de Cléo n'est pas défait. Les draps sont toujours en place.

Peter ne répondit pas.

— Le pouce…

D'un signe de tête, le Pompier l'encouragea à continuer.

— Le pouce n'est pas tombé à la verticale. C'est comme si on l'avait déplacé de quelques dizaines de centimètres. Si Cléo l'avait coupé toute seule, eh bien, on aurait retrouvé quelque chose sur place… des ciseaux, ou un couteau, quelque chose comme ça… Mais il n'y avait rien. Et s'il avait été coupé ailleurs, on aurait vu du sang. Peut-être un filet de sang, qui nous aurait menés hors de la cage d'escalier. Mais non. Il n'y avait qu'une flaque, juste sous son corps.

Francis reprit son souffle et murmura une nouvelle fois :

— Je le vois.

Peter, bouche bée, s'apprêtait à poser la question qui s'imposait, quand Little Black s'approcha d'eux. L'index pointé sur Peter, frappant l'air devant lui, il les interrompit brusquement :

— Hé, vous, dit-il, le grand chef veut vous voir sur-le-champ.

Peter sembla hésiter entre son désir d'interroger Francis et l'impatience qui perçait dans la voix de Little Black. Il se décida :

— C-Bird, tu gardes tes opinions pour toi jusqu'à mon retour, d'accord ?

Francis s'apprêta à répondre, mais Peter se pencha vers lui.

— Ne laisse personne croire que tu es plus cinglé que tu ne l'es vraiment. Attends-moi, d'accord ?

Francis trouva cela assez logique. Il acquiesça. Peter posa son plateau devant le poste de nettoyage et sortit docilement avec l'aide-soignant. Francis resta assis quelques minutes au milieu du réfectoire. Il y avait un vacarme continu – les claquements des assiettes et des couverts, quelques rires, des cris, et même une voix qui chantait faux un air non identifiable qui ne semblait pas assorti au son lointain du poste de radio allumé au fond de la cuisine. Un matin comme les autres, se dit-il. Mais quand il se leva, incapable d'avaler une bouchée de toast, il vit que M. Débile, debout dans un coin du réfectoire, l'observait avec attention. En traversant la salle, il eut la sensation que d'autres regards le suivaient. Il eut envie de se retourner pour essayer de repérer les gens qui l'épiaient, mais il décida de n'en rien faire. Il n'avait pas envie de savoir qui pouvait surveiller ses mouvements au réfectoire. Il se demanda aussi si la mort de Cléo avait empêché un événement de se produire. Il pressa le pas. Il avait compris que c'était peut-être son propre meurtre qui était prévu pour la nuit précédente, mais qu'il avait été ajourné lorsqu'une autre occasion s'était présentée.

En entrant dans la salle d'attente du docteur Gulptilil, accompagné de Little Black, Peter entendit la voix aiguë du psychiatre qui criait sous l'effet de la frustration et de la colère. L'aide-soignant s'était contenté de lui mettre les menottes, laissant les fers détachés pour traverser l'hôpital, de sorte que Peter considérait qu'il n'était qu'à demi prisonnier. Miss Bien-Roulée était à son bureau. Elle se contenta d'un bref regard dans sa direction quand il franchit la porte et lui indiqua un siège d'un mouvement du menton. Peter tendit l'oreille pour essayer de savoir ce qui mettait Gulp-Pilule dans un tel état, parce qu'il pensait qu'un médecin-chef accommodant serait plus à même de l'aider qu'un toubib en colère. Quelques instants plus tard, il comprit que l'objet de la fureur n'était autre que Lucy. Cela le surprit.

Son premier réflexe fut de se lever et de se ruer dans le bureau de Gulptilil.

Mais il se maîtrisa et inspira à fond. Puis il entendit ces mots, si forts qu'ils traversaient l'épaisseur du mur et le panneau de la porte :

— Mademoiselle Jones, je vous tiens pour personnellement responsable de tout le désordre qui règne dans cet hôpital. Qui sait quels autres patients pourraient être mis en danger par vos activités ?

Oh, et puis merde ! se dit Peter. Il se leva brusquement et traversa la salle d'attente avant que Little Black ou Miss Bien-Roulée aient le temps de réagir.

— Hé ! s'écria l'opulente secrétaire. Vous ne pouvez pas…

— Bien sûr que si, fit Peter en saisissant la poignée de la porte du bureau de ses mains menottées.

— Monsieur Moïse ! cria Miss Bien-Roulée.

Mais le petit aide-soignant réagit lentement, presque avec nonchalance, comme si l'irruption de Peter dans le bureau du docteur Gulptilil était la chose la plus naturelle du monde.

Gulp-Pilule leva les yeux, cramoisi et stupéfait. Lucy était assise sur la chaise de l'inquisition, juste devant le bureau. Elle était un peu pâle, mais glaciale, comme si elle était protégée par une carapace et que les paroles du docteur, aussi violentes fussent-elles, ne pouvaient que rebondir sur elle. Quand Peter franchit la porte du bureau en trébuchant, suivi de Little Black, elle resta impassible.

Le médecin-chef respira à fond. Il retrouva un peu de son sang-froid et contempla froidement Peter en face de lui, de l'autre côté du bureau.

— Je suis à vous dans un instant, Peter. Je vous prie d'attendre à l'extérieur. Monsieur Moïse, s'il vous plaît…

Mais Peter l'interrompit :

— C'est autant ma faute que celle de quiconque, dit-il.

Le docteur Gulptilil allait faire le geste de le repousser, mais il se figea, et sa main resta suspendue dans l'air.

— Votre faute ? Comment cela, Peter ?

— J'ai soutenu toutes les décisions qu'elle a prises jusqu'ici. Et il est évident que si nous voulons débusquer ce tueur, il faut prendre certaines mesures extraordinaires. Je défends cette idée depuis le début, alors je suis autant à blâmer qu'elle pour toute la gêne occasionnée.

Le docteur Gulptilil hésita, puis :

— Vous attribuez beaucoup d'importance à vos actes, Peter.

Cette remarque laissa Peter un peu embarrassé. Il inspira brusquement.

— C'est un des fondements de toute enquête criminelle. À un certain point, il faut prendre des mesures radicales pour forcer la cible à agir d'une manière qui l'isolera et la rendra plus vulnérable.

Peter savait que ses paroles semblaient paternalistes et pédantes, et il savait qu'elles n'étaient pas tout à fait vraies. Mais il était bon de les dire à ce moment-là, et il les avait dites avec assez de conviction pour que cela ait l'air vrai.

Gulptilil se renversa en arrière sur son siège. Lucy et Peter l'observaient, en pensant plus ou moins la même chose : ce qui rendait le docteur dangereux n'était autre que sa capacité à reculer devant l'outrage, l'insulte, la colère ou toute passion qui pouvait le pousser hors de ses gonds, et à se placer en mode silencieux, observateur. Cela perturbait Lucy. Elle préférait voir les gens exprimer leur colère, même si elle-même était peu disposée à en faire autant. Peter se disait que Gulptilil avait là un talent redoutable. Chaque conversation avec le psychiatre était une partie de poker de haut vol, où Gulptilil possédait la plupart des jetons et où tous les autres jouaient de l'argent qu'ils n'avaient pas. Lucy et Peter sentaient que le médecin calculait mentalement. Little Black s'avança et prit Peter par le bras pour le ramener dans la salle d'attente. Mais Gulptilil, brusquement, eut l'air de changer d'avis.

— Ah, monsieur Moïse, fit-il d'une voix normale, d'où la colère qui couvait avait rapidement disparu. Ce ne sera peut-être pas nécessaire, après tout. Entrez, Peter.

Il désigna une autre chaise.

— Vulnérable, vous disiez ?

— Oui, répondit Peter.

Qu'aurait-il pu dire d'autre ?

— Plus vulnérable, disons, que Mlle Jones dans sa tentative infantile et transparente de singer les caractéristiques physiques des victimes des meurtres qui l'intéressent ?

— C’est difficile à dire, répondit Peter.

— Bien sûr, dit le médecin avec un léger sourire. Mais diriez-vous que si l’homme qu’elle poursuit – cet assassin peut-être imaginaire – se trouve vraiment à l’intérieur de cet établissement, elle a fait quelque chose qui attirera inévitablement son attention immédiate et sans doute radicale ?

— Oui, je crois.

— Très bien. C’est ce que je me dis, aussi. Si ce monsieur se trouve parmi nous, nous pouvons donc postuler, n’est-ce pas, Peter, que si rien n’arrive à Mlle Jones dans un délai raisonnable, c’est que son tueur ne se trouve pas, à l’heure où nous parlons, dans cet hôpital ? Que notre malheureuse élève infirmière a bel et bien été tuée par l’Efflanqué dans un accès d’hallucination homicide, comme le suggèrent les indices ?

— Ce serait beaucoup s’avancer, docteur, répondit Peter. L’homme que Mlle Jones et moi poursuivons pourrait avoir plus de maîtrise de soi que nous ne le pensons.

— Ah oui. Un tueur capable de se contrôler. Un trait de caractère plutôt inhabituel chez un assassin mû par une psychose, non ? Nous en avons déjà discuté : vous êtes en quête d’un homme qui est dominé par ses pulsions meurtrières. Mais ce diagnostic vous semble maintenant moins commode ? S’il s’agit, comme le suggérait Mlle Jones en arrivant ici, d’une sorte de Jack l’Éventreur mythique, cela expliquerait certaines choses. Pourtant, dans la quantité de littérature que j’ai pu lire sur ce type légendaire, j’ai appris qu’il semblait manquer remarquablement de maîtrise de soi. Les tueurs compulsifs sont mus par des forces considérables, Peter, et ils sont incapables, au bout du compte, de se retenir. Mais il s’agit là d’un débat d’historiens, et ce n'est pas notre propos. Puis-je vous demander ceci, à tous les deux : si le tueur, dont vous êtes persuadés qu'il se trouve ici, est capable de se contrôler, est-ce que cela ne compromet pas encore plus vos chances de le découvrir ? Quel que soit le nombre de jours, de semaines, voire d'années que durera votre enquête ?

— Pas plus que vous, docteur, je ne suis capable de prédire l'avenir.

— Ah, Peter, voilà une réponse des plus intelligentes, fit Gulptilil en souriant. Une réponse qui en dit long sur vos chances de guérison quand vous vous soumettrez à ce traitement révolutionnaire proposé par vos amis de l'Église. C'était, je parie, la véritable raison de votre irruption dans mon bureau aujourd'hui ? Me faire part de votre décision d'accepter leur si généreuse et si délicate proposition ?

Peter hésita. Le docteur Gulptilil le regarda attentivement.

— C'était ça, bien sûr ? répéta-t-il d'une voix qui écartait d'emblée toutes les réponses sauf celle qui était évidente.

— Oui, dit Peter.

Il était impressionné par la manière dont Gulptilil était parvenu à faire l'amalgame des deux questions : un tueur non identifié et ses propres problèmes avec la loi.

— Peter souhaite quitter l'hôpital pour un nouveau traitement et une nouvelle vie. Mlle Jones a fait quelque chose qui, selon elle, encouragera le tueur, raison de sa présence ici, à se manifester, ce qui lui permettrait de présenter ce tueur à la justice. N'est-ce pas un résumé correct de la situation dans laquelle nous nous trouvons ?

Lucy, qui était restée silencieuse, hocha la tête. Peter fit de même.

Le docteur Gulptilil s'autorisa un petit sourire qui souleva à peine les coins de ses lèvres.

— Je crois que nous pouvons affirmer, sans risque de nous tromper, qu'à l'issue d'un laps de temps bref mais convenable, nous pourrons répondre à ces deux questions avec quelque certitude. Nous sommes vendredi. Je crois que lundi matin, je pourrai vous dire adieu, à tous deux. Non ? Cela nous laisse plus de temps que nécessaire pour découvrir si la stratégie de Mlle Jones peut porter ses fruits. Et pour que la situation de Peter soit, disons, réglée.

Lucy s'agita. Elle pensa à plusieurs choses qu'elle aurait pu dire pour convaincre le docteur de repousser la date butoir. Mais, en se tortillant légèrement, elle vit que Gulptilil réfléchissait, tournant une chose après l'autre dans sa tête. Elle comprit qu'au jeu d'échecs de la bureaucratie, elle ne pourrait jamais battre le psychiatre, qui, en outre, jouait sur son propre terrain. Elle se contenta donc de lui répondre :

— Lundi matin. D'accord.

— Il va de soi qu'avant de vous placer dans cette situation périlleuse, vous signerez une lettre dégageant la responsabilité de l'administration de cet hôpital en ce qui concerne votre sécurité ?

Lucy plissa les yeux. Elle répondit d'un seul mot, la voix chargée de tout le mépris qu'elle put y mettre.

— Oui.

— Merveilleux. Eh bien, voilà une chose réglée. Maintenant, Peter, permettez-moi de donner un coup de fil…

Il sortit du tiroir de son bureau un petit carnet d'adresses relié de cuir noir. Il l'ouvrit avec désinvolture et en sortit une carte de visite couleur ivoire. Le docteur Gulptilil trouva tout de suite le numéro qu'il cherchait. Il le composa et se renversa en arrière sur son siège en attendant la communication. Un instant plus tard, il annonça dans le combiné :

— Le père Grozdik, je vous prie, de la part du docteur Gulptilil, de l'hôpital Western State… Mon père ? Je vous souhaite le bonjour. Vous serez heureux d'apprendre que Peter se trouve devant moi, dans mon bureau, et qu'il accepte les arrangements dont nous avons discuté récemment… Sans restrictions… Maintenant, je crois que nous devrions régler certaines formalités avant de mener au plus vite à son terme cette malheureuse situation…

Peter se rassit lourdement. Il réalisait que sa vie tout entière venait de basculer. Il avait l'impression d'être à l'extérieur de lui-même et de voir les choses défiler. Il n'osait pas regarder Lucy. Celle-ci se trouvait également à l'orée de quelque chose sans savoir exactement de quoi il s'agissait, car le succès et l'échec semblaient se brouiller dans sa tête.

Francis longea le couloir et entra dans la salle commune. Il laissa errer son regard sur les groupes hétéroclites de patients, puis sur la table de ping-pong. Un vieil homme en pyjama rayé, avec un pull-over boutonné jusqu'au cou malgré la chaleur qui régnait dans la salle, agitait sa raquette comme s'il jouait une partie. Mais il n'y avait personne de l'autre côté de la table, et il n'avait pas de balle, de sorte que sa partie solitaire était parfaitement silencieuse. Le vieillard semblait absorbé, il se concentrait sur chaque point, anticipant chaque renvoi de son adversaire imaginaire, et affichait un air résolu, comme si le score était serré.

La salle commune était calme, à l'exception du son assourdi des deux téléviseurs. Les voix des présentateurs et des acteurs de feuilletons se mêlaient aux marmonnements des patients qui, pour la plupart, soliloquaient. De temps en temps, quelqu'un faisait claquer un journal ou un magazine sur une table, et à chaque fois qu'un patient s'installait sans le vouloir dans l'espace occupé par un autre, cela entraînait quelques échanges verbaux. Mais, pour un endroit qui pouvait être le siège d'explosions de violence, la salle était calme. Francis avait l'impression que la disparition de Cléo avait réduit un peu l'angoisse qui régnait habituellement dans la pièce. La mort comme tranquillisant. Mais c'était une illusion, car il sentait la tension et la peur omniprésentes. Il était arrivé quelque chose, et tous étaient menacés.

Francis se laissa tomber dans un fauteuil défoncé, en se demandant comment il en était arrivé là. Il sentait son cœur battre à toute vitesse parce qu'il était le seul à avoir compris ce qui s'était passé la nuit précédente. Il espérait que Peter reviendrait bientôt, pour qu'il puisse lui faire part de ses réflexions. Mais il n'était pas sûr que Peter le croirait.

Une de ses voix chuchotait : *Tu es tout seul. Tu as toujours été seul. Tu le seras toujours.* Il ne prit pas la peine d'essayer de discuter ou de nier.

Une autre voix ajouta soudain, aussi doucement que l'autre, comme si elle ne voulait pas qu'on l'entende : *Non, Francis, quelqu'un est à ta recherche.* Il savait de qui il s'agissait.

Francis ignorait comment il savait que l'Ange le poursuivait. Mais il en était persuadé.

Il regarda brièvement autour de lui afin de voir si quelqu'un l'observait. L'ennui, dans un hôpital psychiatrique, c'est que tout le monde observe son voisin, tout en l'ignorant plus ou moins en même temps.

Tout à coup, il se leva. Il savait au moins une chose : il devait trouver l'Ange avant que l'Ange ne vienne le chercher.

Il se dirigeait vers la porte de la grande salle commune, quand il repéra Big Black. Cela lui donna une idée. Il appela l'aide-soignant.

— Monsieur Moïse ?

Le colosse se retourna.

— Qu'y a-t-il, C-Bird ? Sale journée, aujourd'hui. N'allez pas me demander quelque chose que je ne peux pas vous donner.

— Monsieur Moïse, quand doivent se tenir les prochaines auditions de libération ?

Big Black lui jeta un regard en biais.

— Il y en a plusieurs cet après-midi. Juste après déjeuner.

— Il faut que j'y aille.

— Vous… quoi ?

— Il faut que j'assiste à ces auditions.

— Pour quoi faire ?

Francis ne pouvait pas expliquer à quoi il pensait. Il se contenta donc de répondre :

— Je veux sortir d'ici, et si je peux voir comment les autres s'y prennent aux auditions, cela m'aidera peut-être à ne pas commettre les mêmes erreurs.

Big Black leva un sourcil.

— C'est logique, C-Bird. Je ne crois pas avoir déjà entendu quelqu'un demander ça.

— Ça m'aiderait, dit Francis.

L'aide-soignant avait l'air dubitatif. Il haussa les épaules et reprit, en baissant la voix :

— Je me demande si vous me dites la vérité, C-Bird. Écoutez. Vous me promettez de vous tenir tranquille. Je vous emmène, vous restez à côté de moi et vous regardez. C'est peut-être contre le règlement. Je ne sais pas. Mais j'ai l'impression qu'on a déjà violé pas mal de règlements aujourd'hui.

Francis souffla.

Une image se formait dans sa tête, et c'était un coup de pinceau important.

Le ciel se parsemait de légers nuages gris, et une chaleur humide et douceâtre flottait dans l'air. Lucy Jones, Little Black et Peter – les menottes aux poignets – traversaient lentement le domaine de l'hôpital. Lucy sentait que la pluie n'était pas loin, une heure ou deux peut-être. Pendant la première partie du trajet, tous trois gardèrent le silence. Même le bruit de leurs pas, sur l'allée bitumée, semblait étouffé par la chaleur de plus en plus lourde et le ciel qui s'assombrissait. Little Black s'essuya le front et regarda la sueur qui s'était déposée sur sa main.

— Bon Dieu, fit-il, c'est sûr qu'on sent l'été qui approche.

Ce qui était vrai. Ils firent encore quelques pas et Peter, tout à coup, s'immobilisa.

— L'été ?

Il leva les yeux, comme s'il fouillait les cieux à la recherche du soleil et d'un peu d'azur, mais tout était sombre. Ce qu'il cherchait ne se trouvait pas, en tout cas, dans l'atmosphère vaporeuse.

— Monsieur Moïse, que se passe-t-il ?

Little Black s'arrêta à son tour et le regarda, curieux.

— Que voulez-vous dire ?

— Je veux dire, dans le monde. Aux États-Unis. À Boston ou à Springfield. Est-ce que les Red Sox jouent bien ? Est-ce que nos otages ont été libérés, en Iran ? Y a-t-il des manifestations ? Des discours ? Des éditoriaux ? Est-ce que la situation économique est bonne ? Que se passe-t-il à la Bourse ? Quel est le meilleur film de l'année ?

Little Black secoua la tête.

— C'est au Journaliste que vous devriez poser toutes ces questions. Il connaît tous les titres par cœur.

Peter regarda autour de lui. Ses yeux se posèrent sur les murs de l'hôpital.

— Les gens s'imaginent que les murs sont là pour nous empêcher de sortir, dit-il lentement. En réalité ce n'est pas vrai. Ces murs servent à empêcher le monde extérieur d'entrer ici. Comme si on était sur une île. Ou comme ces soldats japonais perdus dans la jungle, à qui on n'a jamais dit que la guerre était finie et qui s'imaginent, des années plus tard, qu'ils font leur devoir et combattent pour leur empereur. Nous sommes coincés dans un pli du temps digne de *La Quatrième Dimension*, et tout passe au-dessus de nos têtes. Séismes. Ouragans. Des chamboulements de toutes sortes, naturels ou d'origine humaine.

Lucy pensait qu'il avait raison, mais elle hésita.

— Où voulez-vous en venir ?

— Ah. Oui, bien sûr. Au royaume des portes fermées, qui est le monarque ?

— L'homme qui a les clés, fit Lucy en hochant la tête.

— Alors, dit Peter, comment tendre un piège à l'homme qui est capable d'ouvrir toutes les portes ?

Lucy réfléchit un instant. Puis :

— Il faut faire en sorte qu'il ouvre la porte derrière laquelle on l'attendra.

— Exact, fit Peter. Et de quelle porte pourrait-il s'agir ?

Il regarda Little Black, qui haussa les épaules. Lucy se mit à réfléchir. Au bout d'un moment, elle respira bruyamment, comme si elle venait d'avoir une révélation stupéfiante, voire choquante.

— Nous connaissons une porte qu'il a ouverte, dit-elle. C'est cette porte qui m'a amenée ici.

— À quoi pensez-vous ?

— Où se trouvait Blondinette quand il est venu la chercher ?

— Toute seule au poste de soins de l'Amherst, tard dans la nuit.

— Alors c'est là que je devrais être, dit Lucy.

29

À midi, il s'était mis à pleuvoir : un crachin irrégulier, interrompu par des averses plus violentes et, de temps en temps, un semblant d'éclaircie trop optimiste bien vite balayé par une nouvelle giboulée. Francis avait rattrapé Big Black, qui filait dans cette humidité poisseuse. Il avait presque envie que l'énorme aide-soignant creuse un chemin dans ce temps morose, de sorte qu'il puisse rester au sec dans son sillage. C'était le genre de journée qui faisait penser à une épidémie incontrôlée, à une maladie rampante : chaude, oppressante, suffocante et humide. Comme si l'hôpital, situé dans une Nouvelle-Angleterre normalement et classiquement sèche, avait été brusquement happé par un climat tropical, étranger et inattendu. Un temps aussi anormal, aussi dingue que nous, se disait Francis. Même la légère brise qui balayait les flaques d'eau de pluie sur les allées goudronnées avait une lourdeur inexplicable.

Comme d'habitude, les auditions de la commission de libération se déroulaient dans le bâtiment administratif, plus précisément dans la salle à manger du personnel, une pièce de dimensions modestes aménagée pour l'occasion en salle d'audience. Tout y avait l'air improvisé. Des tables étaient prévues pour les experts et les avocats des patients. Des rangées de chaises pliantes métalliques, inconfortables, étaient réservées aux patients de l'hôpital et à leurs familles. On avait également prévu un bureau pour le sténographe et un siège pour les témoins. La salle était pleine sans être vraiment bondée, et les rares conversations étaient à peine chuchotées. Francis et Big Black se glissèrent sur des chaises au fond de la salle. Au début, Francis sentit que l'air était étouffant. Après réflexion, il se dit que c'était peut-être moins l'air que le nuage d'espoirs impatients et de résignation qui emplissait l'espace.

Un juge en retraite de Springfield présidait l'audience. Il avait les cheveux gris, il était obèse et rougeaud, et adorait faire de grands gestes. Il avait un marteau, dont il usait à tour de bras sans raison apparente, et il portait une robe noire légèrement usée qui avait sans doute connu des jours meilleurs et des affaires plus importantes. À sa droite était assise une psychiatre du bureau de la Santé mentale de l'État, une jeune femme affublée d'épaisses lunettes, qui passait son temps à fourrager dans ses papiers comme si elle ne trouvait jamais celui qu'elle cherchait. À la gauche du juge, siégeait un représentant du bureau du procureur, qui se prélassait dans son siège en affichant son profond ennui. Il avait visiblement perdu un pari entre collègues, qui lui valait cette affectation à l'hôpital. Un jeune avocat – cheveux raides, costume mal ajusté, nettement plus impatient et plus éveillé – représentait les patients. De l'autre côté de la table, étaient assis plusieurs membres du personnel de l'hôpital. Tout était prévu pour donner un air officiel aux débats et pour formuler les décisions en des termes à la fois médicaux et juridiques. Tout cela avait un vernis d'authenticité, de responsabilité, de rigueur et de sérieux, comme si chaque cas abordé était soigneusement examiné, dûment analysé et minutieusement défini avant d'être présenté devant la commission. Mais Francis comprit très vite que la réalité se trouvait exactement aux antipodes.

Il se sentit envahi par le désespoir. En examinant la salle, il réalisa que l'élément le plus important des auditions de libération devait être la présence des familles assises là, attendant qu'on appelle leur fils ou leur fille, leur nièce ou leur neveu, voire leur père ou leur mère. Sans elles, personne ne serait jamais libéré. Même si les ordonnances qui avaient envoyé les patients à Western State avaient expiré depuis longtemps, en l'absence de quelqu'un de l'extérieur désirant se porter responsable d'eux, les portes de l'hôpital resteraient closes. Francis ne put s'empêcher de se demander comment il pourrait convaincre ses parents de lui ouvrir de nouveau leur porte, alors qu'ils ne lui rendaient même pas visite.

À l'intérieur de son crâne, une voix insistait. *Ils ne t'aimeront jamais assez pour venir ici et demander qu'on te renvoie chez eux...*

Une autre voix disait, très vite : *Francis, tu dois trouver un autre moyen de prouver que tu n'es pas fou.*

Francis acquiesça mentalement, comprenant que ce qu'il dissimulait à M. Débile et à Gulp-Pilule était crucial. Il remua sur son siège et se mit à passer lentement en revue les gens assis dans la salle. Ils semblaient tous vêtus d'habits mal coupés dans des mauvais tissus. Quelques hommes étaient en costume cravate, ce qui semblait totalement déplacé. Il savait qu'ils s'étaient mis sur leur trente et un pour faire bonne impression et qu'ils obtenaient le résultat opposé. Les femmes portaient des robes toutes simples et serraient des Kleenex entre leurs doigts, parfois pour tamponner leurs larmes. Francis se dit que cette salle était hantée, à quantités égales, par l'échec et la culpabilité. Plus d'un visage portait les signes de la contrition. L'espace d'un instant, il eut envie de leur dire : « Ce n'est pas votre faute si nous sommes devenus ce que nous sommes »... mais il n'était pas du tout sûr que ce fût exact.

Il entendit le juge au visage cramoisi lâcher « La séance est ouverte ! » en donnant deux ou trois coups de marteau. Il se tourna pour regarder les débats.

Mais, avant que le juge ait eu le temps de se racler la gorge, avant même que la psychiatre embarrassée de ses dossiers ait pu prononcer un nom, Francis entendit plusieurs voix intervenir en même temps. *Qu'est-ce qu'on fait ici, Francis ? On n'a rien à faire ici. On devrait partir, et vite. Fuir. Retourner à l'Amherst. On est à l'abri, là-bas...*

Francis pivota à droite, puis à gauche, examina l'assistance. Aucun des patients présents dans la pièce ne l'avait vu entrer, aucun d'eux ne l'observait, personne ne lui jetait de regards malveillants, haineux ou coléreux.

Il se dit que ça ne durerait peut-être pas. Et il respira à fond car il savait que, s'il ne se trompait pas, il était plus en danger que jamais, même entouré par des patients et des membres du personnel, même assis dans l'ombre protectrice de Big Black. En danger à cause de l'homme dont il savait qu'il se trouvait dans la pièce, avec lui. En danger aussi à cause de ce qu'il laissait flotter en lui.

Il se mordit la lèvre et tenta de s'éclaircir les idées. Il décida de se vider l'esprit et d'attendre de trouver quelque chose à y mettre. Il se demanda si Big Black remarquerait son souffle saccadé, son front couvert de sueur ou ses paumes soudain devenues moites. Il fit appel à toute sa force de volonté : Reste calme.

Il inspira à fond, de nouveau, et s'adressa mentalement à toutes ses voix : Tout le monde a besoin d'une porte de sortie.

Francis se tortillait sur son siège en espérant que personne – surtout pas Big Black, ni M. Débile, ni aucun autre médecin – ne verrait dans quel état d'agitation il se trouvait. Il était juché sur le bord de sa chaise, nerveux, apeuré, mais obligé d'être là et d'écouter, car il espérait entendre ce jour-là des choses importantes. Il aurait aimé que Peter fût à ses côtés, ou Lucy, mais il ne savait pas s'il aurait été capable de la convaincre qu'il était essentiel d'écouter. Pour le moment, il était seul, et il estimait qu'il était plus près d'obtenir une réponse que quiconque ne pouvait l'imaginer.

Lucy franchit les portes de la morgue de l'hôpital. Elle sentit l'air froid de la climatisation lui mordre la peau. C'était une petite salle en sous-sol, située dans un des pavillons les plus éloignés, à la limite du domaine de l'hôpital, et qu'on utilisait en général pour entreposer du matériel périmé et des fournitures oubliées depuis longtemps. Elle présentait l'avantage discutable de se trouver à proximité du petit cimetière. Une simple table d'examen métallique se trouvait au milieu de la pièce, et une demi-douzaine de compartiments réfrigérés étaient encastrés dans un mur. Sur un bureau métallique protégé par une plaque de verre reposait un modeste assortiment de scalpels et autres instruments chirurgicaux. Un classeur métallique et un bureau où trônait une IBM Selectric cabossée étaient remisés dans un coin, et une unique fenêtre s'ouvrait dans le mur de parpaings. Elle était très haute, donnait sur les jardins, et la vitre couverte d'une épaisse croûte de saleté ne laissait passer qu'un rayon de faible lumière grise. Deux plafonniers bourdonnaient comme un couple d'insectes géants.

La salle aurait donné une impression de vide et d'abandon sans la légère odeur d'excréments humains qui flottait dans l'air froid. Une tablette avec un jeu de formulaires était posée sur la table métallique. Lucy chercha un aide-soignant des yeux, mais il n'y avait personne. Elle s'avança dans la pièce. Elle remarqua les canaux d'évacuation sur la table d'autopsie et le drain d'écoulement creusé dans le sol. Tout était couvert de taches sombres. Elle prit la tablette et lut le rapport préliminaire d'autopsie, qui n'affirmait que des évidences. Cléo avait succombé à la strangulation provoquée par le drap. Les yeux de Lucy se posèrent un instant sur la rubrique « Automutilation », où l'on décrivait le pouce sectionné, puis sur le diagnostic général : schizophrénie de type paranoïaque, avec hallucinations et tendances suicidaires. Lucy soupçonnait que ces deux derniers mots avaient été ajoutés post mortem. Si quelqu'un se pend, se dit-elle, sa propension à l'autodestruction devient évidente a posteriori.

Elle poursuivit sa lecture : « Pas de parents proches. » Une autre rubrique disait : « Personne à prévenir en cas de mort ou de blessure. » On avait barré la case d'un trait de crayon.

Un légiste, un homme célèbre dans le milieu de la médecine légale, avait donné un jour devant des étudiants en droit une conférence sur le thème de la preuve. Il leur avait expliqué, dans les termes les plus lyriques, qu'un cadavre peut être très éloquent sur la manière dont il a trépassé, qu'il est souvent capable de désigner directement celui qui l'a aidé à mourir. La conférence avait été accueillie avec enthousiasme par un public nombreux. Aujourd'hui, Lucy se disait qu'elle était ridiculement abstraite et vague. Elle n'avait qu'un cadavre silencieux dans une glacière au fond d'une salle miteuse et un protocole d'autopsie sur une feuille de papier fixée à une tablette. Elle n'avait pas l'impression que le cadavre lui parlait beaucoup, et surtout pas pour l'aider dans sa chasse à l'assassin.

Elle reposa la tablette sur la table d'autopsie et se dirigea vers le frigo. Aucune indication n'étant visible sur les portes des compartiments, elle ouvrit la première, puis la seconde, où elle découvrit un pack de six canettes de Coca-Cola que quelqu'un avait laissé à rafraîchir. La troisième résistait, comme si elle était légèrement bloquée. Lucy devina que le corps se trouvait dans ce compartiment. Elle respira à fond et ouvrit la porte de quelques centimètres.

Le corps nu de Cléo était coincé à l'intérieur.

Sa grande carcasse semblait un peu à l'étroit. Quand Lucy tira sur la palette à glissières où reposait Cléo, rien ne bougea.

Lucy serra les dents et s'apprêta à tirer plus fort, quand elle entendit la porte s'ouvrir derrière elle. Elle pivota et découvrit le docteur Gulptilil, debout dans l'entrebâillement.

Pendant un instant, il eut l'air surpris. Mais il se ressaisit et secoua la tête.

— Mademoiselle Jones, dit-il lentement, votre présence ici est assez inattendue. Je ne pense pas que vous ayez le droit d'être là.

Elle ne répondit pas.

— Même un décès aussi spectaculaire que celui de Mlle Cléo lui donne droit à un peu d'intimité, fit le médecin-chef.

— Je suis d'accord avec vous. En principe, du moins, dit-elle avec arrogance.

Sa surprise en voyant entrer le docteur avait immédiatement cédé la place à une agressivité qu'elle dressait comme un bouclier.

— Qu'est-ce que vous comptez trouver ici ? lui demanda-t-il.

— Je ne sais pas.

— Vous croyez que ce cadavre peut vous apprendre quelque chose ? Quelque chose que vous ne sachiez déjà ?

— Je n'en sais rien, répéta-t-elle.

Elle était un peu gênée de n'être pas capable de trouver une meilleure réponse. Le docteur avança dans la salle, sa silhouette courtaude et sa peau sombre luisant sous les plafonniers. Il se mouvait avec une vélocité à laquelle son corps en forme de poire aurait dû s'opposer. Lucy crut un instant qu'il allait claquer la porte du tombeau provisoire de Cléo. Au contraire, il avança la main et tira. La morte glissa jusqu'au bout, de sorte que son torse était visible, sur la plaque métallique, entre eux.

Lucy regarda les marques pourpres de strangulation. Elles semblaient avoir été absorbées par la peau, déjà translucide. Cléo affichait un léger sourire, grotesque, comme si la mort était une bonne blague. Lucy s'efforça de respirer lentement.

— Vous voulez que les choses soient simples, claires, évidentes, dit lentement le docteur Gulptilil. Mais elles ne le sont jamais, mademoiselle Jones. Pas ici, en tout cas.

Elle hocha la tête. Le docteur eut un sourire ironique, pas très différent de celui de Cléo.

— Les signes de strangulation sont apparents, dit-il, mais les forces qui l'ont conduite à cette extrémité sont mystérieuses. Et, je le soupçonne, la véritable cause de la mort échapperait à l'examen le plus approfondi mené par le plus grand pathologiste du pays, simplement parce que les raisons sont cachées par sa folie.

Le docteur Gulptilil tendit la main et toucha la peau de Cléo pendant une seconde. Il avait les yeux posés sur elle, mais c'est à Lucy qu'il s'adressait.

— Vous ne comprenez pas cet endroit. Vous n'avez pas fait le moindre effort pour le comprendre depuis votre arrivée, parce que vous êtes venue ici avec les mêmes peurs et les mêmes préjugés que la plupart des gens qui n'ont jamais eu affaire à la maladie mentale. Ici, l'anormal est normal et le bizarre est la routine. Vous avez mené votre enquête comme si nous étions dans le monde à l'extérieur des murs. Vous avez cherché des preuves et des indices probants. Vous avez examiné les dossiers et parcouru les couloirs, comme vous l'auriez fait dans un autre endroit que celui-ci. Ce qui est inutile, comme j'ai essayé de vous le montrer. C'est pourquoi, mademoiselle Jones, je crains que vos efforts ne soient condamnés à l'échec. Comme je le soupçonne depuis le début.

— Il me reste un peu de temps.

— Oui. Et vous avez provoqué une réaction de votre mystérieux gibier, qui n'existe d'ailleurs peut-être pas. Ce serait sans doute une stratégie appropriée dans le monde que vous connaissez. Mais ici ?

Lucy toucha ses cheveux courts.

— Vous ne croyez pas que c'est inattendu et que ça pourrait marcher ?

— Si, dit le docteur. Mais sur qui est-ce que ça va marcher ? Et comment ?

Une fois encore, elle garda le silence. Le médecin regarda le visage de Cléo et secoua la tête.

— Ah, pauvre Cléo ! J'aimais ses bouffonneries, la plupart du temps, car elle montrait une frénésie des plus divertissantes, à condition d'être contrôlée. Saviez-vous qu'elle était capable de réciter la totalité de la pièce de Shakespeare, sans oublier un vers ni manquer un mot ? Cet après-midi, hélas, elle est destinée à rejoindre notre pauvre petit cimetière. Le croque-mort va arriver pour préparer le corps. Une vie vécue dans l'agitation, la douleur et beaucoup d'anonymat, mademoiselle Jones. Quiconque a pu se soucier d'elle, quiconque l'a aimée un jour a disparu de nos dossiers et de notre mémoire bureaucratique. Alors les années qu'elle a passées en ce bas monde ne valent pas grand-chose. Une somme très modeste. Cela ne semble pas très juste, n'est-ce pas ? Cléo avait une personnalité riche, des idées bien arrêtées, des croyances fortes. Que tout cela ait été dénaturé par la folie n'enlève rien à ce qu'était sa passion. J'aurais voulu qu'elle puisse laisser une petite trace sur cette terre, parce qu'elle mérite une meilleure épitaphe que l'inscription dans le dossier de l'hôpital. Pas de pierre tombale. Pas de fleurs. Rien qu'un autre lit d'hôpital, sauf que le nouveau se trouve six pieds sous terre. Elle méritait un enterrement avec une fanfare et un feu d'artifice, des éléphants, des lions, des tigres et un cortège mené par des chevaux. Quelque chose à la hauteur de son statut royal.

Lucy entendit le docteur soupirer. Il leva les yeux vers elle, s'arrachant à la contemplation du cadavre.

— Et vous, mademoiselle Jones, où en êtes vous ?

— Je continue à chercher, docteur. Jusqu'à la dernière minute que je passerai en ces lieux.

Il la regarda d'un air entendu.

— Ah, l'obsession. Obstination monomaniaque, en dépit de tous les obstacles. Une qualité, vous en conviendrez, qui correspond plus à mon métier qu'au vôtre.

— Je crois que le mot « persévérance » serait plus juste.

— Comme vous voudrez, fit-il en haussant les épaules. Mais répondez au moins à cette question, mademoiselle Jones. Êtes-vous venue ici en quête d'un fou ? Ou d'un homme sain d'esprit ?

Il n'attendit pas la réponse, qui tardait à venir. Le médecin repoussa donc le corps de Cléo dans le compartiment réfrigéré. Fatigués par le poids, les roulements à bille firent entendre force grognements et grincements.

— Il faut que je mette la main sur le croque-mort, fit Gulptilil. Il devrait être là, et il a du pain sur la planche. Bonne journée, mademoiselle Jones.

Lucy le regarda sortir de la pièce, son corps grassouillet oscillant un peu sous la lumière crue des plafonniers. Elle se dit qu'elle avait une sorte d'admiration craintive pour le tueur. Malgré tous ses efforts, elle devait avouer qu'il était toujours dissimulé quelque part dans ses murs et sans doute totalement à l'abri de son pouvoir d'investigation.

— C'est ce que tu croyais, hein ?

Je fermai les yeux, sachant qu'il était inévitable que l'Ange se retrouve à côté de moi. Je tentai de respirer plus calmement, de ralentir mes battements de cœur, car je pensais que chaque mot à partir de maintenant était dangereux, tant pour lui que pour moi.

— Non seulement c'était ce que je croyais, mais c'était la vérité.

Je pivotai à droite, puis à gauche, essayant de trouver l'origine des paroles qui retentissaient dans l'appartement. J'avais l'impression d'être cerné par toutes sortes de vapeurs, de spectres, de lueurs insaisissables, vacillantes et clignotantes.

— J'étais totalement en sécurité, à chaque minute, à chaque seconde, quoi que je fasse. Tu comprends certainement ça, hein, C-Bird ?

Il parlait d'une voix rocailleuse, pleine d'arrogance et de colère, et chaque mot semblait claquer sur ma joue comme l'ultime baiser qu'on donne à un mort.

— Tu étais à l'abri d'eux tous, dis-je.

— Ils ne comprenaient même pas la loi, se rengorgea-t-il. Leurs propres règles étaient totalement inutiles.

— Mais tu n'étais pas à l'abri de moi, répliquai-je. Provocant.

— Et tu crois que tu es à l'abri de moi, maintenant ? me dit l'Ange d'une voix dure. Tu crois que tu es à l'abri de toi-même ?

Je ne répondis pas. Il y eut un bref silence, suivi d'une explosion – comme un coup de feu –, puis le fracas du verre brisé en quelques centaines de fragments. Un cendrier plein de mégots, projeté avec une force foudroyante, venait d'exploser contre la cloison. Je me recroquevillai. J'avais la tête qui tournait comme si j'avais bu, l'épuisement, la tension, la terreur rivalisaient pour prendre possession de mon esprit. Une odeur de fumée froide se répandit dans la pièce, et je vis que des cendres flottaient encore dans l'air, à hauteur d'une tache sombre sur la peinture blanche.

— Nous approchons de la fin, Francis, dit l'Ange d'un ton moqueur. Tu le sens ? Est-ce que tu sens ça ? Tu ne comprends pas que c'est presque fini ?

La voix de l'Ange me harcelait.

— Exactement comme jadis, dit-il avec amertume. L'heure de mourir approche.

Je regardai ma main. Était-ce moi qui avais jeté le cendrier en réaction à ses paroles ? Ou l'avait-il jeté pour me prouver qu'il était de plus en plus réel, qu'il gagnait en substance, qu'il prenait forme peu à peu ? Qu'il redevenait réel. Je vis que ma main tremblait.

— Tu vas mourir ici, Francis. Tu aurais dû mourir là-bas, mais tu vas mourir ici. Seul. Oublié. Sans amour. Et mort. Personne ne trouvera ton corps avant des jours et des jours, assez longtemps pour que ta couenne soit envahie par les asticots, que ton ventre ballonne et que la puanteur traverse les murs.

Je secouai la tête, luttant de toutes mes forces.

— Parfaitement ! poursuivit-il. Ça se passera comme ça. Pas un mot dans le journal, personne pour verser une larme à ton enterrement. À condition qu'il y ait un enterrement. Est-ce que tu crois que les gens se réuniront pour faire ton éloge, qu'ils rempliront les rangées de bancs dans quelque église agréable ? Pour faire de beaux discours sur ta réussite ? Sur ce que tu auras accompli de grand et d'important avant ta mort ? Je ne crois pas qu'on puisse s'attendre à cela, Francis. Tu vas tout simplement mourir, et ce sera fini. Juste un énorme soulagement pour tous les gens qui se fichent totalement de toi, et qui seront secrètement enchantés de réaliser que tu n'es plus un fardeau pour eux. Il ne restera rien d'autre de ton existence que l'odeur que tu laisseras dans cet appartement, et que les prochains locataires feront disparaître avec de l'eau de Javel.

J'esquissai un geste vers le mur couvert de mon écriture.

Il se mit à rire.

— Tu crois que quelqu'un s'intéressera à ces gribouillages stupides ? Ils disparaîtront en quelques minutes. Quelques secondes. Quelqu'un entrera ici, jettera un coup d'œil à la pagaille que le dingue a laissée derrière lui, prendra son pinceau et recouvrira jusqu'au dernier mot. Et tout ce qui s'est passé il y a si longtemps sera à jamais enterré.

Je fermai les yeux. Si les mots pouvaient m'assommer, comment résisterais-je à ses poings ? J'avais l'impression que l'Ange devenait de plus en plus fort de minute en minute, et que moi, j'étais de plus en plus faible. J'inspirai à fond et entrepris de retraverser la pièce, mon crayon à la main.

— Tu ne vivras pas assez longtemps pour finir l'histoire, dit-il. Est-ce que tu comprends cela, Francis ? Tu ne vivras pas. Je ne le permettrai pas. Tu crois que tu pourras écrire la fin ici, Francis ? Tu me fais rire. La fin m'appartient, depuis toujours. Et elle m'appartiendra toujours.

Je ne savais que penser. Sa menace était aussi réelle à ce moment-là qu'elle l'avait été tant d'années auparavant. Mais je luttai pour continuer d'avancer, en me disant que je devais essayer. Il faudrait que Peter vienne m'aider, me dis-je. Et il lut dans mes pensées. Ou bien peut-être avais-je prononcé à voix haute le nom de Peter. En tout cas, l'Ange se remit à rire.

— Il ne pourra pas t'aider, cette fois. Il est mort.

30

Peter avançait d'un pas rapide dans le couloir du pavillon Amherst. Il passa la tête par la porte de la salle commune, s'arrêta brièvement devant les salles d'examen, jeta un coup d'œil dans le réfectoire, slalomant entre les groupes de patients à la recherche de Francis ou de Lucy Jones, mais ni l'un ni l'autre ne semblait se trouver à proximité. Il avait le sentiment accablant qu'il se passait quelque chose de grave et qu'on l'empêchait d'en être le témoin. Il se revit soudain en train de marcher dans la jungle vietnamienne. À la guerre, le ciel au-dessus de lui, la terre détrempée sous ses pieds, l'air surchauffé et la végétation humide qui frôlait leurs vêtements, tout semblait identique, jour après jour. Mais il était impossible de savoir – sauf si on avait un sixième sens – s'il n'y avait pas un tireur dans un arbre ou un groupe ennemi en embuscade, voire un fil invisible tendu au-dessus du sol et qui ferait sauter une mine enterrée. Tout relevait de la routine, tout était normal et ordinaire, comme c'était censé être… sauf le détail caché, promesse de tragédie. C'était exactement ce qui se passait dans cet hôpital.

Il s'arrêta un instant devant une des fenêtres munies de barreaux. Il y avait là un vieillard, abandonné à lui-même, dans un fauteuil roulant en métal terne. Un filet de salive blanchâtre coulait en zigzag sur son menton et se mélangeait à sa barbe grise de plusieurs jours. Il avait les yeux fixés sur l'extérieur, devant la fenêtre.

— Qu'est-ce que vous regardez, pépé ? lui demanda Peter sans obtenir de réponse.

Des ruisseaux de pluie déformaient la vue, et au-delà de ces traînées irrégulières, on eût dit qu'il y avait un peu de jour, gris, humide et feutré. Peter prit un morceau de serviette en papier brun posé sur les genoux du vieillard et lui essuya le menton. Sans le regarder, l'homme hocha la tête, comme pour le remercier. Mais il restait dénué d'expression. Tout ce qui lui passait par l'esprit – réflexions sur son présent, souvenirs du passé ou projets pour l'avenir – était noyé dans le brouillard qui descendait derrière ses pupilles. Peter se dit que les derniers jours de la vie de cet homme n'avaient guère plus de permanence que les gouttes de pluie qui coulaient sur la vitre.

Derrière lui, une femme dont les longs cheveux gris ébouriffés semblaient se dresser sur sa tête avançait dans le couloir en titubant comme une ivrogne. Elle s'arrêta brusquement et fixa le plafond.

— Cléo est partie, fit-elle. Pour toujours.

Puis elle reprit son chemin.

Peter se dirigea vers le dortoir. Il n'y était plus vraiment chez lui. Un jour, se dit-il. Deux jours. Ça ne prendra pas plus de temps. Une montagne de paperasse, une poignée de main ou un hochement de tête. Un « Bonne chance », et ce serait tout. Peter le Pompier serait expédié et son existence prendrait un tournant décisif. Il ne savait trop qu'en penser. C'est l'hôpital qui vous fait ça, très vite. Il engendre l'indécision. Dans le monde réel, les décisions sont précises et parfois honnêtes. Les facteurs peuvent être mesurés, jugés, équilibrés. Des décisions peuvent être prises. Là, à l'intérieur des murs et des portes closes, rien n'était pareil.

Lucy s'était coupé les cheveux et les avait teints en blond. Si cela ne provoquait pas le désir prédateur de l'homme qu'ils poursuivaient, il ne voyait pas ce qui le pourrait le faire. Peter serra les dents. Il regarda le plafond, comme un automobiliste qui attend que le feu passe au vert. Il se dit que Lucy prenait un risque. Francis marchait lui aussi sur le fil du rasoir. D'eux trois, se dit-il, c'était lui, Peter, qui avait pris le moins de risques. En fait, il aurait eu beaucoup de mal à expliquer en quoi il avait pris des risques. Il était évident qu'il ne s'était pas mis en danger.

Peter fit demi-tour et sortit de la salle. Dans le couloir, il aperçut Lucy Jones devant la porte de leur petit bureau et il s'empressa de la rejoindre.

Toute la matinée et jusque dans l'après-midi, les auditions s'étaient succédé. Elles ne laissaient aucune place à l'imprévisible. Francis comprit bien vite que si vous aviez prévu tous les critères qui vous donnaient droit à une audition, vous aviez toutes les chances d'être libéré. La comédie qui se déroulait sous ses yeux n'était rien d'autre qu'un opéra bureaucratique, conçu pour s'assurer que personne ne prendrait des risques imprévus et qu'aucune carrière ne serait inutilement menacée. Personne ne voulait relâcher un patient qui risquait de sombrer le lendemain dans une crise de psychose.

Le jeune homme las du bureau du procureur passait en revue d'une voix indifférente les obstacles juridiques qui se dressaient devant les patients. Tous ses arguments étaient uniformément contredits par l'autre jeune homme, celui qui faisait office d'avocat des patients et se montrait aussi enthousiaste que le bon Samaritain. Beaucoup plus importantes, pour les membres de la commission, étaient l'appréciation des représentants de l'hôpital et la recommandation de la jeune femme du bureau de la Santé mentale. Celle-ci n'avait pas cessé de farfouiller dans ses classeurs et ses notes. Elle s'exprimait d'une voix hésitante, presque en bégayant. On lui demandait s'il était prudent de libérer quelqu'un, et elle n'en avait absolument aucune idée. « Représente-t-il un danger pour lui-même ou pour autrui ? » répétait-elle comme une litanie. Bien sûr que c'était prudent, se disait Francis. À condition qu'il prenne ses médicaments et qu'il ne retrouve pas les circonstances qui l'avaient fait plonger dans la folie. Mais il n'existait pas d'autres circonstances. Il était donc difficile d'être optimiste sur ses chances véritables hors des murs de l'hôpital.

Des patients étaient libérés. Des patients revenaient. Un véritable boomerang de la folie.

Francis s'agitait sur son siège. Penché en avant, il écoutait attentivement tous les mots qu'on prononçait, observait le visage de chaque patient, de chaque médecin, de chaque parent, frère, sœur ou cousin qui se levait pour prendre la parole. Il ne ressentait intérieurement que trouble et chaos. Ses voix menaçaient de l'envoyer valser dans quelque endroit obscur et profondément douloureux. Elles lui criaient de s'en aller. Elles insistaient, hurlaient, priaient, suppliaient, exigeaient, toutes avec la même ferveur, presque hystériques. Il avait l'impression d'être enfermé dans la fosse d'orchestre d'un opéra satanique, où chaque instrument jouait plus fort, plus criard et plus discordant à chaque seconde.

Il savait pourquoi. Il fermait les yeux, de temps en temps, essayant de trouver un peu de calme. Mais cela ne changeait pas grand-chose. Il transpirait toujours, tous ses muscles étaient tendus. Il s'étonnait que personne n'eût encore remarqué le combat qu'il livrait. Il croyait qu'il suffisait de le regarder pour savoir qu'il se trouvait sur le fil du rasoir.

Francis inspira à fond, mais il eut l'impression qu'il n'y avait pas assez d'air dans la pièce.

Qu'y a-t-il qu'ils ne voient pas ? se demanda-t-il.

L'Ange se cache dans l'hôpital. Pour être libre de tuer à sa guise, il doit pouvoir aller et venir.

Il regarda de l'autre côté de la salle, vers les membres de la commission. Voici la sortie, se rappela-t-il.

Francis jeta un bref coup d'œil vers le groupe de parents et d'amis qui entouraient les patients. *Tout le monde croit que l'Ange est un tueur isolé. Mais je sais une chose qu'ils ignorent. Quelqu'un l'aide, ici, consciemment ou non.*

Pourquoi a-t-il tué Blondinette ? Pourquoi a-t-il attiré l'attention sur lui alors qu'il était en sécurité, ici ?

Ni Lucy ni Peter ne s'étaient posé cette question. Plus que tout le reste, cela lui faisait peur. Qu'il soit lui-même capable de se le demander lui faisait tourner la tête, et il avait l'impression qu'il allait être emporté par une vague de nausée. Ses voix résonnaient dans sa tête, le mettaient en garde, le cajolaient, insistaient pour qu'il ne s'avance pas dans les ténèbres qui lui faisaient signe.

Ils croient qu'il a tué Blondinette parce qu'il était obligé de tuer. Il inspira une goulée d'air fétide.

Peut-être. Peut-être pas.

En cet instant précis, il se détestait plus qu'il ne s'était jamais détesté.

Tu pourrais être un tueur, toi aussi, s'entendit-il dire au fond de son crâne. Pendant un instant, il crut avoir parlé à voix haute, mais personne ne s'était retourné, personne ne faisait attention à lui. Il en déduisit qu'il n'avait pas vraiment prononcé ces mots.

Big Black était sorti, la routine des auditions l'ennuyait. Quand il revint dans la salle, Francis dut faire un effort surhumain pour dissimuler l'angoisse qui l'envahissait. Le gros aide-soignant se laissa tomber sur la chaise à côté de lui.

— Alors, C-Bird, murmura-t-il, vous avez pigé comment ça marche ? Vous en avez vu assez ?

— Pas tout à fait, répondit doucement Francis.

Ce qu'il n'avait pas encore vu, c'était ce qu'il craignait et espérait à la fois.

Big Black se pencha vers lui pour qu'on ne l'entende pas.

— Il va falloir rentrer à l'Amherst. La journée est presque finie. Ils vont bientôt se demander où vous êtes. Il y a une séance de thérapie collective, ce soir ?

— Non. M. Evans l'a annulée, après toute cette agitation.

Ce n'était qu'un demi-mensonge, car il n'en était pas sûr.

Big Black secoua la tête.

— Devrait pas les annuler…

Il parlait à Francis, mais il s'adressait plutôt au monde de l'hôpital. Puis il leva les yeux.

— Allons-y, C-Bird. Il faut rentrer maintenant. Il ne reste plus que deux ou trois auditions. Seront pas vraiment différentes de ce que vous avez déjà vu.

Francis hésita. Il ne voulait pas lui dire la vérité, qui aurait été toute différente. Il regarda de l'autre côté de la salle.

Trois patients attendaient encore leur tour. Il n'était pas difficile de les repérer parmi la foule des gens qui étaient encore là. Simplement parce qu'ils étaient moins soignés. Leurs vêtements n'étaient pas aussi propres. Ils portaient des pantalons à rayures et des chemises à carreaux, ou des sandales avec des chaussettes dépareillées. Rien de ce qui les concernait ne semblait vraiment être à sa place, ni ce qu'ils portaient, ni la manière dont ils suivaient les débats. Un peu comme s'ils étaient tous légèrement en décalage. Leurs mains tremblaient et des tics leur relevaient le coin des lèvres, effets secondaires des divers médicaments. Tous les trois étaient des hommes, à qui Francis aurait donné entre trente et quarante-cinq ans. Aucun d'eux n'était particulièrement remarquable. Ni gros ni grands, ni cheveux blancs ni cicatrices, ni tatouages, ni quoi que ce soit qui aurait pu les distinguer du lot. Ils gardaient leurs émotions en eux. Vus de l'extérieur, ils semblaient dénués d'expression, comme si les drogues avaient effacé non seulement leur folie, mais tout le reste, jusqu'à leur nom et leur passé.

Aucun d'eux ne s'était retourné pour le regarder. Ils étaient restés de marbre, impassibles, les yeux fixés devant eux tandis que les cas se succédaient. Il avait du mal à voir leurs visages. Au mieux, ils n'étaient que des profils.

Un de ces hommes était entouré par quatre visiteurs. Deux personnes âgées dont Francis supposa que c'étaient ses parents, plus une sœur et un beau-frère qui se tortillait sur son siège, visiblement mécontent d'être là. Le deuxième patient était assis entre deux femmes nettement plus âgées que lui – sa mère et une tante, devina Francis. Le troisième se trouvait à côté d'un vieil homme austère en costume bleu, au visage fermé, et d'une femme beaucoup plus jeune – une sœur ou une nièce, qui ne semblait pas du tout intimidée et écoutait attentivement tout ce qui se disait. De temps en temps, elle prenait même des notes sur un bloc de papier jaune.

Le gros juge abattit son marteau sur la table.

— Qu'est-ce qui nous reste ? demanda-t-il vivement. Il se fait tard.

La psychiatre leva les yeux.

— Trois cas, monsieur le juge, fit-elle en bégayant légèrement. Ils ne devraient pas être difficiles. Deux de ces hommes sont ici sur un diagnostic d'arriération mentale. Le troisième émerge d'un état catatonique. Il a fait des progrès spectaculaires grâce aux antipsychotiques. Aucun d'eux n'est sous le coup de charges pénales…

— Allez, C-Bird, murmura Big Black, un peu plus insistant qu'auparavant. Il faut y aller. Il n'arrivera rien de nouveau maintenant. Ces affaires vont être expédiées en deux temps trois mouvements. C'est le moment de partir.

Francis jeta un coup d'œil à la jeune psychiatre, qui parlait toujours au juge :

— … de ces messieurs a déjà été interné et relâché plusieurs fois dans le passé, monsieur le juge…

— Allons-y, C-Bird, fit Big Black d'un ton qui ne laissait pas la place à la discussion.

Francis ne savait pas comment lui dire que ce qu'il avait attendu toute la journée allait se passer maintenant.

Big Black se leva. Francis comprit qu'il n'avait pas le choix. Le gros aide-soignant le poussa légèrement en direction de la porte, et Francis se laissa faire. Il ne se retourna pas. Mais il avait l'impression qu'au moins un des trois patients s'était tourné sur sa chaise pour regarder dans sa direction, et son regard lui brûlait le dos. Il sentit une présence à la fois glacée et brûlante, et il comprit que c'était cela que ressentait le tueur quand il tenait sa victime terrifiée sous son emprise, en la menaçant de son couteau.

Pendant une seconde, il crut entendre une voix, derrière lui, qui criait : « Nous sommes pareils, toi et moi ! » Puis il comprit que personne ne criait, dans la salle d'audience, il n'y avait que les voix mesurées des participants à cette audience interminable.

Il avait des hallucinations. Mais c'était réel et irréel à la fois.

Cours, Francis, cours ! hurlèrent ses voix.

Il n'en fit rien. Il continua de marcher normalement. Il se dit que l'homme qu'ils pourchassaient se trouvait juste derrière lui, mais que personne – ni Lucy, ni Peter ou les frères Moïse, ni M. Débile, ni le docteur Gulp-Pilule – ne le croirait s'il leur crachait le morceau. Il ne restait dans la salle que trois patients. Deux étaient ce qu'ils semblaient être. Pas le troisième. Et Francis avait l'impression d'entendre, sous le faux masque de la folie, l'Ange se moquer de lui.

Il comprit autre chose. L'Ange aimait les risques mais il ne pourrait pas laisser Francis en vie beaucoup plus longtemps.

Big Black lui tint ouverte la porte du bâtiment administratif, et les deux hommes sortirent sous le crachin. Francis tourna son visage vers le ciel. Il sentit le brouillard l'envelopper comme s'il pouvait le laver de ses peurs et de ses doutes. Le jour tombait rapidement, le ciel gris fondant peu à peu vers un noir délavé qui annonçait la venue de la nuit. Francis entendit au loin le vacarme d'une machine qui travaillait vite et fort. Il se tourna dans cette direction. Big Black s'était retourné, lui aussi, et il avait les yeux fixés à l'autre bout de l'hôpital. Après les jardins, dans le petit cimetière aménagé dans le coin le plus éloigné de Western State, une pelleteuse jaune vif finissait d'étaler la terre sur une tombe.

— Attendez, C-Bird, fit brusquement Big Black. Arrêtons-nous une minute.

Il baissa la tête. Francis l'entendit murmurer « Notre Père qui êtes aux cieux… ». Puis :

— Je crois que c'est la seule prière que quelqu'un dira pour la pauvre Cléo, soupira l'aide-soignant. Peut-être connaîtra-t-elle la paix, maintenant. Dieu sait qu'elle ne l'a pas beaucoup connue quand elle était vivante. C'est triste, C-Bird. Vraiment triste. Ne me donnez pas l'occasion de dire une prière pour vous. Accrochez-vous. Les choses vont s'arranger, j'en suis sûr. Croyez-moi.

Francis hocha la tête. Il avait envie d'y croire, même s'il n'y parvenait pas tout à fait. Quand il leva les yeux vers les cieux de plus en plus sombres, malgré le bruit, au loin, de la pelleteuse qui comblait la tombe de Cléo, il crut entendre l'ouverture d'une symphonie, dont les notes, les mélodies et les rythmes étaient autant de promesses qu'il y aurait encore certainement d'autres morts.

Ils n'auraient pu élaborer un plan plus simple, se disait Lucy. C'était sans doute aussi le seul qui avait une chance de réussir. Elle allait assurer le service de nuit des infirmières, celui qui avait été fatal à Blondinette. Elle prendrait son quart, seule, dans le poste de soins, et elle attendrait que l'Ange se montre.

Lucy était la chèvre sacrificielle. L'Ange était le tigre mangeur d'hommes. C'était la plus ancienne des ruses. Elle laisserait allumé l'Interphone communiquant avec le poste du deuxième étage – juste au-dessus d'elle –, où les frères Moïse attendraient son signal. Les appels à l'aide étaient tellement banals, dans cet hôpital, qu'on en tenait rarement compte. Il avait donc été décidé que s'ils s'entendaient Lucy prononcer le mot « Apollo », ils la rejoindraient en catastrophe. Lucy avait choisi le terme non sans quelque ironie. Ils auraient aussi bien pu être des astronautes en route vers une planète éloignée. Les frères Moïse étaient sûrs qu'il ne leur faudrait pas plus de quelques secondes pour descendre l'escalier et que cela leur donnerait l'avantage supplémentaire de bloquer une des issues. Lucy n'aurait rien d'autre à faire que d'occuper l'Ange pendant quelques instants – sans y laisser la vie. La porte d'entrée de l'Amherst était fermée à double tour, ainsi que l'entrée latérale. Tout le monde était persuadé qu'ils arriveraient à coincer le tueur avant qu'il ait le temps de taillader Lucy ou de s'enfuir grâce à ses clés et de disparaître dans l'hôpital. Et même s'il parvenait à sortir, la sécurité serait prévenue, et très vite l'Ange n'aurait plus beaucoup de possibilités. En outre, et c'était important, ils verraient son visage.

Peter avait insisté sur ce point, et sur un autre détail. Il était crucial, avait-il affirmé, que l'Ange soit formellement identifié, quoi qu'il arrive. Sans cela il serait impossible de le mettre en accusation pour les affaires antérieures.

Il avait aussi exigé que la porte du dortoir des hommes au premier étage ne soit pas fermée à clé. Cela lui permettrait de contrôler la situation, même s'il devait perdre une nuit de sommeil. Il argua qu'il serait un peu plus près de Lucy et que l'Ange ne risquait pas de s'attendre qu'on l'attaque en passant par une porte censément fermée à clé. Les frères Moïse en convinrent, mais ils ne pouvaient pas laisser eux-mêmes la porte ouverte.

« Contre le règlement, avait dit Little Black. Si le grand doc l'apprend, on perd notre boulot…

— Eh bien… » avait commencé Peter.

Little Black l'avait interrompu d'un geste.

« Bien entendu, Lucy aura son propre jeu de clés, valable pour toutes les portes qui l'entourent, dit-il. Ce qu'elle en fait lorsqu'elle se trouve au poste de soins, ce n'est pas notre affaire… Mais ni mon frère ni moi ne laisserons la porte ouverte. Tout est bon pour mettre la main sur ce type. Mais je ne cherche pas plus d'ennuis que ceux qui se préparent déjà. »

Lucy baissa les yeux vers son lit. Tout était calme dans le dortoir des élèves infirmières. Elle avait le sentiment d'être seule dans le pavillon, tout en sachant que c'était faux. Quelque part des gens parlaient, riaient peut-être d'une plaisanterie ou se racontaient des histoires. Pas elle. Elle avait disposé sur le lit un uniforme blanc d'infirmière. Ce serait son costume pour la nuit. Au fond d'elle-même retentit un petit rire moqueur. Robe de communiante. Robe de remise de diplôme. Robe de mariée. Robe de deuil. Lors des grandes occasions, une femme étale ses vêtements avec soin.

Elle soupesa le petit pistolet à canon court puis le glissa dans son sac à main. Elle n'en avait parlé à personne.

Lucy ne s'attendait pas vraiment que l'Ange apparaisse, mais elle ne voyait pas bien ce qu'elle pourrait faire d'autre. Son séjour touchait à sa fin, il y avait longtemps qu'elle n'était plus la bienvenue, et le lundi matin on emmènerait aussi Peter. Cela leur laissait une nuit. D'une certaine façon, elle avait déjà commencé à faire des projets et réfléchissait à ce qu'elle devrait faire quand sa mission aurait échoué et qu'elle quitterait cet hôpital. Finalement, elle le savait, l'Ange tuerait de nouveau à l'hôpital, ou il s'arrangerait pour se faire libérer et se remettrait à tuer dès qu'il aurait le pied dehors. Si elle contrôlait toutes les auditions de libération et surveillait de près les décès qui avaient lieu à l'hôpital, tôt ou tard il commettrait une erreur et elle serait là pour l'accuser. Mais cette stratégie posait un problème évident. Il fallait que quelqu'un meure.

Elle inspira à fond et prit la tenue d'infirmière. Elle s'efforça de ne pas imaginer à quoi ressemblerait la prochaine victime, sans nom et sans visage, mais bien réelle. Ou de qui il pourrait s'agir. Ou quels pourraient être ses espoirs, ses rêves et ses désirs. Elle existait, fantomatique, dans un monde parallèle. Pendant un instant, Lucy se demanda si cette femme condamnée à mort n'était pas comme les hallucinations que nourrissaient tant de patients de l'hôpital. Elle était là, ignorant qu'elle était la prochaine sur la liste de l'Ange – s'il ne venait pas, cette nuit-là, au poste de soins du premier étage du pavillon Amherst.

Ressentant sur ses épaules le poids de la responsabilité de l'avenir de cette inconnue, Lucy s'habilla lentement.

Quand je levai les yeux des mots écrits sur le mur pour reprendre mon souffle, Peter était dans l'appartement. Il s'appuyait nonchalamment contre le mur, les bras croisés sur la poitrine. Il avait l'air ennuyé. Mais c'était la seule chose normale chez lui. Il avait des vêtements en lambeaux, les bras brûlés, rouge et noir. Il avait les joues et la gorge couvertes de traînées de crasse et de sang. Il ressemblait si peu au Peter dont je me souvenais que je ne suis pas sûr que j'aurais pu le reconnaître. Une odeur nauséabonde envahit la pièce, et je reconnus bientôt l'horrible puanteur de chair brûlée et de pourriture.

Repoussant ma terreur, je saluai mon seul ami.

— Tu es là pour m'aider, Peter, fis-je, soulagé.

Il secoua la tête, sans prononcer un mot. Il fit un geste vers son cou, puis ses lèvres, comme un muet qui signale qu'il ne peut pas parler.

Je lui montrai, derrière moi, le mur où je retraçais mon histoire.

— Je commençais à comprendre, dis-je. J'étais là, aux auditions de libération. Je savais. Pas tout, mais je commençais à savoir. En traversant l'hôpital, cette nuit-là, pour la première fois, j'ai vu quelque chose de nouveau. Mais où étais-tu ? Où était Lucy ? Vous faisiez tous des projets, mais personne ne voulait m'écouter, et c'est moi qui voyais le plus de choses.

Il sourit de nouveau, comme pour souligner l'exactitude de mes propos.

— Pourquoi n'étais-tu pas là pour m'écouter ? demandai-je une fois encore.

Peter haussa les épaules, tristement. Puis il tendit une main presque totalement décharnée, comme les doigts d'un squelette cherchant à atteindre les miens. J'eus une seconde d'hésitation. Au même instant, la main qui se tendait vers moi s'estompa, comme si une nappe de brouillard s'était glissée entre elle et moi. Je clignai des yeux. Peter avait disparu. Sans un mot. Comme dans un tour de magie. Je secouai la tête pour m'éclaircir les idées. Quand je levai les yeux, je vis l'Ange, d'abord vaporeux, qui prenait lentement forme, tout près de l'endroit où Peter était apparu un instant plus tôt.

Il rayonnait, comme s'il émanait de lui une lumière blanche, dure, impitoyable. Aveuglé, je me couvris les yeux. Quand je regardai de nouveau, il était encore là. Spectral, vaporeux, presque translucide, fait en partie d'eau, en partie d'air, en partie seulement imaginé. Ses traits étaient indistincts, comme effacés sur les bords. Mais il parla, d'une voix parfaitement nette :

— Salut, C-Bird. Il n'y a personne ici pour t'aider. Il ne reste personne nulle part pour t'aider. Maintenant, il n'y a plus que toi et moi, et ce qui est arrivé cette nuit-là.

Je le regardai, et je compris qu'il avait raison.

— Tu ne veux pas te rappeler cette nuit-là, hein, Francis ?

Je secouai la tête, incapable de me fier à ma propre voix. Il fit un geste vers l'histoire qui grandissait sur le mur, de l'autre côté de la pièce.

— Bientôt l'heure de mourir, Francis, fit-il froidement. Cette nuit-là, et celle-ci.

31

Francis retrouva Peter devant le poste de soins du premier étage. C'était l'heure des cachets, et les patients faisaient la queue pour leur dose du soir. Il y avait un peu de bousculade, quelques vagues pleurnicheries, une ou deux bourrades, mais presque tout était en ordre. Rien ne suggérait que, pour la plupart d'entre eux, ce moment annonçait le début d'une nuit de plus, d'une semaine, d'un mois, voire d'une année de plus.

— Peter, il faut que je te parle, dit doucement Francis, incapable de dissimuler sa tension. Et à Lucy, aussi. Je crois que j'ai vu. Je crois que je sais comment nous pouvons le trouver.

Dans l'imagination fiévreuse de Francis, il suffisait de reprendre les dossiers des trois hommes qui étaient restés dans la salle d'audience après son départ. L'un d'eux devait être l'Ange. Il en était convaincu, et il parlait avec une excitation incontrôlable.

Mais Peter le Pompier semblait distrait, il écoutait à peine. Il avait les yeux fixés de l'autre côté du couloir. Francis suivit son regard. Il jeta un coup d'œil à la file d'attente, vit le Journaliste et Napoléon, le grand attardé mental et le colérique, trois femmes avec des poupées et tous les autres visages familiers des couloirs de l'Amherst. Il s'attendait presque à entendre tonner la voix de Cléo, se plaignant que « les foutus salopards » avaient une fois de plus manqué à tous leurs devoirs, puis l'inimitable gloussement rebondissant sur le grillage du poste de soins. M. Débile se trouvait derrière le comptoir, d'où il supervisait la distribution quotidienne des médicaments par Mlle Lagaffe, en prenant des notes sur une tablette. À intervalles réguliers, il levait les yeux et jetait un regard furieux dans la direction de Peter. Soudain, il saisit une petite coupelle en papier dans une série disposée devant lui, puis sortit du poste de soins. Il coupa la file des patients, qui s'écartèrent comme les eaux d'un fleuve pour le laisser passer. Il s'approcha de Peter et Francis, avant que ce dernier ait eu le temps d'expliquer à son ami ce qui le tracassait.

— Vous voici, monsieur Petrel, fit Evans d'un ton raide, presque officiel. Thorazine. Cinquante microgrammes. Ça devrait vous aider à calmer les voix dont vous continuez à nier l'existence.

Il poussa la coupelle de papier vers Francis.

— Cul sec ! dit-il.

Francis prit le cachet, le fourra dans sa bouche et le coinça entre ses dents et sa joue. Evans le regarda avec attention et lui fit signe d'ouvrir la bouche. Francis obtempéra, et le psychologue y jeta un coup d'œil professionnel.

Francis ignorait s'il avait vu le cachet. Mais M. Débile lui dit aussitôt :

— Voyez-vous, C-Bird, je me fiche que vous preniez ou non votre médicament. Si vous le prenez, vous avez une chance de sortir d'ici un jour ou l'autre. Sinon… eh bien regardez autour de vous…

Il fit un grand mouvement du bras, qui s'arrêta sur un des patients les plus âgés. C'était un homme aux cheveux blancs, fragile, la peau aussi souple et aussi fine que du papier, un être abandonné de tous, coincé dans un fauteuil délabré dont les roues grinçaient.

— … et imaginez que vous resterez ici jusqu'à la fin de vos jours.

Francis inspira brusquement, mais ne répondit pas. Evans lui laissa une seconde, comme s'il attendait une réponse. Puis il haussa les épaules et se tourna vers Peter.

— Pas de cachets pour le Pompier ce soir, dit-il d'un ton raide. Pas de cachets pour l'assassin. Oh, pas ce tueur imaginaire que vous vous obstinez à poursuivre. Le seul véritable meurtrier qui se trouve parmi nous. Vous.

Il plissa les yeux.

— Aucun cachet ne peut guérir ce qui est mauvais en vous, Peter. Rien qui puisse vous soigner. Rien qui puisse réparer les dégâts que vous avez provoqués. Vous allez nous quitter en dépit de mes objections. J'ai été désavoué par Gulptilil, et par toutes ces grosses légumes qui sont venues vous rendre visite. Un arrangement charmant, hein ? On va trouver un joli hôpital et un joli traitement, à des lieues d'ici, pour soigner la maladie imaginaire qui tourmente notre Pompier. Mais personne ne dispose des cachets, ni des traitements, ni même de la neurochirurgie sophistiquée qui pourrait soigner les maux dont il souffre. L'arrogance. La culpabilité. Et la mémoire. Peu importe ce que vous deviendrez, Peter, parce qu'à l'intérieur vous serez toujours le même. Un assassin.

Il regardait attentivement Peter, qui se tenait sans bouger au milieu du couloir.

— J'ai longtemps cru, reprit-il en pesant chaque mot de sa voix glacée, que mon frère garderait toute sa vie les cicatrices qu'il doit à votre incendie. Mais je me suis trompé. Il guérira. Il fera encore des choses, bonnes et importantes. Mais vous, Peter, vous n'oublierez jamais, hein ? C'est vous qui serez marqué à vie. Des cauchemars, Peter. Des cauchemars jusqu'à la fin de vos jours.

Sur ces mots, M. Débile tourna les talons et regagna le poste de soins. Personne ne lui adressa la parole quand il longea la file des patients : beaucoup de choses leur échappaient peut-être, mais ils savaient reconnaître un homme en colère, et tout le monde s'écarta prudemment.

Peter suivit M. Débile des yeux, l'air furieux.

— Je suppose qu'il n'a pas entièrement tort de me détester, déclara-t-il. Ce que j'ai fait est juste pour certains, mais mal pour d'autres.

Il aurait pu continuer là-dessus, mais il n'en fit rien. Au lieu de quoi il se tourna vers Francis.

— Qu'est-ce que tu essayais de me dire ?

D'un coup d'œil circulaire, Francis s'assura qu'aucun membre du personnel ne l'observait. Il recracha son cachet dans la paume de sa main et le glissa d'un geste dans la poche de son pantalon. Assailli par des sentiments contradictoires, il ne savait trop que dire. Finalement, il reprit son souffle :

— Alors tu vas partir… Et l'Ange ?

— Nous l'aurons cette nuit. Et si ce n'est pas cette nuit, ce sera bientôt. Alors, que voulais-tu dire, à propos de ces auditions ?

— Il était là. Je le sais. Je le sentais…

— Qu'est-ce qu'il a dit ?
— Rien.
— Qu'est-ce qu'il a fait ?
— Rien. Mais…
— Alors comment peux-tu être si sûr, C-Bird ?
— Je le sentais, Peter. J'en suis sûr.

L'indécision, dans sa voix, contredisait la certitude exprimée par les mots. Peter secoua la tête.

— Ce n'est pas assez pour avancer, C-Bird. Mais il faudra le dire à Lucy quand l'occasion se présentera.

Francis le regarda, traversé d'un sentiment de frustration, peut-être d'une certaine colère, aussi. On ne l'écoutait pas. Ils ne l'avaient jamais écouté. Il réalisait qu'ils ne l'écouteraient jamais. Ce qu'ils cherchaient, c'était du solide, du concret. Quelque chose qui n'existait pas dans l'hôpital psychiatrique.

— Elle part. Tu vas partir…

Peter hocha la tête.

— Je ne sais pas quoi te dire, C-Bird. Je déteste l'idée de partir et de te laisser ici. Mais si je reste…

— Lucy et toi, vous allez partir. Vous vous en irez, tous les deux. Moi, je ne sortirai jamais.

— Ce ne sera pas une catastrophe, tout s'arrangera pour toi, dit Peter en sachant que c'était un mensonge.

— Je ne veux pas rester ici, moi non plus, dit Francis d'une voix tremblante.

— Tu sortiras, dit Peter. Écoute, C-Bird. Je vais te faire une promesse. Dès que je serai venu à bout du foutu traitement, quel qu'il soit, qu'on m'a réservé, et dès que je serai libre, je te ferai sortir. Je ne sais pas comment, mais je le ferai. Je ne te laisserai pas ici.

Francis avait envie de le croire, mais il n'osa pas se le permettre. Il pensa que, dans sa courte existence, beaucoup de gens lui avaient fait des promesses et des prédictions, dont très peu avaient été tenues ou s'étaient réalisées. Pris en étau entre les deux piliers de son avenir, l'un décrit par Evans, l'autre promis par Peter, Francis ne savait que penser. Mais il savait qu'il se trouvait beaucoup plus près de l'un que de l'autre.

— L'Ange, Peter. Et l'Ange ? bégaya-t-il.

— J'espère que cette nuit sera la bonne, C-Bird. C'est notre seule chance. La dernière. Quoi qu'il arrive. Mais c'est une stratégie raisonnable, et je pense que ça va marcher.

Francis entendit un murmure distinct dans sa tête. Ses voix semblaient s'être mises à marmonner en chœur. Il était déchiré entre le désir de leur prêter attention et celui d'écouter Peter, qui lui décrivit dans les grandes lignes le plan qu'ils avaient arrêté. C'était un peu comme si Peter ne voulait pas qu'il connaisse trop de détails, comme s'il essayait de le maintenir à la périphérie des événements de la nuit à venir, l'empêchant d'accéder au centre où l'action devait se dérouler.

— Lucy sera la cible ? demanda Francis.

— Oui et non. Elle sera là, et elle sera l'appât. Mais c'est tout. Elle ne risquera rien. Tout est prévu. Les frères Moïse la couvriront d'un côté, et je serai de l'autre.

Francis se dit que ce n'était pas vrai.

Il hésita un instant. Il lui semblait qu'il avait presque trop de choses à dire.

Puis Peter se pencha vers lui, assez près pour que les mots restent entre eux deux.

— Qu'est-ce qui te chiffonne, C-Bird ?

Francis se frotta les mains, comme quelqu'un qui a les doigts couverts d'une matière collante.

— Je ne suis pas sûr… commença-t-il, conscient de mentir.

Sa voix tremblait. Il avait désespérément envie d'y mettre toutes ses forces, toute sa passion et toutes sa capacité de conviction. Mais quand il parla, il sut que chaque mot qu'il prononçait ne témoignait que de sa faiblesse.

— Je l'ai senti. Comme lorsqu'il est venu près de mon lit pour me menacer. La nuit où il a tué le Danseur avec l'oreiller. J'ai eu la même sensation lorsque j'ai vu Cléo pendue, là-bas…

— Cléo s'est pendue toute seule.

— Il était là.

— Elle s'est suicidée.

— Il était là ! insista Francis, aussi fort qu'il pouvait.

— Qu'est-ce qui te fait dire cela ?

— Il a mutilé sa main. Le pouce a été déplacé, il n'aurait pas pu tomber à l'endroit où on l'a trouvé si elle l'avait fait elle-même. On n'a pas trouvé de ciseaux, ni de couteau bricolé. Il n'y avait du sang que dans l'escalier, ça veut dire que son pouce a été coupé à l'endroit même. Elle n'a pas pu le faire. C'est lui.

— Mais pourquoi ?

Francis posa la main sur son front. Il était fiévreux, brûlant.

— Pour lier les deux morts. Pour montrer qu'il est partout. Je ne peux pas l'expliquer exactement, Peter. Mais c'était un message. Un message que nous ne comprenons pas.

Peter regarda Francis avec attention, mais d'un air évasif. Comme s'il croyait et ne croyait pas, à la fois, ce qu'il disait.

— Et l'audience de la commission de libération ? Tu disais que tu pouvais sentir sa présence ?

Le scepticisme de Peter était évident.

— L'Ange a besoin de pouvoir aller et venir. Il doit pouvoir aller ici et là-bas. Avoir accès à ce monde-ci et au monde extérieur.

— Pourquoi ?

Francis inspira à fond.

— Pouvoir. Sécurité.

Peter acquiesça, haussa les épaules.

— Peut-être bien. Cela dit, C-Bird, l'Ange n'est rien d'autre qu'un assassin avec un goût marqué pour un certain type de morphologie et de coupe de cheveux, et un penchant pour la mutilation. Je suppose que Gulptilil ou n'importe quel psy médicolégal derrière son bureau pourraient spéculer sur le pourquoi et le comment, et pondre une théorie pour nous expliquer que l'Ange a été victime d'abus sexuels quand il était gosse. Mais ce n'est pas vraiment important. Quand on y réfléchit, il n'est qu'un sale type et un criminel comme les autres, et je crois qu'on va l'attraper cette nuit parce que c'est un compulsif, incapable de résister au piège qu'on lui tend. C'est sans doute ce qu'on aurait dû faire dès le début, au lieu de perdre notre temps avec les entretiens et les dossiers. D'une manière ou de l'autre, il va se montrer. Point final.

Francis aurait voulu être aussi confiant que Peter, mais c'était impossible.

— Peter, je suppose que tout ce que tu dis est vrai, reprit-il en pesant ses mots. Mais admettons que ce ne soit pas vrai. Supposons qu'il n'est pas ce que Lucy et toi vous croyez. Supposons que tout ce qui s'est passé jusqu'ici soit quelque chose de totalement différent.

— Je ne te suis pas, C-Bird.

Francis déglutit. Il avait la gorge sèche, et il n'était guère capable de produire autre chose qu'un murmure.

— Je ne sais pas. Je ne sais pas, répéta-t-il. Mais tout ce que nous avons fait, toi, et moi, et Lucy, c'était ce qu'il attendait.

— Je te l'ai dit. Une enquête, ce n'est rien d'autre que cela. Un examen continu des faits et des détails.

Francis secoua la tête. Il aurait dû lui en vouloir mais il ne ressentait que la peur. Finalement, il regarda autour d'eux. Il vit le Journaliste, qui tenait un journal ouvert devant lui et apprenait studieusement les titres par cœur. Il vit Napoléon. Il aurait bien aimé voir Cléo, qui avait vécu dans la peau d'une reine. Il s'arrêta un instant sur quelques patients séniles, perdus dans leurs souvenirs, et sur les attardés mentaux, hommes et femmes enfermés à jamais dans un infantilisme obtus. Peter et Lucy faisaient appel à la logique – même si c'était la logique psychiatrique – pour trouver l'assassin. C-Bird savait que c'était l'approche la plus illogique de toutes, dans un monde dominé par les fantasmes, les illusions, la confusion.

Ses voix s'étaient mises à hurler. *Arrête ! Va-t'en ! Cache-toi ! Ne pense pas ! N'imagine pas ! Ne spécule pas ! N'essaie pas de comprendre !*

Tout à coup, Francis comprit ce qui allait se passer cette nuit-là. Et il ne pouvait rien faire pour l'empêcher.

— Peter, dit-il lentement… peut-être que l'Ange veut que les choses soient ce qu'elles sont.

— Eh bien, je suppose que c'est possible, fit Peter avec un petit rire comme si c'était la chose la plus folle qu'il ait entendue de sa vie.

Il débordait de confiance en soi.

— Ce serait sa plus grosse erreur, n'est-ce pas ?

Francis ne savait pas quoi répondre. Mais il n'était pas d'accord.

L'Ange se penchait sur moi, rôdant si près que je sentais le souffle glacé qui accompagnait chaque mot. Je me secouai tout en écrivant, le visage contre le mur, comme si je pouvais ignorer sa présence. Je le sentais, il lisait par-dessus mon épaule, et son rire était ignoble, le même que la nuit où il était venu à mon chevet, à l'hôpital, et m'avait promis que je mourrais.

— C-Bird en a trop vu. Mais il n'a pas pu reconstituer tout à fait ce qu'il a vu, ricana-t-il.

Je cessai d'écrire, la main levée devant le mur. Sans regarder dans sa direction, je lui répondis d'une voix aiguë. J'étais paniqué, mais il me fallait des réponses.

— J'avais raison, pour Cléo, n'est-ce pas ?

Il eut un autre de ses rires grinçants.

— Oui. Elle ne le savait pas, mais j'étais là. Et le plus bizarre, C-Bird, c'est que cette nuit-là, j'avais la ferme intention de la tuer avant l'aube. Je voulais simplement lui couper la gorge dans son sommeil, et dissimuler une preuve pour faire accuser une autre femme dans le dortoir. Avec l'Efflanqué, ça avait marché du tonnerre. Et ça avait toutes les chances de marcher encore. Peut-être aussi que l'oreiller sur la tête aurait suffi. Cléo était asthmatique. Elle fumait trop. Il n'aurait pas fallu longtemps pour l'étouffer. Ça avait marché pour le Danseur.

— Pourquoi Cléo ?

— Elle s'était mise à gesticuler devant le pavillon où je me trouvais, en hurlant qu'elle me connaissait. Je ne le croyais pas, bien sûr. Mais pourquoi prendre des risques ? Tout le reste se déroulait exactement comme prévu. Mais C-Bird sait tout ça, hein ? C-Bird sait, parce qu'il est comme moi. Il a envie de tuer. Il sait comment faire pour tuer. Il a tellement de haine. Il aime tellement l'idée de la mort. Pour moi, tuer est la seule réponse. Pour C-Bird aussi.

— Non, gémis-je. Pas vrai.

— Tu sais quelle est la seule réponse, Francis, murmura l'Ange.

— Je veux vivre, répondis-je.

— Cléo aussi. Mais elle voulait aussi mourir. La vie et la mort sont tellement proches. C'est presque la même chose, Francis. Dis-moi : est-ce que tu es vraiment différent d'elle ?

Je ne pouvais pas répondre à cela.

— Vous l'avez regardée mourir ? demandai-je.

— Bien sûr, répondit l'Ange d'une voix sifflante. Je l'ai vue prendre le drap sous son lit. Elle devait l'avoir gardé là, rien que pour ça. Elle souffrait beaucoup et les médicaments ne pouvaient absolument rien pour elle, et quand elle pensait à ce qui l'attendait, jour après jour, année après année, elle ne voyait rien d'autre que la douleur, toujours plus de douleur. Elle n'avait pas peur de se tuer, C-Bird, contrairement à toi. C'était une reine, elle comprenait la noblesse du suicide. Son caractère inéluctable. Je l'ai seulement encouragée tout au long du chemin, et j'ai utilisé sa mort à mon avantage. J'ai ouvert les portes, je l'ai suivie dehors, et je l'ai regardée partir dans l'escalier...

— Où était l'infirmière de garde ?

— Elle dormait, C-Bird. Elle roupillait, elle ronflait. Tu crois vraiment qu'elles se soucient assez de vous pour rester éveillées ?

— Mais pourquoi l'avoir tailladée, après ?

— Pour montrer ce que tu as compris plus tard, C-Bird. Pour montrer que j'aurais pu la tuer. Mais surtout, je savais que tout le monde se disputerait. Ceux qui voulaient croire que j'étais là y verraient une preuve de ma présence. Les autres y verraient une preuve du contraire. Le doute et la confusion peuvent être très utiles, C-Bird, quand on prépare quelque chose qui doit être précis et parfait.

— À un détail près, murmurai-je. Vous n'avez pas prévu mon intervention.

— Mais c'est pour ça que je suis ici, maintenant, C-Bird, grogna-t-il. Pour toi.

Un peu avant dix heures du soir, Lucy traversa d'un pas rapide le domaine de l'hôpital vers le pavillon Amherst, pour prendre le service de nuit en solitaire. Le service des morts, comme on l'appelle dans les salles de rédaction et les postes de police. C'était une nuit terrible, quelque part entre la tempête et la canicule. Elle marchait tête baissée, en se disant que son uniforme blanc était visible malgré l'épaisseur des ténèbres.

Elle tenait dans la main droite un trousseau de clés qui cliquetait au rythme rapide de ses pas. Au-dessus de sa tête, un chêne penché oscillait, ses feuilles bruissant sous une brise qui semblait déplacée dans cette nuit calme et humide. Elle portait à l'épaule droite la petite serviette où elle avait dissimulé le pistolet chargé, et cela lui donnait une démarche guillerette qui ne correspondait pas à son état d'esprit. Elle ignora un cri bizarre, désespéré et solitaire, qui sembla descendre en flottant de l'un des pavillons.

Elle ouvrit les deux serrures de la porte d'entrée de l'Amherst et poussa d'un coup d'épaule le lourd battant de bois qui lui livra le passage en raclant le sol. Pendant un instant, elle fut déconcertée. À chaque fois qu'elle s'était trouvée dans ce pavillon, soit dans son bureau, soit dans le couloir principal, il était plein de monde, de lumière et de bruit. Cette fois, il n'était même pas tard, et tout était différent. Ce qui semblait d'habitude bondé et animé, électrisé par toutes sortes de folies affreuses et de pensées misérables, était silencieux, à l'exception, de temps en temps, d'un cri effrayant surgissant de l'espace désert. Le couloir était presque totalement obscur. Les fenêtres laissaient passer une lueur très faible, à peine grisâtre, qui venait des autres pavillons. La seule véritable lumière venait du petit cône lumineux qu'on apercevait derrière la porte grillagée du poste de soins, où était allumée une simple lampe de bureau.

Une forme bougea dans le poste de soins. Lucy souffla lentement quand elle vit Little Black se lever derrière le bureau et ouvrir la porte grillagée.

— Juste à l'heure, dit-il.

— Pour rien au monde je n'aurais manqué cela, dit-elle d'un ton un peu bravache.

— Je crois que vous êtes partie pour de longues heures d'ennui, fit-il en secouant la tête.

Il lui montra l'Interphone posé sur le bureau. C'était un appareil ancien, un petit haut-parleur surmonté d'un simple interrupteur « on/off » et d'un bouton pour régler le son.

— Avec ça, vous serez en liaison avec mon frère et moi, là-haut. Mais il faudra donner de la voix si vous voulez qu'on entende votre « Apollo », parce que ces machins ont dix ou vingt ans et ils ne marchent plus très bien. Vous pouvez aussi nous appeler par téléphone. Vous composez le 202, et ça sonne. Je vais vous dire : si ça sonne deux fois et que vous raccrochez, on comprendra que c'est un signal et on descendra quatre à quatre.

— 202. Compris.

— Mais vous n'en aurez sans doute pas besoin. Dans cette maison, il n'arrive jamais rien de logique ni de prévisible, même si on a tout fait pour ça. Je suis bien certain que le type que vous cherchez sait que vous serez ici. Les bruits circulent vite, si vous dites ce qu'il faut à la bonne personne. Ça ne traîne pas. Mais si ce mec est aussi malin que vous avez l'air de le penser, je doute fort qu'il tombera dans le panneau. Mais on ne sait jamais.

— C'est juste, dit Lucy. On ne sait jamais.

Little Black hocha la tête.

— Bon, vous nous appelez. Vous nous appelez s'il se passe quoi que ce soit, même avec un patient dont vous ne savez que faire. Si quelqu'un crie, ou demande de l'aide, ne vous en occupez pas. En général, on attend le matin pour s'occuper des problèmes de la nuit.

— D'accord.

— Nerveuse ?

— Non, fit-elle car le mot était insuffisant pour décrire son état.

— Un peu plus tard, j'enverrai quelqu'un s'assurer que tout va bien. D'accord ?

— J'apprécie toujours la compagnie. Sauf que je ne veux pas effrayer l'Ange.

— Je ne crois pas que ce soit le genre de type qui se laisse si facilement effrayer, dit Little Black. Je me suis assuré que les portes des dortoirs étaient fermées. Côté hommes, côté femmes. Surtout celle-là, là-bas, que Peter voulait que j'ouvre. Mais vous savez que cette clé, au bout de la chaîne, sert à l'ouvrir. Ce que je crois, moi, c'est que tout le monde dort déjà à poings fermés.

Là-dessus, Little Black fit demi-tour et repartit. Il se retourna une fois et lui fit un signe de la main, mais il faisait si sombre, près de la cage d'escalier, qu'à part la tache blanche de son uniforme elle le distinguait à peine.

Quand elle entendit la porte se fermer avec un craquement, Lucy posa sa serviette sur la table, à côté du téléphone. Elle attendit quelques secondes, laissant le silence l'envelopper, avec une sensation de moiteur, puis elle prit la clé et se rendit au dortoir des hommes. Aussi silencieusement que possible, elle l'introduisit dans la serrure et la tourna une fois. Elle entendit un cliquetis lointain. Elle respira à fond puis regagna le poste de soins et commença sa longue attente.

Peter était assis sur son lit, les jambes croisées, parfaitement éveillé. Il entendit le clic du pêne dans la serrure et comprit ce que cela signifiait : Lucy avait déverrouillé la porte. Il l'imagina en train de retourner à grands pas vers le poste de soins. Lucy était si remarquable, à cause de sa taille, de sa cicatrice, de sa manière de se déplacer, qu'il n'avait aucun mal à se représenter ses mouvements. Il tendit l'oreille, essayant d'entendre ses pas, mais en vain. Le bruit de fond du dortoir plein d'hommes endormis, entortillés dans leurs draps autant que dans leur détresse, étouffait les sons plus légers qui auraient pu venir du couloir. Il y avait trop de ronflements, de souffles bruyants, d'hommes parlant dans leur sommeil pour détecter un son isolé. Il se dit que cela pourrait poser un problème. Dès qu'il eut la certitude que tous, autour de lui, étaient plongés dans le sommeil agité et irrégulier auquel ils avaient droit, il se leva en silence et se faufila avec précaution entre les formes allongées de ses compagnons, en direction de la porte. Il n'osa pas l'ouvrir, croyant que le bruit pourrait réveiller quelqu'un malgré les médicaments. Il se contenta de se laisser glisser au sol. Il resta assis par terre, le dos contre le mur près de la porte, attendant un bruit anormal ou le mot qui lui signalerait l'arrivée de l'Ange.

Il aurait préféré avoir une arme. Un pistolet m'aurait été utile, se dit-il. À défaut, une batte de base-ball ou une matraque de policier. Il se rappela que l'Ange avait un couteau : il aurait intérêt à rester hors d'atteinte jusqu'à l'arrivée des frères Moïse, jusqu'à ce qu'on appelle la sécurité et que l'opération soit couronnée de succès.

Il devinait que Lucy n'aurait pas accepté de jouer son rôle sans protéger ses arrières. Elle n'avait pas dit qu'elle serait armée, mais il s'en doutait.

Ils avaient un double avantage : l'effet de surprise et le nombre.

Peter jeta un coup d'œil vers Francis, et il secoua la tête. Le jeune homme avait l'air endormi. C'était une bonne chose. Il regrettait de devoir le laisser derrière lui, mais tout compte fait, ce serait sans doute mieux ainsi. Depuis que l'Ange était venu à son chevet – Peter n'était même pas sûr que cela soit vraiment arrivé –, il avait l'impression que Francis était de plus en plus excentrique, de moins en moins fiable. C-Bird avait emprunté une pente descendante que Peter ne voulait pas suivre. Il était triste de voir ce qui arrivait à son ami et d'être incapable de l'aider. Francis avait très mal vécu la mort de Cléo, et il semblait entretenir, plus encore que ses compagnons, une obsession maladive pour la chasse à l'Ange. Comme si le désir de mettre la main sur le tueur avait pour lui une tout autre signification et une tout autre importance. Cela dépassait de très loin la simple détermination, et c'était dangereux.

Peter se trompait, bien sûr. Personne n'était plus obsédé que Lucy, mais il ne voulait pas le voir.

La tête appuyée au mur, il ferma les yeux un instant. Il sentait la fatigue l'envahir, ainsi que l'excitation. Il savait que sa vie allait connaître des bouleversements importants, cette nuit-là et le lendemain matin. Il repoussa ses souvenirs, en se demandant ce qu'il allait devenir. En même temps, il continua à tendre l'oreille, attendant un signal de Lucy.

Il se demanda s'il la reverrait, après cette nuit.

À quelques mètres de là, Francis était allongé, très raide, sur son lit. Il savait parfaitement que Peter était passé devant lui silencieusement pour prendre position devant la porte. Sachant que le sommeil était lointain, mais pas la mort, il respira lentement, régulièrement, dans l'attente d'événements qu'il savait inéluctables. Des événements gravés dans le marbre, prévus dans le moindre détail, mesurés, écrits, élaborés. Il avait l'impression d'être entraîné par un courant très loin de ce qu'il était, ou de ce qu'il aurait pu être, et il était incapable de lutter contre cela.

Nous étions tous exactement à l'endroit où l'Ange voulait que nous soyons. Voilà ce que je voulais écrire. Mais je n'en fis rien. Cela allait bien au-delà de l'idée que nous avions pris place sur une scène et que nous étions dévorés par le trac qui précède le lever de rideau, nous demandant si nous savions notre texte, si nos mouvements étaient chorégraphiés, si nous étions capables de trouver nos marques et de suivre les instructions. L'Ange savait où nous nous trouvions, physiquement. Plus profondément, il savait où nous en étions, dans nos cœurs.

Sauf pour moi, peut-être, à cause de la confusion totale qui régnait dans le mien.

Je me balançais d'avant en arrière en gémissant, comme un soldat blessé sur le champ de bataille, qui veut demander de l'aide mais qui ne peut produire autre chose qu'un sourd grognement de douleur. J'étais à genoux par terre, devant l'espace disponible qui diminuait, sur le mur, comme les mots dont je disposais.

Autour de moi, l'Ange rugissait. Sa voix, comme un torrent, noyait mes protestations :

— Je le savais ! cria-t-il. Je le savais. Vous étiez tous si stupides… si normaux… si sains d'esprit !

Sa voix semblait rebondir sur les murs, prendre de la vitesse dans la pénombre et revenir me frapper, comme un coup de poing.

— Je n'étais pas une de ces choses ! J'étais tellement plus grand !

Je baissai la tête et fermai les yeux, paupières serrées. Je hurlai :

— Pas moi !

Ce qui n'était pas très logique, mais le son de ma voix aux prises avec la sienne provoqua en moi une brève montée d'adrénaline. J'inspirai, j'attendis la douleur qui menaçait, mais rien n'arriva. Levant les yeux, je vis la pièce noyée dans une explosion de lumière. Explosions, étoiles, obus phosphorescents dans le lointain, balles traçantes déchirant l'obscurité, bataille dans le noir.

— Réponds-moi ! hurlai-je d'une voix qui dépassait les bruits de combat.

L'univers de mon petit appartement semblait se déformer, osciller sous la violence de la guerre.

L'Ange m'entourait, il était partout, il m'enveloppait. Je serrai les dents.

— Réponds-moi ! criai-je de nouveau, de toutes mes forces.

C'est alors qu'une voix vint murmurer à mon oreille, douce et dangereuse :

— Tu connais les réponses, C-Bird. Tu les as vues, cette nuit-là. Mais tu ne veux pas l'admettre, hein, Francis ?

— Non ! hurlai-je.

— Tu ne veux pas dire ce que C-Bird savait, dans son lit, cette nuit-là, parce que ça signifierait que Francis devrait se tuer maintenant, hein ?

Je ne pouvais pas répondre. J'étais anéanti par les larmes et les sanglots.

— Il va falloir que tu meures. Quelle autre réponse y a-t-il, C-Bird ? Parce que tu connaissais les réponses, cette nuit-là, n'est-ce pas ?

Une douleur vrillante me traversa le corps. Je murmurai la seule réponse qui, je le savais, pouvait apaiser la voix de l'Ange :

— Il ne s'agissait pas de Blondinette, n'est-ce pas ? Il ne s'est jamais agi d'elle.

Il se mit à rire. Un rire sincère. Un bruit déchirant, ignoble, comme si quelque chose se brisait, qui ne pourrait jamais être réparé.

— Qu'est-ce que C-Bird a vu d'autre, cette nuit-là ? demanda l'Ange.

Je me revis, allongé sur mon lit. Au-delà du repos, aussi raide qu'un catatonique figé dans une vision terrifiante du monde, refusant de bouger, refusant de parler, refusant de faire autre chose que respirer. Allongé sur mon lit, j'avais une vue d'ensemble sur le monde de mort que l'Ange avait tissé. Peter était près de la porte. Lucy était au poste de soins. Les frères Moïse étaient à l'étage supérieur. Chacun était seul, isolé, séparé des autres, vulnérable. Et qui était le plus vulnérable ? Lucy.

— Blondinette, bafouillai-je. Elle n'était que…

— Un morceau du puzzle. Tu l'as vu, C-Bird. La nuit est la même qu'alors.

La voix de l'Ange tonnait, autoritaire.

Je pouvais à peine parler. Car les mots que je saisissais étaient les mêmes que ceux qui m'étaient venus, cette nuit-là, tant d'années auparavant. Un. Deux. Trois. Et puis Blondinette. À quoi avaient servi tous ces meurtres ? Inexorablement, ils avaient abouti à ce que Lucy se trouve là où elle était, seule, dans le noir, au centre d'un univers qui n'était pas régi par la logique, la santé mentale ni l'organisation. Quoi qu'en pensent Gulptilil, Evans, Peter ou les frères Moïse. C'était un monde glacé, régi par l'Ange.

Avec un grondement, l'Ange me donna un coup de pied. Jusque-là, il avait été vaporeux, spectral. Mais le coup me fit mal et m'arracha un gémissement. Je m'efforçai de me remettre à genoux et rampai vers le mur avec difficulté. Je pouvais à peine tenir mon crayon. C'était ce que j'avais vu dans le noir, cette nuit-là.

Minuit approchait. Les heures s'éternisaient. La nuit prenait possession du monde qui l'entourait. Francis était allongé, tendu, et il passait en revue tout ce qu'il savait. Une série de meurtres qui avait amené Lucy dans cet hôpital. Elle se trouvait maintenant juste derrière cette porte, les cheveux très courts et teints en blond, et elle attendait un tueur. Toutes sortes de morts, toutes sortes de questions, et quelle était la réponse ? Francis sentait qu'elle était là, juste à sa portée, aussi insaisissable qu'une plume portée par le vent.

Il se retourna sur son lit et jeta un coup d'œil vers Peter. Celui-ci était immobile, les bras encerclant ses genoux repliés, la tête posée sur les bras. Francis se dit que l'épuisement avait finalement eu raison du Pompier. Il n'avait pas la chance de Francis, chez qui la panique et la terreur pouvaient tenir le sommeil en échec.

Francis avait envie d'expliquer qu'il n'était pas loin d'avoir tout compris. Il ouvrit la bouche, mais les mots ne vinrent pas. Au plus profond du désespoir et du silence, il entendit soudain le cliquetis reconnaissable entre tous de la serrure. Celle qu'on avait ouverte un peu plus tôt. Quelqu'un venait de la refermer.

32

Quand il entendit qu'on verrouillait la porte, Peter tressaillit. Il s'ébroua et se leva d'un bond. Il se demanda comment il avait pu s'assoupir et manquer les bruits de pas étouffés de l'autre côté du mur. Il saisit la poignée et posa son épaule contre la porte, en espérant que le bruit qui l'avait éveillé n'était pas réel, qu'il provenait d'un rêve à demi éveillé. Il tourna la poignée, mais la porte ne bougea pas. Peter sentit que le verrou la maintenait en place. Il lâcha la poignée, recula. Un torrent d'émotions l'envahit. C'était autre chose que la peur ou la panique, différent même de l'angoisse, du choc ou de la stupéfaction. Il avait nourri certains espoirs fondés sur plusieurs hypothèses raisonnables quant à ce qui pourrait se passer cette nuit-là. Il découvrait brusquement que tout ce qu'il avait imaginé se trouvait réduit à néant et remplacé par un terrible mystère. Sans trop savoir par où commencer, il inspira à fond. Il s'était déjà trouvé à maintes reprises dans des situations qui exigeaient qu'il garde son calme, alors que toutes sortes de dangers s'étaient mis à bourdonner autour de sa tête ou le tiraient par la manche. Des fusillades, quand il était dans l'armée. Des incendies, quand il était pompier. Il se mordit violemment la lèvre, en se promettant de rester vigilant et de ne pas paniquer. Puis il colla son visage contre le hublot percé dans la porte et tendit le cou pour essayer de voir dans le couloir. Il se rappela que rien n'était encore arrivé qui ferait de cette nuit-là une nuit différente des autres.

Derrière lui, Francis avait lancé ses pieds hors du lit. Des forces qu'il n'identifiait pas le poussaient à se lever. Il entendait le chœur de ses voix qui hurlaient : *Ça y est, C'est pour maintenant !*, mais il ignorait de quoi elles parlaient. Il se tint près de son lit, aussi immobile qu'une statue, attendant la suite des événements, espérant que, lorsqu'il devrait passer à l'action, il saurait très vite quoi faire. Espérant aussi qu'il en serait capable. Il en doutait. Il n'avait jamais vraiment réussi quoi que ce soit, autant qu'il se rappelle, durant sa brève existence.

Assise derrière le bureau, au poste de soins, Lucy leva les yeux. À travers le grillage, elle scruta le couloir plongé dans une obscurité presque totale. Tout au fond, là où Little Black, quelques heures plus tôt, lui avait fait un signe de la main, elle aperçut une silhouette. Une forme humaine, qui semblait venir de nulle part. Elle tendit le cou. Elle vit un aide-soignant, en veste blanche, s'arrêter devant la porte du dortoir des hommes, puis continuer dans sa direction d'un pas nonchalant. L'homme lui fit un petit signe. Elle vit qu'il souriait. Il avait l'air sûr de lui, décontracté. Il ne se déplaçait pas avec la démarche traînante et hésitante de l'immense majorité des patients, toujours écrasés par le poids de leur maladie. Cet homme marchait d'un pas léger qui semblait le placer dans une autre catégorie. Cela n'empêcha pas Lucy de poser la main sur sa serviette, rassurée d'y sentir la présence de son arme.

L'aide-soignant s'approcha. Il n'était sans doute pas plus grand qu'elle, mais sa carrure athlétique suggérait qu'il avait quelques kilos de plus. Alors qu'il avançait dans le couloir, elle avait l'impression qu'il se détachait d'un nuage, qu'il prenait forme, qu'il était un peu plus distinct à chaque pas. Il s'arrêta d'abord pour vérifier la porte du débarras, s'assurant qu'elle était bien fermée à clé, puis fit une seconde halte devant celle qui menait aux chaudières du sous-sol. Il secoua légèrement la porte, sortit un trousseau de clés semblable à celui qu'on avait donné à Lucy pour la nuit, en introduisit une dans la serrure. Il se trouvait à cinq ou six mètres de Lucy. Elle baissa la main pour saisir la crosse du pistolet. Elle tendit le bras vers l'Interphone, puis interrompit son geste lorsque l'aide-soignant se détourna de la porte du sous-sol et lui dit d'un ton amène :

— Les crétins du service d'entretien oublient toujours de fermer ces portes. Ce n'est pourtant pas faute de le leur dire. Je m'étonne qu'on n'ait pas déjà perdu une dizaine de patients dans ces tunnels.

Il sourit et haussa les épaules. Elle ne dit pas un mot.

— M. Moïse m'a chargé de descendre ici pour voir si tout allait bien. Il m'a dit que c'était votre première nuit. J'espère que je ne vous ai pas fait peur.

— Ça va, fit Lucy, la main serrée sur la crosse du pistolet. Dites-lui que je le remercie mais que je n'ai besoin de rien.

L'aide-soignant s'approcha un peu plus.

— C'est ce que je me suis dit. Le service de nuit, ça veut dire qu'on est seul, qu'on s'ennuie un peu, et surtout qu'on doit rester éveillé. Mais après minuit, ça peut finir par donner la chair de poule.

Elle examina attentivement son visiteur, essayant de graver dans son esprit le moindre détail de sa présence, comparant chaque trait, chaque mouvement à l'image de l'Ange qu'elle avait conçue dans son esprit. Avait-il la bonne taille, la bonne carrure, le bon âge ? À quoi ressemble un tueur ? Une boule se formait dans son estomac, la tension fit frissonner les muscles de ses bras et de ses jambes. Elle ne s'était pas attendue qu'un assassin arrive d'un pas nonchalant, le sourire aux lèvres. Qui êtes-vous ? demanda-t-elle mentalement.

— Pourquoi M. Moïse n'est-il pas venu lui-même ? demanda-t-elle.

L'aide-soignant haussa les épaules.

— Oh… Deux ou trois types, dans le dortoir du haut, ont pété les plombs au moment de l'extinction des feux. Il a dû en escorter un au quatrième étage, s'assurer qu'il était entravé, le placer en observation et l'assommer avec une piqûre de Haldol. Il a laissé son frère, le grand costaud, au bureau, et m'a demandé de descendre. Mais on dirait bien que vous contrôlez la situation. Je peux faire quelque chose pour vous avant de remonter ?

Lucy gardait la main sur son arme, sans le quitter des yeux. Tandis qu'il approchait, elle s'efforça de l'examiner sous toutes les coutures. Ses cheveux foncés étaient un peu trop longs, mais bien peignés. Il portait un uniforme blanc d'aide-soignant impeccable et des chaussures de tennis silencieuses. Elle regarda longuement ses yeux, en quête de l'étincelle de la folie ou de la noirceur de la mort. Elle chercha, dans l'attitude de cet homme, le moindre indice capable de lui dire qui il était, le détail qui expliquerait tout. Ses doigts se serrèrent sur le pistolet qu'elle sortit à demi de la serviette, sur ses gardes. Elle opéra aussi discrètement que possible. Simultanément, elle regarda les mains de l'homme.

Ses doigts étaient longs. Presque trop longs. Comme s'il avait des griffes. Mais il avait les mains vides.

Il avança encore. Il était à un mètre, maintenant, si près qu'elle sentit une sorte de chaleur passer entre eux. Elle se dit que c'était l'effet de sa nervosité.

— En tout cas, excusez-moi si je vous ai fait peur. J'aurais dû vous donner un coup de fil pour vous prévenir que je descendais. Ou peut-être que M. Moïse aurait dû appeler, mais lui et son frère étaient occupés.

— Ce n'est rien, dit-elle.

L'aide-soignant montra le téléphone posé près de la main de Lucy.

— Il faudrait que j'appelle M. Moïse pour le prévenir que je remonte à l'isolement. Ça ne vous dérange pas ?

Elle fit un geste du menton vers le téléphone.

— Je vous en prie, monsieur… je crois que je n'ai pas bien compris votre nom.

Il était assez près pour la toucher, maintenant, mais toujours séparé d'elle par le grillage. Le pistolet lui brûlait les doigts, comme s'il lui ordonnait de le sortir de sa cachette.

— Mon nom ? Excusez-moi. En fait, je ne vous l'ai pas donné…

L'homme passa le bras par l'ouverture ménagée dans le grillage pour distribuer les médicaments. Il décrocha le téléphone, approcha le combiné de son oreille. Elle le vit enfoncer trois touches et attendre.

Pendant une seconde, elle hésita, puis son sang se glaça. Il n'avait pas composé le 202.

— Hé ! fit-elle. Mais ce n'est pas...

Et le monde explosa autour d'elle.

La douleur déploya comme un voile rouge derrière ses yeux. La terreur la frappa comme un poignard, au rythme de ses battements de cœur. Elle avait la tête qui tournait, elle sentit qu'elle plongeait en avant comme si elle avait perdu l'équilibre, et une seconde déflagration la frappa au visage, suivie rapidement d'une troisième, puis d'une quatrième. Elle eut l'impression que sa mâchoire, sa bouche, son nez et ses joues avaient brusquement pris feu. Des cascades d'une douleur instantanée inondèrent son visage. Elle sentait qu'elle allait perdre conscience, que l'obscurité prenait possession de son être. Elle fit appel à ce qui restait de sa mémoire et de sa capacité à contrôler ses mouvements pour tenter de sortir son pistolet. Elle était prise dans une spirale étourdissante de douleur et de confusion. L'emprise qu'elle exerçait quelques instants plus tôt sur la crosse du pistolet s'était relâchée, inutile. Tous ses gestes étaient incroyablement lents, comme entravés par des cordes et des chaînes. Elle essaya de lever l'arme vers l'aide-soignant, les derniers fragments de sa conscience lui hurlaient : Tire ! Tire ! Mais c'est alors qu'elle perdit brutalement le pistolet et la promesse de sécurité qu'il représentait. Il tomba loin d'elle avec un bruit métallique, et elle sut qu'elle trébuchait, qu'elle tombait par terre, qu'elle heurtait violemment le lino, et elle ne sentit plus rien que le goût du sang. C'était sa seule sensation, toutes les autres avaient été anesthésiées par les torrents de la douleur.

Des traînées cramoisies se formaient devant ses yeux. Un bruit assourdissant lui vrilla les oreilles. L'odeur infecte de la peur envahit ses narines, effaça tout le reste. Elle voulut hurler à l'aide, mais les mots étaient trop lointains, inaccessibles, de l'autre côté d'un gouffre immense.

Voilà ce qui s'était passé. L'aide-soignant avait levé brusquement le lourd combiné téléphonique et avait frappé la mâchoire de Lucy, avec la précision d'un boxeur qui lance un bref et brutal uppercut. Simultanément, il s'était penché par l'ouverture du grillage et avait saisi la veste de Lucy. Alors qu'elle basculait en arrière, il l'avait sauvagement ramenée vers l'avant, écrasant son visage contre le grillage qui était censé la protéger. Il l'avait repoussée en arrière puis projetée trois fois contre le grillage, avant de la jeter au sol, qu'elle avait heurté la tête la première. Il n'avait eu aucun mal à lui arracher le pistolet en lui frappant la main avec le téléphone. Projetée au loin, l'arme s'était immobilisée dans un coin du poste de soins. Une attaque d'une vitesse et d'une efficacité foudroyantes. Quelques secondes seulement d'une violence effrénée, et un bruit très bref qui ne franchit pas les limites de l'espace étroit où ils se trouvaient. Lucy concentrée, vigilante, les doigts serrés sur l'arme qui devait la protéger. Une seconde plus tard, elle était à terre, incapable de formuler une pensée cohérente à part : je vais mourir, ici, cette nuit.

Elle essaya de lever la tête, et dans le brouillard provoqué par le choc elle vit l'aide-soignant ouvrir tranquillement la porte du poste de soins. Elle fit un effort surhumain pour se mettre à genoux, en vain. Une voix, dans sa tête, lui hurlait d'appeler les secours, de riposter, de faire tout ce qu'elle avait prévu de faire et qui lui semblait alors si facile. Mais, avant qu'elle ait le temps de rassembler la force et la volonté nécessaires, il se dressa à côté d'elle. Un violent coup de pied dans les côtes expulsa le peu d'air qui restait dans ses poumons et lui arracha un gémissement. L'Ange se pencha sur elle et murmura des mots qui la précipitèrent dans un gouffre de terreur plus profond que tout ce qu'elle aurait pu imaginer :

— Tu te souviens de moi ? siffla-t-il.

Ce qu'elle ressentit à cette seconde précise dépassait tous les événements terrifiants qui avaient précédé. En entendant cette voix, si près d'elle, ce ton familier qui n'exprimait que de la haine, elle eut l'impression de faire un bond de plusieurs années en arrière.

Peter tendait le cou en tous sens pour essayer de voir ce qui se passait dans le couloir du pavillon Amherst. Il colla son visage contre la petite vitre renforcée par du grillage. Plongé dans l'obscurité, il ne voyait que l'ombre et quelques rayons d'une lumière blafarde, et rien ne suggérait une activité quelconque. L'oreille sur la porte, il essaya d'entendre quelque chose à travers le panneau d'acier, mais celui-ci défiait tous ses efforts. Il était incapable de dire ce qui se passait – si toutefois il se passait quelque chose. Ce dont il était sûr, c'est que la porte qui était censée être ouverte était bel et bien fermée à clé. Il se passait peut-être quelque chose, juste au-delà de son champ de vision, et il lui était absolument impossible d'intervenir. Il saisit la poignée et la secoua furieusement. Cela provoqua un bruit assourdi, même pas assez fort pour réveiller les dormeurs abrutis par les médicaments. Il jura, tira encore.

— C'est lui ? fit une voix derrière son épaule.

Il se retourna. Francis était là, immobile, à un mètre de lui. Il écarquillait les yeux sous l'effet de la peur et de la tension. Une bande de lumière tombant d'une fenêtre éloignée donnait l'impression que son visage était encore plus jeune qu'en réalité.

— Je ne sais pas, dit Peter. Je ne peux pas dire…

— La porte…

— Elle est verrouillée. Alors qu'elle était censée être ouverte.

Francis respira à fond. Il était absolument sûr d'une chose.

— C'est lui, dit-il avec une assurance qui le surprit.

Les voiles de douleur la privaient de toute possibilité de mouvement et de réflexion. Elle s'efforçait de rester consciente, comprenant que sa vie en dépendait, sans trop savoir comment. Elle avait un œil presque fermé par une ecchymose, et elle avait l'impression d'avoir la mâchoire brisée. Elle essaya de ramper, de s'éloigner de la voix de l'Ange, mais il lui lança un autre coup de pied. Il se laissa tomber à califourchon sur elle et la cloua au sol. Elle gémit de nouveau, comprenant qu'il avait un objet dans la main. Quand il le pressa sur sa joue, elle sut ce que c'était. Un couteau, sans doute identique à celui dont il s'était servi, des années auparavant, pour lui entailler le visage.

Il murmurait, mais avec toute l'énergie d'un sergent instructeur :

— Ne bougez pas. Ne mourez pas trop vite, Lucy Jones. Pas après tout ce temps.

Elle était paralysée par la terreur.

Il se leva, se dirigea vers la table d'un pas désinvolte, et en deux gestes vifs et brutaux coupa les fils du téléphone et de l'Interphone. Puis il revint vers elle.

— Maintenant… une petite conversation, avant que n'arrive l'inévitable.

Elle se rejeta en arrière, sans répondre.

Il s'assit de nouveau sur elle et la cloua au sol avec ses genoux.

— Est-ce que vous vous rendez compte à quel point j'ai été près de vous, tant de fois que j'ai renoncé à les compter ? Savez-vous que j'étais à côté de vous à chaque pas que vous faisiez, jour après jour, durant toutes ces années ? Savez-vous que j'étais toujours là, si près qu'il me suffisait de tendre le bras pour vous attraper à tout moment, si près que je sentais votre parfum et que j'entendais votre respiration ? Je ne me suis jamais éloigné de vous, Lucy Jones, depuis la nuit où nous avons fait connaissance.

Il avança son visage juste au-dessus du sien.

— Vous avez réussi, poursuivit-il. Vous avez appris tout ce qu'il fallait apprendre, en faculté de droit. Y compris la leçon que je vous ai enseignée.

L'Ange la regarda, son visage était l'expression de la colère pure.

— Il nous reste juste assez de temps pour les derniers travaux pratiques, dit-il.

Il pressa la lame de son couteau sur la gorge de Lucy.

Francis s'avança, les yeux fixés sur Peter.

— C'est lui, répéta-t-il. Il est là.

Peter regarda de nouveau par le hublot.

— Nous n'avons pas entendu de signal. Les frères Moïse devraient être ici…

Mais quand il vit le mélange de peur et d'impatience sur le visage de Francis, il se tourna et donna un coup d'épaule contre la porte. La douleur lui arracha un grognement. Il prit un peu de recul et se jeta de nouveau contre le métal, qui ne céda pas d'un pouce. Peter sentit la panique monter en lui, brusquement conscient que, dans un endroit où le temps semblait inaccessible, chaque seconde comptait.

Il recula et donna un violent coup de pied dans la porte.

— Francis, il faut qu'on sorte d'ici ! s'exclama-t-il.

Mais Francis était déjà en train de tirer sur son sommier et essayait d'en arracher un des montants. Il fallut à Peter une seconde pour comprendre ce qu'il faisait. Il bondit au côté de Francis pour l'aider à détacher une barre dont ils se serviraient comme d'un pied-de-biche. Il pensa à ce qui se déroulait à deux pas, hors de sa portée, et une idée inhabituelle lui vint après avoir franchi le barrage de ses peurs et de ses doutes. Il ressentait la même chose que l'homme qui est piégé dans un incendie et qui regarde, impuissant, la muraille de feu menaçant de le dévorer. L'effort lui arracha un grognement rauque.

Sur le sol du poste de soins, Lucy luttait désespérément pour garder le contrôle d'elle-même. Durant les heures, les jours et les mois qui avaient suivi son agression, des années plus tôt, son esprit avait passé en boucle la litanie interminable des « Et si… » et des « Si seulement j'avais… ». Elle essayait maintenant de rassembler tous ces souvenirs – le sentiment de culpabilité et les regrets, les peurs intimes et les terreurs – pour faire le tri et trouver ce qui pourrait l'aider. Car ce qui se passait était la répétition de ce qu'elle avait déjà subi. Sauf que, cette fois, elle savait qu'on n'allait pas seulement lui voler sa jeunesse, son innocence et sa beauté. Elle hurla mentalement, suppliant son imagination de surmonter la douleur et le désespoir et de l'aider à trouver une riposte.

Elle était seule pour affronter l'Ange alors qu'il y avait des gens tout autour d'eux – aussi isolée et abandonnée que s'ils se trouvaient sur une île déserte ou au plus profond d'une forêt obscure. Le salut se trouvait à une volée de marches de là. Le salut se trouvait au bout du couloir, derrière une porte verrouillée. Le salut était partout. Le salut n'était nulle part.

La mort était un homme muni d'un couteau, et qui la clouait au sol. Il avait le pouvoir absolu. Elle comprit que le corps de l'Ange était habité par l'énergie entretenue par l'organisation, l'obsession, l'anticipation de ce moment précis. Des années de compulsion et de désir refoulés, rien que pour connaître ce moment unique. Elle savait, pour des raisons qui dépassaient tout ce qu'elle avait appris en faculté de droit, qu'elle devait utiliser ce triomphe contre lui. C'est pourquoi, au lieu de dire « Arrêtez ! », ou « Je vous en supplie ! », ou même « Pourquoi ? », elle cracha, entre ses lèvres enflées et ses dents branlantes, quelques mots mensongers et arrogants :

— Nous avons toujours su que c'était vous…

L'Ange hésita. Puis il posa le tranchant de sa lame contre sa joue.

— Menteuse ! siffla-t-il.

Mais il ne la taillada pas. Pas encore. Lucy comprit qu'elle venait de gagner quelques secondes. Peut-être pas une chance de survie, mais un répit qui avait fait hésiter l'Ange.

Le bruit que faisaient Peter et Francis en saccageant le sommier pour en détacher un montant finit tout de même par sortir les pensionnaires de leur sommeil précaire. Tels des spectres se levant dans un cimetière durant la nuit de Halloween, les hommes s'éveillèrent l'un après l'autre, repoussant le confort que leur offrait leur dose quotidienne de sédatifs. Ils gesticulaient, luttaient, clignaient des yeux devant le spectacle inédit que leur offrait un Peter paniqué, bataillant avec le métal de toute la force de ses muscles.

— Qu'est-ce qui se passe, C-Bird ?

Francis tourna la tête dans la direction du nouveau venu. C'était Napoléon. Il hésita, ne sachant pas quelle réponse il devait donner. Les hommes du dortoir s'éloignaient lentement de leurs lits d'une démarche chancelante et se rassemblaient en un groupe informe derrière Napoléon. Ils regardaient dans le noir, vers Francis et Peter, dont les efforts commençaient à porter leurs fruits. Ils étaient presque parvenus à détacher une barre de fer d'un mètre de long. En grognant, Peter tordait et faisait levier sur le métal réticent.

— C'est l'Ange, dit Francis. Il est là, dehors.

On entendit des murmures, mélange de surprise et de peur. Deux ou trois hommes eurent un mouvement de recul, à l'idée que le meurtrier de Blondinette se trouvait si près d'eux.

— Que… que fait le Pompier ? demanda Napoléon que l'hésitation faisait bégayer.

— Il faut qu'on ouvre la porte, dit Francis. Il essaie de trouver un outil pour l'enfoncer.

— Si l'Ange est dehors, est-ce qu'on ne devrait pas plutôt la bloquer ?

— Il faut l'empêcher d'entrer, surenchérit un autre patient. S'il vient ici, qui est-ce qui nous sauvera ?

Francis entendit quelqu'un qui s'exclamait, à l'arrière du groupe :

— Il faut se cacher !

Il crut d'abord que c'était une de ses voix intérieures. Mais il vit les hommes vaciller, indécis, et il dut reconnaître que pour une fois ses voix restaient tranquilles.

Peter releva la tête. À cause de l'effort, la sueur lui coulait sur le front, et son visage luisait à la lumière blafarde de la chambre. Pendant un moment, il se laissa presque emporter par la folie générale. Les hommes du dortoir, apeurés par l'événement terrible qui rompait avec la routine, pensaient qu'il valait mieux bloquer la porte plutôt que l'ouvrir. Il regarda ses mains. En se battant avec le sommier, il s'était entaillé les paumes en plusieurs endroits, et il s'était arraché au moins un ongle. Il vit Francis qui s'adressait aux pensionnaires, en secouant la tête :

— Non, leur disait-il avec une patience qui semblait défier l'urgence de la situation. Si nous n'aidons pas Mlle Jones, l'Ange la tuera. L'Efflanqué avait raison. On doit prendre les choses en main. On doit se protéger contre le mal. On doit faire quelque chose. On doit se lever et combattre. Sinon, c'est le mal qui nous trouvera. Il faut agir. Maintenant.

De nouveau, les hommes du dortoir se rencognèrent. Il y eut un rire, un sanglot. Plusieurs d'entre eux firent un petit bruit pour exprimer leur crainte. Francis vit s'installer le doute et la résignation.

— Il faut l'aider, insista-t-il. Tout de suite.

Les hommes semblaient hésiter, oscillant d'avant en arrière comme si la tension de ce qu'on allait leur demander faisait se lever un vent violent.

— Alors voilà, fit Francis d'une voix déterminée qui le surprit. C'est le moment idéal. Maintenant. Le moment où tous les dingues de ce pavillon vont faire quelque chose auquel personne ne s'attendrait. Personne ne croit que nous pouvons faire quelque chose. Personne n'imaginerait que nous en sommes capables. Eh bien, nous allons aider Mlle Jones, et nous allons le faire ensemble. Tous ensemble ! Maintenant !

C'est alors qu'il vit une chose extraordinaire. Tout à fait à l'arrière du groupe de patients, le grand attardé mental aux gestes enfantins, qui semblait ne jamais comprendre la question la plus simple même lorsqu'elle était clairement formulée, s'avança brusquement. Il se fraya un chemin dans la petite foule et fonça droit sur Francis. Il avait l'intelligence d'un nouveau-né, et Francis ignorait comment il avait compris le moindre détail des événements de la nuit. Mais une notion simple avait traversé le brouillard qui enveloppait son cerveau : Peter avait besoin d'aide, et c'était précisément le genre d'aide qu'il était le seul à pouvoir lui fournir. Il posa sa poupée Raggedy Andy sur un lit et passa devant Francis, l'air résolu. Avec un grognement, il repoussa Peter d'un seul de ses énormes avant-bras. Puis, sous les yeux de l'assemblée stupéfaite, il se baissa, saisit le sommier et arracha d'un seul effort herculéen la barre de fer, qui se détacha avec un grincement aigu. L'attardé mental l'agita dans l'air au-dessus de sa tête et la tendit à Peter avec un grand sourire.

Le Pompier l'introduisit sans attendre dans l'espace entre la porte et le montant, à hauteur du verrou. Il poussa pour débloquer la porte, forçant de tout son poids sur ce pied-de-biche de fortune.

Francis vit que la barre pliait, le métal protesta dans un cri presque animal, et la porte commença à gauchir.

Avec un soupir, Peter s'écarta. Il agita de nouveau la barre dans l'ouverture étroite et s'apprêtait à se jeter contre la porte quand Francis l'interrompit :

— Peter ! fit-il d'une voix pressante. Quel était le mot ?

Le Pompier s'immobilisa.

— Quoi ? demanda-t-il.

— Le mot. Le mot. Le mot que Lucy était censée prononcer pour appeler à l'aide ?

— « Apollo », répondit Peter avant de se jeter de nouveau sur la porte.

Le grand attardé mental, cette fois, s'avança pour l'aider. Les deux hommes unirent leurs forces.

Francis se tourna vers les hommes du dortoir, tous figés comme s'ils attendaient un signal.

— Voilà… dit-il en rassemblant ses forces comme un général devant ses troupes avant l'attaque. On a besoin de notre aide.

— Qu'attends-tu de nous ? fit la voix du Journaliste.

Francis leva le bras, comme le starter juste avant la course.

— Il faut qu'on fasse assez de bruit pour qu'on nous entende à l'étage au-dessus. Il faut qu'ils sachent qu'on a besoin d'aide…

Un homme se mit aussitôt à crier « Au secours ! Au secours ! » de toutes ses forces. Le troisième « Au secours ! » était nettement plus faible, et s'évanouit.

— Il est inutile de crier au secours ici. Nous le savons tous, fit Francis énergiquement. Personne n'y fait jamais attention. Personne ne vient jamais. « Au secours ! », ça ne sert à rien. Ce qu'il faut faire, c'est crier « Apollo ! », le plus fort possible.

Intimidés, gênés, indécis, les hommes ne firent entendre tout d'abord qu'un chœur réticent. Un marmonnement d'« Apollo ».

— « Apollo » ? demanda Napoléon. Mais pourquoi ?

— C'est le seul mot qui fera de l'effet.

Il savait que cela avait l'air aussi dingue que le reste, mais il l'affirmait avec une telle conviction que toute discussion était inutile.

Plusieurs hommes se mirent immédiatement à crier « Apollo ! Apollo ! », mais il les fit taire d'un geste sec.

— Non ! s'exclama-t-il avec autorité, orchestrant, organisant. Il faut le faire tous ensemble, sans quoi ils n'entendront pas. Je compte jusqu'à trois, allons-y...

Il compta, et cette fois un chœur d'« Apollo » retentit, uni mais encore modeste.

— Bien, bien, fit Francis. On recommence, mais le plus fort possible, cette fois.

Il regarda par-dessus son épaule. Peter et l'attardé mental gémissaient sous l'effort en luttant contre la porte.

— Cette fois, il faut qu'on nous entende... À mon signal. Trois. Deux. Un...

Francis baissa le bras, très vite, comme un sabre.

— Apollo ! crièrent les hommes.

— Encore ! hurla Francis. C'est bien. Encore, maintenant, trois, deux, un...

De nouveau, son bras fendit l'air.

— Apollo ! répondirent les hommes.

— Encore !

— Apollo !

— Encore une fois !

— Apollo !

Le mot s'éleva, monta vers le ciel, explosa avant de traverser les murs épais et les ténèbres de l'hôpital psychiatrique, une supernova, un feu d'artifice qu'on n'avait jamais entendu dans l'asile, et qu'on n'entendrait sans doute plus jamais. Cette fois-là au moins, par cette nuit profonde, il franchit tous les verrous et toutes les barrières, repoussant toutes les entraves imaginables, se dressant, s'envolant, se libérant, se ruant dans l'air humide, courant vers les oreilles des deux hommes qui attendaient à l'étage au-dessus et qui dressèrent l'oreille, surpris, en reconnaissant le cri espéré, mais venant d'une direction inattendue.

33

— Apollo ! criai-je, haut et fort.

Dans la mythologie antique, Apollon est le dieu du Soleil, dont le char signale l'arrivée du jour. Voilà de quoi nous avions besoin cette nuit-là. Deux choses qu'on ne trouve généralement qu'en quantité limitée dans un asile psychiatrique. La vitesse et la précision.

— Apollo ! répétai-je.

J'avais dû crier. L'écho fusa sur les murs de l'appartement, rebondit dans les coins, jaillit jusqu'au plafond. C'était un mot incroyablement merveilleux, un mot qui roulait sur ma langue et dont le souvenir renforçait ma détermination. Vingt ans s'étaient écoulés depuis la nuit où je l'avais crié si fort, et je me demandais s'il aurait le même effet ce soir-là.

L'Ange hurlait de rage. Du verre se fracassait autour de moi, le fer gémissait et se tordait comme s'il était la proie des flammes. Le plancher tremblait, les murs se déformaient, le plafond vacillait. Mon univers tout entier tombait en morceaux autour de moi alors que l'Ange se laissait consumer par sa fureur. Je pris ma tête entre mes mains, je pressai mes oreilles, essayant de couvrir la cacophonie qui se déchaînait autour de moi. Des objets se brisaient, explosaient, se désintégraient sous mes pieds. Je me trouvais au milieu d'un terrifiant champ de bataille, et mes voix étaient les hurlements des hommes condamnés qui m'entouraient. J'enfonçai ma tête entre mes mains, essayant d'échapper aux shrapnels de la mémoire.

Cette nuit-là, vingt ans plus tôt, l'Ange avait visé juste. Il avait anticipé tout ce que Lucy ferait. Il savait exactement comment Peter réagirait. Il savait exactement ce que les frères Moïse accepteraient et ce qu'ils nous aideraient à mettre en place. L'hôpital n'avait aucun secret pour lui, non plus que la manière dont il affectait la pensée de chacun. Ce que l'Ange comprenait mieux que quiconque, c'était que les gens sains agissaient selon une routine, organisée et prévisible. Il savait que leurs plans ne compromettraient pas sa solitude, ni sa tranquillité, ni l'occasion qu'il avait d'agir. Ils avaient cru lui tendre un piège alors qu'ils avaient réuni les conditions idéales pour lui. Il était, bien plus qu'eux, un expert en psychologie et un spécialiste de la mort, et il était à l'abri de leurs plans tellement terre à terre. Pour prendre Lucy par surprise, il suffisait de ne pas essayer de la surprendre. Elle s'était délibérément jetée dans la gueule du loup. La certitude qu'elle le ferait avait dû l'exciter. Il savait que le meurtre, cette nuit-là, serait entre ses mains, juste devant lui, comme une mauvaise herbe sortie de terre et qu'il suffisait d'arracher. Il avait passé des années à préparer patiemment l'instant où Lucy se trouverait de nouveau sous la menace de son couteau, et il avait envisagé presque tous les paramètres, toutes les dimensions, toutes les hypothèses. Sauf, bizarrement, la plus évidente, mais la plus facile à oublier.

Ce qu'il n'avait pas prévu, c'étaient les dingues.

Je fermai les yeux, paupières serrées, pour me concentrer sur mes souvenirs. Je n'étais pas très sûr de savoir si tout cela était arrivé dans le passé ou au moment présent, à l'hôpital ou dans mon appartement. Tout me revenait en même temps, ces deux nuits, différentes et pourtant identiques.

Peter faisait des bruits rauques, gutturaux, en forçant la porte sur ses gonds, le grand attardé mental peinant et suant sans mot dire à ses côtés. Près de moi, Napoléon, le Journaliste et tous les autres étaient disposés comme un chœur, dans l'attente de mes nouvelles instructions. Je les voyais frissonner, trembler de peur et d'excitation, car ils comprenaient qu'il n'y aurait pas d'autre nuit semblable à celle-ci, une nuit où les fantaisies et l'imagination, les hallucinations et les illusions devenaient réalité.

Et Lucy, si près de nous, mais seule avec l'homme obsédé depuis si longtemps par sa mort, sentait la lame du couteau sur sa gorge et savait qu'il lui fallait continuer à gagner d'inestimables secondes.

Lucy essayait de ne pas penser au froid du couteau, au tranchant de la lame qui lui entamait la peau – sensation terrifiante qui paralysait sa capacité de réflexion. Au bout du couloir, elle entendait le bruit du métal qu'on torturait : c'était Peter et l'attardé mental qui prenaient d'assaut la porte du dortoir avec le montant du sommier. La porte cédait peu à peu, hésitait à s'ouvrir pour laisser passer les secours. Au-delà de ce bruit, de l'autre côté de la porte, elle entendait le mot « Apollo » repris en chœur par les hommes du dortoir, et cela lui redonna un peu d'espoir.

— Qu'est-ce que ça signifie ? demanda l'Ange d'un ton féroce.

Qu'il fût capable de faire preuve de sang-froid, au milieu du vacarme, dans ce monde qui aurait dû dormir, la terrifia plus que tout le reste.

— Quoi ?

— Qu'est-ce que ça signifie ? répéta-t-il d'une voix plus basse, plus dure.

Il n'a pas besoin de prendre un ton menaçant, se dit Lucy. C'est suffisamment clair. Elle hésita, tout en se répétant mentalement : Gagne du temps !

— C'est un appel à l'aide.

— Quoi ?

— Ils ont besoin d'aide, répéta-t-elle.

— Mais pourquoi ils…

Il s'interrompit. Il la regarda, le visage déformé. Même dans le noir, sur le sol du poste de soins, elle voyait les rides, les lignes et les ombres sur son visage, et chacune était un message de terreur. La première fois, il portait un masque pour la terroriser. Cette fois, se dit-elle, il veut que je voie son visage parce qu'il a décidé que ce serait la dernière chose que je verrais jamais. Elle hoqueta, et elle gémit malgré la douleur de ses lèvres enflées et de sa mâchoire brisée.

— Ils savent que vous êtes ici. (Elle crachait les mots, qui se mêlaient au sang.) Ils viennent vous chercher.

— Qui ?

— Tous les aliénés, là-bas, dans le couloir.

— Est-ce que vous savez que vous pouvez mourir vite ? fit l'Ange en se penchant vers elle.

Elle hocha la tête. Elle s'interdit de répondre à cette question, persuadée que les mots risquaient de provoquer la réalité. La lame du couteau lui mordait la peau, et elle sentait ses chairs s'écarter très légèrement sous sa pression. C'était une sensation horrible, qui lui rappelait avec une ignoble précision la nuit de sa première rencontre avec l'Ange, des années auparavant.

— Savez-vous que je peux faire ce que je veux, Lucy, et que vous êtes incapable de m'en empêcher ?

De nouveau, elle garda les lèvres serrées.

— Savez-vous que j'aurais pu m'approcher de vous à n'importe quel moment depuis que vous vous trouvez dans cet hôpital, et vous tuer devant tout le monde ? Ils auraient dit : « Il est fou... », et personne ne m'aurait rien reproché. C'est que ce disent vos propres lois, Lucy, vous le savez, évidemment ?

— Alors allez-y, tuez-moi, dit-elle d'un ton hautain. Comme vous avez tué Blondinette et les autres femmes.

Il approcha son visage du sien, au point qu'elle pouvait sentir son souffle. Le geste d'un amant qui se penche sur sa partenaire endormie avant de partir, au petit matin, vers une tâche lointaine.

— Je ne vous tuerai jamais comme elles, Lucy, siffla-t-il. Elles sont mortes pour vous faire venir vers moi. Elles n'étaient que des éléments d'un plan. Leur mort était utilitaire. Nécessaire, mais sans intérêt. Si j'avais voulu que vous mouriez comme elles, j'aurais pu vous tuer cent fois. Mille fois. Pensez à tous les moments où vous vous êtes trouvée seule dans le noir. Peut-être n'étiez-vous pas seule, d'ailleurs. Peut-être étais-je à côté de vous, mais vous ne le saviez pas. Je tenais à ce que, cette nuit, les choses se passent à ma manière. Je voulais que vous veniez à moi.

Elle ne répondit pas. Elle se sentit entraînée dans une spirale de folie et de haine à l'égard de cet homme. Elle avait l'impression de tournoyer sur elle-même et de perdre à chaque tour un peu de contrôle sur sa propre vie.

— Ça a été tellement facile, siffla-t-il. Commettre une série de meurtres tels que notre brillante jeune accusatrice publique ne pourrait s'empêcher de les suivre… Tu n'as jamais compris qu'ils n'avaient aucune importance, que toi seule avais de l'importance, hein, Lucy ?

Un gémissement lui répondit.

À l'autre bout du couloir, la porte que l'on forçait fit un bruit déchirant. L'Ange leva les yeux, fouillant du regard le couloir obscur en direction du vacarme. Dans cet instant d'hésitation, Lucy savait que sa vie était sur le fil du rasoir. Il avait besoin de plus de temps, au plus profond de la nuit, pour jouir de sa mort. Il croyait avoir tout prévu, la manière de s'approcher d'elle, son attaque, et ce qui devait suivre. Il avait fantasmé et imaginé chaque mot qu'il lui dirait, chaque contact, chaque coup de couteau, chaque plaie effroyable qui l'entraînerait un peu plus vers la mort. Tout avait été une vision, dans son esprit, chaque seconde de chaque moment de veille, une hallucination à quoi il devait donner corps. C'était cela qui le rendait si fort, si imperméable à la peur, et faisait de lui un assassin jusqu'au bout des ongles. Tout son être s'était concentré sur l'attente de ce moment précis. Mais les choses ne se passaient pas comme il les avait conçues, jour après jour, dans le moindre détail, prévoyant, anticipant, ressentant d'avance le plaisir ineffable d'infliger la mort. Elle sentait qu'il se raidissait, pris dans la contradiction entre la réalité et son fantasme. Le seul espoir de Lucy était que la première prenne le pas sur le second. Elle ignorait s'il restait assez de temps pour ça.

C'est alors qu'elle entendit un autre bruit, qui parvint à son cerveau malgré le voile de terreur qui l'enveloppait. Il venait d'en haut, c'était le bruit d'une porte qu'on claquait et de pieds qui martelaient le sol de béton de l'escalier. « Apollo ! » avait rempli sa mission.

L'Ange poussa un cri de colère dont l'écho se répercuta dans le couloir.

Il se pencha de nouveau vers Lucy.

— On dirait que Lucy a de la chance, ce soir. Beaucoup de chance. Je crois que je n'ai pas intérêt à m'attarder. Mais je reviendrai pour toi une autre nuit, quand tu ne t'y attendras pas. Une nuit, quand tu auras oublié tes peurs, quand tu ne seras pas préparée. Je serai là. Tu peux porter une arme. Être sur tes gardes. Te cacher sur une île déserte ou dans une lointaine forêt vierge. Tôt ou tard, Lucy, je serai là, à côté de toi. Alors nous pourrons finir ce que nous avons commencé.

Il semblait se tendre à nouveau. Elle sentait qu'il hésitait. Il se pencha encore.

— N'éteins jamais la lumière, Lucy, murmura-t-il. Ne t'allonge jamais seule dans le noir. Les années n'ont aucune importance pour moi. Un jour, je reviendrai te chercher.

Elle se sentit soudain presque émue par la violence de son obsession.

Il commença à s'écarter d'elle, comme un cavalier qui descend de cheval.

— Jadis, ajouta-t-il froidement, je t'ai donné quelque chose pour t'obliger à penser à moi quand tu te regardes dans la glace. Maintenant tu penseras à moi à chaque fois que tu feras un pas.

Il enfonça la lame de son couteau dans le genou droit de Lucy, et dans le même mouvement la retourna sauvagement dans la plaie. Elle hurla, tandis qu'une douleur qui dépassait de très loin tout ce qu'elle avait connu tordait ses muscles jusqu'au dernier. Elle sombra dans une inconscience obscure. Elle se laissa rouler en arrière, se rendit vaguement compte qu'elle était seule. L'Ange l'avait abandonnée, moulue, blessée, baignant dans son sang, à peine vivante, peut-être à jamais estropiée, après lui avoir fait une promesse qui était bien pire que tout le reste.

Le métal de la porte grinça une dernière fois, et un fragment obscur apparut entre l'encadrement et le panneau. Francis distingua le couloir, béant comme une énorme gueule noire. L'attardé mental se redressa et jeta le pied-de-biche qui tomba avec un bruit métallique. Il tendit le bras, écarta Peter et recula de quelques pas. Il baissa la tête, comme un taureau énervé par les rodomontades du matador, puis il partit brusquement en avant avec un grand cri de guerre. Il se jeta contre la porte, qui plia et céda dans un fracas retentissant. L'homme recula, tituba, secoua la tête d'avant en arrière, haletant. Un mince filet de sang noir prenait sa source au bord du cuir chevelu et coulait entre ses yeux, le long de l'arête de son nez. Il secoua la tête, s'arc-bouta, le visage dur comme l'acier dans son obstination à remplir sa tâche. Puis il lança un autre hurlement furieux et chargea de nouveau. Cette fois, la porte s'ouvrit à la volée. L'attardé mental fut précipité en avant et trébucha de l'autre côté, dans le gouffre obscur.

Peter bondit, Francis sur ses talons, suivi par le reste des pensionnaires mus par l'enthousiasme de l'instant.

Ils laissèrent derrière eux une partie de leur folie en prenant conscience de leur désir d'aller de l'avant. C'était Napoléon qui rassemblait les hommes, agitant un bras au-dessus de sa tête comme s'il portait une épée, criant : « En avant ! Chargez ! » Le Journaliste fit un commentaire sur les gros titres du lendemain et sur le fait que lui-même serait dans l'actualité. Tout le groupe dévala le couloir, véritable bélier humain dédié à une tâche unique.

Dans la confusion du moment, Francis vit l'attardé mental se relever, s'épousseter et regagner le dortoir, inébranlable, le visage illuminé par la gloire. Il se laissa tomber lourdement sur son lit, prit sa poupée dans ses bras et se retourna pour contempler la porte détruite d'un air satisfait.

Puis Francis se tourna de l'autre côté. Il vit Peter se ruer en avant, vers le poste de soins, avec toute la célérité dont il était capable. La lampe de bureau du poste émettait un faible rayon lumineux. Francis aperçut une silhouette allongée sur le sol. Il se dirigea immédiatement dans cette direction, ses pieds frappant le sol au rythme saccadé d'un solo de batterie. Au même moment, il vit les frères Moïse franchir en trombe la porte donnant sur l'escalier. Quand ils passèrent devant le dortoir des femmes, des cris se firent entendre, notes aiguës composant une symphonie de confusion et de panique, soutenues par l'allegro d'une terreur inédite.

Peter s'était baissé vers la silhouette de Lucy. Francis hésita un instant, craignant qu'ils n'arrivent trop tard et qu'elle ne fût déjà morte. Mais, au milieu du vacarme qui avait envahi le couloir tout entier, il entendit un gémissement de douleur.

— Bon Dieu ! fit Peter. Elle a très mal.

Il avait pris une de ses mains qu'il tenait délicatement entre les siennes, comme s'il se demandait ce qu'il devait faire. Il regarda Francis, puis les frères Moïse qui venaient d'arriver, à bout de souffle.

— Elle a besoin de secours, dit-il.

Little Black hocha la tête et tendit la main vers le téléphone. Il vit le fil sectionné et comprit qu'il était hors d'usage. Il réfléchit, passant en revue le poste de soins.

— Attendez, dit-il. Je descends pour demander de l'aide.

Big Black se tourna vers Francis.

— Elle était censée prononcer le mot de passe à l'Interphone, ou au téléphone… Quand on vous a entendus, il ne nous a fallu que quelques secondes…

Il n'avait pas besoin de finir sa phrase. Il réalisa soudain que la vie de Lucy Jones tenait peut-être à ces quelques instants.

Des torrents de douleur parcouraient le corps de Lucy.

Elle était à peine consciente de la présence de Peter à son chevet, de celle de Francis et des frères Moïse un peu en retrait. Elle avait l'impression qu'ils se trouvaient sur un rivage lointain, un rivage qu'elle s'efforçait de rejoindre malgré les lames de fond et les courants, luttant contre l'évanouissement. Elle savait qu'elle avait une chose très importante à leur dire, avant de s'abandonner à la douleur qui la possédait, avant de se laisser emporter, bienheureuse, dans le gouffre obscur qui lui faisait signe. Elle mordit violemment sa lèvre sanguinolente. Elle parvint à produire quelques mots, malgré la douleur qu'elle avait subie cette nuit-là, malgré son désespoir, en concentrant toutes ses pensées sur la promesse qu'elle s'était faite quelques secondes plus tôt.

— Il est ici, crachota-t-elle. Trouvez-le, je vous en supplie. Finissez-en.

Elle ne savait pas si ce qu'elle disait était logique, ni même si quelqu'un l'avait entendue. Elle n'était même pas sûre que les mots qu'elle avait formés mentalement avaient vraiment franchi ses lèvres. Mais elle avait au moins essayé. Avec un profond soupir, elle se laissa emporter par la perte de conscience, sans savoir si elle se libérerait jamais de cette force d'attraction si séduisante. Elle savait que sa douleur disparaîtrait, au moins pour un moment.

— Lucy, nom de Dieu ! lui hurla Peter au visage. Restez avec nous !

Mais il n'obtint aucune réaction. Il leva la tête.

— Elle est partie.

Il posa une oreille sur sa poitrine pour tenter d'entendre son cœur.

— Elle est vivante. Mais…

Big Black se jeta au sol près de Lucy. Il pressa les chairs de son genou blessé pour arrêter l'hémorragie.

— Une couverture ! hurla-t-il.

Francis tourna la tête, vit que Napoléon courait en chercher une dans le dortoir.

Little Black réapparut en courant au bout du couloir.

— Les secours arrivent ! s'écria-t-il.

Peter recula légèrement mais resta à proximité de Lucy. Francis le vit qui regardait le sol, et les deux hommes aperçurent le pistolet. Francis eut l'impression que tout ce qui se trouvait dans le pavillon Amherst se mouvait au ralenti, et il comprit tout à coup ce que Lucy leur avait dit, et ce qu'elle leur demandait.

— L'Ange… fit-il doucement en regardant Peter et les frères Moïse. Où est-il ?

Voilà, c'est là-bas, juste à ce moment-là, que tout ce que j'appelais ma folie et tout ce qui aurait pu me rendre un jour sain d'esprit se fondirent dans une énorme déflagration. L'Ange hurlait. Sa voix n'était qu'un vacarme de bruit et de fureur. Je sentais son emprise sur mon bras, il voulait m'empêcher de tendre la main vers le mur, me griffait, essayait de m'arracher mon crayon, il me retenait, il ne voulait pas que je raconte, de mon écriture tremblante, ce qui s'était passé ensuite. Nous luttâmes violemment, chaque mot me valait une volée de coups. Je savais que tout son être se tendait en avant pour que j'arrête, que je disparaisse, que je meure sur place, que je renonce, que j'échoue, enfin, à quelques mètres de la conclusion.

Je lui rendais ses coups, luttais pour faire courir mon crayon sur l'espace de plus en plus étroit, sur le mur, devant moi. Je hurlais, à deux doigts de la rupture, comme du verre prêt à se briser et à voler en éclats.

Peter avait levé les yeux et dit :

« Mais où… »

Peter leva les yeux, et dit :

— Mais où…

Francis se retourna et parcourut le couloir du regard. Il entendit soudain, au loin, la sirène d'une ambulance. Il se demanda si l'ambulance qui venait chercher Lucy était celle qui l'avait amené, lui, à l'hôpital Western State.

Francis fouilla du regard d'abord dans une direction, mais c'était son cœur qu'il cherchait. Il regarda le couloir, au-delà du dortoir des femmes, vers la cage d'escalier où Cléo s'était suicidée avant d'être mutilée par cet Ange opportuniste. Il secoua la tête. Non, se dit-il. Pas par là. Il serait tombé sur les frères Moïse. Il examina les autres chemins possibles. La porte de devant. L'escalier, du côté des hommes. Il ferma les yeux. Tu ne serais pas venu ici cette nuit si tu n'avais disposé d'une sortie de secours. Tu as sans doute réfléchi à ce qui pourrait mal tourner. Mais, beaucoup plus important, tu savais que tu aurais besoin de disparaître pour savourer les derniers instants de la vie de Lucy. Tu n'aurais voulu partager cela avec personne au monde. Alors il te fallait un endroit où tu pouvais être seul avec les ténèbres. Je te connais, je sais ce que tu veux, et maintenant je vais savoir où tu es parti.

Francis se leva et se dirigea lentement vers les portes d'entrée. Fermées à double tour. Il secoua la tête. Trop long. Pas assez sûr. Il aurait fallu qu'il prenne les deux clés, et la sécurité aurait pu le voir sortir. Et il aurait dû fermer les portes derrière lui pour ne pas laisser de traces de son passage. *Pas par là !* s'exclamèrent les voix de Francis, parfaitement d'accord avec lui. *Tu le sais. Tu le vois.* Il ignorait si elles lui lançaient des encouragements ou lui criaient leur désespoir. Francis pivota légèrement sur lui-même et explora le couloir du regard, vers la porte brisée du dortoir des hommes. De nouveau, il secoua la tête. L'Ange aurait dû dans ce cas passer devant tout le monde. Impossible, même pour un homme qui tirait sa fierté du meurtre et de l'invisibilité.

Enfin, Francis comprit.

— Qu'y a-t-il, C-Bird ? demanda Peter.

— Je sais.

La sirène de l'ambulance était de plus en plus forte, et Francis crut entendre des bruits de pas précipités courant sur les allées de l'hôpital, vers le pavillon Amherst. Il savait que c'était impossible, mais il lui semblait entendre la course de Gulp-Pilule, de M. Débile et de tous les autres.

Francis traversa le couloir et tendit la main vers la porte qui menait au sous-sol et aux conduites de chauffage souterraines.

— Ici, dit-il, hésitant.

Comme un magicien amateur à une fête d'anniversaire, il ouvrit doucement la porte qui aurait dû être fermée à clé.

En haut des marches, Francis hésita, partagé entre la peur et un sens du devoir mal défini. Durant toutes ces années, il n'avait jamais accordé beaucoup d'importance à l'idée de courage, préférant se concentrer sur ses difficultés à maintenir un contrôle fragile sur sa vie. Mais, en cette seconde précise, il comprit que le premier pas vers ce sous-sol exigerait plus de force qu'il n'en avait jamais montré. Au-dessus de sa tête, une ampoule nue projetait des ombres dans les coins, éclairant à peine les marches menant au débarras souterrain. Au-delà de cette faible luminosité régnait une obscurité épaisse. Il sentit un courait d'air tiède et fétide. Cela puait le moisi et la pourriture, comme si toutes les pensées horribles et les espoirs déçus de plusieurs générations de patients qui avaient vécu leur folie dans le monde du dessus avaient suinté dans le sous-sol pour se fondre à la poussière, aux toiles d'araignée et à la crasse. L'endroit sentait la maladie et la mort, et il comprit, en marquant un temps d'arrêt avant de descendre, que l'Ange y était comme chez lui.

— En bas, dit-il.

Cela contredisait les voix qui, dans sa tête, hurlaient : *Ne descends pas !* Mais il les ignora. Peter, soudain, fut à son côté. Le Pompier serrait dans sa main droite le revolver de Lucy. Francis était heureux qu'il l'ait ramassé. Le Pompier avait été soldat, et cela pourrait être utile. Dans les ténèbres qui leur faisaient signe, tous les moyens seraient bons, et Francis se disait que cela pourrait être décisif. Peter serrait l'arme contre sa hanche, tout en la dissimulant le mieux possible.

Le Pompier hocha la tête. Il se tourna vers Big Black et son frère, qui s'efforçaient d'administrer les premiers soins à Lucy. Le grand aide-soignant leva la tête et jeta un regard appuyé à Peter.

— Écoutez, monsieur Moïse, fit calmement Peter. Si nous ne sommes pas remontés dans quelques minutes…

Big Black n'avait pas besoin de répondre. Il se contenta de hocher la tête. Little Black semblait avoir compris. Il fit un geste bref de la main.

— Allez-y, dit-il. Dès que nous aurons de l'aide, nous vous rattraperons.

Francis se dit que ni l'un ni l'autre n'avait remarqué la présence de l'arme dans la main de Peter. Il respira à fond, s'efforçant de libérer son cœur et son esprit de tout ce qui n'était pas nécessaire pour retrouver l'Ange, et descendit les marches d'un pas hésitant.

Il sentit qu'à chaque marche les vrilles de chaleur et l'obscurité tentaient de l'envelopper un peu plus. Il ne pouvait pas marcher aussi silencieusement qu'il l'aurait voulu : son incertitude semblait accroître le bruit, et il lui semblait qu'à chaque fois qu'il posait le pied sur le sol, cela provoquait un grondement de tonnerre, alors que ses pas, au contraire, étaient étouffés. Peter se trouvait juste derrière lui et le poussait légèrement, comme si la vitesse de leur progression était essentielle. Peut-être, se disait Francis. Peut-être devons-nous attraper l'Ange avant que la nuit ne l'engloutisse et qu'il ne disparaisse.

Le sous-sol était grand et obscur, éclairé par l'unique ampoule. Des cartons et des boîtes métalliques vides d'origine indéterminée, mais oubliés depuis longtemps, jonchaient le sol et leur imposaient une véritable course d'obstacles. Une couche de suie grasse semblait tout recouvrir. Ils avançaient aussi vite que possible entre les sommiers métalliques en désordre et les matelas tachés et moisis, marchant avec le sentiment de progresser dans une épaisse forêt d'objets abandonnés. Une grosse chaudière noire hors d'usage trônait dans un coin, et un rayon lumineux dispensait une maigre clarté sur l'énorme conduite de chauffage qui s'enfonçait dans un des murs, formant un tunnel qui devenait très vite un simple trou noir.

— Là-dedans, fit Francis en montrant le tunnel. C'est là qu'il est allé.

Peter hésita.

— Comment fait-il pour y voir quelque chose ? Où cela va-t-il nous mener, d'après toi ?

Francis se dit que la réponse était beaucoup plus complexe que ne le croyait le Pompier.

— Cela devrait déboucher dans un autre pavillon, peut-être Williams ou Harvard, ou bien retourner à la centrale électrique. Et il n'a pas besoin de lumière. Il lui suffit d'avancer, parce qu'il sait où il va.

Peter acquiesça. Un certain nombre de choses lui avaient traversé l'esprit. Tout d'abord, il était impossible de deviner si l'Ange savait qu'ils étaient à sa poursuite – cela pourrait être un avantage, mais aussi le contraire. Deuxièmement, et quel que soit le chemin qu'il empruntait d'habitude pour rejoindre l'Amherst, cette nuit-là ce serait différent parce qu'il ne serait plus jamais en sécurité à l'hôpital Western State. Cette nuit-là, par conséquent, l'Ange avait l'intention de disparaître.

Mais Peter ne savait pas exactement comment.

Francis s'était fait les mêmes réflexions. Mais il était conscient d'autre chose. Il ne fallait surtout pas sous-estimer la colère de l'Ange.

Les deux hommes se frayaient un chemin dans le noir.

La progression dans la conduite de chauffage était difficile. Le tunnel avait été conçu pour transporter de la vapeur, certainement pas pour que des hommes s'en servent pour passer d'un pavillon à l'autre. Francis avait à peine la place pour avancer à demi accroupi, trébuchant sans arrêt dans un espace qui aurait mieux convenu aux rats et autres rongeurs. C'était un lieu construit à une autre époque, qu'on avait laissé tomber en ruine au long des années, et son utilité était discutable pour tout le monde sauf pour l'assassin qu'ils traquaient.

Ils avançaient au toucher, à l'intuition, s'arrêtaient tous les quelques mètres pour écouter, les mains tendues en avant comme des aveugles. La chaleur était oppressante, et la sueur ne tarda pas à leur couler sur le front. L'un et l'autre sentaient qu'ils étaient couverts de saleté, mais ils progressaient, se faufilant pour contourner les obstacles, s'accrochant avec précaution au bord de la conduite, ce tuyau si ancien qui semblait se désintégrer sous leurs doigts.

Francis haletait. La poussière et le poids des ans étaient présents dans le moindre souffle d'air. Chaque pas lui faisait sentir le goût des années de vide. Il se demandait s'il était perdu ou s'il se retrouvait.

Peter était juste derrière lui. Il s'arrêtait régulièrement pour tendre l'oreille et scruter l'obscurité, maudissant in petto les ténèbres qui ralentissaient leur avance. Il avait le sentiment qu'ils progressaient deux fois moins vite, deux fois moins régulièrement qu'ils n'auraient dû. Il chuchota d'un ton pressant à Francis qu'il fallait accélérer. On aurait dit que dans la nuit du tunnel tous les liens avec le monde du haut avaient été coupés. Les deux hommes étaient seuls dans leur chasse et leur proie était quelque part devant eux, cachée, invisible, dangereuse. Cela obligeait à garder un esprit logique et précis, à mesurer, à réfléchir et à anticiper. Mais c'était impossible, car ces compétences appartenaient au monde supérieur de la lumière et de l'air. Peter découvrit qu'il ne pouvait plus faire appel à elles. Il savait que l'Ange avait une stratégie, mais il était incapable de deviner s'il avait l'intention de fuir, de partir au loin ou simplement de se cacher. La seule chose qu'il savait, c'était qu'il fallait continuer d'avancer, de faire avancer Francis, et il n'avait jamais emprunté une piste dans la jungle ni traversé un bâtiment en feu aussi dangereux que le chemin sur lequel il se trouvait maintenant. Il s'assura que le cran de sécurité du pistolet était débloqué, et il serra les doigts sur la crosse.

Il trébucha une fois de plus et jura, puis jura de nouveau en retrouvant son équilibre.

Francis glissa sur un débris de nature indéterminée et hoqueta en tendant les bras devant lui pour ne pas tomber. Il se dit que ses pas étaient aussi incertains que ceux d'un enfant. Mais, en levant les yeux, il aperçut soudain une lueur jaune, très faible, qui semblait se trouver à des kilomètres de là. Il savait que dans le noir les distances sont trompeuses. Il s'efforça de presser le pas vers la lueur, impatient de sortir de l'obscurité du tunnel. Quelle que soit la surprise qui les attendait au bout.

— Qu'est-ce que tu en penses ? murmura Peter derrière lui.

— La centrale électrique ? demanda-t-il très doucement.

— Un autre pavillon ?

Ils ne savaient même pas s'ils s'étaient déplacés en ligne droite depuis l'Amherst. Ils étaient désorientés, terrifiés, dangereusement tendus. Peter s'accrochait à son arme. Elle représentait du solide dans un monde instable. Francis n'avait rien d'aussi concret sur quoi se reposer.

Francis avançait à grands pas vers la faible lueur. Il la voyait grandir, non en puissance mais en taille, un peu comme une aube timide qui se lève au-dessus des collines en luttant contre la brume, les nuages et les restes d'une violente tempête. Il se dit qu'il se précipitait vers elle avec la même détermination que le papillon de nuit vers la flamme de la bougie. Il n'était pas sûr qu'ils seraient beaucoup plus efficaces.

— Continue, le pressa Peter.

Il le disait d'autant plus pour se rassurer et entendre sa propre voix qu'ils seraient bientôt au bout du tunnel. Francis était heureux de l'entendre, même si les mots paraissaient émaner de l'obscurité derrière lui, désincarnés, comme s'ils étaient émis par quelque spectre se trouvant sur ses talons.

Les deux hommes continuaient d'avancer, et la faible lueur jaune qui les dirigeait finit par éclairer un peu leur chemin. Francis hésita, une main crasseuse levée devant lui, comme s'il ne s'était pas habitué à l'idée qu'on puisse le voir. Il trébucha encore lorsque sa jambe heurta un débris. Il s'arrêta, parce qu'une intuition, évidente et horrible, planait à la limite de sa conscience, et qu'il voulait la saisir. Peter lui donna une légère poussée, et ils approchèrent de l'endroit où le conduit émergeait du mur. Quand ils dévalèrent dans l'espace vaguement éclairé, Francis comprit enfin ce sur quoi il essayait de mettre le doigt.

Ils avaient traversé le tunnel sur toute sa longueur. Mais pas une seule fois il n'avait senti le contact d'une toile d'araignée déployée dans le noir. Ce n'était pas normal. Il aurait dû y avoir des araignées, dans ce tunnel.

Il comprit ce que cela signifiait. Quelqu'un les avait précédés, et avait déchiré les toiles d'araignée. Il leva la tête et s'avança. Il se trouvait à l'entrée d'un autre débarras, où il faisait aussi sombre que dans une caverne. Comme là-bas, à l'Amherst, une simple ampoule de faible puissance, fixée dans une crevasse près d'un escalier, à l'autre extrémité, fournissait un pitoyable halo de lumière. Francis vit, tout autour de lui, le même amoncellement de matériel et d'équipement abandonné. L'espace d'un instant, il se demanda s'ils s'étaient vraiment déplacés, ou s'ils n'avaient pas simplement tourné en rond pour revenir au point de départ : l'endroit était identique à celui qu'ils avaient laissé derrière eux. Il se retourna, examina la pénombre autour de lui, avec le sentiment désagréable que les débris avaient été déplacés pour former un passage. Peter émergea du tunnel derrière lui, l'arme braquée, dans la position du tireur accroupi, prêt à faire feu.

— Où sommes-nous ? demanda Francis.

Peter n'eut pas le temps de répondre. La pièce venait d'être brusquement plongée dans l'obscurité.

34

Peter fit un pas en arrière, comme s'il avait reçu un coup au visage. Simultanément, il s'ordonna d'ouvrir l'œil, ce qui était difficile dans les ténèbres qui s'étaient abattues sur eux. À côté de lui, Francis poussa un petit cri, et Peter sentit que son jeune compagnon tremblait de peur.

— Ne bouge pas, C-Bird ! lui ordonna-t-il.

Francis n'eut pas de mal à obéir. Il était paralysé par une panique aussi soudaine que totale. Le soulagement d'avoir retrouvé un peu de lumière après la noirceur du tunnel, d'avoir vaincu ce danger étouffant, d'en être sorti pour voir cette légère clarté s'éteindre brutalement, tout cela le terrifiait au-delà de toute expression. Il sentait, dans sa poitrine, les battements de son cœur qui lui rappelaient qu'il était encore en vie. Mais, en même temps, toutes ses voix intérieures lui criaient que la mort était proche.

— Ne bouge pas ! murmura Peter, s'avançant dans la pièce plongée dans le noir, en relevant le chien de son arme.

Il tendit le bras gauche, toucha doucement l'épaule de Francis pour enregistrer mentalement sa position.

Le pistolet prêt à tirer fit entendre dans la nuit un *clic* terrifiant. Peter se tendit, s'efforça de rester immobile, de ne pas faire le moindre bruit qui le trahirait.

Francis entendit les voix qui hurlaient : *Cache-toi ! Cache-toi !*, mais il savait parfaitement qu'il n'existait aucun endroit pour se cacher. Il s'accroupit, essayant de se faire aussi petit que possible, les pieds cloués au sol, le souffle court, haletant nerveusement, se demandant à chaque souffle si c'était le dernier. Il n'était que vaguement conscient de la présence de Peter, au moment où celui-ci, dont la nervosité risquait de prendre le pas sur l'entraînement, avançait encore d'un pas. Son pied claqua sur le ciment. Francis sentit que Peter se tournait lentement, d'abord à droite, puis à gauche, essayant de deviner d'où viendrait le danger.

Francis, fiévreusement, tentait de jauger la situation. Il était presque certain que l'Ange avait éteint les lumières et qu'il attendait dans le puits noir qu'il s'y trouvent piégés. L'Ange se trouvait sur un terrain familier, il se déplaçait sur son propre territoire alors que Peter et Francis n'avaient eu qu'une seconde pour examiner leur nouvel environnement. Francis serra les poings, puis tous ses muscles se tendirent l'un après l'autre, lui hurlant de s'en aller. Mais il ne pouvait pas : il était aussi paralysé que si du ciment frais avait durci autour de ses chaussures.

— Pas un bruit ! murmura Peter.

Il continuait à se tourner d'un côté puis de l'autre, le pistolet devant lui, prêt à tirer.

Francis avait l'impression que l'espace qui le séparait de la mort diminuait à chaque seconde. L'obscurité de la pièce était comme un couvercle qui venait de se refermer sur un cercueil. Une partie de lui avait envie de crier, de pleurnicher, de reculer et de se recroqueviller comme un enfant. C'était ce que souhaitaient, désespérément, les voix qui hurlaient dans sa tête. Elles le pressaient de s'enfuir. De s'envoler. De trouver un coin où il pourrait se blottir, se cacher. Mais Francis savait qu'il ne serait en sécurité nulle part, sauf là où il se tenait maintenant. Il essaya de retenir son souffle et d'écouter.

Un grattement lui parvint, sur sa droite. Il se tourna dans cette direction. Cela pouvait être un rat. Cela pouvait être l'Ange. L'incertitude, partout.

L'obscurité rendait toutes choses égales. Des mains nues, un couteau, un revolver. Si l'arme jouait en faveur de Peter, l'équilibre des forces s'inversait à maints égards au profit de l'homme qui les précédait en silence dans ce sous-sol. Francis se concentrait, s'efforçant de neutraliser par la raison la panique qui menaçait de l'emporter. *J'ai passé tellement de temps dans l'obscurité*, se dit-il, *que je devrais me sentir en sécurité*.

Mais il savait qu'il en était de même pour l'Ange.

Puis il se posa la question : *Qu'est-ce que tu as vu, avant qu'il fasse nuit ?*

Il se repassa mentalement les quelques secondes où il avait pu voir. Il finit par comprendre plusieurs choses. L'Ange avait senti qu'on le poursuivait, ou bien il avait entendu le bruit des deux hommes lancés sur sa piste. Il avait décidé de ne pas s'enfuir, mais de se cacher et d'attendre. Il avait laissé allumé juste assez longtemps pour savoir qui le traquait, puis il avait éteint. Francis se concentra pour visualiser la pièce. L'Ange leur tomberait dessus par le chemin qu'il avait libéré et plusieurs fois emprunté. Il n'aurait pas besoin de lumière tant qu'il serait capable d'avancer à tâtons assez près pour donner la mort. Francis reconstitua mentalement la pièce. Il essaya de se rappeler exactement où il se trouvait. Il tendit le cou, dressa l'oreille. Il eut l'impression que sa propre respiration faisait autant de bruit qu'un roulement de grosse caisse.

Peter savait qu'on allait les attaquer. Toutes les fibres de son corps lui criaient de prendre l'initiative, d'agir, de manœuvrer, de se préparer, de se mettre en mouvement. Mais il en était incapable. Pendant un instant, il s'était dit que l'obscurité serait un handicap pour tout le monde. Puis il comprit que ce n'était pas vrai. Elle ne faisait que souligner sa vulnérabilité.

Il savait aussi que l'Ange avait un couteau. Son seul problème serait donc de réduire l'espace qui les séparait. Dans l'univers où il se trouvait piégé, l'arme que Peter avait à la main s'avérait nettement moins un avantage qu'il ne l'avait cru.

Il tourna à droite, puis à gauche. La menace, mêlée à la tension, l'aveuglait aussi sûrement que l'obscurité. Des hommes rationnels affrontant des problèmes rationnels peuvent toujours imaginer des solutions rationnelles. Mais rien, dans la situation où ils se trouvaient, n'appartenait au domaine du rationnel. Ils étaient aussi incapables de battre en retraite que de passer à l'attaque. Ils ne pouvaient pas plus se déplacer qu'ils ne pouvaient rester cloués sur place. L'obscurité les enveloppait, comme une boîte.

Francis eut l'impression que la nuit accentuait les bruits, puis il réalisa brusquement qu'elle les dissimulait aussi bien, qu'elle les déformait. La seule façon de voir, c'est d'entendre, se dit-il. Il ferma les yeux et pencha la tête de côté. Il se concentra très fort, essayant d'aller au-delà de la silhouette du Pompier, pour estimer la position de l'Ange.

À moins de deux mètres, sur leur droite, il y eut un bruit sourd.

Ils l'entendirent tous deux et se tournèrent dans cette direction. Peter leva son arme. Toute la tension accumulée dans son organisme se déchargea d'un coup dans la pression que son doigt exerçait sur la détente. Il tira une fois, furieusement, dans la direction du bruit.

La détonation les assourdit tous les deux. Le canon libéra un éclair, comme une explosion électrique. La balle traversa l'obscurité en hurlant, ricochant dans la pièce déserte, potentiellement mortelle mais inutile.

Francis sentit l'odeur de la poudre, comme si l'écho du coup de feu la ramenait vers ses narines. Il entendait le souffle lourd, excité de Peter, qui jura doucement. Puis il eut une pensée terrible : Peter venait d'indiquer précisément leur position.

Mais avant qu'il ait eu le temps de réagir ou de regarder derrière lui, il entendit un léger bruit, étranger, quasiment à ses pieds. La dernière chose dont il eut conscience, c'est qu'une forme rigide avait surgi devant lui, comme si elle volait, détachée du sol et de la terre, et avait traversé l'air avant de s'écraser sur Peter. Terrassé par le choc, Francis retomba violemment en arrière, trébucha, perdit l'équilibre puis dégringola. Il se cogna la tête, et tout lien avec l'endroit où il se trouvait et les événements qui s'y déroulaient disparut en une seconde extrêmement déroutante, durant laquelle il perdit tous ses repères.

Il repoussa une vague de douleur aveuglante et lutta contre la menace d'évanouissement, avant de réaliser qu'un peu plus loin, à quelques mètres à peine, mais invisibles à ses yeux, Peter et l'Ange étaient collés l'un à l'autre. Leurs corps enlacés roulaient dans la poussière et la crasse accumulées depuis des décennies, au milieu des ordures et des vieilleries du sous-sol. Francis tendit le bras vers eux, mais les deux hommes s'étaient éloignés. Pendant un instant terrifiant, il se retrouva absolument seul, exception faite des sons bestiaux produits par la lutte désespérée qui se déroulait hors de sa portée, peut-être à des kilomètres de lui.

Au pavillon Amherst, M. Evans était furieux. Il s'efforçait de canaliser les patients et de les faire rejoindre leur dortoir. Mais Napoléon, stimulé par tout ce qui se passait, faisait des difficultés. Il prétendait qu'ils n'avaient d'ordres à recevoir que de C-Bird et du Pompier. Tant que Mlle Jones n'aurait pas été emmenée à bon port en ambulance, et tant que C-Bird et le Pompier ne seraient pas revenus de là où ils avaient disparu, personne ne bougerait. Tandis que le petit homme se dressait devant M. Débile au milieu du couloir, soutenu par le Journaliste, la plupart des autres patients divaguaient sans but apparent. Au bout du couloir, les femmes, toujours enfermées dans leur dortoir, s'étaient mises à hurler à l'unisson, exprimant toutes sortes de terreurs cachées – « Au meurtre ! » « Au feu ! » « Au viol ! » « A l'aide ! » –, c'est-à-dire plus ou moins ce qui leur passait par la tête, en l'absence de toute information sur ce qui se déroulait vraiment. À cause du vacarme, il était devenu difficile de se concentrer.

Le docteur Gulptilil était penché sur la forme ensanglantée de Lucy, tandis que deux ambulanciers s'activaient fiévreusement autour d'elle. L'un d'eux parvint enfin à arrêter l'hémorragie de sa jambe avec un garrot, pendant que son collègue lui plantait une perfusion de plasma. Elle était pâle, à l'extrême limite de la conscience. Elle voulait parler, mais elle était incapable de trouver les mots qui passeraient ses lèvres desséchées, les mots capables de dépasser la douleur. Elle finit par renoncer et se laissa dériver, à peine consciente de la présence de ceux qui essayaient de l'aider. Avec l'aide de Big Black, les deux ambulanciers la déplacèrent jusqu'à un brancard. Ils la soulevèrent. Deux agents de sécurité en costume gris se tenaient sur le côté sans savoir ce qu'ils devaient faire, dans l'attente d'instructions.

Quand on emmena Lucy, Gulp-Pilule se tourna vers les frères Moïse. Son premier réflexe aurait dû être d'exiger haut et fort des explications. Mais il décida de ne pas perdre de temps. Il demanda simplement :

— Où ?

Big Black s'avança. Depuis qu'il avait essayé d'étancher l'hémorragie de Lucy, sa veste blanche était imprégnée de sang. Il en était de même pour son frère.

— Au sous-sol, fit-il. C-Bird et le Pompier sont à sa poursuite.

— Bonté divine ! fit Gulptilil à voix basse. Montrez-moi cela.

Les frères Moïse conduisirent le médecin-chef à la porte du sous-sol.

— Ils sont entrés dans le tunnel ? demanda Gulptilil, qui connaissait pourtant la réponse.

Big Black acquiesça.

— Est-ce qu'on sait où il débouche ?

Little Black secoua la tête.

Le docteur Gulptilil n'avait pas du tout l'intention de suivre qui que ce soit dans le puits obscur du tunnel. Il était raisonnablement optimiste quant à l'avenir de Lucy Jones. Elle survivrait à ses blessures, en dépit de la sauvagerie avec laquelle elles lui avaient été infligées.

À condition que l'hémorragie et le choc ne conspirent pas pour lui voler sa vie. C'est possible, se dit-il avec un détachement très professionnel. Sur le moment, il ne se préoccupa pas vraiment de ce qui pourrait arriver à Lucy. Mais il était évident que quelqu'un d'autre mourrait cette nuit-là, et il essayait déjà d'anticiper les ennuis que cela pourrait lui causer.

— Eh bien, fit-il en soupirant, nous pouvons estimer qu'il débouche à Williams, parce que c'est le pavillon le plus proche, ou bien qu'il retourne jusqu'à la centrale électrique. Nous devrions donc inspecter ces deux endroits.

Dans l'obscurité, Peter se battait comme un beau diable.

Il se savait grièvement blessé. Quant à savoir à quel point, cela dépassait sa compréhension. Il avait l'impression que chaque fragment du combat qu'il livrait était séparé, distinct, et il essayait de se concentrer sur chacun d'eux pour élaborer une défense. Il sentait la pulsation du sang sur la plaie qu'il avait au bras, et il savait que le poids de l'Ange pesait lourdement sur lui. L'arme qu'il serrait si fort avait disparu. Arrachée par la violence de l'attaque de l'Ange, elle avait glissé dans quelque coin sombre, hors d'atteinte. Peter ne disposait plus désormais que de son instinct de survie.

Il frappa fort, sentit la surface molle de la chair et entendit le grognement de l'Ange. Il donna immédiatement un autre coup. Puis il sentit la lame qui lui tailladait le bras, s'enfonçait soudain dans le muscle, lui labourait la peau. Peter poussa un hurlement qui n'appartenait à d'autre langue que celle de la survie, et lança des coups de pied avec l'énergie du désespoir. Il lutta contre l'ombre, contre l'idée de la mort, autant que contre le tueur.

Ils étaient collés l'un à l'autre, aveuglés, perdus, chacun des deux hommes cherchant le meilleur moyen de tuer l'autre. La lutte était inégale, car l'Ange plongait plusieurs fois son couteau dès qu'il découvrait une faille dans le corps de Peter. Le Pompier crut qu'il allait finir découpé en tranches par les coups répétés. Il levait les bras, parant une attaque après l'autre, ruant, essayant de trouver un point vulnérable dans l'obscurité.

Il sentait le souffle de l'Ange, il sentait la force de cet homme. Il se disait qu'il ne pouvait lutter contre la combinaison mortelle du couteau et de son obstination. Mais il se battait comme un beau diable, griffant, agrippant, cherchant à atteindre les yeux de l'Ange, ou son aine, tout ce qui pourrait lui valoir un peu de répit contre le couteau qui le tailladait. Il avança brusquement la main gauche, frôla le menton de l'Ange et, dans une soudaine illumination, il sut que la gorge du tueur était à sa portée. Alors il tendit sauvagement le bras en avant, sentit le contact de la peau et étrangla l'homme qui essayait de le tuer. Mais au même instant le couteau pénétra dans son flanc, creusant dans la chair et le muscle, cherchant l'estomac pour pouvoir ensuite remonter et détruire le cœur. La douleur déploya un voile rouge devant ses yeux. Il eut un hoquet, presque un sanglot en se disant qu'il allait peut-être mourir là, tout de suite, dans le noir. Le couteau était à la recherche de la mort. Peter saisit la main de l'Ange, essayant de ralentir ce qui semblait être un mouvement inévitable.

Puis, tout à coup, une explosion, une force énorme, vint heurter les deux hommes.

L'Ange gémit, donna un coup de poing de côté, relâcha son emprise sur Peter. Le tueur cracha, silencieusement, fou de rage.

Peter ignorait comment Francis s'était débrouillé pour attaquer l'Ange par-derrière, mais il y était parvenu. Le jeune homme s'accrochait au dos du tueur et s'efforçait de refermer ses mains autour de sa gorge.

Francis poussa une sorte de cri de guerre aigu, terrifiant, un cri où se mêlaient toutes ses peurs et tous ses doutes. De toute sa vie, il n'avait jamais rendu les coups, il ne s'était jamais battu pour un enjeu important, n'avait jamais pris de vrais risques. Alors il mit tous ses espoirs dans cet unique combat, martelant le dos et la tête de l'Ange, puis se colletant avec le tueur pour l'arracher de Peter. Il utilisa jusqu'au moindre filament de sa folie pour durcir ses muscles, et toutes les peurs, tous les rejets qu'il avait vécus vinrent alimenter son combat. Il empoignait l'Ange avec une énergie née du désespoir. Il refusait l'idée qu'un cauchemar ou un assassin lui vole le seul ami qu'il ait jamais espéré avoir.

L'Ange se retourna, s'ébroua, et un combat effroyable commença. Il était coincé entre les deux hommes. L'un était blessé, et la peur – à laquelle s'ajoutait sans doute quelque chose de beaucoup plus fort – rendait l'autre fou furieux. Il hésita, ignorant s'il devait essayer d'en finir avec le premier avant de se tourner contre le second, ce qui semblait aléatoire à cause de la pluie de coups que Francis faisait tomber sur lui. Médusé, il sentit tout à coup que Francis lui saisissait les bras et tentait de les lui tordre dans le dos. Ce mouvement brusque fit se relâcher la pression que l'Ange exerçait sur le couteau dans le flanc de Peter. Grâce à un reste de force qui paraissait remonter d'un lieu inconnu au fond de lui-même, le Pompier saisit la main de l'Ange et neutralisa tout à fait sa pression sur la lame du couteau, interrompant ainsi son chemin vers la mort.

Francis ignorait combien de temps ses propres forces tiendraient. Il savait que l'Ange était plus fort que lui, et s'il avait une chance, ce serait juste à ce moment-là, avant que l'Ange ait eu le temps de diriger son attention sur lui. Il tira aussi fort que possible, concentrant toute sa puissance sur son désir de libérer Peter du poids de l'Ange. À sa grande surprise, il réussit, en partie en tout cas. L'Ange se retourna, déséquilibré, puis retomba en arrière, de sorte que Francis se retrouva coincé sous lui. Il essayait de ceinturer le tueur avec ses jambes, et il s'accrocha avec une détermination meurtrière, pendant que l'Ange cherchait un moyen de se libérer de son emprise.

Dans ce moment de confusion où les trois corps s'emmêlaient, Peter découvrit que l'Ange avait lâché le couteau planté dans son flanc. Il en empoigna le manche et, hurlant sous l'effet d'une douleur absolue, il l'arracha, sentant la vie s'enfuir à chaque battement de son cœur. Rassemblant ses dernières forces, il retourna le couteau et l'enfonça en avant, en espérant que ce n'était pas Francis qu'il tuait, mais l'homme qui l'avait sans doute déjà tué, lui. Quand la pointe de la lame pénétra dans la chair, Peter appuya dessus de tout son poids, car il savait que c'était sa seule chance.

Quand Francis l'agrippa avec toute la force de son désespoir, l'Ange poussa un hurlement. C'était un cri suraigu, venu d'un autre monde, un son qui semblait exprimer tout le mal qu'il avait fait à tant de gens. Il explosa et rebondit sur les parois, illuminant l'obscurité avec la lumière de la mort, de l'agonie et du désespoir. Son arme l'avait trahi. Peter l'enfonça impitoyablement dans la poitrine de l'Ange, trouvant ce cœur dont l'assassin, logiquement, n'aurait jamais dû avoir besoin.

Peter décida d'exploiter, dans un assaut ultime, toutes les ressources qui lui restaient. Il usa de tout son poids pour maintenir enfoncée la lame du couteau, jusqu'à ce que le souffle de l'Ange laisse la place au râle de la mort.

Puis il se laissa retomber en arrière. Il pensa à dix, à cent questions qu'il voulait poser, mais il en était incapable. Alors il ferma les yeux et attendit que la mort vienne le chercher à son tour.

Francis sentit l'Ange mourir sous son emprise. Il resta dans la même position, retenant le cadavre du tueur durant un temps qu'il trouva interminable, alors qu'il s'agissait sans doute de quelques secondes. Les voix qu'il avait si longtemps entendues semblaient s'être enfuies, emportant avec elles leurs peurs, leurs conseils, leurs doléances et leurs exigences. Il avait seulement conscience que tout était encore obscur, et que son seul ami en ce monde respirait encore, mais d'un souffle superficiel, laborieux, qu'il s'approchait peu à peu d'une conclusion que Francis refusait d'envisager.

Alors Francis se détacha prudemment de l'étreinte de l'Ange, murmura « Accroche-toi ! » à l'oreille de Peter, même s'il ne pouvait imaginer que le Pompier l'entende vraiment. Il saisit les épaules de son ami, le tirant vers lui, et, un peu comme un bébé qui échappe à sa mère, lentement, en hésitant, il commença à ramper dans le sous-sol obscur, cherchant la lumière, cherchant la sortie, dans l'espoir de trouver de l'aide.

35

Le bruit dans l'appartement allait crescendo, mélange retentissant de souvenirs et de rage. Je sentais que l'Ange m'étranglait, s'agrippait à moi, des années de silence avaient aggravé une fureur sans fin, sans limites. Je me recroquevillai, sentant ses coups me marteler la tête et les épaules, s'attaquant à mon cœur et à chacune de mes pensées. Je criais, je sanglotais, les larmes me coulaient sur le visage. Il était impossible de l'arrêter. J'avais aidé à le tuer, cette nuit-là, vingt ans plus tôt. Il était venu chez moi pour se venger et rien ne pourrait l'en dissuader. Je me dis assez perversement que c'était sans doute logique. Cette nuit-là, dans les tunnels de l'hôpital, je n'avais aucune véritable raison de survivre, et il était venu réclamer la victoire qui lui était due. D'une certaine manière, je devais reconnaître qu'il avait toujours été avec moi, et même si je l'avais énergiquement combattu cette fois-là, même si je l'avais de nouveau énergiquement combattu cette nuit, je n'avais jamais vraiment eu la moindre chance contre l'obscurité qu'il apportait avec lui.

Je me retournai brusquement et balançai une chaise à travers la pièce, en visant sa forme fantomatique. Je vis le cadre de bois se briser dans un craquement et retomber en morceaux. Je poussai un hurlement de défi et mesurai le peu de ressources qui me restaient. J'avais peu de temps, et plus beaucoup de place pour écrire, au bas du mur. J'espérais que je pourrais finir mon récit.

Je rampais, exactement comme cette autre nuit, sur le sol glacé.

Derrière moi, j'entendais cogner à la porte de l'appartement, des coups répétés et violents. Des voix m'appelaient, elles me semblaient familières mais faibles, comme si elles venaient de très loin, de l'autre côté d'un fossé que je n'aurais jamais l'espoir de traverser. J'étais sûr qu'elles n'existaient pas. Je hurlai de toutes mes forces « Allez-vous-en ! Laissez-moi tranquille ! », sans savoir si le bruit était réel, ou le fruit de mon imagination. Tout se brouillait dans ma tête, les jurons et les hurlements de l'Ange m'emplissaient les oreilles, repoussant tous les cris venant des quelques mètres carrés qui constituaient désormais mon univers.

J'avais amené Peter à l'autre extrémité du débarras du sous-sol, moitié portant, moitié tirant, en m'efforçant de m'éloigner le plus possible du corps du tueur qui était resté quelque part dans le vide derrière nous. J'avançais à tâtons, repoussant les obstacles renversés sur notre chemin, nous traînant tous les deux sans être vraiment sûr d'aller dans la bonne direction. Je sentais que chaque mètre parcouru le rapprochait de la sécurité, mais aussi de la mort, comme si deux lignes convergentes étaient tracées sur un immense graphique et qu'à leur point de rencontre je perdrais la bataille et il mourrait. J'avais très peu d'espoir que l'un de nous survivrait. Mais quand j'aperçus une porte devant moi, et qu'un petit rayon lumineux dégringola sans préavis dans l'obscurité, je rampai vers lui, serrant les dents. L'Ange hurla derrière ma tête. Mais ça, c'était maintenant, car cette nuit-là il était mort. Je tendis la main vers le mur, en me disant que même si je n'avais plus que quelques minutes à vivre il me fallait raconter le moment où j'avais levé les yeux pour découvrir l'immense silhouette, reconnaissable entre toutes, de Big Black hésitant dans le minuscule éclat de lumière, et où j'avais entendu la musique de sa voix :

« Francis ? C-Bird ? Vous êtes là ? »

— Francis ? cria Big Black, debout dans l'encadrement de la porte qui donnait sur le débarras du sous-sol de la centrale et les tunnels qui formaient une toile d'araignée sous l'hôpital.

Son frère était à côté de lui, et le docteur Gulptilil se tenait à un mètre derrière.

— C-Bird ? Vous êtes là ?

Avant d'avoir trouvé l'interrupteur qui aurait pu éclairer les marches branlantes, il entendit une voix familière répondre, très faiblement, dans l'obscurité :

— Monsieur Moïse, s'il vous plaît, aidez-nous !

Les deux frères n'hésitèrent pas une seconde. Le cri nasillard et faible qui sembla percer l'obscurité du puits noir leur fit comprendre ce qu'ils avaient besoin de savoir. Bondissant dans la direction du bruit, les Moïse se précipitèrent, tandis que le docteur Gulptilil finissait par trouver l'interrupteur.

Ce qu'il vit, à la faible lueur de l'ampoule jaune nue, le décida à agir. Un Francis aux yeux pleins de larmes luttait au milieu des débris et du matériel abandonné, couvert de sang et de saleté. Il semblait avoir traîné Peter, qui se trouvait derrière lui. Celui-ci était à deux doigts de l'évanouissement et couvrait d'une main l'immense plaie au côté qui avait laissé une affreuse traînée rouge sur le sol de ciment. Levant les yeux, le docteur Gulptilil découvrit avec un choc qu'un troisième patient gisait un peu plus loin, les yeux écarquillés, un grand couteau de chasse planté dans la poitrine.

— Oh, mon Dieu ! fit le médecin, s'empressant de rejoindre les frères Moïse, qui avaient entrepris de donner les premiers soins à Peter et Francis.

— Je vais bien, répétait inlassablement ce dernier. Je vais bien, aidez-le !

En fait, il n'était pas du tout certain d'aller bien, mais c'était la seule pensée qu'il fût capable d'exprimer, dans son épuisement et son soulagement. D'un seul coup d'œil, Big Black prit la mesure de la situation. Il semblait avoir compris ce qui s'était passé pendant la nuit. Il se pencha sur la silhouette de Peter et écarta les lambeaux de sa chemise, révélant ainsi la gravité de sa blessure. Little Black s'approcha de Francis. Très vite, avec des gestes professionnels, il fit plus ou moins la même chose que son frère, cherchant les blessures en dépit des dénégations et des protestations de C-Bird.

— Tenez-vous tranquille, lui dit-il. Je dois m'assurer que vous n'avez rien.

Puis il murmura, avec un mouvement de menton vers le cadavre de l'Ange :

— Je crois que vous avez fait du bon boulot, cette nuit, C-Bird. Peu importe ce que les autres diront.

Apparemment satisfait de découvrir que Francis n'était pas grièvement blessé, il retourna aider son frère.

— C'est très grave ? demanda Gulp-Pilule, penché au-dessus des aides-soignants, les yeux fixés sur Peter.

— Oui, c'est plutôt moche, fit Big Black. Il faut l'emmener au plus vite à l'hôpital.

— Est-ce qu'on peut le porter là-haut ? fit le docteur Gulptilil.

Big Black ne répondit pas. Il se baissa et glissa ses deux bras massifs sous le corps ramolli de Peter. Il décolla le Pompier du sol glacé et, avec un soupir doublé d'un grognement, il le monta jusqu'à la pièce principale de la centrale électrique, tel un jeune marié qui franchit le seuil de la maison avec sa femme dans les bras. D'un pas lent et régulier, il se dirigea vers la porte, s'agenouilla doucement à l'entrée et déposa le corps de Peter.

— Le Pompier a besoin d'aide, immédiatement, dit-il en se tournant vers le docteur Gulptilil.

— Je comprends, répondit le médecin-chef.

Il s'était déjà emparé d'un vieux téléphone noir à cadran circulaire posé sur un bureau, et il composait un numéro.

— La sécurité ? Docteur Gulptilil. Il me faut une autre ambulance… Oui, c'est cela, une autre ambulance. Immédiatement, à la centrale électrique… Oui, c'est une question de vie ou de mort. Sur-le-champ !

Il raccrocha.

Francis, qui avait suivi Big Black, se tenait maintenant à côté de son frère. Penché sur Peter, celui-ci lui répétait inlassablement de tenir bon, que les secours arrivaient. Il lui rappela que ce n'était pas la bonne nuit pour mourir, pas après tout ce qui était arrivé, après tout ce qu'ils avaient accompli. Sa voix régulière et rassurante amena un sourire sur les lèvres de Peter, qui parvint à défier la douleur et le choc qu'il avait subi, et le sentiment que la vie s'écoulait de son flanc. Mais il ne prononça pas un mot. Big Black lui souleva doucement la tête. Puis il ôta sa veste blanche, la plia et la pressa sur l'entaille qui s'ouvrait dans le flanc de Peter.

— Les secours arrivent, Peter, dit le docteur Gulptilil en se penchant sur le Pompier.

Ni lui ni personne ne surent si le blessé l'avait entendu.

Le docteur Gulptilil inspira à fond et entreprit de mesurer mentalement les dégâts de la nuit. Parler de gâchis, il le savait, aurait été un euphémisme. Il ne pensait qu'à ce qui l'attendait, lui : une kyrielle de rapports, d'enquêtes, de questions amenant parfois des réponses très difficiles. Il avait une assistante du procureur incontrôlable en route vers l'hôpital, avec des blessures qu'aucun médecin des urgences ne pourrait garder secrètes, ce qui signifiait que la police serait à sa porte dans les heures qui suivraient. Il avait sous les yeux un patient, important aux yeux de beaucoup de gens, qui se vidait de son sang sur le sol de ciment et s'accrochait à la vie, quelques heures à peine avant qu'on l'expédie secrètement dans un autre État. Et il y avait un troisième patient, tout à fait mort celui-là, tué de toute évidence par le patient important et son compagnon schizophrène.

Il l'avait reconnu, le troisième patient. Il savait que son dossier médical portait des mentions sans équivoque, écrites de sa main : « Arriération profonde. Catatonique. Pronostic réservé. Traitement long terme recommandé. »

Gulptilil savait aussi que le dossier mentionnait que l'homme avait été libéré plusieurs fois pour des permissions d'un week-end, sous la responsabilité d'une vieille mère et d'une tante.

Plus il y réfléchissait, plus il lui apparaissait que l'avenir de sa carrière dépendait des décisions qu'il allait prendre dans les prochaines minutes. Pour la seconde fois de la nuit, il entendit le bruit lointain des sirènes, ce qui rendait ses réflexions encore plus urgentes.

Le docteur Gulptilil inspira brusquement.

— Vous vous en sortirez, monsieur le Pompier, dit-il à Peter.

Il n'en savait rien, en fait. Mais il savait que c'était important. Il s'adressa ensuite aux frères Moïse :

— Il vaudrait mieux pour nous tous qu'il ne se soit rien passé cette nuit, fit-il d'un ton raide.

Les deux aides-soignants échangèrent un bref coup d'œil puis hochèrent la tête.

— Ça va être difficile d'empêcher les gens de le savoir, dit Little Black.

— Alors faisons en sorte qu'ils en sachent le moins possible.

Little Black pencha la tête vers le sous-sol, où ils avaient laissé le cadavre de l'Ange.

— Ce corps va rendre les choses difficiles. Ce type, là, en bas, c'était un assassin.

Le docteur Gulptilil secoua la tête. Il répondit du ton qu'on emploie pour s'adresser à des élèves d'école primaire, en appuyant sur certains mots :

— Nous n'en avons aucune preuve réelle. Ce que nous savons, c'est qu'il a essayé d'agresser Mlle Jones, cette nuit. Nous ignorons les raisons qui l'ont poussé à agir ainsi. Plus important encore, ce qu'il a fait en d'autres occasions, en d'autres lieux, est un mystère total. Cela n'a rien à voir avec nous, ici, cette nuit. Ce qui n'est pas un mystère, malheureusement, c'est que ce patient a été poursuivi, puis assassiné par deux autres patients. Maintenant, ils avaient peut-être de bonnes raisons de le faire…

Gulptilil hésita, comme s'il attendait que Little Black finisse sa phrase. Mais l'aide-soignant n'en fit rien.

— … mais peut-être pas. En tout cas, il y aura des arrestations. Des gros titres dans les journaux. Très certainement une enquête publique. Des poursuites judiciaires ne sont pas exclues. Pendant quelque temps, rien ne sera comme avant…

Le docteur Gulptilil s'interrompit, pour observer les réactions des deux frères.

— Peut-être même n'est-il pas inconcevable, reprit-il lentement, que M. Petrel et le Pompier ne soient pas les seuls à répondre aux accusations. Les gens qui auraient favorisé les incidents désastreux de la nuit pourraient voir leur emploi menacé…

Il attendit encore, jaugeant l'impact de ces mots sur les deux aides-soignants.

— Nous n'avons rien fait de mal, dit Big Black. Francis et Peter non plus…

— Bien sûr, dit rapidement le docteur Gulptilil en secouant la tête. Moralement, c'est évident. Sur le plan éthique ? C'est sûr. Et légalement ? Chacun a fait ce qu'il avait à faire, je suis catégorique. Mais d'autres… Ah ! des enquêteurs venus de l'extérieur… je ne suis pas sûr qu'ils percevront ces terribles événements de la même manière…

Il y eut un instant de silence, puis le docteur Gulptilil reprit, toujours très vite :

— Je crois que nous devons trouver une solution intelligente. Et le plus vite possible. Il faut absolument qu'il se soit passé le moins de choses possible, cette nuit.

Ce disant, il fit un geste vers le sous-sol. Little Black s'en rendit compte, tout comme son frère. Sans piper mot, ils semblèrent comprendre ce qu'on attendait d'eux. Les deux hommes hochèrent la tête.

— Si ce type n'était pas mort, dit Little Black, eh bien, personne ne pourrait chercher des histoires à C-Bird ou au Pompier. À nous non plus, d'ailleurs.

— Exact, fit le docteur Gulptilil d'un ton raide. Je crois que nous nous comprenons parfaitement.

Little Black eut l'air de réfléchir un moment. Puis il se tourna vers son frère et Francis.

— Venez avec moi. Nous avons encore du pain sur la planche.

Il les envoya au sous-sol et se tourna vers le docteur Gulptilil. Celui-ci était penché sur Peter. Il appuyait sur les blessures du Pompier, étanchant le flot de sang avec la veste de Big Black.

— Vous devriez donner votre coup de fil, dit Little Black.

Le médecin-chef hocha la tête.

— Dépêchez-vous, fit-il.

Francis l'observait. Le docteur Gulptilil s'écarta un instant de Peter et se dirigea vers le bureau. Il décrocha le téléphone et composa un numéro. Quelques secondes plus tard, il sembla reprendre son souffle, puis :

— La police d'État ?… Docteur Gulptilil, hôpital Western State. Je dois vous informer qu'un de nos patients les plus dangereux s'est enfui cette nuit… Oui, il est armé… Oui, je peux vous fournir son nom et son signalement…

Il regarda Francis et fit un geste du bras, comme pour lui demander de se dépêcher. À l'extérieur, on entendait approcher le son d'une ambulance.

La pluie crépitait sur le visage de Francis, comme si elle se fichait de ce qui s'était passé. À moins qu'elle n'ait voulu laver les quelques heures qui venaient de s'écouler. Il n'était pas sûr. Pris dans une rafale de vent, un arbre proche s'agitait en tous sens, comme pour protester contre la procession qui s'avançait ainsi au milieu de la nuit.

Big Black ouvrait la marche. Il portait le corps de l'Ange sur son large dos, tel un paquetage noir informe. Derrière lui, Little Black marchait à grands pas dans la nuit, chargé de deux pelles et d'une pioche. Francis, enfin, les suivait, forçant le pas quand Little Black le poussait à accélérer. Il entendit l'arrivée de l'ambulance devant la centrale électrique, et il aperçut le reflet des gyrophares rouges sur un mur éloigné. Une voiture noire de la sécurité s'arrêta à son tour, dont les phares découpèrent un arc de cercle dans la nuit. Mais les trois hommes ne se trouvaient pas dans leur champ de vision. Ils progressaient dans le noir, utilisant le peu de lumière qui leur parvenait pour trouver leur chemin.

— Pas un bruit, dit Little Black, bien que le conseil fût inutile.

Francis leva les yeux vers le ciel nocturne. Il crut discerner de riches veines d'ébène, comme si un peintre avait décidé que la nuit n'était pas assez obscure et y avait ajouté des traînées d'un noir encore plus sombre.

Quand il regarda devant lui, Francis comprit où ils allaient. Un peu plus loin, c'était le jardin où il avait planté des fleurs aux côtés de Cléo. Maintenant il se trouvait de nouveau près d'elle. Il suivit les frères Moïse dans le cimetière, au-delà de la barrière grillagée branlante. Avec un grognement, Big Black jeta le corps de l'Ange, qui toucha le sol avec un bruit sourd.

Francis se dit qu'il aurait dû avoir envie de vomir. À sa grande surprise, ce n'était pas le cas. Il regarda l'homme qui gisait à terre. L'idée lui vint qu'il l'avait peut-être rencontré cent fois dans un couloir, au réfectoire, sur une allée ou dans la salle commune, et qu'il n'avait jamais su qui il était. Mais ce n'était pas possible : il savait que, s'il avait croisé une seule fois le regard de l'Ange, il y aurait vu ce qu'ils avaient vu cette nuit.

Big Black saisit une pelle et s'approcha du petit tas de terre fraîchement retournée qui marquait l'endroit où Cléo reposait depuis la veille. Francis le rejoignit, muni de la pioche. Sans un mot, il la leva au-dessus de sa tête et l'enfonça dans le sol humide. Il fut surpris de la facilité avec laquelle ils creusèrent la terre meuble de la tombe de Cléo. Comme si elle avait attendu leur arrivée.

Derrière eux, mais hors de vue, les ambulanciers luttaient comme de beaux diables pour la deuxième fois en quelques heures. Quelques instants plus tard, les trois hommes entendirent le hurlement de l'ambulance qui démarrait et traversait l'hôpital pour se rendre au service d'urgences le plus proche, au même endroit qu'un peu plus tôt, à tombeau ouvert, et par le même chemin cahoteux.

Quand la sirène eut disparu au loin, il n'y eut plus que le bruit assourdi des pelles et de la pioche luttant contre la terre et la boue. Il pleuvait toujours, et ils étaient trempés jusqu'aux os, mais Francis, qui ne sentait même pas le froid, s'en rendait à peine compte. Une ampoule se formait dans sa main, mais il l'ignora. Il continuait à lever sa pioche, inlassablement, et à la laisser retomber dans la terre. Il avait dépassé depuis longtemps le stade de l'épuisement. Une seule pensée l'habitait. Il réalisait que, quelles que soient les chances dont on dispose, elles finissent toujours six pieds sous terre.

Francis n'eut aucune conscience du temps qu'il leur fallut pour creuser jusqu'au métal gris du cercueil bon marché où reposait le corps de Cléo. Pendant quelques instants, les gouttes de pluie tambourinèrent sur le couvercle et Francis se surprit à espérer, bizarrement, que le bruit ne dérangerait pas le sommeil de la reine.

Puis il secoua la tête. Elle aurait aimé cela, se dit-il. Toute impératrice mérite de disposer d'un esclave après la mort.

Sans un mot, Big Black jeta sa pelle et regarda son frère. Celui-ci l'aida à soulever le corps de l'Ange, qu'ils prirent par les mains et les pieds. Les deux aides-soignants s'approchèrent de la tombe en trébuchant et en glissant sur le sol boueux. Ils donnèrent une légère poussée et laissèrent tomber l'Ange sur le cercueil, où il atterrit avec un bruit mat. Big Black regarda Francis qui, debout au bord du trou, semblait hésiter.

— Inutile de dire une prière pour cet homme, dit cette fois l'aide-soignant. Il n'existe aucune prière assez puissante pour l'aider, là où il va.

Francis se dit que c'était sans doute vrai.

Les trois hommes reprirent leurs outils et se mirent sur-le-champ à remplir la tombe, alors que les premiers rayons hésitants de l'aube glissaient peu à peu au-dessus de l'horizon lointain.

C'était fini.

Je me recroquevillai, en boule, au pied du mur.

Je frissonnai, en essayant de m'isoler du chaos qui m'entourait. Quelque part, à des kilomètres de là, j'entendais des cris, et un grand bruit, comme si toutes les peurs, tous les doutes, et jusqu'au dernier gramme de culpabilité que j'avais dissimulé durant toutes ces années, venaient cogner à ma porte, menaçant de faire sauter les gonds et de se ruer à l'intérieur. Je savais que je devais une mort à l'Ange, et qu'il était venu la réclamer. J'avais fini de raconter mon histoire et je me disais que je n'avais plus le droit de vivre. Je fermai les yeux. J'entendais des voix fortes, des cris empressés tomber sur moi en cascade. Prêt à sentir, d'une seconde à l'autre, sa main glacée, j'attendis qu'il consomme sa vengeance. Je me fis aussi petit et insignifiant que possible. J'entendis les bruits de pas se précipiter frénétiquement vers moi. Calmement, mais avec beaucoup de tristesse, j'attendis que la mort m'emporte.

TROISIÈME PARTIE

Peinture à l'eau, blanc cassé

36

— Salut, Francis.

Je louchai dans la direction de cette voix familière.

— Salut, Peter. Où suis-je ?

— De retour à l'hôpital, me répondit-il en souriant, avec cette vieille lueur insouciante dans le regard.

Je devais avoir l'air inquiet, car il leva la main.

— Oh, pas notre hôpital, bien sûr. Celui-là, il est fermé pour toujours. Un nouvel hôpital. Nettement plus beau que le vieux Western State. Regarde autour de toi, C-Bird. Tu verras que le service s'est nettement amélioré.

Je tournai lentement la tête, d'un côté et de l'autre. J'étais couché sur un lit bien ferme. Je sentais sur ma peau le contact de draps propres. J'avais une intraveineuse fichée dans l'avant-bras et je portais une chemise d'hôpital vert pâle. Un grand tableau aux couleurs vives était accroché au mur en face de moi. Il représentait un gros voilier blanc poussé par une forte brise, sur des eaux scintillantes, par une belle journée d'été. Un téléviseur éteint reposait sur un support mural. Ce rapide examen des lieux m'apprit enfin que ma chambre disposait d'une fenêtre qui m'offrait une vue, étroite mais bienvenue, sur un ciel pastel où voguaient quelques nuages légers, très hauts. Ce qui rappelait bizarrement le paysage de la peinture.

— Tu vois ? fit Peter avec un petit geste. Pas mal du tout.

— C'est vrai. Pas mal.

Je le regardai. Il était assis sur le bord du lit, près de mes pieds. Je le toisai de haut en bas. Il n'était pas comme la dernière fois que je l'avais vu, dans mon appartement, quand la chair lui pendait sur les os, que le sang lui coulait sur le visage et que la crasse déformait son sourire. Cette fois, il portait la combinaison qu'il avait lors de notre première rencontre, devant le bureau de Gulptilil, et la casquette des Boston Red Sox relevée en arrière.

— Je suis mort ? lui demandai-je.

— Non, dit-il en secouant la tête, un léger sourire aux lèvres, tu n'es pas mort. Moi, je le suis.

Une vague de chagrin remonta dans ma poitrine, étouffant les mots dans ma gorge.

— Je sais. Je me rappelle.

— C'était pas l'Ange, tu sais, fit-il, toujours souriant. Est-ce que j'ai eu l'occasion de te remercier, C-Bird ? C'est sûr qu'il m'aurait tué, là-bas, si tu n'avais pas été là. Et je serais mort si tu ne m'avais pas tiré dans ce sous-sol, et si tu n'avais pas demandé de l'aide aux frères Moïse. Tu m'as vraiment sauvé la mise, Francis, et je t'en étais reconnaissant, même si je n'ai pas eu l'occasion de te le dire.

Peter soupira. Cette fois, il parlait avec une certaine tristesse.

— On aurait dû t'écouter depuis le début. Mais on ne l'a pas fait, et ça nous a coûté cher. Toi seul savais où chercher, et ce qu'il fallait chercher. Mais on n'a pas fait gaffe, hein ? dit-il en haussant les épaules.

— Ça a fait mal ?

— Quoi ? De ne pas t'avoir écouté ?

— Non. Tu sais ce que je veux dire.

Peter eut un petit rire.

— De mourir ? Je le croyais. Mais à vrai dire non, pas du tout. Pas tant que ça, disons.

— J'ai vu ta photo dans le journal, il y a deux ou trois ans, quand c'est arrivé. C'était bien ta photo, mais le nom était différent. Ça disait que tu étais dans le Montana. Mais c'était toi, hein ?

— Bien sûr. Nouveau nom. Nouvelle vie. Mais toujours les mêmes problèmes.

— Qu'est-ce qui s'est passé ?

— J'ai été stupide, vraiment. Ce n'était pas un gros incendie, et nous n'avions que quelques hommes dessus. Tout le monde pensait que l'affaire était dans le sac. Nous avions creusé des coupe-feu toute la matinée, et je croyais qu'il ne faudrait que quelques minutes pour déclarer le feu circonscrit et ramener tout le monde, mais le vent a tourné. Il a vraiment tourné, et il s'est mis à souffler, quelque chose de terrible. J'ai ordonné aux hommes de courir vers le remblai. Nous entendions le feu qui grondait derrière nous. Un véritable rugissement, comme si on était poursuivis par un énorme train fou. Tout le monde s'en est tiré, sauf moi. Je m'en serais sorti si un des gars n'était pas tombé, et si je n'étais pas retourné le chercher. Nous étions donc là, avec rien d'autre qu'un abri antifeu entre nous, alors je l'ai aidé à ramper dessous, là où il avait une chance de survivre. J'ai essayé de prendre le feu de vitesse, même si je savais que j'en étais incapable, et il m'a rattrapé à quelques mètres du remblai.

Pas de chance, sans doute, C-Bird. Au moins les journaux m'ont traité en héros, mais ça n'était pas héroïque du tout. C'était plus ou moins ce que j'espérais et sans doute ce que je méritais. Il fallait rétablir l'équilibre, finalement.

— Tu aurais pu te sauver.

Il haussa les épaules.

— Je me suis sauvé, à d'autres occasions. Et j'ai été sauvé, aussi, surtout par toi. Et si tu ne m'avais pas sauvé, je n'aurais pas été là pour le sauver. Alors tout cela est plus ou moins logique, en fin de compte.

— Tu me manques.

— Bien sûr, fit Peter le Pompier en souriant. Mais tu n'as plus besoin de moi. En fait, Francis, tu n'as jamais eu besoin de moi. Même pas le jour où on s'est rencontrés, mais tu ne pouvais pas le savoir, alors. Peut-être que tu peux, maintenant.

Je n'en étais pas si sûr, mais je ne répondis pas. Jusqu'au moment où je me rappelai pourquoi j'étais à l'hôpital.

— Et l'Ange ? Il va revenir…

Peter secoua la tête. Il baissa la voix, comme pour donner du poids à ses propos.

— Non, C-Bird. Il a eu sa chance, là-bas, il y a vingt ans, mais tu l'as battu, et tu l'as battu une seconde fois, après tout ce temps. Il est parti pour de bon, maintenant. Il ne t'ennuiera plus, ni personne d'autre, sauf dans les mauvais souvenirs de certaines personnes – c'est là qu'est sa place, et il y restera. Ce n'est pas parfait, bien sûr, ni vraiment clair et net. C'est comme ça que ça se passe. Les choses laissent des marques, et nous allons de l'avant. Mais tu seras libre. Je te le promets.

Je ne savais pas si je devais le croire.

— Je vais de nouveau être seul, fis-je d'un ton plaintif.

Peter éclata de rire. Un grand rire simple, sans entraves.

— C-Bird, C-Bird, C-Bird ! dit-il en secouant la tête. Tu n'as jamais été seul.

Je tendis la main pour le toucher, comme pour prouver qu'il disait vrai. Mais Peter le Pompier disparut. Et moi je me laissai glisser dans un profond sommeil sans rêves.

Je constatai assez rapidement qu'aucune infirmière n'avait de surnom, dans cet hôpital. Elles étaient agréables, efficaces, professionnelles. Elles vérifiaient ma perfusion, et quand on me l'ôta elles contrôlèrent soigneusement les médicaments qu'on me donnait, enregistrant le moindre cachet sur une tablette qui était accrochée au mur, près de la porte. Comme je n'avais pas l'impression qu'on pouvait cacher les médicaments sous sa langue dans cet hôpital, j'avalais consciencieusement tout ce qu'on me donnait. Très souvent, elles me parlaient de choses et d'autres, du temps qu'il faisait dehors, ou me demandaient si j'avais bien dormi la nuit précédente. Chacune de leurs questions semblait faire partie d'un canevas beaucoup plus large, qui me ramenait sur un terrain mieux connu. Par exemple, elles ne me demandaient jamais si j'aimais la gelée verte ou la rouge, ou si j'avais envie de biscuits et de jus de fruit avant de dormir, ou si je préférais telle ou telle émission de télévision. Elles voulaient savoir très précisément si j'avais la gorge sèche, si j'avais eu mal au cœur ou la diarrhée, ou si mes mains avaient tremblé, et surtout, surtout, si j'avais vu ou entendu quoi que ce soit qui pourrait ne pas se trouver vraiment là.

Je ne leur ai pas parlé de la visite de Peter. Ce n'était pas ce qu'elles avaient envie d'entendre. Il n'est jamais revenu.

Une fois par jour, l'interne de garde me rendait visite, et nous parlions de la pluie et du beau temps. Mais ce n'étaient pas de véritables conversations, comme celles que peuvent avoir deux amis, ni même deux étrangers qui se voient pour la première fois, avec des plaisanteries et des compliments. Elles se situaient à un autre niveau, elles servaient à me mesurer, à me jauger. L'interne était le tailleur chargé de me couper de nouveaux costumes avant qu'on décide de me lâcher dans le grand monde.

Un jour, M. Klein, l'assistant social, est venu. Il m'a dit que j'avais beaucoup de chance.

Une autre fois, mes sœurs sont venues. Elles m'ont dit que j'avais beaucoup de chance.

Elles ont aussi un peu pleuré. Elles m'ont dit que mes parents voulaient me rendre visite, mais qu'ils étaient trop vieux et incapables de se déplacer. Je ne les ai pas crues, mais j'ai fait comme si, alors que je m'en fichais totalement, ce qui a eu l'air de les réconforter.

Un matin, une fois que j'eus avalé ma dose quotidienne de cachets, l'infirmière me regarda en souriant, me déclara qu'on allait me couper les cheveux et m'informa que je rentrais chez moi.

— C'est le grand jour, monsieur Petrel, dit-elle. Nous vous libérons.

— C'est bien, répondis-je.

— Mais avant cela, vous avez des visiteurs.

— Mes sœurs ?

Elle se pencha vers moi. Si près que je sentis la fraîcheur enivrante de son uniforme blanc amidonné et de son shampooing.

— Non, murmura-t-elle. Des visiteurs importants. Vous n'avez pas idée, monsieur Petrel, à quel point on s'est interrogés à votre sujet, à cet étage. Vous êtes le plus grand mystère de tout l'hôpital. Des ordres sont venus d'en haut pour qu'on vous donne la meilleure chambre. Le meilleur traitement. Prise en charge totale par des gens mystérieux que personne ne connaît. Et puis aujourd'hui, des huiles qui viennent vous chercher dans une grande limousine noire pour vous ramener chez vous. Vous devez être quelqu'un d'important, monsieur Petrel. Une vedette. En tout cas, c'est ce qu'on se demande, ici.

— Non, pas du tout. Je n'ai rien de spécial.

— Vous êtes trop modeste ! fit-elle avec un rire en secouant la tête.

Derrière elle, la porte s'ouvrit soudain, et l'interne en psychiatrie passa la tête dans l'entrebâillement.

— Ah, monsieur Petrel ! Vous avez de la visite.

Je levai les yeux vers la porte. Derrière le psychiatre, j'entendis une voix familière :

— C-Bird ? Mais qu'est-ce que vous faites ici ?

Et une autre :

— C-Bird, vous ne causez des ennuis à personne, hein ?

Le psy s'écarta. Big Black et Little Black entrèrent dans la chambre.

Big Black était encore, si c'était possible, plus gros qu'avant. Son ventre semblait flotter autour de son torse large comme un tonneau, il avait des bras énormes et des jambes comme des colonnes de temple. Il portait un costume trois pièces bleu à rayures qui sembla très cher à mes yeux de profane. Son frère était lui aussi sur son trente et un, et ses souliers de cuir reflétaient la lumière des plafonniers. Tous les deux avaient quelques cheveux gris, et Little Black portait des lunettes à monture dorée perchées sur le bout du nez, qui lui donnaient vaguement l'air d'un professeur. J'eus l'impression que leur jeunesse était loin derrière eux, maintenant, remplacée par une certaine solidité et de l'autorité.

— Salut, monsieur Moïse et monsieur Moïse, dis-je.

Les deux frères vinrent droit vers mon lit. De sa grosse main, Big Black me donna une claque sur l'épaule.

— On se sent mieux, C-Bird ?

Je haussai les épaules. Réalisant que ce n'était peut-être pas la meilleure façon de donner une impression positive, j'ajoutai :

— Oh, je ne suis pas fou des médicaments, mais il est sûr que je vais beaucoup mieux.

— Vous nous avez donné du souci, dit Little Black. On a eu foutrement peur, vraiment.

— Quand on vous a trouvé, fit Big Black d'une voix calme, on n'était pas sûrs du tout que vous vous en sortiriez. Vous étiez très loin, C-Bird. Au point de parler à des gens qui n'étaient pas là. De jeter de objets. De cogner. De hurler. Plutôt bizarre.

— J'ai vécu des moments assez rudes.

— Nous avons tous connu des jours difficiles, fit Little Black en hochant la tête. Vous nous avez fait peur.

— J'ignorais que c'était vous qui étiez venus me chercher.

Big Black se mit à rire et regarda son frère.

— Ouais, on ne fait plus beaucoup ce genre de choses, maintenant. Ce n'est pas comme dans le temps, quand on était jeunes, qu'on travaillait au vieil hôpital, et qu'on faisait ce que nous demandait le vieux Gulp-Pilule. Terminé, tout ça. Mais nous avons reçu l'appel, on s'est dépêchés, et on était sacrément contents d'arriver juste avant que vous… eh bien…

— Que je me tue ?

— Vous voulez le dire sans détour, C-Bird ? fit Big Black en souriant. Eh bien, c'est exactement ça.

Je m'appuyai légèrement sur les oreillers et jetai un coup d'œil vers les deux hommes.

— Comment avez-vous su…

Little Black secoua la tête.

— On vous avait à l'œil depuis un moment, C-Bird. On avait les rapports réguliers de M. Klein au centre de soins, qui décrivaient vos progrès. Des coups de fil de la famille Santiago, vos voisins de palier. Ils nous ont beaucoup aidés à vous surveiller. La police locale, certains commerçants, tout le monde s'est mis en quatre pour garder l'œil sur C-Bird. Je suis surpris que vous ne l'ayez pas su.

— Je n'en avais aucune idée, fis-je en secouant la tête. Mais comment avez-vous fait…

— Des tas de gens nous devaient un service ou deux, à mon frère et moi, C-Bird. Et des tas de gens sont toujours prêts à faire plaisir à la police ou à un conseiller municipal… Ou à une juge fédérale qui s'intéresse de très près à l'homme qui a contribué à lui sauver la vie, durant une certaine nuit d'enfer, il y a des années de ça…

Je n'étais jamais monté dans une limousine. Surtout une limousine conduite par un policier en uniforme. Big Black m'expliqua comment lever et baisser les vitres, puis il me montra où se trouvait le téléphone et me demanda si j'avais envie de donner un coup de fil – aux frais du contribuable, bien sûr. J'aurais bien aimé, mais je ne voyais personne à qui j'aurais pu avoir envie de parler. Little Black donna mon adresse au chauffeur et lui tendit un petit sac marin bleu contenant du linge propre – deux tenues de rechange que mes sœurs m'avaient données.

Quand nous tournâmes au dernier pâté de maisons en arrivant à mon appartement, je vis qu'une autre voiture officielle était garée devant chez moi. Un chauffeur en costume noir, debout près de la portière, nous attendait. Il avait l'air de connaître les frères Moïse. Quand nous sommes descendus de la limousine, il a simplement montré la fenêtre de l'appartement :

— Elle est là-haut, elle vous attend.

Je passai devant et montai au premier étage.

La porte que les frères Moïse et les ambulanciers avaient défoncée avait été réparée. Elle était grande ouverte. J'entrai dans l'appartement. Il avait été nettoyé, tout était réparé et rénové. Je sentis l'odeur de la peinture fraîche, et je constatai que les ustensiles ménagers avaient été remplacés. Levant les yeux, je vis Lucy, debout au milieu du petit salon.

Elle penchait un peu vers la droite et s'appuyait sur une canne métallique. Ses cheveux brillaient, très noirs mais avec un peu de gris çà et là, comme si elle avait le même âge que les frères Moïse. La cicatrice qui lui barrait le visage avait un peu pâli avec les années, mais ses yeux verts et sa beauté étaient toujours aussi époustouflants que le jour où je l'avais rencontrée. Je m'approchai d'elle. Elle me tendit la main en souriant.

— Oh, Francis, dit-elle, nous nous sommes tellement inquiétés pour vous. Cela fait si longtemps, et c'est si bon de vous revoir.

— Salut, Lucy. J'ai beaucoup pensé à vous.

— Moi aussi, C-Bird.

Je restai un moment figé, comme la première fois. Il y a des moments où il est difficile de parler, de penser ou de respirer. Surtout quand tant de souvenirs se propagent dans l'air, derrière chaque mot, chaque regard, chaque contact.

J'avais beaucoup de choses à lui demander. Mais une seule question me vint à l'esprit :

— Pourquoi n'avez-vous pas sauvé Peter, Lucy ?

Elle sourit d'un air contrit, puis secoua la tête.

— J'aurais bien aimé en être capable. Mais le Pompier devait se sauver tout seul. Ce n'est pas moi qui pouvais le faire. Ni personne d'autre. Lui seulement.

Elle soupira. Je regardai derrière elle : le mur où j'avais écrit toute l'histoire était intact. Les lignes d'écriture s'alignaient de haut en bas, les dessins sautaient aux yeux, toute l'histoire était là, comme elle était là la nuit où l'Ange avait fini par me rendre visite, où je lui avais échappé. Lucy suivit mon regard. Elle se tourna à demi vers le mur.

— Quel beau travail, C-Bird.

— Vous avez lu ?

— Oui. Nous l'avons tous lu.

Je ne répondis pas. Je ne savais que dire.

— Vous comprenez que certaines personnes pourraient être blessées par ce que vous racontez…

— Blessées ?

— Dans leur réputation. Leur carrière. Ce genre de choses.

— C'est dangereux ?

— C'est possible. Toujours difficile à dire.

— Qu'est-ce que je devrais faire ?

Lucy sourit de nouveau.

— Je ne peux pas répondre à votre place, C-Bird. Mais je vous ai apporté plusieurs cadeaux qui pourraient vous aider à prendre une décision.

— Des cadeaux ?

— Faute d'un mot plus convenable, je crois que c'est ainsi que vous les appelleriez.

D'un geste, elle me montra une boîte en carton posée au pied du mur. Je m'approchai, plongeai la main dedans et sortis quelques-uns des objets qui s'y trouvaient.

Le premier était un paquet de grands blocs de papier jaune. Puis une boîte de crayons avec gomme. Dessous, deux pots de peinture à l'eau blanc cassé, un rouleau, un bac à peinture et un gros pinceau dur.

— Vous voyez, C-Bird... (Elle parlait soigneusement, en choisissant ses mots avec la précision et la lenteur d'un magistrat.) N'importe qui pourrait venir ici et lire les mots que vous avez écrits sur le mur. Et ils pourraient interpréter l'histoire de plusieurs manières. On pourrait par exemple se demander combien de cadavres exactement sont enterrés dans le cimetière du vieil hôpital. Et comment ils sont arrivés là-bas.

Je hochai la tête.

— D'un autre côté, Francis, c'est votre histoire, et vous avez le droit de la raconter. D'où ces blocs de papier, qui ont une durée de vie nettement plus longue et sont plus discrets que des mots écrits sur un mur. Là, regardez, ils commencent déjà à s'effacer. Bientôt, sans doute, ils seront illisibles.

Je voyais bien qu'elle avait raison.

Lucy sourit, puis elle ouvrit la bouche, comme si elle voulait ajouter quelque chose. Elle se contenta de se pencher vers moi et m'embrassa sur la joue.

— J'ai été heureuse de vous revoir, C-Bird. Faites un peu plus attention à vous, à partir de maintenant.

En s'appuyant sur la canne, traînant péniblement sa jambe droite, Lucy sortit lentement de la pièce. Big Black et Little Black la suivirent des yeux. Puis, sans un mot, ils me serrèrent la main et s'en allèrent derrière elle.

Quand la porte se fut refermée, je me tournai vers le mur. Mes yeux coururent sur les mots qui s'y trouvaient. Tout en lisant, je déballai soigneusement les crayons et les blocs de papier. Je n'hésitai que quelques secondes. Je commençai à copier rapidement, en commençant tout en haut :

> Francis Xavier Petrel arriva en larmes à l'hôpital Western State, à l'arrière d'une ambulance. Il pleuvait des cordes, la nuit tombait rapidement, et il avait les bras et les jambes menottés et attachés. Il avait vingt et un ans, et il était plus terrifié qu'il ne l'avait jamais été de toute sa vie, brève et jusqu'alors relativement peu mouvementée…

Je me dis que la peinture pouvait bien attendre un jour ou deux.

Procès
au Stalag Luft n°13

(Pocket n° 13270)

Personne ne s'évade du Stalag Luft n°13. Dans ces conditions, survivre devient l'affaire de chacun. L'arrivée d'un nouveau prisonnier, le lieutenant Scott, un Noir américain, bouleverse le quotidien des détenus. Très vite, le lieutenant devient la cible privilégiée des insultes racistes. Le capitaine Bedford est parmi les plus virulents. Lorsqu'il est retrouvé assassiné, tous soupçonnent Scott d'être le meurtrier. Seul Tommy Hart, jeune avocat dans le civil, semble croire à son innocence...

Il y a toujours un Pocket à découvrir

Composé par Nord Compo
à Villeneuve-d'Ascq

Imprimé en France par

à La Flèche (Sarthe)
en mai 2011

POCKET – 12, avenue d'Italie - 75627 Paris cedex 13

N° d'impression : 64189
Dépôt légal : avril 2008
Suite du premier tirage : mai 2011
S16754/03